BASTEI
LÜBBE

Eva Thies

Das Rätsel der Borgia

Historischer Roman

BASTEI LÜBBE TASCHENBUCH
Band 14961

1. Auflage: September 2003

Vollständige Taschenbuchausgabe

Bastei Lübbe Taschenbücher ist ein Imprint
der Verlagsgruppe Lübbe

© 1998 by Aufbau Taschenbuch Verlag GmbH, Berlin
Lizenzausgabe: Verlagsgruppe Lübbe GmbH & Co. KG,
Bergisch Gladbach
Umschlaggestaltung: Guido Klütsch, Köln
Titelbild: AKG, Berlin/Aguolo Bronzino
Satz: Übernahme AtV/hanseatenSatz-bremen, Bremen
Druck und Verarbeitung: Elsnerdruck, Berlin
Printed in Germany
ISBN 3-404-14961-0

Sie finden uns im Internet unter
http://www.luebbe.de

Der Preis dieses Bandes versteht sich einschließlich
der gesetzlichen Mehrwertsteuer.

Für Marianne und Barbara
in Dankbarkeit

Dickbäuchig und gelassen wiegten sich die »Aretusa« und die »Sirena« auf den Wellen, die gegen die Kaimauern klatschten. Die letzten Truhen, Kisten, Körbe und Ballen waren im Laderaum verstaut worden. Die letzten der fünfzig Pferde wurden über das Laufbrett an Deck der »Sirena« gebracht. Von der Brücke wurde ein Befehl gebrüllt. Die Matrosen begannen, die Segel zu setzen. Die Pferde wieherten erschrocken.

Eine Gruppe von Männern stand am Kai und beobachtete das Verladen der Tiere. Es waren Männer zwischen zwanzig und vierzig, in abgewetzten Lederkollern und mit wettergegerbten und narbenzerfurchten Gesichtern. Auch wenn sie jetzt unbewaffnet waren, so waren sie doch unschwer als Landsknechte zu erkennen, die ihre Haut in jedem Krieg zu Markte trugen, in dem ihnen Sold und Beute winkte. Breitbeinig standen sie, die Daumen hinter die Gürtel geklemmt, und schauten voller Mißtrauen zu, wie die Segel am Mast emporstiegen.

Für viele von ihnen war es die erste Begegnung mit dem Meer. Die Aussicht, sich den Wellen anzuvertrauen, stimmte sie nicht froh. Zwar hatte man ihnen versichert, eine Schiffahrt im Frühsommer an der Küste entlang sei nicht gefährlicher als ein Ausflug mit dem Ruderboot auf einem See, aber viele mißtrauten dem Unternehmen zutiefst. In den letzten Stunden waren in Genuas Kirchen viele Kerzen angezündet worden, und der Absatz geweihter Amulette war sprunghaft gestiegen.

»Kannst du schwimmen, Giacomo?« fragte einer, dessen linke Augenbraue durch einen Säbelhieb gespalten war, ein Andenken an eine Begegnung mit den Türken auf einem ungarischen Schlachtfeld.

Der Angesprochene spuckte aus.

»Bin ich ein Fisch?«

»Was machst du, wenn wir sinken?«

Giacomo entblößte grinsend sein Gebiß. Seine Zähne waren braun verfärbt, und die beiden oberen Schneidezähne fehlten.

»Was machst du, wenn dich auf dem Schlachtfeld eine Lanze durchbohrt?« fragte er zurück.

»Das ist etwas anderes«, meinte ein Dritter und drehte sich zu ihnen um. Er war jung, und sein Gesicht wies noch keine Kampfspuren auf.

»In der Schlacht hängt es von deinem Mut und deiner Tüchtigkeit ab, ob du überlebst oder nicht. Aber das Meer ist tückisch. Das kann man nicht besiegen.«

Giacomo spie kunstvoll durch seine Zahnlücke.

»Dann bleib doch hier, wenn du Schiß hast«, empfahl er.

»Mir wird nichts geschehen«, sagte der junge Mann voller Überzeugung.

»Woher willst du das wissen?«

»Bevor wir aus Mantua aufgebrochen sind, bin ich zur Barberina gegangen.«

Jetzt konnte er sich der Aufmerksamkeit aller Männer sicher sein. Es gab niemanden, der nicht wußte, wer die Barberina war.

»Hast du ein Vermögen gemacht? Reich geheiratet? Einen Krug mit Silbermünzen entdeckt?« fragte der mit der gespaltenen Braue spöttisch. »Die Barberina ist nichts für unsereins. Die wird von den vornehmsten Damen aufgesucht, die sich ihre Liebschaften prophezeien lassen. Die verlangt gesalzene Preise.«

»Ich habe gar nichts bezahlen müssen«, sagte der junge Mann.

In die ungläubigen Ausrufe hinein erklärte er, seine Mutter sei die Milchschwester der Tochter der Barberina, und deshalb verlange sie von ihm nichts. Aber sie habe ihn natürlich erst vorgelassen, nachdem sie ihre hochvermögende Kundschaft abgefertigt hatte.

»Wie macht sie es denn?« fragte Giacomo neugierig. »Legt sie Karten? Starrt sie in eine Kristallkugel? Stellt sie ein Horoskop? Oder liest sie aus der Hand?«

Der junge Mann schüttelte bei jeder Frage den Kopf.

»Nichts von alledem. Sie sitzt auf einem Stuhl, einen blinden Knaben neben sich, der die Laute spielt. Man muß sich ihr gegenüber setzen, und dann starrt sie einem in die Augen. Das ist ein Blick! Der geht dir durch Mark und Bein. Heiß und kalt ist mir davon geworden. Es ist ganz unmöglich wegzuschauen. Und bevor ich noch etwas sagen konnte, hat sie mir gesagt, daß ich übers Meer fahren würde.«

»Kein großes Kunststück. Wenn du mit ihrer Familie so bekannt bist, wird sie gewußt haben, daß du zu Montefalcones Truppe gehörst«, sagte der mit dem Säbelhieb skeptisch.

Das letzte Pferd, das an Bord der »Sirena« gebracht werden sollte, scheute zurück und keilte aus. Sein Führer fluchte laut und lange in vier Sprachen.

Der junge Mann fuhr fort, als hätte es keinen Einwand gegeben.

»Sie hat gesagt, manche sterben durch Wasser, manche durch Feuer und manche durch Gift.«

»Um das zu wissen, braucht es keine Wahrsagerin«, höhnte Giacomo.

»Sie hat gesagt, nicht jeder, der über das Meer ziehe, komme zurück. Wir alle seien Mitspieler in dem Spiel um den Goldenen König, und es sei ein tödliches Spiel zwischen dem Licht und der Finsternis. Aber ich brauchte mir keine Sorgen zu machen. Ich würde meinen achtzigsten Geburtstag im Kreise meiner Enkel und Urenkel feiern.«

Er blickte triumphierend umher.

Giacomo brüllte vor Lachen, und die anderen Männer stimmten ein. Der junge Mann starrte sie empört an. Er wollte etwas sagen, aber seine Stimme ging in den Wogen dröhnenden Gelächters unter.

Plötzlich fuhr eine Stimme durch den Lärm, nicht laut, aber schneidend und scharf wie ein Messer durch Fleisch, Sehnen und Muskeln.

»Habe ich es mit Männern zu tun oder mit einer Horde von Affen?«

Das Lachen brach ab. Giacomo wischte sich die Tränen aus den Augen und schloß den Mund. Er senkte den Kopf und verbeugte sich wie alle anderen.

Der Mann, der sie unterbrochen hatte, saß auf einem nervös tänzelnden Rappen. Das Zaumzeug des Pferdes war vergoldet. Der Reiter trug ein schwarzweiß gestreiftes Wams aus Seide, und über der Schulter hing, mit einer Diamantbrosche befestigt, ein Umhang aus scharlachrotem Samt. Auf dem blonden Haar thronte eine schwarzsamtene Kappe, geschmückt mit zwei weißen Reiherfedern. Die Hände, die eisern die Zügel hielten, steckten in roten Handschuhen. An der rechten funkelte ein großer Diamant.

Der Reiter musterte die Männer kalt aus schmalen grauen Augen.

»Männer«, sagte er ätzend, »erwarte ich an Bord. An Land bleiben Weiber, Feiglinge und Schwadroneure.«

Niemand antwortete ihm. Sie wichen seinem Blick aus, drehten sich um und stapften schweigend über die Planke auf die »Sirena«.

Der Reiter machte Anstalten, ihnen zu folgen. Eine Stimme in seinem Rücken hielt ihn auf.

»Herr, Euer Gepäck ist nicht an Bord der ›Sirena‹. Ich habe es auf die ›Aretusa‹ schaffen lassen.«

Der Reiter wandte sich um.

Vor ihm stand ein Mann, der wie die Söldner gekleidet war. Er mochte mehr als fünfzig Jahre zählen. Sein schwarzes Haar war von zahlreichen grauen Strähnen durchzogen. Die Jahre und das Leben im Feld hatten tiefe Furchen in sein Gesicht gegraben. Er war groß und breitschultrig und hatte Hände wie Schaufeln. Er sah aus, als wäre er immer noch imstande, mühelos ein zweihändiges Schwert zu handhaben. Seine Augen blickten klar und fest.

»Ein Irrtum, Herr, ein Versehen«, erklärte er ruhig. »Soll ich befehlen, es umzuladen?«

Über ihnen blähten sich die Segel der »Sirena« im Wind. Von der »Aretusa« scholl ein Kommando herüber. Die Trommel, die den Ruderern den Takt vorgab, begann zu schlagen.

»Jetzt noch?« fragte der Reiter ironisch. »Was bleibt uns jetzt noch, als auf die ›Aretusa‹ zu gehen? Laß es gut sein, Matteo.«

Er gab seinem Pferd die Sporen und erreichte die »Aretusa« gerade noch, bevor die Planke eingezogen wurde. Matteo folgte ihm.

Die »Aretusa« und die »Sirena« nahmen unter dem Geschmetter der Trompeten, dem Dröhnen der Trommeln, dem Klatschen der Ruder und dem Knarren der Segel, in die der Wind hineinfuhr, Abschied von Genua.

Eine Weile sahen die Männer an Deck noch die weißen Häuser, die sich wie die Ränge eines Amphitheaters an den Hügeln emporzogen, dann waren sie allein mit dem blauen Himmel und dem sonnenglitzernden Meer.

Anna beugte sich tiefer über das Laken. Es war aus feinstem Linnen, aber vom langen Gebrauch fadenscheinig, und hatte in der Mitte einen Riß. Behutsam zog sie die Stopfnadel durch den Stoff.

Es war still in dem großen Raum. Der schwache Schein der Kerze vor ihr auf dem Tisch hüllte nur Anna in einen Mantel von Licht. Er drang nicht durch die Dunkelheit bis zu dem anderen Ende des langen Tisches, an dem die Dame de Lalande saß. Nur ihr Atem drang zu Anna hinüber. Es war der leise, regelmäßige Atem leichten Schlummers, in den die Dame von Zeit zu Zeit fiel und der nie länger als eine Viertelstunde dauerte.

Anna blickte auf ihre Hände. Die Handrücken waren mit braunen Flecken übersät. Vor vielen Jahren waren es Sommersprossen gewesen, die im Mai aufblühten und im November verblaßten. Jetzt blieben die braunen Male das ganze Jahr. Dunkelblau und knotig traten unter der Haut die Adern hervor. Ihre Hände zeigten, daß sie harte Arbeit gewöhnt waren. Jahrzehntelang hatten sie gespült, gewaschen und gescheuert, genäht, gestopft und geflickt, Gemüse geputzt, Fleisch geschnitten und Teig geknetet. Sie war alt geworden und müde im Dienst der Dame, und sie hätte längst ausruhen dürfen, wenn sie gewollt hätte. Aber starrköpfig hielt sie daran fest, ihre Dienerin zu bleiben, und erlaubte nur der Tochter des Pächters, ihr bei den schweren Arbeiten zur Hand zu gehen.

Geborgen in Stille und Kerzenschein, glitten Annas Gedanken weit in die Vergangenheit zurück, fort aus dem Mas, das abseits eines kleinen Weilers zwischen Arles und St. Remy lag, zu der großen Stadt Granada, in deren engen, dunklen Gassen sie aufgewachsen war. Sie hörte den Gebetsruf des Muezzin, sie sah die von Eunuchen begleiteten, verschleierten Frauen durch den Basar schreiten, sie roch die Mischungen von Safran und Koriander, Kurkuma und Pfeffer aus den Garküchen und die Rosen und den Jasmin aus den Gärten hinter den Mauern, sie blieb wieder vor dem Märchenerzähler stehen, der die Geschichte vom frosterstarrten Prinzen Gujim erzählte, dessen Herz von einem Eispanzer umgeben war, den nur die Liebe der schönen Naimeh schmelzen konnte.

Langsam schob sich die Nadel durch den Stoff, und Annas Lippen formten lautlos die arabischen Worte, die sie so lange nicht mehr gesprochen hatte.

Plötzlich unterbrach sie sich und lauschte.

Etwas im Raum hatte sich verändert.

Die Kerzenflamme flackerte, als schritte jemand vorüber und setze die Luft in leichte Schwingungen.

Der Atem der Dame de Lalande ging nicht mehr leicht und regelmäßig. Sie stöhnte jetzt, und Anna konnte hören, daß sie sich auf dem Stuhl wand und herumwarf.

Die Dame träumte.

Anna ließ das Laken sinken und lauschte regungslos. Nach einer Weile mischten sich in das Stöhnen Laute – Wortfetzen, deren Sinn Anna nicht verstand.

»Ein neues Spiel«, murmelte die Dame und seufzte schwer. »Mut und Vertrauen ... die Schatten über dem goldenen König ... die Schatten in ihm ... Verzweiflung und Tod ... die Schwarze Dame bedroht ... Sei gnädig, Herr! Rette sie!«

Sie verstummte keuchend. Einen Augenblick warf sie sich noch in ihrem Stuhl hin und her, dann kam sie zur Ruhe.

Die Kerzenflamme vor Anna wuchs groß und bläulich empor, flackerte auf und erlosch. Die Schwärze der Nacht stand wie eine Wand zwischen den beiden alten Frauen.

Anna wartete.

Nach einer Weile sagte die Dame mit ihrer gewöhnlichen, trotz ihres Alters immer noch weichen Stimme:

»Anna?«

»Madame?«

»Es war da«, sagte die Dame.

»Ich weiß«, erwiderte Anna abwartend.

»Du weißt, was das bedeutet.«

Anna nickte, dann fiel ihr ein, daß die Dame ihre Geste in der Dunkelheit nicht bemerken konnte.

»Das Spiel beginnt von neuem«, sagte sie.

»Das Spiel beginnt von neuem«, bestätigte die Dame. »Der Herr des Lichts und der Herr der Finsternis haben am Spieltisch Platz genommen und ihre Figuren auf dem Brett aufgestellt. Jetzt beobachten sie, wie sich das Spiel entwickelt.«

»Wer ist der Goldene König?«

»Das weiß ich nicht. Laura wird es wissen, wenn es an der Zeit ist. Diesmal bin nicht ich die Dame im Schachspiel der Götter. Diesmal ist es Laura. Gebe der Herr des Lichts ihr die Kraft und den Mut, den Schmerz auszuhalten, damit sie das Spiel gewinnt. Einmal muß der Sieg unser sein.«

Anna tastete auf dem Tisch nach dem Feuerstein und zündete die Kerze wieder an. Sie schob sie über die Tischplatte, bis der Lichtschein auch die Dame erfaßte und ihr bestätigte, was sie mehr gefühlt als gehört hatte.

Die Dame de Lalande saß aufrecht auf ihrem Stuhl, die Hände im Schoß verschränkt. Ihre tief in den Höhlen liegenden dunklen Augen waren weit geöffnet. Lautlos strömten die Tränen über ihre Wangen.

Auf den Wink der Prinzessin erhob sich Yves de Bethois. Mit entblößtem Haupt, das Barett unter dem Arm, stand er vor ihr und wartete auf ihre Entscheidung.

Renée von Frankreich, die jüngere Tochter des verstorbenen Königs Ludwig XII. und der Königin Anne von der Bretagne, musterte den jungen Mann eingehend. Er hatte ein hellhäutiges, sommersprossiges Gesicht mit offenen, wasserblauen Augen und rotblonde Locken. Er war groß und stämmig, breitschultrig und stiernackig, ein Mann, dem man den trainierten Soldaten ansah und der besser in ein Feldlager paßte als an den Hof.

»Ihr wollt also heiraten«, sagte die Prinzessin.

Der junge Hüne verbeugte sich bejahend.

»Ich sollte Euch zu der Wahl Eurer Braut beglückwünschen«, fuhr die Prinzessin fort, »aber Ihr seht wohl ein, daß mir das schwerfällt. Jede andere meiner Damen würde ich Euch mit Freuden überlassen, ja, ihr auf jeden Fall zuraten, Euch so rasch wie möglich vor den Altar zu bringen. Wie er mir versichert hat, schätzt Euch der König sehr, Monsieur, und er erwartet von Eurem Schwert noch Großes für Frankreich.«

Die weiße Haut des Hauptmanns färbte sich über dem Lob rosig.

»Ich tue jederzeit nur meine Pflicht, Madame«, sagte er schlicht.

Die Prinzessin lächelte.

»Wir alle wissen, Monsieur, daß Ihr bei Pavia weit mehr als Eure Pflicht getan habt. Die Bescheidenheit steht Euch wohl an, aber die Wahrheit ist, daß der König ohne Euch nicht mehr am Leben wäre. Ihr habt Euch die Gnade Eures Souveräns und damit auch die meine verdient, und gern würde ich Eurem Wunsch stattgeben. Wenn Ihr doch nur eine andere Dame erwählt hättet!«

Die rosige Farbe im Gesicht des jungen Mannes vertiefte sich zu einem dunklen Rot.

»Verzeiht, Madame, aber keine andere hat mir so gut gefallen.«

Die Prinzessin lächelte wieder.

»Ich nehme an, das gilt in Eurer Heimat als glühende Liebeserklärung.«

Ihre Hofdamen, die, anmutig über Stickrahmen gebeugt, im Halbkreis um sie herum saßen, hoben die Köpfe, betrachteten den Hauptmann und kicherten. Renée brachte sie mit einem Blick zum Schweigen.

»Und wie ist es mit Euch, Laura?« fragte sie und wandte sich an die junge Frau, die neben Yves stand. »Könnt Ihr von Euch auch sagen, daß Euch kein anderer Mann bei Hofe so gut gefällt?«

Die Angesprochene war groß und schmal. Yves überragte sie nur um einen halben Kopf. So hell er war, so dunkel war sie; ihr Haar und ihre Augen waren schwarz, und ihre Haut hatte den warmen Ton von flüssigem Honig.

»Monsieur de Bethois ist ein tapferer, gütiger und aufrichtiger Mann«, sagte sie. Ihre Stimme war dunkel und wohlklingend. Wie sie die Vokale dehnte, verriet ihre Herkunft aus dem Süden. »Jede Frau müßte sich geehrt fühlen, wenn er um sie wirbt.«

»Eure Liebeserklärung ist nicht weniger enthusiastisch als die Eures Bräutigams, liebe Laura«, sagte die Prinzessin, »ich bin sehr froh zu entdecken, daß es eine gemessene Zuneigung ist, die Euch zueinander zieht. Denn unter diesen Umständen wird es Euch nicht so hart treffen, wenn ich Euch meine Einwilligung versage.«

Laura regte sich nicht, nur ihre Augen suchten in stummer Frage den Blick der Prinzessin. Der Hauptmann hingegen richtete sich zu seiner vollen Größe auf. Sein Gesicht wurde so blaß, wie es zuvor rot gewesen war, seine Hand zuckte unwillkürlich zur Hüfte, als wolle er sie auf den Griff des Schwertes legen, das er nicht trug.

»Madame?« sagte er, und in seinem Ton lag mehr Unwillen als Ehrerbietung.

Renée schien daraus Vergnügen zu ziehen. Das Lächeln in ihren Mundwinkeln vertiefte sich, und in ihrer rechten Wange erschien ein Grübchen. In den sonst so ernsten braunen Augen funkelten Unfugteufelchen. Plötzlich sah sie jünger, gesund und beinahe hübsch aus.

»Fordert mich nicht gleich zum Duell, mein junger Held«, sagte sie.

Die Hofdamen kicherten erneut.

Yves de Bethois ließ seine Hand sinken. Am liebsten hätte er sich im Nacken gekratzt, aber das schickte sich nicht in Anwesenheit von Damen. Auch nicht, wenn diese Damen über ihn spotteten. Er fühlte sich plump und linkisch auf dem glatten Boden des Hofes. Sein Platz war in der Schlacht oder auf Wache. Da kannte er sich aus, da wußte er sich zu wehren, da konnte er Befehle geben und Schläge austeilen. Seine Waffe war das Schwert und nicht die Zunge. Im Gebrauch spitziger Reden waren ihm die Höflinge und die Frauen überlegen. Die Prinzessin machte sich zweifellos über ihn lustig. Sie konnte nicht wirklich die Absicht haben, ihm Lauras Hand zu verwehren. Lauras Onkel und Vormund, der Baron von Lesaux, hatte seine Zustimmung erteilt, Laura selbst hatte eingewilligt, jetzt war die Zusage der Prinzessin nur noch eine bloße Formalität. Man mußte ihre Zustimmung einholen, weil Laura seit einigen Monaten im Dienste Renées stand, aber es gab keinen Grund, warum sie sie verweigern sollte. Sicherlich wollte sie ihn nur aufziehen und sich über seine Verlegenheit amüsieren. Bestimmt hatte es ihr Spaß gemacht, daß er täppisch wie ein Tanzbär auf sie hereingefallen war. Hoffentlich war diese Unterredung bald vorbei, hoffentlich war dieses Hofleben bald vorbei. Er wollte auf seinen Besitz in die Picardie zurückkehren. Sobald er Laura geheiratet hatte, würde er mit ihr abreisen. Das sollte so schnell wie möglich geschehen, damit ihm erspart bliebe, was er bei sich das Affentheater nannte. Binnen kurzem würde die italienische Gesandtschaft hier eintreffen, und dann wollte er nicht mehr in Blois sein. Er entsann sich noch gut des italienischen Feldzuges vor vier Jahren und des Eindrucks, den er von den Italienern gehabt hatte. Sie waren aufgeputzt wie die Frauen, klimperten auf der Laute, sangen und machten Gedichte, bedachten die Frauen mit den albernsten Komplimenten und redeten den ganzen Tag lang laut, gestenreich und unverständlich über Philosophen, Götter, Statuen, Gemälde und ähnliche Themen, von denen ein Mann nichts verstand, wenn er kein Pfaffe war. Und solche windigen Figuren nannte der König Vertreter der Zivilisation und Humanität und verlangte, daß seine Ritter ihnen nacheiferten. Nein, bevor eine Horde dieser unerträglichen Kreaturen über Blois herfiel, wollte er mit Laura auf und davon sein und mit ihr auf seinem Gut in der Picardie ein friedliches, schlichtes Leben führen.

Die Prinzessin lächelte noch immer erheitert, als sie fortfuhr:

»Ihr habt einen schlechten Zeitpunkt für Eure Werbung gewählt, Monsieur. Ihr hättet Laura viel früher heiraten sollen. Jetzt müßt Ihr lange darauf warten. Denn ich bin auf sie angewiesen. Mehr als Ihr, wage ich zu behaupten. Laura ist die einzige meiner Hofdamen, die Italienisch spricht. Wie soll ich mich mit dem Gesandten meines zukünftigen Gatten oder mit meinem zukünftigen Gatten selbst unterhalten, wenn Laura nicht meine Dolmetscherin ist? Laura ist mir unentbehrlich. Ich brauche sie während meiner Hochzeit, während der Reise nach Ferrara und sicher noch das erste Jahr, das ich dort verlebe. Ich habe gar nichts dagegen, daß Ihr Laura heiratet. Ich habe nur etwas gegen den Zeitpunkt, den Ihr Euch ausgesucht habt. Kommt übers Jahr nach Ferrara, und ich werde Eure Hochzeit selbst ausrichten.«

Yves blickte hilflos zu Laura hinüber. Er wollte mit seiner Heirat keineswegs noch ein Jahr warten. Aber wer war er, daß er einer Tochter Frankreichs widersprechen könnte? Einen

Moment hoffte er, Laura, die er für gewandter als sich selbst hielt, würde einen Weg finden, die Prinzessin umzustimmen. Aber zu seiner Bestürzung sah er, daß Laura bereits in einem tiefen Knicks versank und sich bei der Prinzessin für ihre große Güte bedankte. Wenn er nicht als ungeschlachter Tölpel gelten wollte, blieb ihm nichts übrig, als sich zu verbeugen und sich ihren Worten anzuschließen. Und warum der ganze Aufschub? Nur wegen der italienischen Heirat der Prinzessin. Er hatte doch gewußt, daß aus Italien nichts Gutes kommen konnte.

Später, als er Gelegenheit fand, mit Laura allein zu sprechen, beklagte er sich bitter über die Willkür, der sie ausgesetzt seien.

»Es ist doch nur für ein Jahr«, sagte Laura beschwichtigend.

»Nur ein Jahr, nur ein Jahr«, brach es aus ihm heraus. »Wißt Ihr, wie lang ein Jahr ist? Es hat dreihundertfünfundsechzig Tage, jeder Tag hat vierundzwanzig Stunden, jede Stunde sechzig Minuten. So viele Tage, so viele Stunden, so viele Minuten soll ich noch warten? Und warum das alles? Weil Ihr Italienisch könnt! Pah! Als ob die Prinzessin in Ferrara niemanden auftreiben könnte, der Französisch spricht!«

»Das kann sie ganz gewiß. Aber was sie braucht, ist jemand, dem sie vertrauen kann. Ihre Lage wird nicht einfach sein. Sie wäre es für keine französische Prinzessin, die nach Ferrara heiratet, aber für Renée ist alles noch viel heikler.«

»Ihr sprecht von Politik. Höfe! Nichts als Nester von Ehrgeizlingen, Heuchlern, Schmarotzern und Intriganten! Und nirgends so schlimm wie in Italien! Schlangengruben sind sie alle miteinander, diese italienischen Fürstenhöfe. Ich habe sie kennengelernt. Ich weiß, wovon ich spreche. Ich wünschte, Ihr wäret nicht die Hofdame der Prinzessin geworden. Dann könnte ich Euch gleich heiraten und mit mir nach Hause nehmen.«

»Wäre ich nicht Hofdame der Prinzessin geworden, hättet Ihr mich gar nicht kennengelernt. Dann lebte ich nämlich noch bei meiner Großmutter in Lalande. Wenn sie nicht darauf bestanden hätte, mich an den Hof zu schicken, wären wir uns nie begegnet. Damals verstand ich nicht, warum sie es unbedingt wollte.«

»Versteht Ihr es jetzt?« fragte er unwillkürlich.

Er hatte gelegentlich von der Dame de Lalande gehört, und was er gehört hatte, hatte ihm nicht gefallen. Es gab Gerüchte um ihre Herkunft, und manche wollten wissen, daß sie mit übernatürlichen Mächten im Bunde sei. Yves wollte darüber lieber nichts Genaueres wissen. Er war ein ordentlicher Christenmensch, glaubte, was der Pfarrer predigte, und dachte darüber nicht weiter nach. Lauras Schönheit hatte ihn auf den ersten Blick angezogen. Ihre Zurückhaltung hatte dann sein Herz gewonnen. So sollte seiner Meinung nach eine Frau sein: schön, schweigsam und ohne Launen. Nur manchmal beschlich Yves ein unbehagliches Gefühl, als wenn hinter Lauras gelassener Heiterkeit etwas anderes stecke als weibliche Gesittung. Manchmal glaubte er zu spüren, daß sie ganz weit weg war von ihm und allem, was sie umgab. Dann schien es, als beobachte sie ihn und auch sich selbst, wie ein Zuschauer ein Theaterschauspiel betrachtet, das ihn nicht sonderlich interessiert.

»Ich weiß es immer noch nicht«, sagte Laura nachdenklich. »Die Dame de Lalande gibt keine Erklärungen. Sie sagte nur, ich werde es wissen, wenn ich es wissen soll.«

Yves zuckte ungeduldig die Achseln. Das war die Art von Gerede, die er haßte.

»Immerhin ist sie mit unserer Heirat einverstanden.«

»Das habe ich so gedeutet«, erwiderte Laura vorsichtig.

Er suchte ihren Blick und fand ihre dunklen Augen unergründlich. Sie hatten den fernen Blick, den er so fürchtete.

»Sie hat nichts weiter getan, als mir mein Horoskop zu schicken«, fuhr sie fort. »Ich war es, die daraus den Schluß gezogen hat, daß ich Euch heiraten soll.«

Yves hätte lieber nicht weiter gefragt. Er hielt nichts von Sterndeutungen. Für ihn hatten sie etwas Heidnisches und Gefährliches, ebenso wie Wahrsagen oder Goldmachen. Er wußte, daß der König und seine Mutter daran glaubten, aber das machte es ihm nicht geheurer. Trotzdem fragte er:

»Was steht in Eurem Horoskop?«

Laura antwortete nicht sofort, und einen Moment dachte er, sie würde die Antwort verweigern. Aber dann lächelte sie.

»Etwas, das zu hören Euch freuen wird. Es prophezeit mir, daß ein Stier mein Schicksal wird.«

»Und ich bin dieser Stier?«

»Gewiß«, sagte sie, »Euer Sternzeichen ist doch der Stier. Und ich kann mir mit keinem anderen Mann hier am Hofe vorstellen, verheiratet zu sein, als mit Euch. Deshalb könnt Ihr unbesorgt sein. Auch wenn unsere Heirat um ein Jahr verschoben wird – am Ende werdet Ihr es sein, den ich heirate.«

Sie saßen seit fast zwei Stunden in dem kleinen Kabinett und redeten.

Yves versuchte, ein interessiertes Gesicht zu machen, obwohl seine Gefühle zwischen Langeweile und Ärger schwankten. Der König hatte beschlossen, die Hochzeit seiner Schwägerin mit dem Erbprinzen von Ferrara in großem Stil zu feiern. Die Festlichkeiten sollten über eine Woche gehen und in einem großen Turnier enden. Unter dem Vorsitz des Herzogs von Beaufort waren fünf Männer zusammengekommen, allesamt erprobt in Schlachten und Turnieren, um den Ablauf der Veranstaltung festzulegen.

Yves fand das außerordentlich lästig und überflüssig. Ein Turnier war seiner Meinung nach eine simple Angelegenheit. Zu einer verabredeten Zeit fanden sich an einem festgelegten Ort die Kämpfer ein und droschen auf verschiedene Weise, zu Fuß oder zu Pferde, aufeinander los, bis feststand, wer der Sieger und wer der Besiegte war. Was hier abgesprochen wurde, war in seinen Augen der schiere Unsinn. Man wollte von der natürlichen Weise des bloßen Kampfes abweichen und die einzelnen Kampfhandlungen in ein Schauspiel einbauen, das Yves bei sich verächtlich eine Schmierenkomödie nannte; Sieger und Besiegte standen von vornherein fest. Die Italiener würden gewinnen, weil sie die Gäste waren und ihnen deshalb aus Höflichkeit der Sieg zustand. Die Rollenverteilung in diesem Spiel war also klar. Die Italiener würden die Rettenden Ritter sein und die Franzosen die Schurken. Unklar war nur noch, welches Stück gegeben werden sollte.

»Nymphen, die von Zentauren entführt und von den Rittern befreit werden«, schlug der Herzog vor.

»Bestimmt sehr wirkungsvoll«, stimmte sein Nachbar zu, und man sah ihm an, wie er sich vorstellte, eine Nymphe zu rauben.

»Das hatten wir schon einmal«, wandte jemand ein.

»Macht nichts«, meinte Beaufort, »das kann man immer wieder sehen.«

»Der König sieht es bestimmt immer wieder gern«, sagte jemand anzüglich, und alle lachten.

»Trotzdem – ich bin für die Turmgeschichte«, widersprach der Oberst der Leibwache. »So in der Art: die Goldene Prinzessin wurde von dem Schwarzen Drachen gefangen und muß aus dem Turm befreit werden.«

»Ich bin gegen den Turm«, sagte Beaufort unverzüglich, der es nicht schätzte, wenn seinen Ideen widersprochen wurde. »Wir hatten vor zwei Jahren einen Turm, und mitten im Kampf ist er eingestürzt und hat vier Mann unter sich begraben. Viel zu unstabil, eine solche Konstruktion, wenn es wirklich hart auf hart kommt. Die Nymphen und die Zentauren dagegen ...«

»Es muß ja kein richtiger Turm sein. Wir könnten doch eine Plattform von geringer Höhe nehmen, eine Menge Büsche darauf pflanzen und das den Wald nennen, in dem der Schwarze Drache die Prinzessin verbirgt. Dann kann nichts passieren.«

Yves hörte nicht mehr zu. Er wußte, daß von ihm ohnehin keine Vorschläge erwartet wurden. Seine Meinung über diese Verkleidungsspiele war allgemein bekannt. Man nannte ihn altmodisch und provinziell, aber er glaubte, daß insgeheim mehr Männer seine Ansicht teilten, als sie zuzugeben bereit waren. Die neuen italienischen Sitten, die der König einführte, wurden zwar mitgemacht, weil sie als elegant und kultiviert galten, und vor allem, weil der König es befahl, aber viele hielten sie auch für unmännlich und für viel zu kostspielig. Yves war froh über die Aussicht, gleich nach der Abreise der Prinzessin den Hof verlassen zu können. Er hatte sich hier nie wohlgefühlt. Hier war der Ernst mit Heiterkeit maskiert, Intrige mit Lächeln, Brutalität mit Höflichkeit, so daß er sich oft wie ein Narr gefühlt hatte. Er war der Mann, dem König zu dienen, wenn er in offener Feldschlacht und im ehrlichen Kampf gebraucht wurde. Gott sei Dank würde dieses Turnier der letzte Mummenschanz sein, den er mitmachen mußte.

»Also, de Bethois, alles klar?« fragte der Herzog.

Yves schrak auf.

Der Herzog wiederholte:

»Der Anführer der Rettenden Ritter ist natürlich der Botschafter selbst. Ihr müßt den Schwarzen Drachen übernehmen.«

Dann hatte sich also doch der Vorschlag des Obersten durchgesetzt, und der Herzog war mit seinen Nymphen und Zentauren abgeschmettert worden. Yves war es egal, worauf sie sich geeinigt hatten. Das eine Szenario kam ihm so lächerlich vor wie das andere. Jede Rolle, die er darin übernehmen mußte, würde er als peinlich empfinden. Daß man ihn aber für eine Hauptrolle ausgesucht hatte, verblüffte ihn.

»Ich?« fragte er abwehrend. »Wieso gerade ich? Ich bin nur Hauptmann. Sicher gibt es …«

»Das haben wir gerade erörtert«, sagte der Herzog und betrachtete gelangweilt die Ringe an seiner rechten Hand. Er bewegte die Finger, und die Edelsteine leuchteten auf. Befriedigt von diesem Glanz, lehnte Beaufort sich zurück und fuhr mit milderer Stimme fort:

»Wir haben zur Zeit keinen anderen Mann, der geeignet ist, Montefalcone gegenüberzutreten. Darcy hat immer noch an dieser Beinverletzung aus Pavia zu laborieren. Dambert ist zu groß und zu schwer, das wäre ein ungleicher Kampf, und Belloc hat neuerdings diese Anfälle von Gicht. Wir brauchen einen sehr guten Kämpfer gegen Montefalcone, und da bleibt nur Ihr übrig.«

»Montefalcone?« wiederholte Yves. Er setzte sich aufrechter. Der Name war ihm bekannt, aber es mußte sich bei dem Botschafter natürlich nicht um den gleichen Mann handeln.

»Ihr solltet ihn kennen«, sagte der Oberst. »Ihr seid ihm bei Pavia begegnet. Er befehligte die Reiterei, die den Flügel des Königs ins Wanken brachte, und führte den Angriff gegen unser Zentrum. Beinahe hätte er den König getötet. Wenn Ihr nicht gewesen wäret!«

Yves erinnerte sich.

Pavia war seine erste große Schlacht gewesen. Nachträglich schien sie ihm als ein höllisches Gebräu von Schreien, Schießen, Staubwolken und Blutgeruch. Wenn er sich daran erinnerte, erinnerte er sich immer an seinen raschen Herzschlag, an das intensive Gefühl, inmitten des allgegenwärtigen Todes lebendig zu sein. Er hatte sich in der Nähe des Königs aufgehalten. Die Truppen des Kaisers berannten das Zentrum des französischen Heeres unablässig. Der König kämpfte wie ein Löwe. Rechts und links fielen die Soldaten der Leibwache, der König kämpfte weiter. Schließlich gab der Konnetabel den Befehl, den König aus dem Zentrum zu entfernen. Diese Aufgabe fiel Yves zu. Er galoppierte an die Seite des Königs, gerade in dem Moment, in dem ein Mann auf einem Rappen, in einer prachtvollen vergoldeten Rüstung und mit einem scharlachroten Helmbusch, das Schwert gegen den König hob. Es gelang Yves, den Hieb mit seinem Schwert abzufangen und sein Pferd zwischen den König und den Angreifer zu drängen. Der Mann in der goldenen Rüstung führte den nächsten Hieb mit solcher Wucht, daß Yves aus dem Sattel stürzte und von den Hufen der Pferde zertrampelt worden wäre, wenn der Konnetabel ihn nicht zu sich emporgezogen hätte.

Der Mann in der vergoldeten Rüstung war also Montefalcone gewesen. Der Herzog von Ferrara schickte gerade den Mann als Gesandten, der beinahe das Leben des Königs ausgelöscht hätte und vor allem dafür verantwortlich war, daß der König die Schlacht verloren hatte und in Gefangenschaft geraten war.

»Ich fühle mich sehr geehrt«, murmelte Yves und überlegte bei sich, daß das Schicksal es wahrhaftig gut mit ihm meinte, daß er diesem Mann noch einmal im Kampf gegenüberstehen durfte. Er würde eine Gelegenheit haben, den Hieb von Pavia zurückzuzahlen. Diesmal sollte Montefalcone in seiner schönen vergoldeten Rüstung in den Staub sinken.

Dann fiel Yves ein, daß es sich ja gar nicht um einen richtigen Kampf handeln würde. Montefalcone mußte siegen, weil er der Rettende Ritter war, und Yves als Schwarzer Drache würde wieder der Verlierer sein.

Der Herzog betrachtete Yves mit spöttischem Lächeln. Es war nicht schwer, in dem offenen Gesicht des jungen Mannes zu lesen.

»Vergeßt nur nicht, Bethois, daß es eine Ehre ist! Der Rettende Ritter wird der Sieger sein, und keinesfalls der Schwarze Drache. Sind wir uns darüber einig?«

Er stand auf und gab damit das Zeichen zum Aufbruch.

»Weitere Einzelheiten klären wir später. Schließlich sind es noch sechs Wochen bis zu dem Turnier. Meine Herren!«

Er neigte kurz und hochmütig den Kopf und ging.

»Na, wie gefällt es Euch, der Schwarze Drache zu sein?« fragte ihn sein Nachbar hänselnd.

Yves zuckte die Achseln.

»Eine richtige Schlacht wäre mir lieber.«

»Ja, ja, Ihr seid noch ein Mann vom alten Schlag, mein Bester. Aber jetzt hat ein neues Zeitalter begonnen. Wir sind bald alle keine Reiter und Soldaten mehr, sondern Tänzer und Schauspieler. Eines Tages werden wir noch Musiker werden. Habt Ihr gehört, daß Belloc Unterricht genommen hat und Liebeslieder zur Laute singt?«

»Vielleicht sollte ich Trompete lernen«, schlug Yves höhnisch vor.

»Nein, nein, auf keinen Fall«, sagte der Oberst, der zu ihm trat, mit übertriebenem Ernst. »Die Laute ja, die Trompete niemals. Ein Mann kann nicht anmutig sein, wenn er die Backen aufbläst.«

Warum zum Teufel, fragte Yves sich, sollte ein Mann anmutig sein wollen?

Annibale Strozzi, einer der jungen eleganten, humanistisch gebildeten Männer, die am Hofe von Ferrara gleichermaßen das geschliffene Wort wie das Schwert zu führen wußten, lehnte müßig am Mast und beobachtete mit zusammengekniffenen Augen, was um ihn her vorging. Die Sonne brannte auf seiner Haut. Ein leichter Geschmack von Salz lag auf seinen Lippen. Er war schwarzhaarig und hatte von Natur aus einen dunklen Teint, der während der Seereise zu einem so tiefen Braun verbrannt war, daß das Weiß seiner Zähne und seiner Augen strahlend daraus leuchtete. Das verlieh ihm ein verwegen piratenhaftes Äußeres.

Seit sie Genua verlassen hatten, segelten die »Aretusa« und die »Sirena« in Sichtweite voneinander auf spiegelklarer, ruhiger See. Sie hatten die Zeit für die Überfahrt gut abgepaßt. Die Frühlingsstürme waren vorbei. Sie hatten eher Probleme mit dem Mangel an Wind. Seit zwei Tagen herrschte Flaute. Die

Segel hingen schlaff in den Rahen, und die Schiffe wurden nur von den Ruderern vorangebracht.

Die brütende Hitze und die Tatenlosigkeit verbreiteten eine gereizte Stimmung unter den Soldaten, die eng zusammengepfercht im Unterdeck hausten. Am Vortag war es zu einer Messerstecherei gekommen. Die beiden Kämpfer hatten einander auf dem Achterdeck umkreist. Ein Ring von Männern hatte sich um sie gebildet, die sie johlend anfeuerten. Wetten wurden abgeschlossen, und die allgemeine Stimmung war so fieberhaft erregt, daß niemand mehr an den Gesandten gedacht hatte. Als sie sein Auftauchen bemerkten, reichte sein bloßer Anblick, um den Lärm abbrechen zu lassen. Alessandro Montefalcone ließ seine Augen geruhsam über alle Gesichter gleiten, und die Männer fröstelten trotz der Hitze, als der kalte Blick sie traf. Die Kämpfer hatten ihn ein paar Sekunden zu spät bemerkt. Er brauchte die Stimme nicht zu erheben. Beim ersten Ton, den er sprach, ließen sie das Messer fallen. Seine Stimme klang seidenweich, aber selbst Annibale Strozzi war dabei ein leichtes Prickeln des Entsetzens über die Haut gekrochen.

Montefalcone hatte befohlen, die beiden Männer auszupeitschen, ihre Wunden mit Salzwasser auszuwaschen und sie für den Rest des Tages und die ganze Nacht an den Mast zu binden. Alle hatten schweigend gehorcht, niemand hatte gewagt zu murren.

Annibale fragte sich, was Alessandro Montefalcone diese Macht über die Soldaten gab. Sie waren alle Söldner, rauhe, kriegserfahrene Burschen, die sich in vielen Schlachten bewährt hatten, dem Tod oft näher gewesen waren als dem Leben, und die weder Kaiser noch Papst fürchteten – viele nicht einmal Gott. Bei Pavia hatte Montefalcone sie in seiner vergoldeten Rüstung, mit wehendem, scharlachrotem Helmbusch in die Schlacht geführt, ein schöner junger Kriegsgott, der ihnen den Sieg schenkte, und sie hatten ihn geliebt.

Seit Rom fürchteten sie ihn.

Annibale war nicht dabei gewesen, als die Truppen des Kaisers im vergangenen Jahr Rom eingenommen und geplündert hatten. Alessandro Montefalcone war verändert aus diesem Kriegszug zurückgekehrt. Was vorher kühle Distanz gewesen war, hatte sich in klirrende Kälte verwandelt, und der Spott, der so oft in seinen Reden aufgeblitzt war, war einer beißenden Ironie gewichen.

Annibale blickte über das Meer hinüber zu der »Sirena«, die einige hundert Meter vor ihnen segelte. Bugwärts am Horizont erhoben sich die Gipfel der Seealpen als dunkelblaue Schatten gegen den strahlenden Himmel. Von unten dröhnte der eintönige Schlag der Trommel, der den Ruderern den Takt vorgab. Der Himmel war von einem strahlenden, fleckenlosen Blau. Nur weit hinter der »Aretusa« sammelten sich einige federleichte weiße Wolkenstreifen.

Annibale drehte sich um. An der Reling hinter ihm lehnte ein junger Mann, noch keine zwanzig Jahre alt, und lächelte ihm zu.

Annibale lächelte zurück. Wie so oft wunderte er sich darüber, wie unähnlich Alessandro und sein jüngerer Bruder Antonio einander waren. In Antonio, dem jüngeren, war unschwer der Vater wiederzuerkennen. Wie Federigo Montefalcone war auch Antonio nur mittelgroß und schwer gebaut. Er hatte schwarzes, gelocktes Haar und dunkle Haut. An seine Mutter, die eine geborene Borgia war, erinnerte vor allem seine Nase, die einem Papageienschnabel glich, wie ihn der verstorbene Papst Alexander VI. gehabt hatte. Jetzt wirkte er noch linkisch und ungelenk wie ein Bärenjunges, aber wenn er älter war, würde Antonio eine stattliche Erscheinung werden.

Alessandro war ein Jahrzehnt älter, und ihn unterschied von seinem Bruder nicht nur die Sicherheit des Auftretens. Er war einen Kopf größer, schlank und bewegte sich mit der gefährlichen, anmutigen Geschmeidigkeit eines Raubtieres. Er war so hell wie Antonio dunkel. Seine Haut bräunte nicht über einen sanften Goldton hinaus, sein blondes Haar flammte in der Sonne wie Gold, und seine Augen waren grau wie das Meer im Winter. Seine Züge waren von klassischem Ebenmaß. Man hatte ihn mit Alkibiades verglichen oder mit dem Erzengel Michael. Seit Rom aber flüsterte man gelegentlich hinter seinem Rücken von Luzifer, dem schönsten der Engel, den sein Stolz in die Hölle gestürzt hatte.

Alessandro kam von der Brücke, wo er mit dem Kapitän gesprochen hatte, und lehnte sich neben seinem Bruder an die Reling. Annibale schlenderte zu ihnen hinüber.

»Glaubst du, daß wir Piraten begegnen?« fragte Antonio und sah seinen Bruder hoffnungsvoll an. Alessandro schüttelte den Kopf.

»Unwahrscheinlich. Wir haben rechtzeitig in den Häfen aussprengen lassen, daß wir auf diesen Schiffen nach Frankreich fahren. Die Seeräuber werden nichts tun, was den Sultan verärgern würde, und der Sultan wünscht im Augenblick Freundschaft mit Frankreich. Es heißt, es seien Verhandlungen im Gange über ein Bündnis zwischen der Hohen Pforte und dem König.«

»Ich begreife nicht, wie ein christlicher Herrscher sich mit den Ungläubigen verbünden kann. Das ist doch Verrat an der Christenheit. Und er tut das auch noch, während der Papst und der Kaiser zu einem neuen Kreuzzug gegen die Türken aufrufen.«

»An deiner Stelle würde ich das Wort ›Verrat‹ vergessen, wenn ich in Frankreich an Land gehe«, empfahl Alessandro trocken. »Der König betrachtet den Kaiser als seinen größten Feind, nicht den Sultan. Der Kaiser hält Frankreich im Würgegriff: Spanien, Burgund, die Schweiz, Oberitalien – alles ist habsburgisch. Der König würde alles dafür geben, diese Umklammerung zu durchbrechen. Er würde den Teufel selbst zu Hilfe rufen, wenn es Frankreich nützte. Was ist da schon der Sultan? Ohne diesen Wunsch Frankreichs, den Habsburger zu schwächen, wären wir jetzt auch nicht auf dem Weg nach Blois. Und ebensowenig wäre der König bereit, eine Tochter Frankreichs mit einem bloßen Erbprinzen von Ferrara zu vermählen.«

»So erstrebenswert ist es nun auch nicht, diese Tochter Frankreichs zu heiraten«, warf Annibale ein. »Wie ich gehört habe, ist sie klein, häßlich, mißgestaltet und eine Ketzerin.«

»Eine Ketzerin?« wiederholte Antonio entsetzt.

Annibale zuckte die Achseln.

»Wenn der König mit dem Antichrist paktiert, warum sollte seine Schwägerin dann nicht diesem fetten deutschen Mönch hinterherlaufen?«

»Wem?« fragte Antonio.

»Ich weiß nicht, wie er heißt. Er hat die Gemüter in Deutschland ziemlich erregt. Vielleicht wird sich die Christenheit spalten. Es gibt nicht nur in Deutschland genug Leute, die ihr Gewissen nicht länger der Kirche von Rom unterwerfen wollen. Und die jeden Respekt vor dem Papst verloren haben. Wie sonst wäre zu erklären, was vorletztes Jahr in Rom passiert ist?«

Bei dieser Bemerkung sah Annibale Montefalcone scharf an, aber zu seiner Enttäuschung zuckte in dessen Gesicht kein Muskel.

»Der Kaiser bekämpft die Ketzer, und der König von Frankreich auch«, sagte Alessandro. »Der König von England hat sogar eine Denkschrift gegen diesen deutschen Mönch, Luther, verfaßt. Dieser neue Häretiker wird sich so wenig durchsetzen wie die Katharer, die Waldenser oder die Hussiten. Keine Religion kann existieren, wenn die weltliche Macht sie bekämpft. Schwert und Feuer siegen letztendlich immer über die Gewissen.«

Antonio verlor das Interesse an der Politik.

»Ich hätte nicht gedacht, daß eine Seereise so langweilig ist«, beklagte er sich. »Wir sitzen hier herum, reden und schwitzen, und nichts passiert. Wie lange wird das denn noch dauern?«

»Vermutlich noch fünf Tage«, sagte Annibale grinsend. Seine weißen Zähne leuchteten aus dem braunen Gesicht. »Was wünscht Ihr Euch denn, junger Mann? Einen Sturm? Einen Schiffbruch?«

»Das wäre wenigstens mal etwas Aufregendes. Es muß ja nicht gleich ein Schiffbruch sein. Aber gegen einen kleinen Sturm hätte ich nichts einzuwenden.«

»Dein Wunsch ist dem Windgott Befehl«, sagte Alessandro spöttisch, »er muß ihn geradezu vorausgeahnt haben.«

Annibale folgte Montefalcones Blick. Die zarten weißen Federwolken, die er vorhin gesehen hatte, hatten sich zusammengeballt und eine bedrohliche grauschwarze Farbe angenommen. Schon fiel die erste Brise über das Schiff her. Die Segel füllten sich, und ein Ruck lief durch den Rumpf der »Aretusa«.

»Ein Gewitter«, sagte Alessandro, »der Kapitän hat es seit zwei Stunden erwartet. Geh unter Deck, Antonio, und bete! Diese plötzlichen Unwetter sind gefährlich.«

»Ich bin kein Kind mehr«, protestierte sein Bruder.

Von der Brücke ertönten Befehle. Die Matrosen, die bisher müßig im Schatten gekauert hatten, sprangen auf. In Sekundenschnelle war alles auf den Beinen und reffte die Segel, in die der Wind klatschte. Die ersten schweren Tropfen fielen. Plötzlich war der ganze Himmel schwarz, von entfernten Blitzen fahl erhellt.

Alessandro sah Antonio mit dem kalten Blick an, gegen den es keinen Widerspruch gab.

»Du bist schlimmer als ein Kind. Du bist unvernünftig. An Deck ist jetzt kein Platz für unerfahrene Burschen, die jedermann im Wege stehen.«

»Euer Bruder hat recht«, sagte Annibale und legte dem jungen Mann die Hand auf die Schulter, »kommt! Wir gehen beide hinunter. Ich bin auch kein Seemann.«

Er warf noch einen Blick auf die »Sirena« vor ihnen, die ebenfalls die Segel fallenließ und sich schräg ins Wasser legte.

»Kommt«, wiederholte er und führte den widerstrebenden Antonio von der Reling fort.

Antonio traute sich nicht zu protestieren, aber er schob schmollend die Lippen vor. Er war fast zwanzig und kein Knabe mehr. Andere waren in seinem Alter schon verheiratet und hatten Kinder. Es gab keinen Grund, daß Alessandro ihn immer noch behandelte, als gehöre er ins Schulzimmer. Was konnte er nur tun, um seinem Bruder zu beweisen, daß er erwachsen war?

Die nächsten zehn Minuten unter Deck malte Antonio sich Szenen aus, in denen er Alessandro aus großer Gefahr rettete. Einmal verdankte Alessandro nur Antonios tollkühnem Einsatz, daß er in der Schlacht mit dem Leben davonkam, das andere Mal rettete ihn nur Antonios unfehlbar treffender Pfeil davor, daß ihn eine Raubkatze zerfleischte. Aber bald verging Antonio die Laune, sich Abenteuer vorzustellen, an deren Ende ihn Alessandro jedesmal umarmte und ihm versicherte, selbst er hätte nicht so schnell, entschlossen und umsichtig handeln können.

Die Bewegungen der »Aretusa« störten Antonio in seinen Gedanken. Das Schiff tanzte auf den Wogen wie eine Nußschale, legte sich bald nach backbord, bald nach steuerbord.

Was nicht fest verstaut war, kippte von den Tischen und aus den Regalen und rollte auf dem Boden herum. Antonio spürte, wie das Schlingern der »Aretusa« sich auf seinen Körper übertrug. Als das Schiff sich senkte, hob sich sein Magen. Er bemühte sich heldenhaft, sich nicht zu übergeben, aber er verlor den Kampf. Zitternd, frierend und spuckend kauerte er auf dem Boden neben den Soldaten, denen es nicht besser erging. Einige verfluchten die Stunde, da sie an Bord gegangen waren, andere flehten zum heiligen Nikolaus, sie sicher in den Hafen zu bringen, die meisten aber waren wie Antonio nur noch imstande zu stöhnen und zu wimmern.

Antonio hätte nicht sagen können, wie lange er so litt. Ihm kam es vor wie eine Ewigkeit, und er staunte, als er später, nachdem alles vorüber war, schwankend an Deck kletterte und sah, daß die Nacht noch nicht hereingebrochen war.

Das Meer war noch aufgewühlt. Gischt krönte die Wellen. Aber der Himmel war schon wieder klar, und die Sonne brannte herab, als habe sie nie Blitz und Donner die Herrschaft überlassen.

Antonio fand Alessandro auf der Brücke, in ein Gespräch mit dem Kapitän vertieft.

»... vom Kurs abgekommen«, hörte er den Kapitän sagen.

»Gefährlich?« fragte der Gesandte.

Der Kapitän schüttelte den Kopf.

»Keine Gefahr in diesen Gewässern«, sagte er, »schwierig wird es nur bei der Einfahrt in den Hafen von Marseille. Aber da kommt ein Lotse an Bord. Nein, gefährlich ist es nicht. Aber wir werden Zeit verlieren. Ein bis anderthalb Tage, denke ich. Die ›Sirena‹ wird eine Weile vor uns in Marseille ankommen.«

Antonio blickte auf die Stelle, an der er, der »Aretusa« voraus, zuletzt die »Sirena« gesehen hatte. Sie war verschwunden. Es gab kein anderes Schiff weit und breit. Die »Aretusa« war allein.

»Was ist mit der ›Sirena‹?« fragte er bestürzt. »Ist sie gesunken?«

Der Kapitän lachte herzlich und strich sich über seinen Bart.

»Mein lieber junger Mann, so leicht gehen Schiffe nicht unter. Wir werden sie in Marseille wiedersehen.«

Von all seinen Schlössern an der Loire liebte König Franz I. am meisten Blois. Er hatte es von seinem Schwiegervater Ludwig übernommen, der noch ganz im Stil der alten Zeit hier einen repräsentativen Bau geschaffen hatte. Der König konnte ihn von den Fenstern seiner Gemächer aus sehen. Sobald er an die Macht gekommen war, hatte er neben dem alten Schloß mit dem Bau eines Flügels im modernen italienischen Stil begonnen, der alle Bequemlichkeit bot, die er auf seinem Feldzug in Italien schätzengelernt hatte. Noch immer war das Gebäude nicht vollendet, denn meistens fehlte ihm das Geld, um die Arbeiter zu entlohnen, aber man konnte die Räume schon bewohnen, und nach einiger Zeit fiel gar nicht mehr auf, daß die Steinmetzarbeiten an den Gesimsen und den Kaminen noch nicht ausgeführt worden waren. Der König logierte ausschließlich in dem neuen Flügel. Die Räume im alten Schloß benutzten nur die Höflinge und seine Schwägerin Renée.

Das bedeutete, daß Marguerite de St. Philibert einen weiten Weg über einsame Gänge und verlassene Hintertreppen zurücklegen mußte, auf denen ihr höchstens ein Junge mit einem Korb Feuerholz oder eine Magd mit einem Wassereimer begegnete, wenn sie zum Sekretär des Königs gerufen wurde. Der Weg quer über den Hof wäre sehr viel schneller gewesen, aber dann wäre sie von vielen Leuten bemerkt worden, und es wäre nicht lange verborgen geblieben, daß eine Hofdame der Prinzessin Renée regelmäßig geheime Gespräche führte. Gewöhnlich waren diese Unterredungen kurz. Marguerite hatte nur wenig zu erzählen.

Die Tage ihrer Herrin verliefen gleichförmig. Nach dem Aufstehen hörte die Prinzessin die Messe, begab sich zum Frühstück und empfing anschließend eine Reihe gelehrter Herren, die sie im Lateinischen und Griechischen, in der Philosophie und der Theologie unterrichteten. Die Nachmittage verbrachte Renée im Kreise ihrer Damen bei feinen Handarbeiten und ließ sich dabei vorlesen oder hörte Musik. Sie führte ein regelmäßiges, stilles Leben, das Marguerite von Tag zu Tag mehr erbitterte.

In der nächsten Zeit allerdings standen einige Veränderungen ins Haus. Für zehn oder vierzehn Tage würde der Hofstaat der Prinzessin aus seinem Dornröschenschlaf erwachen und im Mittelpunkt festlichen Treibens stehen, wenn die Gesandtschaft aus Ferrara eingetroffen war und die Hochzeit der Prinzessin gefeiert werden würde. Der Gedanke daran belebte Marguerite de St. Philibert ungemein.

Sie bog in den letzten Korridor ein, an dem das Zimmer des Sekretärs lag, in dem er sie zu empfangen pflegte. Sie klopfte kurz an und schlüpfte auf das »Herein« rasch durch die Tür.

Das erste, was Marguerite bemerkte, war der König, der am Fenster lehnte und sie aufmerksam betrachtete. Sie versank in einem tiefen Knicks. Röte des Ärgers stieg ihr in die Wangen. Der König mochte sie für Verlegenheit halten. Wenn sie gewußt hätte, daß sie hier dem König begegnen würde, dann hätte sie ein anderes Kleid angezogen, ihr Haar hergerichtet und sich sorgfältig geschminkt. In dem schäbigen alten Kleid, mit der schlichten Frisur und dem nackten Gesicht mußte sie dem König wie eine Provinzlerin oder eine Hugenottin vorkommen.

Der König winkte ihr gnädig, sich zu erheben.

»Ihr dient Uns seit langem treu und unverdrossen, Madame«, sagte er. »Wir sind dafür dankbar und werden Uns erkenntlich zeigen. Das Wohl Unserer Schwägerin liegt Uns am Herzen, und Wir wissen sie gern von treuen und vertrauenswürdigen Damen umgeben, besonders in der nächsten Zukunft.«

Er machte eine Pause und betrachtete seine Fingerspitzen.

Marguerite wartete schweigend. Hinter ihr saß der Sekretär an einem mit Akten überladenen Tisch und spitzte einen Federkiel. Das Kratzen des Messers am Federschaft war der einzige Laut, der die Stille unterbrach. Endlich blickte der König wieder auf und lächelte. In dem dunklen Bart blitzten hell die Zähne auf, und plötzlich wirkte er anziehend, obwohl seine Nase zu lang und zu stark gebogen war und seine Augen hervortraten.

»Wir nehmen an, Madame, daß Ihr Euch an dem stillen Hof unserer Schwägerin manchmal gelangweilt habt. Haben Wir recht?«

Marguerite erlaubte sich, das Lächeln zu erwidern und dem Blick des Königs offen zu begegnen.

»Die Prinzessin liebt die Gelehrsamkeit, Majestät, und sie

ist selbst so gebildet, daß ihre Unterhaltung gelegentlich meinen armen Verstand übersteigt.«

Das Lächeln verschwand aus dem Gesicht des Königs.

»Wir wissen, wohin dieses Streben nach Wissen die Prinzessin führen kann. Daß Wir darüber Bescheid wissen, Madame, verdanken Wir zu einem großen Teil Euch. Wir hatten die Absicht, Eure guten Dienste damit zu belohnen, daß Wir Euch eine Mitgift aussetzen, die Euch ermöglicht, in ein Kloster Eurer Wahl einzutreten, nachdem die Prinzessin abgereist ist.«

Marguerites Herz setzte einen Moment aus und schlug dann rasch wie ein Hammer gegen ihre Rippen. In ein Kloster? Sollte das der Dank dafür sein, daß sie jahrelang für den König spioniert hatte? Jetzt, da die Prinzessin Frankreich verließ und ihre Dienste überflüssig geworden waren, wollte er sich ihrer auf so einfache Weise entledigen? Dafür hatte sie ihre Herrin nicht jahrelang hintergangen. Einen Augenblick wallte Haß so heiß in ihr auf, daß sie nichts sah und nichts hörte. Endlich drang die Stimme des Königs wie von fern wieder in ihr Bewußtsein.

»Leider, Madame, sind Wir immer noch auf Euch angewiesen und können Euch den wohlverdienten Frieden nicht gönnen. Wir wünschen, daß Ihr die Prinzessin nach Ferrara begleitet und Uns von allem berichtet, was vor sich geht.«

Mit einem leichten Seufzen stieß Marguerite den angehaltenen Atem wieder aus.

»Nichts täte ich lieber, Majestät, aber die Prinzessin hat mich nicht gebeten, sie zu begleiten. Madame de Soubise, Madame de Gueron und Mademoiselle de Roseval werden mit ihr gehen.«

Der König runzelte die Stirn.

»Über die Soubise und die Gueron sind Wir im Bilde. Aber wer ist diese Roseval?«

»Eine junge Frau, Majestät, die erst vor vier Monaten in den Dienst der Prinzessin getreten ist. Sie stammt aus dem Süden. Eine Nichte des Barons de Lesaux. Ihre Tante war Hofdame bei Charlotte d'Albret, und so ist sie auf Empfehlung der Prinzessin de la Trémouille an den Hof der Prinzessin Renée gekommen. Wobei es Leute gibt, die meinen, die Beziehung zwischen Mademoiselle de Roseval und der Prinzessin de la Trémouille sei enger. Mademoiselle de Roseval wurde im November 1507 in Viana geboren.«

Sie sah, daß der König ihrer Anspielung nicht folgen konnte, und wurde deutlicher.

»Cesare Borgia fiel im März vor den Mauern von Viana, und obwohl Laura als eheliches Kind des Barons von Roseval geboren wurde, rechneten doch viele Leute aus, daß sie dann ein Dreimonatskind gewesen sein müßte. Wenn man aber einen anderen Vater annehmen würde, käme der Geburtstermin sehr passend.«

In den Augen des Königs blitzte Verstehen auf.

»Ah, eine illegitime Schwester der Prinzessin de la Trémouille, meint Ihr? Wir müssen die junge Dame einmal kennenlernen, die solche Verwandtschaft hat. Wenn das stimmt, wäre sie auch mit dem Erbprinzen von Ferrara verwandt.«

»Sie wäre sozusagen seine Cousine, Majestät.«

»Sie begleitet also Unsere Schwägerin, um ihre Familie kennenzulernen?«

»Die Prinzessin hat sie um ihre Gesellschaft gebeten, weil sie Italienisch spricht. Eigentlich wollte sie nach der Abreise der Prinzessin heiraten und sich vom Hof zurückziehen, aber die Prinzessin hat ihr befohlen, die Heirat um ein Jahr aufzuschieben und solange bei ihr in Ferrara zu leben.«

»Da gibt es sicherlich einen Mann, der über diese Entscheidung nicht glücklich ist. Aber wie dem auch sei, Madame, Wir wünschen, daß Ihr die Prinzessin nach Ferrara begleitet und Uns getreulich über alles auf dem laufenden haltet. Wenn Wir mit Euren Diensten zufrieden sind – und davon sind Wir überzeugt –, dann werden Wir die Summe, an die Wir bisher gedacht haben, verdoppeln und Uns unter den Edelleuten Unseres Landes nach einem Mann umsehen, der Eurer würdig ist, Madame.«

Er machte eine verabschiedende Geste.

Marguerite knickste wieder. Der Sekretär stand auf und öffnete ihr die Tür, und sie fand sich mit zitternden Knien auf dem leeren Korridor wieder.

Eine hohe Mitgift und ein Ehemann – das war alles, was sie sich wünschte. Deshalb war sie an den Hof gekommen. Deshalb hatte sie für den König spioniert. Jetzt war sie ihrem Ziel ganz nahe. Sie mußte nur noch die Prinzessin überzeugen, daß es gut wäre, wenn sie sie nach Ferrara begleitete. Das würde nicht leicht sein. Sie wußte, daß Renée ihr nicht traute. Aber sie war sich bestimmt nicht völlig sicher, daß es Marguerite war, die sie bespitzelte.

Marguerite hörte Schritte in dem Gang, der auf den Korridor führte, auf dem sie immer noch vor der Tür des königlichen Sekretärs stand. Der Mensch, der da auf sie zu kam, trat energisch auf. Er trug Stiefel mit Sporen, die bei jedem Schritt klirrten. Das war keine Magd mit Waschwasser und kein Junge mit Holz.

Sie blickte sich rasch nach einer Deckung um, aber es war zu spät. Der Gang bot weder den Schutz eines Pfeilers noch einer Nische, wo sie sich hätte verbergen können. Jetzt konnte ihr nur noch eines helfen: Sie mußte selbstbewußt und souverän wirken, weder ängstlich noch besorgt oder gar eilig. Je normaler sie sich verhielt, je selbstverständlicher sie auftrat, desto wahrscheinlicher war es, daß der Mann, der ihr gleich gegenübertreten würde, das Zusammentreffen hier gleich wieder vergessen würde. Vielleicht hatte sie auch Glück, und er war nur ein einfacher Soldat, der sie nicht kannte.

Aber sobald sie den Mann sah, wußte Marguerite, daß sie kein Glück hatte. Der kräftige, untersetzte Mann mit den roten Haaren und dem sommersprossigen Gesicht war Lauras Verlobter, Yves de Bethois. Er kannte sie natürlich, wie er alle Hofdamen Renées kannte, und als Hauptmann der Leibwache wußte er auch, vor welcher Tür sie stand. Yves konnte sich leicht ausrechnen, was ihr Erscheinen hier zu bedeuten hatte. Er würde es Laura weitererzählen, und von Laura würde es die Prinzessin erfahren. Mit der Reise nach Ferrara, mit der hohen Mitgift und mit dem Ehemann würde es zu Ende sein, bevor es angefangen hatte.

Auf Marguerites Gesicht spiegelte sich keiner ihrer Gedanken. Sie lächelte den sommersprossigen jungen Mann strahlend an und neigte leicht den Kopf, während er sich schwungvoll verbeugte. Bevor er den Mund aufmachen und sie in eine Unterhaltung verwickeln konnte, war sie schon an ihm vorbeigerauscht und in dem Gang verschwunden, aus dem er gerade gekommen war.

Yves blieb einen Moment stehen und starrte ihr nach. Es war nicht das erste Mal, daß er in diesem Teil des Palastes einer Schönheit begegnete, aber normalerweise war sie dann jünger, von gewöhnlicherer Herkunft und ganz gewiß nicht aus der Hofhaltung der Prinzessin Renée. Marguerite entsprach nicht dem Typus Frau, den der König sich zu einem flüchtigen unkomplizierten Abenteuer in seine Gemächer bestellte. Natürlich war sie schön, mit ihrem aufsehenerregenden weißblonden Haar, der Porzellanhaut und den großen blauen Augen. Aber sie war schon Ende zwanzig, während der König Mädchen bevorzugte, die kaum siebzehn waren. Und bisher hatte er geglaubt, sie hüte ihre Tugend wie ein kostbares Juwel. An diesem leichtlebigen Hof waren die Hofdamen der prüden Prinzessin allesamt zurückhaltend, Marguerite de St. Philibert aber besonders betont. Doch wenn der König ein Verlangen äußerte, welche Frau würde sich da schon verweigern?

Yves setzte seinen Weg fort und dachte grimmig, wie gern er Laura aus diesem Pfuhl des Lasters fortbringen würde. Über die moralische Verfassung italienischer Höfe hegte er keinerlei Illusionen. Es war besonders bedrückend, daß er nicht mitreisen konnte, um sie dort vor allen Übeln zu beschützen.

Am Ende des Korridors führte eine schmale steinerne Wendeltreppe in das Dachgeschoß, wo Meister Guillaume eine große Fläche für seine Arbeiten eingeräumt worden war. Meister Guillaume war der wichtigste Mann am Hofe, wenn es darum ging, Feste zu inszenieren. Er stattete sie mit verschwenderischer Pracht aus, und es gab kein Problem, das er nicht lösen konnte.

Zu ihm war Yves unterwegs. Er mußte zur ersten Kostümprobe, und ihm dämmerte nun auch, weshalb man ihm die Ehre überlassen hatte, als Schwarzer Drache gegen den Rettenden Ritter zu kämpfen. Welcher Prinz oder Herzog wollte sich schon als Drache verkleiden lassen?

Yves betrat voller Widerwillen den riesigen Raum unter dem Dach, in dem es kaum ein freies Plätzchen gab. Ballen von Stoff der verschiedensten Arten, hölzerne Gerüste, Eisenketten, Käfige und Stangen standen und lehnten überall im Weg, so daß er sich nur durchschlängeln konnte. Über allem lag ein beizender Geruch von Farbe, Leim und Terpentin.

Meister Guillaume war ein kleinwüchsiger Mann mit einer schiefen Schulter und großen, melancholischen Augen. Er war wortkarg, und es konnte geschehen, daß er tagelang kein Wort mit seinen Gehilfen redete, zwei jungen Burschen, von deren Fähigkeiten er nichts hielt. Als Yves sich zwischen zwei Ballen von Samt und Damast durchzwängte, sah er, wie die beiden Burschen sich mühten, aus einem Stück Holz einen Kreis mit Zacken auszusägen. Meister Guillaume stand daneben und stöhnte, als sei er Zeuge eines großen Unglücks.

Yves räusperte sich, und Meister Guillaume wandte sich zu ihm um.

»Mein Herr, was kann ich für Euch tun?«

Er hatte eine schöne, volltönende Stimme, die Yves in diesem verkrüppelten Körper überraschte.

»Zur Hochzeit der Prinzessin Renée soll ein Turnier stattfinden.«

Meister Guillaume nickte.

»Ihr seht uns bereits bei den Vorbereitungen. Es gibt viel zu tun. Was ist Eure Rolle dabei?«

»Ich muß der Schwarze Drache sein.«

Meister Guillaume ließ seine Augen gemächlich über die breitschultrige Gestalt vor ihm gleiten. Yves fühlte sich unter dem Blick unbehaglich, es war ein kühles, völlig unpersönliches Abschätzen. So hätte er auch einen Sack Mehl oder ein Fuder Holz mustern können. Nach einer Weile sagte Meister Guillaume:

»Ein schwarzer Drache. So, so. Aha. Ja.«

Dann war es wieder still. Die beiden Gehilfen sägten weiter.

Yves wartete auf eine Erklärung, die aber ausblieb. Nach einer Weile fragte er:

»Was meint Ihr?«

Meister Guillaume zuckte die Achseln.

»Was soll ich schon meinen? Ihr bekommt ein Drachenhaupt und einen Drachenschwanz. Vielleicht mehrere Köpfe! Feuerspuckende? Ja, mindestens zwei feuerspuckende Köpfe! Und einen Schwanz, der den halben Schloßhof ausfüllt. Das wird Eindruck machen.«

Die Aussicht, zwei feuerspuckende Köpfe und einen hoffüllenden Schwanz zu besitzen, behagte Yves durchaus nicht, und das konnte man deutlich auf seinem Gesicht lesen.

»Wie soll ich damit kämpfen?« fragte er höhnisch.

Meister Guillaume winkte ihn vorwärts. Er trat eine Latte aus dem Weg und führte Yves zu einem Tisch, der mit Papierrollen übersät war. Er wischte einige beiseite und schuf Platz für ein Stück Papier, auf dem er mit wenigen Kohlestrichen einen Drachen mit drei Köpfen und einem Schuppenleib mit langem Schweif skizzierte.

»So!« sagte er, als seien damit alle Schwierigkeiten aus dem Weg geräumt.

Yves starrte auf die Zeichnung.

»Wie soll ich damit kämpfen können?«

Meister Guillaume wies mit der Hand in eine Ecke.

Dort erhob sich auf einem Holzgerüst das Haupt der Medusa. Es war schrecklich anzusehen. Ein überlebensgroßer Frauenkopf, um den anstatt der Haare Schlangen züngelten. Meister Guillaume machte eine Handbewegung, die Yves zum Nähertreten aufforderte. Von nahem besehen, war der Kopf nichts anderes als ein Stück bemalte Leinwand, die über ein käfigartiges Gerüst gespannt war. Dieser Käfig war wie ein Helm konstruiert, so daß man ihn über den Kopf stülpen konnte.

»So«, sagte Meister Guillaume wiederum.

Yves folgerte daraus, daß er beim Turnier einen Drachenhauptkäfig tragen solle.

»Unmöglich«, wandte er ein, »damit kann man nicht kämpfen. Mit so einem Ding über dem Helm wäre ich blind wie ein Maulwurf und würde außerdem ersticken.«

»Kein Topfhelm«, sagte Meister Guillaume, »eine Beckenhaube.«

Yves stellte sich vor, wie ein Kampf verlaufen würde, bei dem der Gegner durch einen Topfhelm geschützt, er aber durch diese alberne Maske behindert sein und außerdem noch so einen lächerlichen Schweif hinter sich herziehen würde. Er sagte Meister Guillaume sehr deutlich, was er davon hielt. Meister Guillaume seufzte über soviel Begriffsstutzigkeit und setzte zu einer längeren Rede an.

»Das wird doch nur Euer Auftrittskostüm sein. Wenn der

Kampf beginnt, werft Ihr die ganze Verkleidung ab und steht in einer schwarzen Rüstung da.«

Das hörte sich schon besser an, aber Yves erkannte, wo der Fehler lag.

»Dann trete ich mit einer Beckenhaube gegen einen Topfhelm an.«

Meister Guillaumes Geduld erschöpfte sich hörbar.

»Euer Gegner wird ebenfalls eine Beckenhaube tragen.«

Yves überlegte. Eigentlich würden alle lieber in der Beckenhaube kämpfen, die eng dem Schädel anlag, das Gesicht aber freiließ. In dem Topfhelm, der nur Sehschlitze hatte, war die Sicht behindert, die Atemluft war knapp, bei dieser Hitze würde es sehr stickig in ihm sein, und sein Gewicht war erdrückend. Aber er bot den besseren Schutz und war deshalb beim Turnier vorgeschrieben.

»Es ist gegen die Regeln«, wandte er ein.

»Regeln?« Meister Guillaume spuckte das Wort förmlich aus.

»Bei einem Fest gibt es keine Regeln. Die Phantasie unterwirft sich keinen Vorschriften.«

Damit drückte er Yves auf einen Ballen Leinwand hinunter und holte aus der Tasche seines Kittels ein Stück Schnur. Er maß den Kopf des jungen Mannes in Länge und Breite und nahm den Umfang des Schädels.

»Kommt in fünf Tagen wieder zur Anprobe«, sagte er abschließend, drehte Yves den Rücken zu und kämpfte sich durch ein Gewirr von Weidenruten durch zu seinen Gehilfen. Von dort hörte Yves ihn einen Schrei ausstoßen.

»Ein Kreis! Ein Kreis! Ist die Sonne etwa ein Ei?«

Yves bahnte sich den Rückweg durch das Chaos und atmete auf, als er die Treppe erreichte und wieder frische Luft einsog. Auf halbem Weg kam ihm ein Mann entgegen, der ganz in Schwarz gekleidet war. Er hatte ein blasses, zerfurchtes Gesicht, in dem die Augen tief in den Höhlen lagen. Ein silbergrauer Bart wallte ihm bis zur Brust. Yves drückte sich an die Wand und ließ ihn vorbei. Der Mann verneigte sich leicht, als ob er sich für ranghöher hielte als den Hauptmann der Leibwache, der auf eine Reihe von vierundzwanzig untadelig adeligen Ahnen zurückblicken konnte.

Es war Agrippa von Nettesheim, des Königs Astrologe und Alchimist, den Yves, wie viele andere am Hofe, zugleich wegen seiner niedrigen Herkunft verachtete und wegen seiner nekromantischen Künste fürchtete. Agrippa fand beide Gefühle auf dem geröteten sommersprossigen Gesicht des jungen Mannes klar widergespiegelt und versteckte ein spöttisches Lächeln in seinem Bart.

»Wer war der junge Schlagetot, der dich eben verlassen hat?« fragte er Meister Guillaume, nachdem er ihn auf dem Dachboden gefunden hatte.

Meister Guillaume hob die Schultern.

»Ich habe ihn nicht nach seinem Namen gefragt. Er soll bei der Hochzeit der Prinzessin als Schwarzer Drache kämpfen.«

Agrippa setzte sich vorsichtig auf einen prallgefüllten Sack und wiederholte nachdenklich:

»Bei der Hochzeit der Prinzessin.«

Meister Guillaume schwieg abwartend.

Nach einer Weile fuhr Agrippa mit gedämpfter Stimme fort:

»Der König hat mir befohlen, die Sterne zu befragen, ob diese Heirat unter einem guten Sternzeichen steht. Ich habe mehr herausgefunden.«

Sein Freund ließ sich neben ihm nieder und sah ihn an.

Agrippas Stimme wurde noch leiser. Sie war fast nicht mehr zu hören, weil die beiden Gehilfen wieder mit dem Sägen begonnen hatten. Meister Guillaume mußte sich vorbeugen, um ihn zu verstehen.

»Ich habe es mehrmals nachgeprüft. Ich irre mich nicht. Ich irre mich bestimmt nicht. Es ist wieder soweit. Sie haben sich wieder am Spieltisch niedergelassen und ihre Figuren aufgestellt. Das Spiel beginnt mit der Hochzeit der Prinzessin.«

Meister Guillaume mußte nicht erst fragen, wer »sie« waren. Er gehörte wie Agrippa von Nettesheim zu dem Kreis derer, die das Wissen hegten und weitergaben, das älter war als das Christentum, älter als die Götter Roms und Griechenlands, das über Persien aus Indien gekommen war, lange, bevor man begonnen hatte, die Worte der Götter oder eines Gottes aufzuschreiben. Ein Wissen, das unter dem Schutt, den dreitausend Jahre Geschichte aufgetürmt hatten, nie ganz verlorengegangen war, das in der Lehre Zoroasters, im Manichäismus, in der Gnosis und bei den Katharern wieder aufgetaucht war, ein Wissen, das alle, die ihm anhingen, sorgfältig verbergen mußten vor den Augen und Ohren der Inquisition. Der Herr des Lichts und der Herr der Finsternis spielten seit Erschaffung der Welt das Spiel. Ihr Spielbrett war die Erde, ihre Spielfiguren waren die Menschen.

»Wir wird es ausgehen?« murmelte Meister Guillaume.

Agrippa schüttelte den Kopf.

»Das zu wissen, mein Freund, ist uns verwehrt. Wir werden es erst wissen, wenn das Spiel beendet ist. Das letzte Mal hat der Herr der Finsternis gesiegt.«

Meister Guillaume seufzte leicht.

»Es gibt nichts, was wir tun können«, sagte er. Es war keine Frage. Es war eine Feststellung.

Agrippa von Nettesheim nickte.

»Wir sind nur Zuschauer«, sagte er, »gespielt wird mit anderen Figuren.«

»Weißt du, wer die Schwarze Dame sein wird?«

»Es kann nur eine sein.«

»Die Tochter der Dame de Lalande?«

»Ihre Tochter ist tot. Es ist ihre Enkelin, Laura de Roseval.«

»Weiß sie es? Hat ihre Großmutter ihr etwas gesagt?«

Agrippa schüttelte den Kopf.

»Nein, natürlich nicht. Dann wäre die Partie verloren, bevor sie angefangen hat.«

»Und wer wird der König sein?«

»Ich weiß es nicht, mein Freund. Ich weiß nur, daß das Spiel beginnt. Laß uns hoffen, daß Laura stärker ist als die Dame de Lalande jemals war. Das Licht muß über die Finsternis siegen.«

Antonio kniff die Augen zusammen.

Die Sonne übersäte das Meer mit goldenen Lichtern, die ihn blendeten. Auf schwer zu bestimmende Weise hatte sich die Atmosphäre verändert und signalisierte, daß sie sich dem Hafen näherten. Das Meer roch anders, strenger nach Salz und Tang. Die Luft war nicht mehr nur erfüllt vom sanften Schlag der Wellen gegen den Schiffsbauch, sondern auch vom heiseren Krächzen der Seevögel, die der »Aretusa« entgegenflogen.

Unter den Matrosen herrschte eine fiebrige Eile, als könnten sie mit der Geschwindigkeit ihrer Gedanken und Handgriffe das Schiff rascher an den Kai treiben. Selbst der gleichmäßige Takt der Ruderer schien sich zu beschleunigen.

Antonio lehnte an der Reling und spähte über die gleißende Wasserfläche zu dem Boot hinüber, das ihnen entgegengerudert kam. Hinter ihm saß Matteo auf einer Taurolle und schnitzte an einem Stück Holz. Er pfiff tonlos vor sich hin. Hinter dem glasigen Dunst, der über dem Meer hing, war dunkel der Umriß einer Stadt zu erahnen.

»Wer kommt da?« fragte Antonio.

Matteo unterbrach seine Arbeit für einen Augenblick und warf einen Blick auf das Boot.

»Der Lotse«, sagte er, »für die Einfahrt in den Hafen brauchen wir einen Lotsen. Das Meer soll hier tückisch sein. Voller Felsen unterhalb der Wasseroberfläche, die man nicht sieht, an denen ein Schiff aber scheitern kann.«

»Das wäre etwas – Schiffbruch direkt vor dem Hafen«, sagte Antonio belustigt.

Matteo schnitzte weiter.

»So etwas ist schon vorgekommen.«

»Aber da sind zwei Leute in dem Boot, außer den Ruderern. Brauchen wir zwei Lotsen?«

»Der andere ist von der Hafenbehörde. Er wird überprüfen, ob wir die Pest an Bord haben. Wenn dem so wäre, würden sie uns zwingen, draußen vor dem Hafen vor Anker zu liegen, bis Mann und Maus auf dem Schiff verreckt sind, und es dann versenken.«

Antonio malte sich schaudernd aus, die »Aretusa« wäre ein Pestschiff, und er müßte, ohne Hoffnung auf Rettung, in Sichtweite der Stadt an Bord sein Ende erwarten.

Das Ruderboot näherte sich, und Antonio mußte beiseite treten, um einem Matrosen Platz zu machen, der eine Strickleiter die Bordwand herabfallen ließ. Das Boot legte an, und mit affenartiger Behendigkeit kletterten zwei Männer mittleren Alters an Bord. Ihre Gesichter waren von der Sonne verbrannt. Sie trugen ungewöhnlich finstere Mienen zur Schau.

Der Matrose wies ihnen den Weg zur Brücke, wo der Kapitän breitbeinig neben dem Steuerrad stand. Der Steuermann trat beiseite, und einer der beiden Männer nahm seinen Platz ein. Der andere sprach leise mit dem Kapitän. Antonio, der die Gruppe müßig betrachtete, bemerkte, daß plötzlich ein Ruck durch den Kapitän ging. Der Mann wankte einen Augenblick wie ein Baum, den man mit der Axt angeschlagen hatte, dann winkte er einem Matrosen und rief ihm etwas zu. Antonio verstand den Namen seines Bruders.

Matteo hinter ihm hörte auf zu pfeifen. Antonio wandte sich ihm zu.

»Was hat das zu bedeuten?« fragte er. »Wir haben schließlich nicht die Pest an Bord. Heißt das, in der Stadt geht eine Seuche um?«

»Woher soll ich das wissen?« sagte Matteo.

Er legte das Schnitzmesser aus der Hand. Antonio fühlte, wie sich die Anspannung, die von dem Diener ausging, auf ihn übertrug.

Alessandro Montefalcone erschien rasch an Deck. Der Matrose mußte ihm eine alarmierende Nachricht überbracht haben, denn er kam, ohne sich vollständig angekleidet zu haben. Nur in Hose und offenem Hemd, das goldene Haar ungekämmt, trat er auf die Brücke.

Der Kapitän machte ihm eine kurze Mitteilung, dann sprachen die beiden Männer, die an Bord gekommen waren. Alessandro hörte schweigend zu, den Kopf schräggeneigt, den Mund fest zusammengepreßt.

»Eine schlechte Nachricht«, sagte Antonio, ihn beobachtend.

Sein Bruder schnitt den beiden Männern mit einer Handbewegung das Wort ab, drehte sich um und verschwand wieder unter Deck.

»Was kann denn das bedeuten?« fragte Antonio.

Matteo antwortete nicht.

Die »Aretusa« setzte unbeirrt ihren Weg fort. Ihr Bug pflügte durch die goldgesprenkelten Wellen, und bald schob sich der Hafen in Antonios Blickfeld. Weiß und türmereich stiegen die Häuser und Gassen von Marseille vor ihm auf. An den Kais schwankten sanft die Masten der Schiffe. Befreit von der Last ihrer Segel, wiegten sie sich gelassen und heiter auf dem Wasser.

»Wo ist die ›Sirena‹?« fragte Antonio, die Reihen der Schiffe durchmusternd. »Kannst du sie erkennen, Matteo?«

»Ein Schiff sieht wie das andere aus«, versetzte Matteo mit der hochmütigen Ignoranz des eingeschworenen Festländers.

»Vielleicht ist sie noch gar nicht da. Vielleicht sind wir die ersten im Hafen«, überlegte Antonio. Er war jung genug, um darüber Freude zu empfinden.

»Du hast recht. Die ›Sirena‹ ist nicht da«, sagte die Stimme seines Bruders neben ihm.

Antonio zuckte zusammen. Er hatte ihn nicht kommen hören. Alessandro hatte die Fähigkeit, sich lautlos wie ein Raubtier zu bewegen. Antonio warf ihm einen raschen Blick zu.

Sein Bruder hatte ein golddurchwirktes braunes Samtwams übergeworfen, ein braunes Barett mit einer großen juwelengeschmückten Brosche aufgesetzt, und an seinen behandschuhten Händen funkelten mehrere Ringe. So prachtvoll hatte er sich seit Genua nicht mehr gekleidet. Aber jetzt war er nicht mehr bloß Alessandro Montefalcone. In dem Moment, in dem er an Land ging, war er der Gesandte Ferraras und repräsentierte in seiner Erscheinung den Glanz und die Bedeutung des Herzogs. Sein Gesicht, das die Seereise nur leicht gebräunt hatte, war unbewegt und wie aus Stein gemeißelt. Die Kälte in den grauen Augen ließ Antonio trotz der Hitze frösteln.

»Eine schlechte Nachricht?« fragte er vorsichtig.

Alessandro sah nicht ihn, sondern Matteo an, als er antwortete.

»Die ›Sirena‹ ist gesunken. Sie ist gestern kurz vor der Einfahrt in den Hafen auf ein Felsenriff aufgelaufen und auseinandergebrochen.«

»Oh«, sagte Antonio bestürzt, »dann ist die Ladung verloren?«

»Die Ladung und zehn Mann. Was von der Ladung nicht auf dem Meeresgrund liegt, haben die Einwohner beiseite geschafft. Und zehn Mann sind ertrunken.«

Alessandro sah immer noch Matteo an, der den Blick erwiderte, ohne mit der Wimper zu zucken.

»Man kann nie wissen«, sagte er, als habe sein Herr ihm eine Frage gestellt, »und man kann nie vorsichtig genug sein.«

»Aber was ist passiert?« fragte Antonio. »Hatten sie denn keinen Lotsen an Bord?«

»Doch, sie hatten einen Lotsen«, erwiderte sein Bruder und fügte nachdenklich hinzu, »der hat das Unglück überlebt. Es wird interessant sein, ihn zu sprechen.«

Bis Alessandro Montefalcone sich aufmachen konnte, mit dem Lotsen des Unglücksschiffes zu reden, verging viel Zeit. Nachdem die »Aretusa« am Kai festgemacht hatte, wurde der Gesandte Ferraras vom Bürgermeister und einem Festkomitee, bestehend aus fünf schönen jungen Frauen, begrüßt und in sein Quartier geleitet. Dort hielt der Bürgermeister eine halbstündige Ansprache, verbunden mit einem Umtrunk, zu dem eine Reihe von reichen Kaufleuten und Notabeln geladen worden waren. Als der Botschafter sie endlich losgeworden war, neigte sich der Tag dem Ende zu. Er hatte während der ganzen Zeit kein Zeichen von Ungeduld gezeigt, aber nun riß er sich hastig das Prunkgewand von den Schultern, schlüpfte in ein unauffälliges Wams und verließ den Gasthof durch den rückwärtigen Eingang. Er duldete schweigend, daß Antonio ihn begleitete. Matteo tauchte am Ende der Gasse auf, und Antonio bemerkte bestürzt, daß er ein Schwert trug.

Sie schritten rasch durch ein Gewirr von Gassen. Antonio begriff, ohne zu fragen, daß Matteo den Nachmittag genutzt hatte, um den Weg zum Haus des Lotsen zu erkunden. Schmutzige Kinder, die im Staub spielten, wichen vor ihnen beiseite. Ein magerer Köter heftete sich einmal an ihre Fersen, bis Matteo ihn mit einem Fußtritt verjagte. Ein hübsches Mädchen, das einen Krug auf der Schulter trug, kam ihnen entgegen und warf Alessandro einen schmachtenden Blick zu.

Sie stiegen höher, und die Gassen wurden schmaler. Hier und da stand ein Topf mit verdorrten Blumen vor einer Haustür, sonnte sich eine Katze, schallte Schimpfen, Lachen oder Hämmern aus einem der Häuser. Sie waren nach Antonios Schätzung etwa eine halbe Stunde gegangen, als Matteo stehenblieb.

»Hier ist es, Herr«, sagte er.

Das Haus war einstöckig, sauber gekalkt, die Fensterläden geschlossen. Es unterschied sich von den Nachbarhäusern nur dadurch, daß kein Laut aus dem Inneren drang.

Antonio schluckte. Er hatte das Gefühl, daß Unheil in der Luft lag. Er konnte es nicht begründen, aber ihm schien von dem ordentlichen, stillen Haus Böses auszugehen. Am liebsten hätte er seinen Bruder fortgezogen.

Matteo trat mit dem Fuß die Tür auf. Sie gab sofort nach. Dahinter gähnte Dunkelheit sie an.

Matteo hielt das Schwert in der Hand, und Alessandro hatte einen Dolch gezückt. Mit der Waffe in der Hand betrat Alessandro als erster das Haus. Matteo hielt sich dicht hinter ihm, Antonio folgte langsamer. Das Herz schlug ihm bis zum Hals.

Als er die Schwelle überschritt, konnte er nach der blendenden Helligkeit der Straße in der Dunkelheit zunächst nichts sehen. Als seine Augen sich daran gewöhnt hatten, sah er zuerst nur Matteos breiten Rücken, der ihm die Sicht versperrte.

Sein Bruder und der Diener standen unbeweglich und betrachteten etwas, das Antonio erst erblickte, als er sich hochreckte und über Matteos Schulter spähte.

In der Mitte des Raumes schaukelte ein Mann in braunen Hosen, schwarzem Hemd und mit bloßen Füßen sacht hin und her. Sein Hals steckte in einer Schlinge. Das Seil war um den Deckenbalken geworfen worden.

Antonio befeuchtete seine Lippen. Noch nie hatte er einen Erhängten gesehen. Die herausgequollenen Augen, die aus dem geöffneten Mund hängende Zunge, das blauschwarz angelaufene Gesicht waren schrecklich genug, aber ganz unerträglich waren die Fliegen, die sich zu Dutzenden auf der Zunge und auf den Wangen des Toten niedergelassen hatten.

Er stürzte hinaus und übergab sich.

Danach lehnte er zitternd an der Hauswand und wartete auf Alessandro und Matteo. Es dauerte eine Weile, bis sie kamen. Antonio wollte lieber nicht wissen, was sie in dem Haus getan hatten. Schweigend machten sie sich auf den Rückweg. Nach einer Weile fragte Antonio, und er mußte sich räuspern, um ein Wort hervorbringen zu können:

»Ist er tot? Hat er sich umgebracht?«

Matteo warf Alessandro einen scharfen Blick zu und überließ ihm die Antwort.

»Ein Mensch von skrupulösem Gewissen«, sagte sein Bruder leichthin. »Er führt ein Schiff in den Untergang und zehn Menschen in den Tod und erhängt sich. *Fiat iustitia.*«

Matteo schwieg.

Antonio hatte das Gefühl, daß Matteo nicht an Alessandros Erklärung glaubte. Und etwas in Alessandros Tonfall klang so, als wenn auch sein Bruder es nicht tat.

Sein Gesicht war von feinen Schweißperlen bedeckt, und das Hemd klebte ihm feucht am Rücken. Dabei war er so gemessen durch die Korridore geschritten, wie es der Würde seines Amtes als Kämmerer des Königs und seinem Alter ziemte. Leider erforderte die Würde seines Amtes auch, daß er zur Audienz bei der Prinzessin in vollem Ornat erschien, im silberdurchwirkten Wams aus grauer Seide, die schwere goldene Amtskette über der Brust, und mit dem mit Marderfellen verbrämten Samtumhang. Er konnte noch so langsam gehen, schon bei der kleinsten Bewegung brach ihm der Schweiß aus.

Die Hitze staute sich in allen Räumen. Es gab keinen kühlen Ort im Schloß von Blois, ja in ganz Frankreich nicht, wenn man von den unterirdischen Verliesen und den Krypten der Kathedrale absah. Seit Mai brannte die Sonne Tag für Tag von einem wolkenlosen Himmel herab, verbrannte das Gras und das Getreide und trocknete die Flüsse aus. In den Kirchen wurden Bittgottesdienste abgehalten, und Prozessionen zogen frühmorgens mit Heiligenstatuen, Psalmen und Marienlieder singend, um die Felder herum. Ganz Frankreich betete um den Regen, der seit vier Monaten ausgeblieben war.

De Chesnau blieb mit einem Aufseufzen stehen. Er hatte das Vorzimmer der Prinzessin erreicht. Vor dem Kamin hatte sich ein gefleckter Jagdhund ausgestreckt und duldete die liebkosende Hand eines Knaben. Als er de Chesnau erblickte, sprang der Junge errötend auf und lief zur Tür, um sie vor ihm aufzureißen.

Der alte Mann winkte ab.

»Warte«, sagte er.

Er zog ein großes Leintuch aus dem Ärmel seines Wamses, entfaltete es und wischte sich damit sorgfältig über Gesicht und Nacken. Dann faltete er das Tuch wieder zusammen, verstaute es im Ärmel und nickte dem Pagen zu. Der öffnete die Tür zum Wohnzimmer der Prinzessin.

Renée von Frankreich bewohnte fünf Zimmer im zweiten Stock, die nach Westen gingen und in die an diesem Morgen noch kein Sonnenstrahl gedrungen war. Trotzdem war es auch hier glutheiß, denn die Nächte brachten längst keine Abkühlung mehr.

Die Prinzessin saß am anderen Ende des Raumes auf einem hochlehnigen Stuhl. Ein Kleid aus meerblauer Seide, üppig in Falten gerafft, umfloß ihre magere Gestalt wie ein Wasserfall. In dem großen, hochgestellten Spitzenkragen ertrank ihr spitzes blasses Gesicht geradezu.

Sie saß müßig, die Hände locker im Schoß gefaltet, und sah ihm entgegen.

Aus den Augenwinkeln bemerkte de Chesnau, daß nur zwei ihrer Hofdamen zugegen waren. Sie saßen am Fenster vor einem Stickrahmen, in dem ein Altartuch eingespannt war. Einen größeren Kontrast hätte man sich nicht vorstellen können als den zwischen der silberblonden, vollerblühten üppigen Marguerite de St. Philibert und der schmalen, dunkelhaarigen Laura de Roseval.

De Chesnau verbeugte sich. Schon brach ihm wieder der Schweiß aus.

»Willkommen, Monsieur de Chesnau«, sagte die Prinzessin. »Ihr habt neue Nachrichten von der Gesandtschaft aus Ferrara?«

Sie hatte die irritierende Angewohnheit, am Ende eines Satzes die Stimme zu heben, so daß man sich nie entscheiden konnte, ob sie eine Feststellung getroffen oder eine Frage gestellt hatte.

»Leider nein, Königliche Hoheit«, erwiderte de Chesnau. »Wir wissen immer noch nicht mehr, als daß die Herren aus Ferrara am Dritten in Marseille an Land gegangen sind.«

»Das war vor zwei Wochen?«

»Wir erwarten sozusagen stündlich ihr Eintreffen, Madame.«

»Sie haben es nicht eilig?« sagte die Prinzessin verärgert.

De Chesnau fragte sich, welcher Prinz es unter diesen Umständen eilig gehabt hätte.

Einerseits war Prinz Ercole der älteste Sohn des Herzogs

von Ferrara, und als Politiker mußte ihm die Ehe mit der französischen Prinzessin äußerst erwünscht sein. Renée war die Tochter des verstorbenen König Ludwig XII. und seiner Frau Anne de Bretagne. Ihre Schwester Claude hatte den jetzigen König Franz geheiratet. Als Tochter und Schwägerin französischer Könige war die Prinzessin eine mehr als standesgemäße Gemahlin für den Sohn des Herzogs von Ferrara. Was waren die Este, verglichen mit dem Blut der Valois? Nichts als Emporkömmlinge. Und Prinz Ercole war nicht nur von Vaterseite her ein Este, sondern von seiten seiner Mutter auch ein Borgia. Vor dreißig Jahren war das ein Name gewesen, vor dem Europa gezittert hatte. Aber dann waren die Borgia so jäh und tief gestürzt, wie sie rasch und schwindelerregend hoch aufgestiegen waren.

Nur der augenblicklichen schwierigen Lage des Königs von Frankreich verdankte es diese Familie, daß sie sich mit einer Tochter Frankreichs verbinden konnte. So betrachtet, sollte Prinz Ercole allerdings ungeduldig sein, zu seiner Braut zu kommen. Andererseits, dachte de Chesnau zynisch, war der Prinz auch noch ein Mann, ein zwanzigjähriger heißblütiger, junger Mann, der jetzt der Ehe mit einer unhübschen, kränkelnden und verkrüppelten Frau entgegenging. Daß er es unter diesen Umständen nicht ganz so eilig hatte, war nicht unverständlich.

»Die Gesandtschaft wird große Probleme mit dem Reisen haben, Königliche Hoheit«, sagte de Chesnau glatt. »Angesichts dieser Hitze kann man nur morgens und abends reiten. Und zu Schiff wird er nicht kommen können, weil die Flüsse nicht mehr schiffbar sind.«

»Ich dächte doch, Italiener seien an heiße Sommer gewöhnt«, sagte die Prinzessin ätzend. »Worum geht es denn, Monsieur de Chesnau, wenn Ihr keine Neuigkeiten über den Verbleib der Gesandtschaft habt?«

»Seine Majestät hat das Programm für die Festlichkeiten anläßlich Eurer Vermählung zusammenstellen lassen, Madame. Er hat mich ersucht, es Euch vorzutragen und Eure Billigung einzuholen.«

Die Prinzessin hob leicht die Hand und winkte. An ihrem Ringfinger blitzte ein Diamant auf. Der Page schleppte einen

Hocker herbei und setzte ihn zwei Meter vor der Prinzessin nieder.

»Vielen Dank, Königliche Hoheit.«

De Chesnau verbeugte sich wieder, ehe er sich setzte.

»Nun? Laßt hören, Monsieur de Chesnau!«

Der alte Mann beschloß, mit dem leichten Teil seiner Mission zu beginnen.

»Seiner Majestät liegt daran, aller Welt zu zeigen, wie hoch er Euren Rang und Eure Person schätzt. Er hat das Programm selbst vorgeschlagen.«

Das war ein deutlicher Wink, daß sie nichts daran auszusetzen haben durfte.

De Chesnau fuhr fließend fort: »Drei Tage nach der Ankunft des Gesandten wird die Trauung stattfinden, Madame. Anschließend ein Bankett und ein Ballett. Am nächsten Tag eine große Jagd und abends ein Feuerwerk. Am vorletzten Abend wird ein Schauspiel gegeben und ein Maskenball, am letzten Tag dann ein Turnier.«

De Chesnau spürte, wie der Schweiß ihm in den Kragen rann.

»Ich sehe, Seine Majestät erweist mir viel Ehre«, sagte die Prinzessin lächelnd. »Sagt ihm meinen Dank, Monsieur. Ich fühle mich außerordentlich geschmeichelt, daß so viel Aufwand getrieben wird.«

Sie streckte zur Verabschiedung die Hand aus, damit er sie küssen könne.

De Chesnau rührte sich nicht.

Er hatte nur einen Teil seiner Botschaft ausgerichtet, der zweite fehlte noch, und er fürchtete sich, damit zu beginnen. Er wünschte, diese Aufgabe wäre einem anderen Mann zugefallen. Er fragte sich, ob er die Beherrschung verlieren würde. Oder ob vielleicht die Prinzessin ihre Fassung verlieren würde, was schlimm sein würde angesichts der beiden Hofdamen. Zwar war die kleine Laura de Roseval gewiß harmlos. Sie war jung und erst seit vier Monaten am Hofe. Sie war auf Empfehlung seiner Frau von der Prinzessin in Dienst genommen worden. Madame de Chesnau und die Tante der kleinen Roseval waren Hofdamen bei der unglücklichen Prinzessin Charlotte d'Albret gewesen. Als die Tante an seine Frau geschrieben hatte, stand Madame de Chesnaus Entschluß schnell fest. »Die Kleine«, hatte sie gesagt, »muß in den Hofstaat der Prinzessin Renée. Nur dort haben Ehrenjungfrauen die Chance, Jungfrauen zu bleiben.«

Die andere Hofdame, die silberblonde Marguerite de St. Philibert, war die Witwe eines Barons aus der Bretagne, der sie mit Mitte Zwanzig kinder- und mittellos zurückgelassen hatte. De Chesnau hielt sie für ehrgeizig, intrigant und verschlagen. Seiner Meinung nach hatte sie keinerlei Skrupel, wenn es um ihren Vorteil ging.

Die Prinzessin hob leicht die Augenbrauen, ihr Erstaunen andeutend.

»Nun?« fragte sie.

De Chesnau griff sich unwillkürlich mit zwei Fingern in den Kragen und versuchte, ihn zu lockern. Diesmal kam der Schweiß nicht von der Hitze. Seine Zunge fühlte sich pelzig und trocken an. Er setzte zum Sprechen an, brachte aber nur ein Krächzen heraus.

Die Prinzessin musterte ihn mit steigender Verwunderung.

»Laura, würdet Ihr Monsieur de Chesnau ein Glas Wasser eingießen?«

Das dunkelhaarige Mädchen steckte die Nadel in den Stoff und ging zu einem großen Eichentisch hinüber, auf dem ein Tablett mit Gläsern stand und ein Tonkrug, in dem das Wasser kühl gehalten wurde. Sie schenkte ein Glas voll und brachte es ihm.

De Chesnaus Hände zitterten, als er es ihr abnahm. Er leerte das Glas auf einen Zug und reichte es ihr zurück.

»Danke, mein Kind.«

»Nun?« wiederholte die Prinzessin.

Es gab keinen Aufschub mehr.

De Chesnau räusperte sich.

»In den Tagen vor der Trauung«, sagte er, »wird es nach einer angemessenen Ruhepause für den Gesandten und seine Begleitung und vor dem Abschluß des Ehevertrages noch eine … noch eine besondere Veranstaltung geben.«

Renée sah ihn fragend an.

De Chesnau schluckte und sagte dann rasch und leise: »Ein Autodafé. Am Tag vor der Trauung werden achtzig Protestanten als Ketzer verbrannt werden. In Anwesenheit Seiner Majestät und des ganzen Hofes.«

Jetzt, da es heraus war, war ihm kalt.

Marguerite de St. Philibert ließ die Nadel sinken und starrte die Prinzessin an. Laura de Roseval hatte sich in den Finger gestochen und steckte ihn in den Mund.

Die Prinzessin rührte sich nicht. Kein Muskel zuckte in ihrem Gesicht, keine Falte ihres Kleides bewegte sich, und ihr Atem ging nicht schneller als zuvor. Nur der Diamant an ihrem Finger sprühte Feuer, als sie die Hände fest zusammenpreßte.

Eine Weile war es still im Zimmer, dann sagte die Prinzessin mit verbindlicher Stimme, der keine Erschütterung anzumerken war:

»Die Festlichkeiten erstrecken sich, wenn ich alles richtig verstanden habe, über eine Woche. Das ist eine lange Zeitspanne. Der König möge bedenken, daß meine Gesundheit schwach ist. Es kann geschehen, daß ich mich während des einen oder anderen Ereignisses auf mein Zimmer zurückziehen muß.«

Der König hatte diese Antwort vorausgesehen, und de Chesnau hatte die Erwiderung bereit:

»Seine Majestät ist sich dessen bewußt, Madame, und er ist voll aufrichtiger Sorge und bittet Euch, Euch nicht zu überanstrengen, zumal auch noch die beschwerliche Reise nach Ferrara vor Euch liegt. Der König erteilt Euch ausdrücklich die Erlaubnis, Euch von allen Bällen, Banketten und Jagden zurückzuziehen, sobald Ihr es für richtig haltet.«

Von der Jagd und von den Bällen, aber nicht von der Verbrennung der Ketzer.

Die Prinzessin neigte den Kopf.

»Ich bin Seiner Majestät für seine Fürsorge und Rücksicht außerordentlich dankbar. Ich werde mein möglichstes tun, um bei Kräften zu sein. Aber das steht nicht allein in meiner Macht.«

Sie lächelte und reichte ihm die Hand zum Kuß.

Es war besser gegangen, als er erwartet hatte. Ein starker Wille in einem schwachen Körper, dachte de Chesnau bewundernd. Diese junge Frau, die gerade achtzehn Jahre alt war, hatte sich keine Gefühlsregung anmerken lassen. Madame de St. Philibert war gewiß nichts aufgefallen. Auch er selbst hätte nichts bemerkt, wenn er es nicht von seiner Frau gewußt hätte.

Renée Prinzessin von Frankreich hing der protestantischen Lehre an.

Nach de Chesnaus Abgang blieb es still.

Laura und Marguerite arbeiteten weiter an der Altardecke. Die Prinzessin starrte bewegungslos vor sich hin. Irgendwo summte eine Fliege und machte die Stille noch hörbarer.

Endlich brach die Prinzessin das Schweigen.

»Marguerite?«

Die Hofdame mit dem silberblonden Haar erhob sich sofort und trat zu ihr.

»Königliche Hoheit?«

»Ich habe gehört, daß das neue Buch des Erasmus eingetroffen ist. Geht zu Duchamps, dem Bibliothekar des Königs, und fragt danach. Wenn er es nicht ausleihen kann, so bringt mir Erasmus' ›Lob der Narrheit‹ mit.«

Zwei scharfe Falten des Mißvergnügens bildeten sich um den Mund Marguerites. Das Buch hätte jeder Page holen können. Daß sie einen Auftrag erhielt, der sie ans andere Ende des Schlosses führte zu einem Mann, der für seine Langsamkeit und Umständlichkeit bekannt war, konnte nur bedeuten, daß die Prinzessin sich von ihrer Gegenwart befreien wollte. Renée bemerkte die Anzeichen des Verdrusses im Gesicht ihrer Hofdame und konnte sie leicht deuten.

Sie hatte sie fortgeschickt, weil sie nicht länger diesen verstohlen forschenden Blicken ausgesetzt sein wollte. Marguerite war eine Spionin. Eine Spionin im Dienste des Königs auf jeden Fall, aber Renée hatte sie im Verdacht, daß sie auch anderen ihre Dienste bereitwillig verkaufte. In ihrer Lage mußte ihr jedes Mittel recht sein. Sie war immer noch schön, aber nicht mehr jung, und ihr Mann hatte sie mit einem geringen Wittum zurückgelassen. In den vier Jahren am Hofe war es ihr weder gelungen, in den inneren Kreis des Königs einzudringen und seine Blicke auf sich zu ziehen, noch die eines anderen Mannes von Rang und Bedeutung, der bereit gewesen wäre, sie zu ehelichen. So war ihre einzige Erwerbsquelle, zu verkaufen, was sie an Informationen in Renées Hofstaat sammeln konnte.

Natürlich belauerte Marguerite sie jetzt, um herauszufinden, wie sie auf die Nachricht des Autodafés reagierte. Wenn es Anzeichen gab, daß sie mit den Ketzern sympathisierte, wurde das Gerücht, sie sei selbst eine Protestantin, mit neuer Nahrung versorgt. Wer würde für solche Nachricht bezahlen? Natürlich der Herzog von Ferrara. Als Lehensmann des Papstes konnte er sich eine ketzerische Schwiegertochter nicht leisten. Die Kirche würde den Este das Herzogtum Ferrara entziehen, wenn der Erbprinz eine Ketzerin heiratete. Deshalb, da war die Prinzessin ganz sicher, war diese Verbrennung auf Vorschlag von Ferrara in das Programm aufgenommen worden. Es war gewiß nicht die Idee des Königs gewesen. Der König feierte seine Feste auf heitere Weise. Außer dem Herzog von Ferrara gab es noch zwei weitere Parteien, die an solchen Enthüllungen interessiert waren. Einmal der Papst selbst, und dann natürlich der Kaiser. Karl V. aus dem Hause Habsburg hielt Frankreich mit seinen Besitzungen in Spanien, Flandern, der Schweiz und Italien wie mit Krakenarmen umfangen. Nach der verheerenden Niederlage Franz I. bei Pavia vor drei Jahren, bei der er in die Gefangenschaft des Kaisers geraten war und Mailand, Genua und Neapel hatte aufgeben müssen, war diese Verbindung der Valois mit dem Hause der Este von Ferrara nur ein erster Schritt Frankreichs, das verlorene Terrain wiederzugewinnen. War sie eine überführte Protestantin, mußte diese Verbindung scheitern, und mit ihr scheiterte dann die Italienpolitik des Königs. Wenn sie sich seinen politischen Plänen entgegenstellte, würde er sie vernichten. Denn der König, so prunkliebend, vergnügungssüchtig und leichtfertig er erscheinen mochte, hatte einen Kern von Stahl. Frankreich aus der Umklammerung der Habsburger zu befreien, war das Ziel, dem er alles opfern würde.

Sie war die Dame in dieser Schachpartie und mußte gehen, wohin er sie setzte. Sie mußte an diesem gräßlichen Schauspiel teilnehmen und durfte sich ihren Abscheu nicht anmerken lassen.

Sie hatte schon einmal an einer Verbrennung teilgenommen und erinnerte sich nur noch zu gut an die Schreie, den Rauch, den Geruch verbrannten Fleisches.

»Gebt mir ein Glas Wasser, Laura«, sagte die Prinzessin unvermittelt mit rauher Stimme.

Laura kam der Bitte schnell nach.

»Danke«, sagte die Prinzessin und streckte die Hand nach dem Glas aus. Der Diamant blitzte auf. Die Prinzessin blickte auf das Glas nieder, trank aber nicht.

»Wart Ihr schon einmal bei einer Hinrichtung zugegen?«

»Nein, Königliche Hoheit. Es war noch nie notwendig.«

»Diesmal ist es notwendig. Ihr habt gehört: der König wünscht, daß alle Mitglieder des Hofes an dieser Hinrichtung teilnehmen. Ich hoffe, es ist kein böses Vorzeichen für meine Ehe, daß ihr Anfang so vielen Menschen den Tod bringt.«

»Königliche Hoheit, vergeßt nicht, daß alle diese Protestanten bereits zum Tode verurteilt sind. Sie werden auf jeden Fall sterben, ob Eure Hochzeit stattfindet oder nicht. Aber Eure Eheschließung gibt den Protestanten die Möglichkeit, mit Stolz in den Tod zu gehen.«

Die Prinzessin hatte das Glas an die Lippen geführt, trank aber nicht, sondern starrte über den Rand hinweg Laura stirnrunzelnd an.

»Mit Stolz?« wiederholte sie.

Das Mädchen nickte.

»In ihren eigenen Augen, Madame, sind die Ketzer keine Verbrecher, die ein gemeines Laster oder eine mörderische Tat zu sühnen hätten. Sie stehen mit ihrem Leben für ihre Wahrheit ein. Sie legen Zeugnis für ihren Glauben ab vor dem höchsten Adel Frankreichs, ja, vor dem König selbst.«

Renée nahm einen Schluck Wasser und befeuchtete ihre Lippen. Sie betrachtete das Mädchen, das vor ihr stand, mit einem langen nachdenklichen Blick. Sie sah eine junge Frau, die etwas älter war als sie selbst, groß und schlank. Wie eine Wolke umgab üppiges blauschwarzes Haar das feine Gesicht mit der geraden Nase und den dunklen Augen, die tief und unergründlich waren wie Brunnen. Die kleine Roseval war nicht so unbedeutend, wie sie bisher angenommen hatte. Was wußte sie eigentlich über sie?

Madame de Chesnau hatte sie empfohlen. Laura de Rosevals Tante war eine alte Freundin aus den Tagen von Issoudun. Sie waren beide Ehrendamen gewesen bei der unglücklichen Charlotte d'Albret. Lauras Tante hatte später den Baron von Lesaux geheiratet. Laura de Roseval war die Tochter seiner Schwester, ein Mädchen aus guter alter Familie. Aber da war irgend etwas mit ihrer Herkunft, entsann die Prinzessin sich. War das nicht eine unstandesgemäße Großmutter? Eine Spanierin? Von dieser Großmutter hatte das Mädchen wohl das blauschimmernde dunkle Haar geerbt und auch die Haut wie Elfenbein.

»Wie alt seid Ihr?« fragte die Prinzessin.

Sie hielt ihren durchdringenden Blick weiter unverwandt auf das Mädchen gerichtet. Laura ertrug die scharfe Musterung gelassen.

»Etwas über zwanzig, Königliche Hoheit.«

»Ihr müßt noch einiges lernen, Laura. Ihr sprecht mit sehr viel Teilnahme von diesen Ketzern.«

Laura lächelte leicht.

»Ich stamme aus dem Süden, Madame. Wir haben seit Jahrhunderten Erfahrung mit Ketzern.«

»Nur Erfahrung, oder auch Sympathie für sie?«

»Wenn wir ihre Ideen nicht teilen, bewundern wir doch ihren Mut, Madame. Sie haben denselben Mut wie die römischen Christen, die sich lieber den wilden Tieren vorwerfen ließen, als ihrem Glauben abzuschwören.«

»Vergleicht Ihr sie mit den Märtyrern?«

»Warum nicht?«

Die Prinzessin lächelte boshaft. Wie naiv das Mädchen war, wie rasch sie sie aufs Glatteis führen konnte, wie schnell sie in die Falle des Hochverrats stolperte.

»Dann seht Ihr im König den neuen Nero?«

Lauras Antwort kam ohne langes Nachdenken.

»Aber nein, Königliche Hoheit. Kaiser Nero schlachtete die Christen ab, um von seinem Verbrechen abzulenken. Seine Majestät aber handelt als treuer und gehorsamer Sohn unserer Mutter Kirche.«

Täuschte sie sich oder funkelte da ein ironisches Licht in den Tiefen der dunklen Augen?

Weiß Gott, diese Roseval war nicht auf den Mund gefallen. Sie hatte Witz und Verstand. Renée freute sich, daß sie die Gesellschaft dieses Mädchens nicht so bald verlieren würde.

Antonios Lider brannten, und seine entzündeten Augen tränten. Er klagte nicht, denn er war sich bewußt, daß es ihm, der mit seinem Bruder und Annibale Strozzi an der Spitze des Zuges ritt, noch weit besser ging als den Männern, die ihnen folgten.

Nach dem Untergang der »Sirena« hatten sie sich in Marseille mit vielem neu versehen müssen und waren mit Verspätung aufgebrochen. Ihr Zug bestand aus zwanzig jungen Männern, der Blüte des ferraresischen Adels, deren jeder zwei bis drei persönliche Knechte mit sich führte. Dazu kamen die Maultiertreiber und die bewaffnete Eskorte, eine Truppe von Reitern und Fußsoldaten, die zusammen zweihundert Mann zählte, nicht, weil sie zum Schutz auf Frankreichs Straßen einer solchen Truppe bedurften, sondern weil sie den Glanz des herzoglichen Hauses demonstrierten. Insgesamt bestand der Zug aus mehr als dreihundert Menschen und mindestens fünfzig Maultieren, und er wälzte sich wie ein Lindwurm, lang und schwerfällig, über die Landstraßen.

Antonio nahm zum ersten Mal in seinem Leben an einer solchen Unternehmung teil. An Alessandros Seite erlebte er, welche Organisation nötig war, um alle diese Menschen und Tiere Tag für Tag und Nacht für Nacht mit Essen und Obdach zu versorgen. Dabei war die Frage der Übernachtungsmöglichkeiten noch das geringere Problem, denn es war heiß und trocken, und wer in einem Dorf oder einer Stadt kein Dach über dem Kopf fand, kampierte im Freien. Sie alle zu ernähren und auch zu tränken, erwies sich als weitaus schwieriger. Seit drei Monaten lag die Hitze über Frankreich und dörrte das Land aus. Oft gaben die Brunnen nicht mehr genug Wasser für ihren Bedarf, und sie mußten weiterziehen zu einem Fluß, dessen Wasserstand so abgesunken war, daß er nur noch ein braunes, brackiges Naß spendete.

Am schlimmsten fand Antonio den Staub. Sie ritten in einer Wolke von Staub, der so hoch aufwirbelte, daß er die Sonne in graue Schatten hüllte. Der Staub drang in Nase und Kehle und Augen, in jede Pore. Er verschmierte mit dem Schweiß, der in Strömen über Gesicht, Hals und Nacken lief, zu einer grauen Masse, die rissig auf der Haut trocknete und ihnen ein urweltlich-wildes Aussehen verlieh.

In den ersten Tagen hatten die Soldaten hinter ihnen manchmal noch ein Lied gebrüllt, aber seit einer Woche waren sie verstummt und schleppten sich nur noch stöhnend und fluchend vorwärts.

Sie brachen täglich im Morgengrauen auf, um die kühleren Stunden bis zur Mittagszeit zu nutzen, und legten dann eine mehrstündige Siesta ein. Immer wieder gelang es Alessandro, dazu ein Gelände zu finden, in dem es schattig war und Wasser gab.

»Wie machst du das?« fragte Antonio. »Du kennst dich doch hier so wenig aus wie jedermann.«

»Er ist wie Moses«, sagte Annibale Strozzi grinsend. »Er schlägt mit seinem Stab gegen den Felsen, und sogleich entspringt eine Quelle.«

Alessandro wandte nicht den Kopf. Er war so schmutzig und schweißüberströmt wie alle anderen, das blonde Haar flammte nicht mehr golden, sondern klebte ihm naß und aschfarben am Kopf. Aber seine Haltung war aufrecht, er stöhnte nie und verringerte auch sein Tempo nicht. Antonio dachte, daß er der einzige unter ihnen sei, den die Hitze nur äußerlich angriff.

»Natürlich ist es eine Frage des Wissens«, sagte er. »Am besten ist es, den Rat der Einheimischen einzuholen. Aber ich habe außerdem eine gute Wegbeschreibung in den Unterlagen unseres Vaters gefunden.«

Annibale drehte sich zu ihm um.

»Euer Vater war in Frankreich?«

»Ja, stimmt. Ich erinnere mich«, sagte Antonio, »er hat davon erzählt. Er gehörte damals zu den Männern des Borgia, nicht wahr?«

Alessandro nickte.

»Als der Papst seinen Sohn nach Frankreich schickte, um eine französische Braut heimzuführen, hat Vater ihn begleitet. Er war damals eine Art Reisemarschall und hat ein Tagebuch verfaßt über alle Stationen der Reise. Er hat viele Einzelheiten notiert, und ich gebrauche es immer noch mit Nutzen. Vieles ist immer noch so wie zu seiner Zeit.«

»Wann war das?«

»Vor ungefähr dreißig Jahren.«

»Ich wußte gar nicht, daß Euer Vater mit den Borgias zu tun hatte«, sagte Annibale.

»Nein?« Antonio blickte ihn erstaunt an. »Ich dachte, daß das jeder wüßte. Er hat doch eine Borgia geheiratet – Leonora, eine Cousine Lucrezia Borgias. Nach Ferrara ist er erst gekommen, als Lucrezia den Herzog geheiratet hat. Er war bis an sein Lebensende immer mehr ein Mann der Borgias als ein Mann der Este. Ich dachte, das sei allgemein bekannt.«

»Und heutzutage? Ist der jetzige Conte, Alessandro Montefalcone, auch ein Mann der Borgias?« fragte Annibale.

»Wie könnte er? Es gibt doch gar keine Borgias mehr«, wandte Antonio ein.

»Nein?« Annibales Stimme klang belustigt. »Ein paar soll es denn doch noch geben.«

»Bastarde«, sagte Alessandro schroff. »Nur noch Bastarde.«

Er gab seinem Pferd die Sporen. Antonio folgte ihm in der Staubwolke, die von Alessandros Pferd aufgewirbelt wurde. Er hustete, und seine Augen tränten stärker als zuvor. Kurz darauf hatte er seinen Bruder eingeholt. Alessandro war abgestiegen, hielt das Pferd lässig am Zügel und blickte über einen Fluß, der vor ihm verlief, zum anderen Ufer.

Antonio entfuhr ein Ausruf des Entsetzens.

Auf der anderen Seite des Flusses war einmal ein Wald gewesen. Jetzt war da nur noch ein wüstes Feld, aus dem schwarzverkohlte Stümpfe ragten. Ab und an war ein Stamm stehengeblieben und reckte anklagend seine schwarzen Arme in den Himmel.

»Ein Feuer?« fragte er heiser.

Alessandro nickte.

»Die Wälder brennen wie Zunder«, sagte er. »Das war der Ort, wo wir rasten wollten. Keine einladende Gegend für Käse und Wein. Wir können hier Wasser fassen, aber dann müssen wir weiter.«

»Wohin?« fragte Antonio mutlos. Bis zum Horizont dehnte sich die versteppte Fläche.

»Wir müssen da durch. Es wird nicht gleich ganz Frankreich abgebrannt sein«, sagte Alessandro trocken. Er wandte sich an Annibale, der inzwischen herangekommen war.

»Ich nehme ein paar Leute mit und erkunde den Weg. Ihr

bleibt hier und sorgt dafür, daß die Wasserbeutel aufgefüllt und die Maultiere getränkt werden.«

»Darf ich mitkommen?« fragte Antonio.

Alessandro warf ihm einen prüfenden Blick zu, sah die Schatten unter den entzündeten Augen, die aufgesprungenen Lippen und die vornübergeneigten Schultern seines jungen Bruders und schüttelte den Kopf.

»Du kannst dich hier nützlich machen«, sagte er, »ich brauche ein paar erfahrene Männer. Matteo!«

Inzwischen war ein großer Teil ihres Trosses herangekommen, und in dem Lärm der Pferde, Maultiere und Männer ging Antonios Protest unter. Alessandro kümmerte sich nicht mehr um ihn. Kurz darauf ritt er in Begleitung von zehn Männern über den Fluß. Antonio sah ihm eine Weile finster hinterher, die Unterlippe zwischen die Zähne gezogen.

Es gefiel ihm nicht, wie ein kleiner Junge behandelt zu werden. Er würde Alessandro schon zeigen, daß er nicht zu erschöpft war, daß er genausoviel leisten konnte wie die älteren Männer. Sie mochten mehr Erfahrung haben, aber er hatte ihnen die Kraft der Jugend voraus.

In dem allgemeinen Gewimmel am Ufer fiel es erst auf, daß Antonio den Fluß überschritten hatte, als er schon zu weit entfernt war, um noch durch Rufen eingeholt zu werden. Annibale blickte ihm einen Augenblick nachdenklich nach, dann winkte er zwei Landsknechten und erteilte ihnen einen Befehl. Sie nickten und schwangen sich wieder in den Sattel.

Inzwischen durchquerten Alessandro Montefalcone, Matteo und die übrigen Männer schweigend die Wüste, die ein Wald gewesen war. Sie spähten aus zusammengekniffenen Augen nach vorn. Sie mochten etwa eine Stunde so geritten sein, als einer der Männer einen Ruf ausstieß und den Arm hochreckte. Davon aufgeschreckt, folgten die anderen der Richtung seines Kopfes und sahen es auch: dicht vor ihnen, in einer Senke, schimmerte es nicht mehr schwarz und grau, sondern silbriggrün und dunkelblau. Und dahinter erhoben sich Bäume im vollen Schmuck ihres grünen Laubes. Sie waren an das Ufer eines Sees gekommen, der den Waldbrand zum Stehen gebracht hatte.

Alessandro Montefalcone schickte fünf Männer mit der

Botschaft zurück, nachdem sie sich im See erfrischt hatten. Er selbst überquerte mit den anderen das Gewässer, das sich als tief erwies. Die Pferde mußten schwimmen. Am jenseitigen Ufer zogen sie sich tief in den Schatten der Bäume zurück, wo es kühl und feucht war. Sie streckten sich im Moos aus und glitten bald in den Schlaf hinüber.

Antonio traf die fünf Männer auf ihrem Rückweg zum Troß, und sie wiesen ihm den Weg. Er ritt langsam, denn jetzt kamen ihm Bedenken, ob er klug gehandelt hatte. Alessandro hatte ihm einen klaren Befehl gegeben, und er, Antonio, hatte dagegen verstoßen. Das war nichts, was Alessandro auf die leichte Schulter nehmen würde, schon gar nicht, wo es sein eigener Bruder war, der seine Autorität untergrub. Antonios Herz wurde schwerer und sein Pferd langsamer, je näher er dem See kam. Die triste Landschaft trug nicht dazu bei, ihn fröhlicher zu stimmen. Schließlich hielt er an und überlegte, ob er nicht lieber wenden und zurückgaloppieren sollte. Wenn er Glück hatte, war seine Abwesenheit noch gar nicht aufgefallen. Er konnte sich unbemerkt unter die Menge mischen und entging so jeder Bestrafung. War sein Verschwinden aber aufgefallen und kehrte er jetzt zurück, so wäre es jedem klar, daß ihn unterwegs der Mut verlassen hatte.

Antonio blieb eine Weile unschlüssig. Sein Blick lag auf den Laubbäumen, die er als dunkle Kulisse am Horizont schon wahrnehmen konnte. Noch war er Alessandros Blicken entzogen. Wenn er seinen Weg jetzt fortsetzte, würde er in das Sichtfeld seines Bruders geraten, und jede Umkehr würde versperrt sein. Während er noch nachsann, erregte plötzlich etwas am Horizont seine Aufmerksamkeit.

Es war eine kleine Irritation. Da war etwas, was vorher nicht dagewesen war. Einen Moment konnte er nicht ausmachen, was ihn störte. Dann fiel es ihm stärker ins Auge. Über den Baumkronen, die in der Ferne in den wolkenlos blauen Himmel ragten, kräuselte sich ein dünner schwarzer Faden.

Rauch!

Alessandro und seine Männer hatten ein Feuer angezündet.

Die Wälder brennen wie Zunder. Das hatte Alessandro gesagt. Es war noch keine drei Stunden her. Der Mann, der durch diese verkohlte Steppe geritten war, der wußte, daß die

Wälder brennen konnten, würde kein Feuer entzünden. Der schwarze Faden hatte an Höhe und Dichte zugenommen und wuchs sich zu einer Wolke aus. Ohne sich zu besinnen, gab Antonio seinem Pferd die Sporen. Er dachte nicht nach. Er sah nur: Der Wald jenseits des Sees brannte, er verwandelte sich vor seinen Augen in ein flammendes Inferno. Wie Fackeln loderten die Bäume auf. Und mitten in dieser Hölle war Alessandro. Antonio jagte dem See entgegen, das Herz von Furcht und Entsetzen erfüllt.

Madame de Soubise räusperte sich. Ihr Hals war trocken, und sie hatte das Gefühl, wenn sie zu sprechen versuchte, würde sie nur ein Krächzen hervorbringen.

Renée saß zurückgelehnt, die blassen Hände im Schoß verschränkt, und sah sie abwartend an. Madame de Soubise besaß ihr volles Vertrauen, und sie wußte es. Das machte die Sache noch viel schlimmer. Sie hätte nie gedacht, daß sie ihre Herrin eines Tages würde betrügen müssen. Sie war bei Renée, seit die Prinzessin geboren worden war. Ihre Mutter, Anne de Bretagne, hatte ihr auf dem Sterbebett das Gelöbnis abgenommen, wie eine zweite Mutter für Renée zu sorgen. Sie hatte den Schwur immer gehalten, nicht nur aus Pflicht, sondern auch aus Neigung für das verkrüppelte Mädchen mit der glühenden Seele.

Wenn sie ihr einfach die Wahrheit sagte?

Madame de Soubise hatte sich drei Nächte schlaflos im Bett gewälzt und darüber gegrübelt. Es war verlockend, der Prinzessin die Wahrheit zu sagen. Sie würde sich selbst treu bleiben und brauchte sich nicht als Verräterin zu verachten.

Dann hatte sie Renée gegenüber ein gutes Gewissen. Aber wie stand es mit ihrem Gewissen gegenüber Marie? Madame de Soubise zweifelte keinen Augenblick daran, daß Marguerite de St. Philibert ihre Drohung wahr machen würde.

Marie würde leiden müssen. Sie würde eingekerkert werden, dem peinlichen Verhör unterzogen und schließlich als Ketzerin verbrannt werden. Es galt Maries Leben gegen das Vertrauen der Prinzessin und gegen den Schwur, den sie Anne de Bretagne geleistet hatte.

Madame de Soubise kannte Marguerite, seit diese in den

Hofstaat der Prinzessin eingetreten war. Sie hatte sie von Anfang an als eine Frau eingeschätzt, die mit kalter Berechnung um ihren Platz an der gedeckten Tafel kämpft, und sie hatte sich bisher in ihrem Urteil bestätigt gesehen. Wenn Marguerite diesen Platz bis jetzt nicht errungen hatte, so mochte das einmal daran liegen, daß man ihr die Anstrengung allzusehr anmerkte, zum anderen aber auch daran, daß sie in Renées Hofstaat am falschen Ort war. Dieser kleine intellektuelle Zirkel führte eine schattenhafte Randexistenz an des Königs buntem Hof, und Marguerite traf hier mehr bürgerliche Philosophen und Theologen als glänzende Männer von Adel.

Das würde sich mit der Übersiedlung nach Ferrara ändern. Als Schwiegertochter des verwitweten Herzogs würde Renée die Erste Dame des Landes sein, und ihre Damen würden im Mittelpunkt des höfischen Lebens stehen. Es war kein Wunder, daß Marguerite die Prinzessin zu begleiten wünschte.

Und es war nicht überraschend, daß Renée Marguerite nicht um ihre Begleitung gebeten hatte. Renée mißtraute Marguerite. Sie hatte sie aufgenommen, weil die St. Philibert alter bretonischer Adel waren und ihrer Mutter treue Dienste geleistet hatten, aber sie hatte Marguerite immer kühl und distanziert behandelt.

Renée räusperte sich leicht, das erste Zeichen von Ungeduld.

Madame de Soubise riß sich zusammen. Sie konnte hier nicht stehen und Probleme wälzen, sie mußte handeln. Sie konnte Renée nicht schonen. Es galt Maries Leben.

Die Szene vom Vorabend war noch mit allen Einzelheiten in ihr Gedächtnis eingegraben.

Marguerite war in die Fensternische neben sie getreten und hatte lächelnd gesagt:

»Wie sehr beneide ich Euch darum, daß Ihr nach Italien gehen dürft.«

Madame de Soubise hatte kühl erwidert, daß das für sie nicht nur eine Freude sei. Schließlich lasse sie in Frankreich eine Tochter zurück, die vor der ersten Entbindung stehe.

»Daß Ihr Euch um Eure Tochter sorgt, verstehe ich gut«, hatte Marguerite geantwortet und nach einer winzigen Pause mit schmalen Augen hinzugefügt: »Eure Tochter ist recht leichtsinnig, Madame. Ihr Gatte auch. Beide stehen unter Verdacht, Ketzer zu sein, und wenn die Inquisition erst einen Beweis gegen die beiden in Händen hält, werden sie alle Protektion brauchen, die sie bekommen können. Dann wird es ein Unglück für Eure Tochter sein, daß Ihr in Ferrara seid.«

»Ein Beweis? Für die Inquisition?« hatte Madame de Soubise gestammelt. Ihr Mund war trocken geworden.

»Ich kenne die Versammlungsorte. Ich kenne Leute, die beschwören können, Eure Tochter und Euren Schwiegersohn dort gesehen zu haben.«

Marguerite hatte immer noch leicht im Plauderton gesprochen, aber Madame de Soubise hatte die unmißverständliche Drohung in den blauen Augen gelesen.

»Was verlangt Ihr?«

Marguerite schien nicht ganz zufrieden zu sein, das Spiel so direkt zu spielen, aber sie hatte sich angepaßt und kurz und bündig ihre Bedingung genannt. Madame de Soubise sollte erreichen, daß sie die Prinzessin nach Ferrara begleiten durfte.

Madame de Soubise begegnete Renées Blick unter den ungeduldig zusammengezogenen Brauen.

»Auf der Liste der Damen, die Euch nach Ferrara begleiten, sollte noch ein Name hinzugefügt werden, Königliche Hoheit«, sagte sie.

»Wir haben die Liste gemeinsam zusammengestellt«, sagte Renée abwartend.

»Gewiß, Madame, aber es hat sich ergeben, daß Seine Majestät wünschen …«

Madame de Soubise hoffte, die Prinzessin würde ihr lautes Herzklopfen nicht hören können. Was sie jetzt tat, war Hochverrat. Sie bezog den König mit ein, tat so, als ob der Befehl von ihm ergangen wäre, denn er war die einzige Autorität, der Renée sich unterwerfen mußte. Madame de Soubise hatte sich in drei schlaflosen Nächten ihre Strategie genau überlegt.

»Wen wünscht der König auf der Liste zu sehen, Madame?«

»Marguerite de St. Philibert.«

In Renées blasse Wangen stieg die Röte des Zornes.

»Diese Frau!« sagte sie erregt. »Nein, ich will sie nicht! Sie ist eine Verräterin. Eine Spionin. Sie hinterbringt alles, was ich sage und tue, dem König.«

»Eine Vermutung, Madame«, sagte Madame de Soubise beschwichtigend.

Renée schüttelte den Kopf.

»Keine Vermutung. Ich habe einen Beweis. Hauptmann de Bethois sah neulich, wie Marguerite den Sekretär des Königs verließ. Er erzählte es Laura, und Laura berichtete es mir. De Bethois ist ein Narr. Er dachte, Marguerite würde mit dem König schlafen. Aber in Wahrheit trägt sie ihm alles über mich zu. Ich will diese Spionin nicht länger um mich haben.«

Madame de Soubise brachte ihren Atem unter Kontrolle und sagte ruhig:

»Ihr seht also, Madame, warum der König wünscht, daß Ihr weiterhin Marguerite in Eurer Nähe habt. Ganz gewiß wird sie auch in Ferrara für den König arbeiten. Das ist nicht zu Eurem Nachteil, Madame, sondern zu Eurem Vorteil. Da Ihr es wißt, könnt Ihr Euch ihrer bedienen. Spielt ihr die Nachrichten zu, von denen Ihr möchtet, daß sie den König erreichen. Marguerite wird über geheime Kanäle verfügen, die den Este verborgen bleiben. Euch ist das nicht möglich. Euch, das wißt Ihr, wird man genauestens überwachen.«

Renée sah nachdenklich aus.

»Das ist eine gute Idee«, sagte sie schließlich. »Und mein Gewissen ist rein, denn ich handele zum Wohle Frankreichs. Soll Marguerite mich also nach Ferrara begleiten, wenn es des Königs Wunsch ist. Wenigstens habe ich den Trost, in Euch, liebe Soubise, eine aufrichtige Freundin bei mir zu wissen.«

Renées Gewohnheit, das letzte Wort eines Satzes fragend anzuheben, ließ ihre Worte ironisch klingen. Madame de Soubise fühlte, wie sie rot wurde. Hoffentlich hielt die Prinzessin das für ein Erröten aus Freude über das Lob, und nicht aus Scham.

Jedenfalls war Marie gerettet.

Antonio würgte.

Es war nur bittere Galle, die aus seinem Magen aufstieg und die Speiseröhre ätzte. Mund und Nase brannten wie Feuer, und in seinem Kopf dröhnte ein dumpfer Schmerz, der jeden klaren Gedanken ausschloß. Er hielt die Augen geschlossen, aber Ohren und Nase konnte er nicht verschließen. Er hörte all das Erbrechen, Fluchen, Wimmern und Stöhnen um sich herum, und in seine Nase stach der Gestank von verfaulendem Stroh, das mit Urin und Fäkalien durchtränkt war. Große blauschwarze Fliegen fanden sich in Schwärmen auf den Körpern ein, setzten sich auf die feuchten Stirnen, die offenen Münder und in die Vertiefung zwischen den Schlüsselbeinen, in der sich der Schweiß zu kleinen salzigen Tümpeln sammelte.

Man hatte die Männer aus den Gasthöfen und Herbergen ausquartiert und am Rande des Dorfes in einer leeren Scheune untergebracht, in der winters die Schafe standen. Zuerst war das Entsetzen groß gewesen – kaum, daß sich eine Panik unter den Einwohnern hatte verhindern lassen. Manche hatten gleich von der Pest geflüstert, andere, die eine Pest schon erlebt hatten, widersprachen, wußten aber von Seuchen, die gerade so mit plötzlichem Erbrechen und Durchfall begonnen und ganze Dörfer und Städte entvölkert hatten.

Nach drei Tagen hatte die Hysterie sich gelegt, denn kein Bewohner des Dorfes war angesteckt worden. Die plötzliche Krankheit beschränkte sich auf die Mitglieder der Gesandtschaft des Herzogs von Ferrara, und unter diesen traf sie nur diejenigen, die an einem Abend an derselben Wirtstafel von derselben Fischsuppe gegessen hatten. Fauler, stinkender Fisch, den der Koch, sprichwörtlich vom Geiz besessen, verarbeitet hatte, war die Ursache dieser Erkrankung. Manche traf es ärger als andere. Während einige schon nach drei Tagen wieder auf ihren Beinen standen, lagen andere schon seit sechs Tagen in Krämpfen, die von Zeit zu Zeit konvulsivisch ihren Leib erschütterten. Zwei waren gestorben.

»Ich hoffe, sie hängen den Koch«, sagte einer der Soldaten auf der Strohschütte neben Antonio.

»Der ist über alle Berge«, erwiderte sein Nachbar. »Der wird nicht wenig Geld kassiert haben, hat sich in Sicherheit gebracht und lacht sich ins Fäustchen.«

»Du meinst …?« sagte der andere nach einer Pause.

»Erinnerst du dich nicht mehr an die Prophezeiung der alten Barberina? Mario war bei ihr, bevor wir nach Genua aufgebrochen sind. Weißt du noch, was sie prophezeit hat?«

»Klar. Ein langes Leben. Er sollte hundert werden oder so etwas Ähnliches. Der arme Hund hat beim Untergang der

›Sirena‹ den Fischen zur Nahrung gedient. Soviel zu ihren Prophezeiungen.«

»Das sagt gar nichts gegen die Barberina. Sie sagt einem nie den eigenen Tod voraus. Auch wenn sie ihn gesehen hat. Tut sie einfach nicht. Und wenn du ihr noch so viel Geld gibst. Aber sie hat etwas anderes gesehen, und das hat sie ihm gesagt. Manche sterben durch Wasser, manche durch Feuer und manche durch Gift. Na, was sagst du nun?«

Sein Nachbar, von einer neuen Kolik gepackt, antwortete nur mit Ächzen und Stöhnen.

Die Worte hallten in Antonios Kopf wider. Sterben durch Wasser, Feuer und Gift. Einige waren durch Wasser gestorben. Zehn Männer waren beim Untergang der »Sirena« ertrunken. Einige waren durch Feuer gestorben. Der Waldbrand am See hatte vier Männer das Leben gekostet. Und ihre Qualen jetzt? Konnte das bedeuten, daß sie nicht durch verdorbenen Fisch litten, sondern durch Gift? Daß nicht ein Zufall daran schuld war, sondern daß Absicht dahinter steckte? Und wenn hier Gift am Werke war, waren dann der Untergang der »Sirena« und das Feuer im Wald auch nicht zufällig geschehen, sondern absichtlich? Antonio erinnerte sich, wie der Lotse der »Sirena« am Dachbalken seines Hauses baumelte. Er wollte weiter denken, aber die Schwäche übermannte ihn, und er fiel in ein schlafähnliches Dämmern.

Matteo weckte ihn daraus.

Matteo war einer der Männer, die an dem Abend Wache gehabt und deshalb an dem Mahl nicht teilgenommen hatten. Er tauchte in regelmäßigen Abständen an Antonios Lager auf, wusch ihn, benetzte seine Lippen mit Wasser, entfernte täglich die verdreckte Streu und ersetzte sie durch frisches Stroh.

Antonio bewegte die Lippen, als Matteos ernstes, ruhiges Gesicht vor ihm auftauchte. Matteo mußte sich tief hinunterbeugen, um die heiser geflüsterten Worte zu verstehen, die Antonio mühsam herausbrachte.

»Alessandro? Wie geht es ihm?«

»Er lebt«, sagte Matteo grimmig. »Es braucht mehr als einen stinkenden Fisch oder ein paar brennende Bäume, um Euren Bruder zu erledigen.«

Antonio erinnerte sich an das Bild, das sich ihm geboten hatte, als er den See durchschwamm, den brennenden Wald vor Augen. Noch bevor er das andere Ufer erreicht hatte, waren Alessandro und einige seiner Begleiter zwischen den Stämmen hervorgetaumelt, schwarz von Ruß und Asche, mit versengten Wimpern, Brauen und Haaren, die Kleidung glimmend, und hatten sich in die Fluten des Sees gestürzt.

Die Pferde hatten sie gerettet. Während die Männer in der Mittagshitze eingeschlafen waren, hatten die angepflockten Pferde das Unheil gewittert und soviel Aufruhr verursacht, daß sie schließlich aufgewacht waren und sich von den flammenden Fackeln der Bäume umringt sahen. Es war für sie gerade noch Zeit gewesen, sich durch die Flammen durchzukämpfen. Die letzten Männer wurden von umstürzenden Bäumen erschlagen.

Alessandro hatte ursprünglich auch auf der »Sirena« reisen sollen. Nur durch Matteos Versehen, der das Gepäck auf das falsche Schiff hatte laden lassen, war er dem Schiffbruch entkommen. So wie er dem Waldbrand und der Fischvergiftung entkommen war.

»Er hat einen besonderen Schutzengel«, murmelte Antonio.

»Den braucht er auch«, antwortete Matteo. Er setzte sich auf das Lager neben Antonio, hob den Oberkörper des Jungen an und stützte ihn mit einem Arm hinter dem Rücken ab, so daß Antonio aufrecht saß. Mit der anderen Hand hielt Matteo den Löffel, tauchte ihn in einen irdenen Napf, den er mitgebracht hatte, und führte ihn an Antonios Mund. Auf dem Löffel lag eine graubraune schleimige Masse.

»Ihr müßt essen«, sagte Matteo.

Antonio wandte abwehrend das Gesicht ab.

»Ich kann nicht. Ich spucke alles wieder aus.«

»Nein, dies werdet Ihr bei Euch behalten. Es ist eine Medizin, die Euren Magen und Eure Eingeweide beruhigt. Ich hätte sie Euch schon früher gegeben, aber sie hatten nicht alle Ingredienzen hier. Um einiges mußte aus der Apotheke in der nächsten Stadt geschickt werden. Ihr müßt es hinunterschlucken. Danach werdet Ihr lange schlafen und gesund, wenn auch schwach aufwachen.«

Antonio, der seit Kindertagen zu niemandem so grenzenloses Zutrauen hatte wie zu Matteo, öffnete gehorsam den Mund und ließ sich den Löffel hineinschieben.

Der Brei war fade, aber seine Feuchtigkeit tat den gereizten Schleimhäuten gut. Sein Magen hob sich, aber zu Antonios Überraschung setzte der bekannte Würgereiz schnell aus, und er konnte die Schüssel bis auf den Grund leeren. Wie Matteo vorausgesagt hatte, fiel er anschließend in einen tiefen Schlaf, der Erholung brachte.

Der Bote kam gegen Mitternacht und wäre beinahe erstochen worden.

Zu dieser Zeit war in der Wachstube niemand mehr nüchtern. Sie hatten Türen und Fenster weit geöffnet, aber die eindringende Nachtluft brachte keine Erfrischung, sondern nur den betäubenden Duft von Rosen und Jasmin, die sich an der Schloßmauer emporrankten.

Würfelbecher und Weinkrug kreisten seit geraumer Zeit unter den vier jungen Adligen und erhitzten sie noch mehr. Zwei von ihnen hatten sich der Wämser und der Hemden entledigt und hockten nackt bis zur Taille am Tisch. Der Schweiß rann ihnen in Bächen zwischen den Schulterblättern hinab. Der dritte Mann, der großzügig die Becher füllte, hatte sein Hemd anbehalten, es aber über der Brust aufgerissen. Nur der vierte von ihnen war noch korrekt gekleidet. Er hatte den Stuhl mit der Lehne zum Tisch geschoben und saß rittlings darauf, das Spiel beobachtend. Selbst im Sitzen konnte man erkennen, daß er groß und schwer gebaut war. Er war einige Jahre älter als die beiden anderen, und von ihm ging eine natürliche Autorität aus.

Der blonde Lioncourt, dessen Augen schon glasig waren, schüttelte den Würfelbecher.

»Heute nacht werde ich Euch schlagen, Tassigny. Bei allen Heiligen im Himmel und allen Teufeln in der Hölle, ich werde Euch schlagen. Ich werde Euch nackt ausziehen.«

Dieser Satz schien ihm besonders zu gefallen, denn er wiederholte ihn dreimal. Er ließ die Würfel über den Tisch rollen und folgte ihrem Lauf mit stierem Blick.

»3 – 2 – 5 –«, sagte Tassigny, der ihm gegenübersaß, ungerührt. »Das reicht nicht, Lioncourt, das reicht bei weitem nicht. Wer mich schlagen will, muß mehr Glück haben.«

Der Dritte, der sich zum Mundschenk gemacht hatte, füllte Lioncourts Becher von neuem.

»Lioncourt interessiert mehr sein Glück bei den Weibern als beim Spiel«, sagte er grinsend.

Lioncourt leerte den Becher Wein auf einen Zug und rülpste.

»Weiber«, sagte er lallend. »Weiber machen bloß Ärger.«

»Nur wenn man sie nicht zu behandeln weiß«, stichelte Tassigny.

»Was wollt Ihr damit sagen?« fragte Lioncourt und warf ihm einen drohenden Blick zu. Tassigny schwieg und zuckte die Achseln.

Guercamp lachte.

»Er hat bestimmt an die schöne Marguerite gedacht, die schöne silberne Marguerite. Wann fällt die Festung denn, Lioncourt?«

»Verdammt, Guercamp, das ist eine Zitadelle, die keiner erstürmen kann«, murrte Lioncourt. »Euch würde es nicht besser gehen bei ihr.«

»Vielleicht Tassigny«, sagte Guercamp mit Bosheit. »Schließlich erbt Tassigny den Grafentitel und ein Vermögen. Der wäre für die schöne Marguerite schon der richtige Leckerbissen, und ich wette, sie würde schnell zugreifen. Schließlich ist sie schon reif, und wenn sie noch ein bißchen wartet, ist sie überreif.«

»Ich versuche es gar nicht erst«, sagte Tassigny, »denn dann heißt es Heirat. Die Prinzessin nimmt es verdammt genau mit der Moral ihrer Hofdamen.«

»Wenn die Katze keine Mäuse fangen darf, verbietet sie es auch den anderen«, sagte Guercamp grinsend. »Es gibt nur zwei Arten von Frauen, die tugendhaft sind, die Häßlichen aus Mangel an Gelegenheit und die Ketzerinnen aus Mangel an Glauben.«

»Wieso aus Mangel an Glauben«, fragte Lioncourt und schüttelte den Würfelbecher zerstreut, »wieso aus Mangel an Glauben, Mann?«

»Na, eine gute Christin glaubt doch alles, was in der Schrift steht, oder?«

»Ja, und?«

»Da steht auch, daß der Herr einer Sünderin verziehen hat. Ihr wird viel vergeben, weil sie viel geliebt hat. Aber diese Hugenottinnen glauben nicht daran.«

Die Männer lachten.

»Ihr wird viel vergeben, weil sie viel geliebt hat. Das ist gut, das ist sehr gut. Das werde ich mir merken«, sagte Lioncourt begeistert. »Auf Euer Wohl, Guercamp, hoch sollt Ihr leben. Ihr wird viel vergeben, weil sie viel geliebt hat. Großartig!«

Tassigny griff wieder nach den Würfeln.

»6 – 6 – 4! Versucht das zu schlagen, wenn Ihr könnt!«

Der Betrunkene starrte auf die Würfel.

»Euer Glück möchte ich haben.«

»Tassigny hat immer Glück«, sagte Guercamp.

»Man weiß auch, woher es stammt«, sagte Lioncourt.

In seiner Stimme schwang ein sonderbarer Unterton. Tassigny wurde weiß um die Mundwinkel und straffte sich.

»Laß gut sein, Lioncourt. Ihr habt zuviel Wein in Euch«, sagte der vierte Mann mahnend. Lioncourt hörte nicht auf ihn.

»Ich bin nicht so betrunken, daß ich nicht weiß, was ich rede. Wenn Tassigny spielt, hat noch jemand seine Hand im Spiel.«

»Was wollt Ihr damit sagen?« fragte Tassigny leise.

Seine Augen waren schmal geworden, und an seiner Stirn begann eine Ader zu schwellen.

Lioncourt lachte böse auf.

»Wie war das denn in Tassigny vor acht Jahren? Waren es sechs oder sieben Hexen, die da brennen mußten?«

»Was habe ich damit zu schaffen«, sagte Tassigny scharf. Sein Atem ging schneller. Der andere schien es nicht zu bemerken.

»Trink noch was, Lioncourt«, sagte Guercamp und schob ihm einen Becher zu. Lioncourt wischte ihn beiseite, so daß er umkippte, auf dem Tisch entlangrollte und schließlich mit einem Scheppern auf dem Boden landete. Der rote Wein spritzte wie Blut auf.

»Haben die Hexen nicht Namen genannt? War es nicht eine Gräfin Tassigny, war es nicht Eure Mutter, die mit ihnen zum

Blocksberg geritten sein und dem Satan den Hintern geküßt haben soll?«

Ehe einer der Männer eingreifen konnte, hatte Tassigny seinen Dolch gezogen und geworfen. Er verfehlte Lioncourts Kopf um Haaresbreite und blieb im Türrahmen stecken.

Der vierte Mann erhob sich von dem Stuhl, trat hinter Tassigny und legte ihm schwer die Hand auf die Schulter.

»Ich muß Euch verhaften, Tassigny.«

Lioncourt war nüchtern geworden. Er schluckte.

Von der Tür klang eine anklagende Stimme.

»Ist es in Blois Sitte, Boten zu erstechen statt sie zu empfangen?«

Sie fuhren herum.

Im Türrahmen lehnte wie eine Erscheinung aus einer anderen Welt eine Gestalt, die von Kopf bis Fuß in grau gehüllt war. Kleider, Haare, Bart und Haut, alles war mit einer dicken, rötlich-grauen Staubschicht bedeckt, die sich im Gesicht mit Schweiß zu einer Art Maske aus grauem Brei verbunden hatte. Nur die Augen glitzerten schwarz aus dem Grau heraus.

Der Mann hielt sich am Türrahmen fest, als fürchte er, umzusinken. Er schien nicht nur erschrocken, sondern auch zu Tode erschöpft.

»Wer seid Ihr?« fragte der älteste der vier Männer, die Hand immer noch auf Tassignys Schulter.

»Varano, Bogenschütze in der Wache des Herzogs von Ferrara«, sagte der Graue. Er löste sich vom Türrahmen und begann zu schwanken. Guercamp sprang hinzu und führte ihn zu einem Stuhl am Tisch.

»Ich suche den Hauptmann«, sagte der Bogenschütze und fiel mehr auf den Stuhl, als daß er sich setzte.

Der Vierte nahm seine Hand von Tassignys Schulter.

»Ich bin der Hauptmann. Yves de Bethois. Ich bin heute der Wachhabende.« Er begann, sein Wams am Hals zu schließen, um sich einen offizielleren Anstrich zu geben.

»Führt mich zum König«, forderte Varano.

Die Männer schlugen ein lautes Gelächter auf.

»Ihr seid nicht unbedingt in dem Aufzug, in dem Ihr vor den König treten könnt«, erinnerte ihn der Hauptmann.

Varano warf einen Blick an sich herab und entblößte grinsend ein prachtvolles Gebiß, das schneeweiß aus dem Grau hervorstach.

»In der Tat. Bei Gott, das war ein Ritt heute! Den ganzen Tag im Sattel, bis ich dachte, ich kriege einen Hitzschlag. Zwei Pferde sind dabei zuschanden geworden.«

»Warum habt Ihr es so eilig gehabt?«

»Wir sind ohnehin zu spät dran. Wir sollten schon vor fünf Tagen eingetroffen sein. Aber Euer Frankreich ist ein gefährliches Land. Erst läuft die »Sirena« vor Marseille auf einen Felsen, dann werden wir im Wald vom Feuer geröstet wie die Wildschweine am Spieß, unsere Gedärme werden malträtiert, daß wir denken, wir scheißen unser Leben aus, und wer dem allen entkommt, dem dörrt die Sonne das Hirn aus und füllt der Staub die Lungen, bis er dran erstickt. Und dann wird er zur lebenden Zielscheibe gemacht.«

Guercamp füllte einen Becher mit Wein. Der Bogenschütze trank gierig und hielt ihn ihm auffordernd wieder hin.

»Wir bedauern, daß Ihr erschreckt worden seid«, sagte der Hauptmann betont. »Es war ein dummer Unfall. Tassigny wollte seine Waffe zeigen.«

Lioncourt starrte Tassigny an, der schweigend den Blick erwiderte.

»Ich war besoffen«, sagte Lioncourt in den Blick hinein. »Verdammt will ich sein, wenn ich weiß, was ich im Suff rede.«

»Reden nennt Ihr das?« fiel Guercamp erleichtert ein. »Das war kein Reden mehr, das war bloßes Lallen. Ich habe kein Wort davon verstanden. Ihr, Hauptmann?«

»Nein«, sagte Yves entschieden, »niemand hat ein Wort verstehen können. Auch nicht Tassigny.«

Der widersprach nicht, und Guercamp atmete auf.

Varano hatte auch den zweiten Becher Wein hinuntergestürzt und wischte sich mit dem Handrücken den Mund ab, wobei er die Schmutzkruste aufbrach und mit dem Rot des Weines verschmierte.

»Meine Nachricht muß zum König.«

»Ich werde sie persönlich überbringen«, sagte der Hauptmann.

»Noch heute nacht?«

»Gewiß.«

»Gut.« Der Bogenschütze holte aus der Tiefe seines Wamses ein gesiegeltes Schreiben, das, da er es an seiner Brust unter der Kleidung geborgen hatte, dem Schicksal des Ergrauens entgangen war.

»Gebt das dem König. Es ist meine Legitimation. Die Gesandtschaft aus Ferrara lagert etwa sechs Stunden von hier. Sie wird noch vor dem Morgengrauen aufbrechen und gegen Mittag Blois erreichen. Es sei denn, sie wird wieder durch ein Unglück aufgehalten.«

»Welche Art von Unglück könnte das sein? Dies ist ein friedliches Land mit guten, sicheren Straßen. In Frankreich reist man so sicher wie im Paradies.«

Varano lachte.

»Im Paradies? Beim Leben der Jungfrau, es hätte nicht viel gefehlt, und wir wären jetzt alle im Paradies.«

Dann klappte er plötzlich mit dem Oberkörper nach vorn, sein Kopf schlug auf seine Hände auf der Tischplatte auf, und er begann unvermittelt zu schnarchen.

Louise de la Trémouille war nervös. Es war eine Unruhe in ihr, die sie nicht bezwingen konnte. Sie rutschte auf dem Stuhl, auf dem sie frisiert wurde, hin und her, wandte den Kopf von einer Seite zur anderen, verschob die Cremetöpfchen auf dem Toilettentisch vor ihr, und als die Erste Kammerjungfer, die ihr Haar aufsteckte, eine Nadel so tief in die Flechten stieß, daß sie einen Schmerz auf der Kopfhaut spürte, schrie sie auf und ohrfeigte das Mädchen.

Sie schalt sich selbst närrisch. Warum sollte gerade sie aufgeregt sein? Die Gesandtschaft aus Ferrara ging sie fast nichts an. Sie sollte nicht den Erbprinzen von Ferrara heiraten, sie würde die Prinzessin nicht nach Ferrara begleiten. Sie wäre dort wahrscheinlich sehr unerwünscht. Louise verzog die Lippen. Prinz Ercole war ihr Cousin. Seine Mutter Lucrezia war die Schwester ihres Vaters Cesare gewesen. Das war eine Verwandtschaft, an die heutzutage niemand mehr gern erinnert werden wollte. Die Borgias waren tot, ihr Angedenken verflucht, und die Erinnerung an sie wurde im Schweigen begraben.

Louise betrachtete sich kritisch im Spiegel, den die Kammerjungfer ihr entgegenhielt. Sie konnte mit ihrem Anblick wohl zufrieden sein. Sie war 27 Jahre alt, sah aber jünger aus, vielleicht weil ihr die Mühsal der Schwangerschaften erspart geblieben war. Von ihrer Mutter Charlotte d'Albret, die als schönste Hofdame Königin Annes gegolten hatte, hatte sie das lockige braune Haar, die sanften braunen Augen, das ovale Gesicht und den kleinen herzförmigen Mund. Nur die Nase war etwas zu lang in diesen regelmäßigen Zügen, aber sie erhöhte Louises Reiz, weil sie sie vor der Langeweile der Vollkommenheit bewahrte.

Louise wählte ihre Garderobe an diesem Tag mit Bedacht und ließ sich fünfmal ankleiden, bis sie mit dem Ergebnis zufrieden war. Sie entschloß sich zu einem kornblumenblauen Samtkleid, dessen geschlitzte Ärmel mit grüner Seide unterfüttert waren. Das Kleid war aus schwerem Material, viel zu schwer, um es bei dieser Hitze zu tragen, aber es war nach der neuesten Mode, und es hatte immerhin einen Ausschnitt, der den halben Busen freiließ, so daß sie sich lindernde Kühlung zum Atmen zufächeln konnte. Das Haarnetz, das sie über ihre Flechten legen ließ, war aus geflochtenen Goldbändern, mit Perlen verziert. Dazu trug sie eine Kette aus Perlen, Saphiren und erbsengroßen Brillanten, ein Geschenk ihres Vaters an ihre Mutter. Auf Ringe verzichtete sie wie immer. Sie trug nur einen einzigen, einen Karneol, in den ihr Wappen eingeschnitten war und mit dem sie zu siegeln pflegte. Dieses Wappen zeigte den Stier. Es war das Wappen ihres Vaters, das Wappen der Borgia.

Sie trug diesen Ring mit stolzem Trotz. In Frankreich galt Louise in den Augen des Hofes nicht als eine Borgia, sondern als eine d'Albret. Als ihr Ehemann Louis de la Trémouille vor der Hochzeit gefragt wurde, warum er eine Tochter des schrecklichen Cesare Borgia heiraten wollte, hatte er geantwortet, er vermähle sich nicht mit einer Borgia, sondern mit einer Tochter aus dem Hause d'Albret, dessen Frauen für ihre Schönheit, Frömmigkeit und Klugheit bekannt seien.

Nur Louise selbst hielt starrsinnig an ihrer Herkunft fest. Sie siegelte mit dem Stierwappen und unterschrieb auch nach ihrer Heirat mit dem Namen einer Herzogin von Valentinois. Den Stolz hatte sie von ihrem Vater, den Starrsinn von ihrer Mutter geerbt.

In den frühen Nachmittagsstunden begab Louise sich zu Prinzessin Renée. Zu Louises Erstaunen herrschte im Appartement der Prinzessin eine gelassene Ruhe, als wäre dies ein normaler Tag und nicht der, an dem die Prinzessin die Gesandtschaft aus Ferrara begrüßen würde. Renée saß, wie immer schlicht gekleidet, am Fenster und ließ sich von einer jungen schwarzhaarigen Hofdame vorlesen.

Einen Augenblick ruhten Louises Augen auf der jungen Frau. Laura de Roseval. Ihre Tante war Hofdame bei Louises Mutter gewesen. Aber die Verbindung zwischen ihnen war enger. Laura war einige Monate nach Cesare Borgias Tod in Viana geboren worden. Es war ein offenes Geheimnis, daß ihre Mutter die Geliebte des Borgia gewesen war. Sie hatte den Baron de Roseval nach Cesares Tod geheiratet und war zu dem Zeitpunkt schon sechs Monate schwanger. Es war nicht schwer zu wissen, wer eigentlich Lauras Vater gewesen war. Ansehen konnte man ihr ihre Herkunft allerdings nicht. Laura ähnelte ganz ihrer dunklen spanischen Mutter und wies keinerlei Ähnlichkeit mit den Borgias auf. Als sie an den Hof gekommen war, hatte sie sich keineswegs um Louises Aufmerksamkeit bemüht. Es war vielmehr Louise gewesen, die sie auf die Verwandtschaft, die zwischen ihnen bestand, angesprochen hatte. Laura hatte sie mit ihren dunklen Augen angesehen, deren Ausdruck nicht leicht zu deuten war.

»Mein Vater?« hatte sie gesagt. »Ich weiß, er war auch der Eure, aber fürchtet nicht, daß ich deshalb Ansprüche stelle. Ich trage den Namen Roseval, und er genügt mir. Im übrigen spielt es keine Rolle. In meiner Familie sind nicht die Männer wichtig, sondern die Frauen. Meine Mutter und meine Großmutter sind für mich von Bedeutung, nicht mein Vater, auch wenn er Cesare Borgia war.«

Natürlich, dachte Louise, natürlich verleugnete sie ihn. Wer war denn auch heute noch stolz darauf, von Cesare Borgia abzustammen? Sie war enttäuscht, aber sie respektierte Lauras Einstellung. Was hätte sie ihr auch geben können, außer der Zuneigung einer Schwester? Das Vermögen, das ihr Vater in Frankreich besessen hatte, war nach seinem Tod vom König eingezogen worden. Obwohl sie immer wieder ihren Anspruch darauf erneuerte, hatte sie nichts davon jemals bekommen.

Ihre einzigen Einkünfte hatte sie aus der Erbschaft ihrer Mutter bezogen.

Zwei andere Damen beschäftigten sich am Ende des Zimmers an einem Stickrahmen. Auf einen Wink Renées klappte die Vorleserin das Buch zusammen und zog sich mit einem Knicks zu den Stickerinnen zurück. Der Page schleppte einen Hocker für Louise herbei.

»Wie wunderschön Ihr ausseht, Louise«, sagte Renée mit dem ihr eigenen fragenden Ausdruck. »Wahrhaftig, ein Abbild Eurer Mutter, die die schönste Dame meiner Mutter war! Und mit welcher Pracht Ihr gekleidet seid! Freilich, Schönheit und Prunkliebe wurden Euch in die Wiege gelegt. Nicht wahr?«

Louise errötete ärgerlich. Die Worte der Prinzessin, so vollendet höflich sie klangen, enthielten einen boshaften Stachel. Charlotte d'Albret hatte in Issoudun und dann vor allem in la Motte Feuilly einfach und zurückgezogen gelebt. Die Erwähnung der Prachtliebe war eine Anspielung auf ihren Vater und nicht freundlich gemeint. Als Cesare Borgia vor fast dreißig Jahren an den Hof von Frankreich gekommen war, hatte er die Franzosen mit seinem Glanz und Reichtum geblendet, und viele hatten die Lippen höhnisch gekräuselt und hinter vorgehaltener Hand geflüstert, er führe sich auf wie der typische Emporkömmling.

»Nicht wahr, Madame?« wiederholte die Prinzessin, zu der kleinen, alten Dame gewandt, die auf der anderen Seite der Prinzessin saß und in Anbetracht ihrer Gebrechlichkeit ebenfalls auf einem Hocker sitzen durfte.

Louise bemerkte sie erst jetzt.

Madame de Chesnau!

Sie vergaß ihren Ärger augenblicklich.

Es war drei Jahre her, daß sie Madame de Chesnau zuletzt gesehen hatte. Das war vor der unglückseligen Schlacht von Pavia gewesen, in der ihr Gatte gefallen war. Damals hatte sich Louise, dem Beispiel ihrer Mutter folgend, vom Hof zurückgezogen. In diesen drei Jahren war Madame de Chesnau merklich gealtert. Ein Netz feiner Fältchen bedeckte ihre Wangen, der Mund war fast lippenlos, und die Nase stach spitz aus dem Gesicht hervor. Aber sie hielt sich gerade, und ihre wasserblauen Augen blickten fest und klar.

Madame de Chesnau war in Issoudun die Ehrendame Charlotte d'Albrets gewesen und erinnerte Louise an die glücklichsten Jahre ihrer Kindheit. Sie war eine Verbindung in die Vergangenheit, in der Louise während ihrer langen Tagträume am liebsten lebte.

»O ja, Königliche Hoheit«, antwortete die alte Dame auf Renées Frage mit brüchiger Stimme. »Ich erinnere mich gut, wie das war, als der Herzog von Valentinois in das Schloß einzog. Das war nicht hier in Blois, sondern in Chinon. Wir standen alle oben im Schloß an den Fenstern und sahen zu, wie sich der Zug durch die Straßen über die Brücke wälzte. Stunden hat das gedauert, und alles war so prächtig, daß es allen die Sprache verschlug, sogar dem König.«

Louise empfand ein warmes Gefühl der Freude und Dankbarkeit, daß Madame de Chesnau ihrem Vater immer noch den Titel eines Herzogs von Valentinois zubilligte, den der König ihm längst entzogen hatte. Renée schien verdrossen über die Bemerkung, daß der König, ihr Vater, vom Anblick des Borgia geblendet gewesen sei. Sie bemerkte nichts dazu, und die alte Frau fuhr nach einer kurzen Pause zu Louises Freude fort, zu erzählen.

»Erst kamen die Maultiere. Es sind wohl hundert Stück gewesen, alle hochbeladen und alle mit Satteldecken in Rot und Gelb, den Farben der Borgia. Dann folgten die Schlachtrösser, die von Pferdeknechten geführt wurden. Auch sie hatten prächtige Uniformen in Rot und Gelb. Nach den Kriegspferden kamen die Reitpferde für die Jagd, mehr als ein Dutzend, und schöne junge Pagen ritten sie. Ihnen folgten dreißig römische Edelleute in Gold- und Silberbrokat. Dann die Musik. Trommeln, Rebec, Trompeten und Clarinos, alle Instrumente in Silber. Endlich, umgeben von zwei Dutzend Dienern in rotem Samt und gelber Seide, ritt der Herzog selbst.«

»Das klingt wie der Triumphzug eines römischen Kaisers«, sagte Renée spöttisch. »Ich bin überzeugt, der Gesandte von Ferrara wird bescheidener auftreten. Aber er vertritt schließlich auch nicht den Bastard eines Papstes und verfügt nicht über die unermeßlichen Schätze der Kirche.«

Louise biß sich auf die Lippen. Das war boshafter als vorhin. Besonders arg war, daß sie der Prinzessin die Antwort darauf schuldig bleiben mußte. In ihren Ärger mischte sich Verwunderung. Renée war gewöhnlich nicht boshaft. Sollte das ihre Art sein, mit ihrer inneren Spannung umzugehen?

Unmittelbar darauf sagte Renée reumütig:

»Verzeiht, Louise, ich wollte Euch nicht kränken. An unserer Geburt sind wir unschuldig, und doch ist sie unser Schicksal, dem wir nie entfliehen können. Ihr bleibt die Tochter eines Mannes, der um einen hohen Einsatz gespielt und verloren hat, ich … nun, ich bleibe eine Person, der kein Bart wächst.«

»Ich verstehe nicht«, sagte Louise verwirrt.

In Renées heiterem Ton mischte sich Bitterkeit.

»Wäre ich als Mann geboren worden, so wäre ich heute König von Frankreich.«

Der verstorbene König XII. hatte nur zwei Töchter hinterlassen, und da Frauen in Frankreich nicht den Thron besteigen durften, war die Krone an ihren Cousin François von Bourbon gefallen, der zur Absicherung seiner Ansprüche Renées Schwester geheiratet hatte. Wäre Renée als Mann geboren worden, so wäre sie in der Tat heute König. Louise hatte nie gedacht, daß Renée sich danach sehnen könnte.

»O doch«, sagte die Prinzessin, Louises Gesichtsausdruck richtig deutend. »Es ist immer ein Unglück, eine Frau zu sein, und wenn man noch so hoch geboren wird. Vergleicht doch nur Euren Vater und mich, Louise! Cesare Borgia konnte sein Schicksal nach seinem Willen formen, Städte beherrschen und versuchen, eine Welt zu erobern. Er konnte dabei scheitern, aber er konnte etwas tun. Was dagegen ist mit Frauen wie mir? Hochgeboren verbringen wir unsere Tage im Müßiggang und sind nur zu einem gut, nämlich als Zuchtstuten zu dienen.«

Louise wußte nicht, was sie darauf erwidern sollte. Wie unglücklich mußte die Prinzessin sein, daß sie kurz vor ihrer Hochzeit solche Gedanken hegte!

Renée sagte mit einer Handbewegung, als schiebe sie das Gesagte beiseite:

»Erzählt weiter, Madame de Chesnau! Wir warten auf den Höhepunkt Eures Berichtes, das Erscheinen Cesare Borgias, Herzog von Valentinois.«

Madame de Chesnau hustete ihre Stimme frei und fuhr fort:

»Das Pferd des Herzogs war ein Rappen aus der berühmten

Zucht der Gonzaga. Es hatte versilbertes Zaumzeug, und die Satteldecke war aus Atlas und Goldbrokat. Der Herzog trug ein Wams aus weißem, golddurchwirktem Damast und einen Mantel aus schwarzem Samt. Auch sein Hut war aus schwarzem Samt, und daran leuchtete eine Brosche aus zwölf Rubinen, jeder so groß wie eine dicke Bohne. Wir drängten uns alle am Fenster, um nichts zu verpassen, wie Ihr Euch wohl denken könnt. Und dann, als der Herzog in den Hof eingeritten war, liefen wir alle auf die andere Seite des Schlosses, von wo man in den Innenhof blicken konnte. Eure Mutter, Madame, stand neben mir, und als sie den Herzog zum ersten Mal sah, ergriff sie meine Hand und drückte sie so fest, als müsse sie sich vor dem Umsinken bewahren. Man hatte uns gesagt, der Herzog sei der schönste Mann Italiens, und das war nicht übertrieben. Eure Mutter hat sich auf den ersten Blick in ihn verliebt.«

Louise kannte jedes Wort dieser Erzählung auswendig. Als sie noch ein kleines Mädchen gewesen war, war sie auf Madame de Chesnaus Schoß geklettert und hatte immer wieder gebettelt: »Erzählt mir, wie mein Vater nach Frankreich gekommen ist und meine Mutter geheiratet hat.«

Und immer wieder hatte Madame de Chesnau erzählt, wie Charlotte d'Albret und Cesare Borgia sich ineinander verliebt hatten, eine Geschichte, so romantisch wie ein Märchen. Aber ein Märchen mit traurigem Ende.

»Es war unklug von ihr, sich in ihn zu verlieben«, bemerkte Renée. »Wir Frauen sollten unsere Herzen stählen, daß Amors Pfeil niemals eindringen kann. Was nützt uns die Liebe? Wir heiraten, oder wir gehen ins Kloster, je nachdem, wie es unseren Vätern das Beste für die Familie dünkt. Wir werden nicht gefragt. Damit sollten wir uns von vornherein abfinden. Wenn wir keine Ansprüche an Glück stellen, werden wir nicht unglücklich werden.«

Louise wußte nicht, ob sie der Prinzessin zustimmen sollte. Gewiß hatte diese Liebe ihrer Mutter kein Glück gebracht. Zunächst hatte sie sie verbergen müssen, denn Cesare hatte eine andere heiraten wollen, Carlotta von Aragon, Prinzessin von Neapel. Aber dieses Ziel war zu hoch gewesen für den Bastard des Papstes. Nicht einmal der König von Frankreich hatte ihm diese Partie verschaffen können. Erst als das Projekt am hartnäckigen Widerstand von Carlottas Vater gescheitert war, hatte Cesare sich nach einer anderen Braut umgesehen, und seine Augen waren auf Charlotte d'Albret gefallen. Bezaubert von ihrer Schönheit und gerührt von ihrer Liebe, hatte er sein Herz an sie verloren und um ihre Hand gebeten.

An diesem Punkt von Madame de Chesnaus Erzählung merkte Renée zynisch an, es habe der Braut zweifellos nicht geschadet, eine Cousine der französischen Königin und eine Schwester des Königs von Navarra gewesen zu sein.

Louise unterdrückte eine Erwiderung. Sie wollte sich das Märchen nicht zerstören lassen. Madame de Chesnau fuhr rasch fort, zu schildern, wie prächtig die Hochzeit in Blois gefeiert worden sei und wie verliebt die beiden jungen Leute gewesen seien und was für großartige Feste gefeiert und wie viele Jagden abgehalten worden seien, kurz, wie Charlotte d'Albret ein halbes Jahr lang wie im Paradies gelebt habe.

Dann verstummte sie. Das traurige Ende der Geschichte konnte jeder selbst hinzufügen, keiner kannte es besser als Louise selbst.

Von Mai bis September gehörte Cesare ganz Charlotte. Dann kehrte er mit dem König nach Italien zurück und ging daran, sich einen Staat zu erobern. Charlotte blieb schwanger in Frankreich zurück. Zunächst konnte sie nicht reisen, dann verbot der König es ihr, denn Charlotte und ihre Tochter waren in Frankreich eine wertvolle Geisel gegen Cesare, dessen Erfolge ihn dem König gefährlich erscheinen ließen. Später weigerte sich Charlotte selbst, nach Italien zu gehen und ihren Platz an der Seite ihres Gatten einzunehmen. Sie hatte zuviel gehört. Von dem Schicksal Caterina Sforzas und Dorotea Carraciolos, von seiner Liebschaft mit der schönen Kurtisane Fiametta, von der Ermordung seines Schwagers Alfonso, von dem Tod des jungen Astorre Manfredi und von dem Versöhnungsmahl, das er seinen aufständischen Hauptleuten gab und das zu einem Henkersmahl wurde. In Charlotte wuchs das Entsetzen. Das war nicht länger der schöne, charmante junge Mann, der ihr in Chinon und Blois den Hof gemacht hatte. Er hatte sich in ein skrupelloses Ungeheuer verwandelt, das durch ein Meer von Blut watete.

Solange Cesare lebte, weigerte sich Charlotte starrsinnig, zu ihm zu reisen. Sie residierte in Issoudun, wie es einer Herzogin von Valentinois zukam, und wurde berühmt für ihre Wohltätigkeit. Nach Cesares Tod vor den Toren von Viana löste sie den herzoglichen Haushalt von Issoudun auf und zog sich in das kleine, schlichte La Motte Feuilly zurück. Sie war erst 25 Jahre alt und entsagte allen Freuden des Lebens. Sie duldete keine Musik um sich und keine Bücher außer religiösen Erbauungsschriften, keine Blumen im Haus, keine Reitpferde im Stall. Sie empfing keine Besuche, noch machte sie welche. Alle Wände wurden schwarz verhängt, sogar die Bettvorhänge waren schwarz, und die Satteldecke von Louises Pony. Sie verwandelte La Motte Feuilly in eine Gruft, in der sie sich lebendigen Leibes begrub und für Cesares Seelenheil betete.

Louise stiegen die Tränen in die Augen. Von einem Tag auf den anderen hatte sich das Leben des kleinen Mädchens, das sie damals gewesen war, verändert. Über Nacht war das Licht aus der Welt gewichen und Finsternis über sie hereingebrochen, weil Cesare Borgia tot war.

Sieben Jahre hatte Charlotte so das Leben einer Frau geführt, die nicht mehr lebte, sondern nur noch existierte. Louise, damals vierzehn Jahre alt, hatte am Sterbebett ihrer Mutter gesessen und den mühsamen Todeskampf der jungen Frau begleitet. Charlottes Seele wünschte sich zu sterben, der junge, kräftige Körper bäumte sich dagegen auf. Nach vier Tagen im Fieberdelirium, in denen sie immer wieder begonnen hatte, Cesare zu rufen, und dann mit allen Zeichen des Entsetzens abgebrochen hatte, kam plötzlich eine große Ruhe über ihren Körper. In dem bleichen, abgezehrten Gesicht öffneten sich die braunen Augen noch einmal mit einem Blick unaussprechlicher Liebe, um den Mund schwebte ein Lächeln, so sanft und süß, wie Louise es noch nie bei ihrer Mutter gesehen hatte, und mit einem gehauchten Wort, das niemand verstand, von dem Louise aber sicher war, daß es der Name ihres Mannes war, starb sie.

»Die arme Herzogin«, sagte Madame de Chesnau aus ihren

eigenen Erinnerungen heraus. »Keine Frau, die einen Borgia liebt, kann glücklich werden. Auf der Familie liegt ein Fluch.«

Die Prinzessin zuckte die Achseln.

»Keine Frau, die liebt, kann glücklich werden. Männer und Frauen sind zu verschieden. Männer erobern, Frauen bewahren. Männer drängen vorwärts, Frauen verharren an ihrem Ort. Manchmal treffen sie sich in einem Punkt, aber aus dem Punkt kann keine Strecke werden, kein gemeinsamer Weg.«

Louise fühlte sich beklommen, wenn sie daran dachte, daß die Prinzessin, die so scharf urteilte, am Beginn einer Ehe stand. Sie wurde jeder Antwort enthoben, weil einer der Pagen jetzt die Tür aufriß und ohne Rücksicht auf alle Manieren, die man ihm anerzogen hatte, schrie: »Sie kommen! Sie kommen!«

Niemandem brauchte er zu sagen, wer »sie« seien. Die Damen sprangen auf und stürzten aus dem Zimmer, Louise und die Prinzessin folgten mit dem Grad an Eile, den die Würde ihrer Stellung noch zuließ, und Madame de Chesnau mit der Langsamkeit des Alters, wobei sie lächelnd bei sich bemerkte, wie sehr doch diese Szene der glich, die sie vor dreißig Jahren in Chinon erlebt hatte.

Von den Zimmern Renées hatte man einen schönen Blick über die braunroten Dächer der Stadt, um aber die Gesandtschaft einziehen zu sehen, war Louises Appartement mit den Fenstern zum Innenhof geeigneter. Wie auf Verabredung schlugen alle Frauen den Weg dorthin ein und drängten sich in den Fensternischen. Louise kam neben Laura zu stehen und bemerkte erheitert, daß sie immer noch das Buch in der Hand trug.

Im Hof unter ihnen herrschte das Chaos. Auf dem obersten Absatz der Treppe war Karl von Bourbon, der Onkel des Königs, erschienen, umgeben von dem Kardinal und einem Dutzend Edelleuten.

Über zwei Dutzend hochbeladene Maultiere füllten den Hof. Stallknechte zerrten sie zur Seite, um die Mitte des Platzes zu räumen. Einige Maultiere stemmten die Vorderfüße fest in den Boden und brüllten empört. Beim Versuch, sie mit Gewalt fortzubringen, löste sich bei einigen die Ladung, Kisten und Truhen rutschten ab, und zwei schlecht verschlossene ergossen ihren Inhalt von Leinen, Samt und Seide in den Staub des Hofes.

Endlich war der Platz so weit geräumt, daß die Männer, die unter dem Tor gewartet hatten, in den Hof einreiten konnten.

Renée hatte recht gehabt. Die Gesandtschaft aus Ferrara trat nicht in dem Stil Cesare Borgias auf. Aus den hundert Maultieren waren fünfzig geworden und aus den dreißig Edelleuten, den Pagen auf den Pferden und den Streitrössern eine Gruppe von hundert schwerbewaffneten Berittenen, an deren Spitze nur wenig mehr als ein Dutzend Edelleute ritt. Aus dieser kleinen Schar löste sich jetzt ein Reiter und sprengte vor den anderen an den Fuß der Treppe. Er ritt auf einem Schimmel, seine Kleidung bestand aus einem Wams aus schwarzem Samt, mit Perlen und Edelsteinen bestickt. Er sprang ab und warf die Zügel einem herbeigeeilten Knecht zu. Dann setzte er den Fuß auf die erste Treppenstufe, zog schwungvoll das schwarze Barett mit der Reiherfeder und blickte zu Karl von Bourbon hoch. Die Damen konnten von ihrem Fenster aus jede Einzelheit seiner Erscheinung betrachten. Er war mittelgroß und schlank und jünger, als sie gedacht hatten. Er sah nicht würdig wie ein vierzig- oder fünfzigjähriger Diplomat aus, sondern war noch keine dreißig. Das honigblonde Haar klebte ihm verschwitzt auf der Stirn.

Das Lächeln, mit dem er Karl von Bourbon, seine Begleiter und den ganzen versammelten Hof überflog, ließ viele junge und ältere Beobachterinnen seufzen. Er hob den Kopf und schenkte es auch den Frauen, die oben vom Fenster Louises auf ihn hinabschauten. Louise, in das schöne Gesicht blickend, zog scharf den Atem ein.

Laura neben ihr zuckte zusammen und stieß einen unartikulierten Laut aus. Louise starrte sie an. Das Mädchen war blaß, als sei es zu Tode erschreckt worden. Louise fragte sich, ob Laura dasselbe gesehen hatte wie sie.

Vor dem Bankett empfing der König die Gesandtschaft in der Großen Halle. Er hatte mit der Königin und der Prinzessin auf der Estrade Platz genommen. An den Wänden hatten sich die Höflinge aufgestellt, ihrem Rang nach geordnet, die vornehmsten nahe dem Platz des Königs. Es war ein Sommerabend, an dem es spät dunkel wurde. Noch brauchte man keine Kerzen anzuzünden, wofür alle dankbar waren. Die Luft, geschwängert von Schweiß und Parfüm, war stickig. Die Damen fächelten sich heftig.

Von der Empore ertönte ein Trompetenstoß, die Türen wurden aufgerissen, und der Zeremonienmeister stieß seinen Stab auf den Boden, um sich Gehör zu verschaffen.

»Seine Gnaden, Graf Alessandro Montefalcone, Botschafter des höchst mächtigen und edlen Herrn Herzogs Alfonso von Ferrara und Modena!«

Marguerite de St. Philibert, die schöne, silberblonde Hofdame der Prinzessin Renée, stand in der Nähe der Tür und hatte eine gute Aussicht auf die Männer, die beim zweiten Trompetensignal eintraten, unter der Tür stehenblieben, die Hüte abnahmen und sich verbeugten.

Der Botschafter trug ein goldbesticktes Wams aus schwarzem Samt, dessen vielfach geschlitzte Ärmel das weiße Leinenhemd durchblicken ließen. Über seine Brust lief eine schwere Goldkette. Am Barett, das er vor die Brust gedrückt hielt, funkelte eine diamantbesetzte Agraffe. Er war nach der neuesten Mode, aber nicht stutzerhaft gekleidet und repräsentierte in seiner Erscheinung den Reichtum und die Eleganz des Hofes von Ferrara.

Marguerite hatte Zeit, sein Gesicht zu betrachten. Es war leicht gebräunt, mit hohen Backenknochen, einem schmalen harten Mund und kalten grauen Augen. Das helle Haar leuchtete wie gesponnenes Gold.

Hinter ihm standen zwölf weitere Kavaliere zwischen zwanzig und dreißig Jahren, auch sie mit Geschmack und Reichtum, aber ohne Protz gekleidet. Marguerite fielen unter ihnen vor allem zwei Männer auf. Der eine hatte ein kühnes, dunkles Piratengesicht und ließ seine Blicke forschend durch den Raum schweifen, der andere, der jüngste in der Gruppe, der dem Botschafter zunächst stand, hatte ein rundes Gesicht mit kurzem, energischem Kinn und einer scharfgebogenen Nase. Sie fand, er sah aus wie ein junger römischer Kaiser.

Die Trompeten ertönten zum dritten Mal und gaben den Männern das Zeichen, sich auf den Weg zum Sessel des Königs zu machen. Hinter ihnen war ein einfacher Soldat eingetreten, der bei der Tür stehenblieb. Die Männer durchschritten das Spalier der Höflinge und ließen sich vor der Stufe, die den Sitz des Königs erhöhte, auf ein Knie nieder.

»Wir freuen Uns, Euch endlich begrüßen zu dürfen«, sagte der König, und er betonte das »endlich« so stark, daß die Bemerkung nicht gnädig, sondern vorwurfsvoll klang. Er winkte ihnen, aufzustehen. Der Botschafter verbeugte sich noch einmal und begann dann mit seiner Rede. Seine Stimme war dunkel und volltönend und füllte mühelos den großen Saal.

Marguerite gab sich nach den ersten Worten keine Mühe mehr zuzuhören. Der Botschafter sprach ein fließendes Latein, das in seinen blühenden Satzgirlanden an Cicero geschult war, womit er zum Ausdruck brachte, daß Ferraras Adel keine tumben Schlagetots hervorbrachte, sondern gebildete Humanisten, und außerdem dem König und der Prinzessin die Ehre erwies, sie ebenfalls dafür zu halten. Marguerite, die kein Latein verstand, wußte die Rede nicht zu würdigen, langweilte sich bald und ließ ihre Gedanken abschweifen. Die Ansprache wollte und wollte nicht enden. Allmählich kam Unruhe in der Gesellschaft auf. Bemerkungen wurden gemurmelt, Röcke raschelten, jemand kicherte unterdrückt, manche begannen, mit den Füßen zu scharren.

Marguerite verlagerte ihr Gewicht auf ihr rechtes Bein und wandte sich an das Mädchen, das neben ihr stand.

»Mein Gott«, flüsterte sie, »das ist keine Rede mehr, das wächst sich zu einer Abhandlung aus.«

Laura de Roseval antwortete nicht. Ihre Augen waren auf den schlanken Rücken des Botschafters gerichtet. Sie hielt den zugeklappten Fächer mit beiden Händen so fest umklammert, daß die Knöchel weiß hervorstanden.

Marguerite stieß sie an.

»Laura?«

Das Mädchen erwachte aus seiner Starre und wandte ihr das Gesicht zu. Sie war blaß, und unter ihren Augen lagen violette Schatten.

»Ist Euch nicht gut?« murmelte Marguerite.

Laura sah aus, als würde sie gleich ohnmächtig werden. Marguerite überlegte, was sie dann tun sollte. Es war unmöglich, den Saal zu verlassen, ehe der König gegangen war. Am besten ließe sie Laura zu Boden gleiten, lockerte ihr Mieder und fächelte ihr Luft zu. Ein paar Umstehende würden sich schon so um sie herumgruppieren, daß man nichts bemerkte. Es wäre auch kein Wunder, wenn das Mädchen das Bewußtsein verlöre. Diese schwüle Luft voll süßlichem Parfüm und saurem Schweiß konnte jedem Übelkeit verursachen.

»Es ist nur die Hitze«, flüsterte Laura zurück, klappte den Fächer auf und bewegte ihn heftig.

Endlich senkte der Botschafter seine Stimme und verstummte. Er wandte kurz den Kopf und nickte dem Soldaten an der Tür zu. Der riß die Tür auf. Marguerite war dankbar für den Luftzug, der hereinströmte. Dann blieb ihr Mund vor Staunen offen.

Das Geschenk des Herzogs von Ferrara für den König von Frankreich trat ein.

Es war ein Mann, der die gleiche Höhe und Breite wie der König hatte. Er trug eine vollständige Rüstung. Vom Helm bis zu den gepanzerten Schuhen fehlte kein Teil, und alles war auf die kunstvollste Weise verziert. Über und über waren gekrönte Salamander – des Königs Wappentier – in den Stahl geätzt und dann vergoldet worden. In den ausgestreckten Händen, die in Eisenhandschuhen steckten, trug der Gepanzerte ein Samtkissen vor sich her. Auf ihm lag der atemberaubendste Halsschmuck, den Marguerite je gesehen hatte. Es war eine Kette aus haselnußgroßen Rubinen. An dieser Kette war eine zweite befestigt aus getriebenem Gold, an der ein Brillant hing. Marguerite hatte noch nie einen Brillanten von dieser Größe gesehen.

Der Gepanzerte schritt langsam und schwerfällig durch die Gasse der Höflinge, die bewundernde Ausrufe nicht unterdrücken konnten. Neben dem Botschafter blieb er stehen. Montefalcone wies mit einer dramatischen Bewegung auf die Rüstung, ließ einige lateinische Sätze fallen, nahm dem Mann in der Rüstung dann das Samtkissen ab und präsentierte es, sich auf ein Knie niederlassend, der Prinzessin.

Der König erhob sich, schritt die Stufe der Estrade hinab und betrachtete die Rüstung. Er strich kurz über die Schulterstücke und den Brustpanzer, und sein Gesicht zeigte kindliche Freude an dem herrlichen Geschenk. Die Prinzessin nahm den Schmuck mit einem huldvollen Lächeln entgegen, dem jede persönliche Wärme fehlte.

Sie ist enttäuscht, daß der Erbprinz nicht persönlich gekommen ist, sondern sich von seinem Botschafter bei der Ehezeremonie vertreten läßt, dachte Marguerite. Der Botschafter stellte jetzt die Herren seiner Begleitung vor.

Marguerite erfuhr, daß der Mann mit dem Piratengesicht Annibale Strozzi hieß und der junge römische Kaiser Antonio Montefalcone war, der Bruder des Botschafters. Sie riß die Augen auf. Das war Montefalcones Bruder? Dieser junge Mann mit dem dunklen Haar und dem Cäsarenkopf? Zwei unähnlichere Brüder hätte man schwerlich finden können.

Der König grüßte die jungen Männer gnädig. Er war immer noch entzückt von der Rüstung und sprach den Wunsch aus, sie gleich anzulegen. Marguerite schloß verzweifelt die Augen. Das würde sie für mindestens noch eine Stunde im Saal festhalten. Doch dann besann der König sich anders. Offensichtlich wollte er sich für das Anlegen der Rüstung in seine Privatgemächer zurückziehen. Er reichte der Königin den rechten, der Prinzessin den linken Arm. Die Trompeter schmetterten eine Fanfare. Der König zog mit seinen Damen durch das Spalier der Verneigungen und verschwand im Korridor. Das war das Zeichen zum Aufbruch für alle. Jeder wollte so rasch wie möglich aus der stickigen Luft ins Freie, und ein unziemliches Gedränge begann, in dem niemand mehr Rücksicht auf Rang und protokollarische Reihenfolge nahm.

»Endlich«, sagte Marguerite und schob ihre Hand unter Lauras Ellenbogen. »Kommt! Ihr könnt jetzt an die frische Luft!«

Laura erschrak, als Marguerite sie berührte, und der Fächer entglitt ihrer Hand. Er fiel zu Boden, dem Botschafter Ferraras vor die Füße.

Alessandro Montefalcone hob ihn mit einer raschen Bewegung auf, dann blickte er mit einem fragenden Lächeln zu den nächststehenden Damen, um ihn der Besitzerin zurückzugeben.

Laura streckte die Hand aus.

Sie zitterte.

Der Botschafter legte ihr den Fächer auf die Hand und

blickte mit höflichem Lächeln in ihr Gesicht, um den Dank entgegenzunehmen.

Nur weil Marguerite unmittelbar neben den beiden stand, fiel ihr auf, was vor sich ging. Montefalcones höfliches Lächeln war aus seinem Gesicht gewischt, als wäre es nie dagewesen. Er war blaß geworden bis in die Lippen.

Marguerite fand, er sah aus wie ein Mann, der einen Schock erlitt.

Sie blickte auf Laura.

Das Mädchen war so rot geworden wie der Mann bleich. Sie standen regungslos, Auge in Auge, und sie schienen nichts zu merken von dem Gedränge, das um sie herum war. Dann stieß jemand gegen den Botschafter. Montefalcone zuckte zusammen. Er zog seine Hand, die immer noch Lauras berührte, zurück und senkte mit einer leichten Verneigung den Kopf. Als er ihn wieder hob, waren seine Augen so kalt wie zuvor, und das routinierte Lächeln des Hofmannes umspielte seine Lippen.

»Euer Diener, Madame!«

Er schritt vorüber, und die Kavaliere aus Ferrara folgten ihm.

Marguerite war eine scharfe Beobachterin. Es konnte keinen Zweifel geben über das, was sie soeben gesehen hatte, auch wenn es nur wenige Sekunden gedauert hatte.

Prinzessin Renée machte von dem Recht Gebrauch, das der König ihr eingeräumt hatte, und wohnte dem abendlichen Bankett nicht bei. Sie hatte ihre älteste und ihre jüngste Hofdame, Adeline de Foix und Laura de Roseval, zu ihrer Aufwartung zurückbehalten und den anderen erlaubt, an dem Bankett teilzunehmen.

Im Garten des Schlosses waren drei Tische hufeisenförmig aufgebaut. An den beiden langen Schenkeln saß der Hof, an der schmalen Seite der König mit seiner Gemahlin, dem ferraresischen Botschafter und – an Stelle Renées – Louise de la Trémouille.

Die Hofdamen, die Renée nach Ferrara begleiten sollten, hatten die italienischen Kavaliere zu Tischherren. Marguerite saß neben Annibale Strozzi, dessen hübsches verwegenes Gesicht, wie sie von nahem sah, von einigen Pockennarben verunstaltet war. Er teilte seine Aufmerksamkeit gerecht zwischen seiner Tischdame und dem Weinkrug.

»Wir haben Euch schon vor einiger Zeit erwartet«, sagte Marguerite.

Annibale Strozzi zuckte die Achseln. »Wer kann bei der Abreise schon sagen, wann er ankommt? Reisen ist immer gefährlich.«

»Aber heutzutage doch nicht. Wir haben Frieden, die Straßen sind in gutem Zustand, und vor den paar Straßenräubern, die sich allenfalls herumtreiben mögen, schützt Euch die kleine Armee, die Euch begleitet.«

»Es sind auch nicht die Räuber, die uns aufgehalten haben. Unsere Gefahren waren vielmehr natürlicher Art. Beinahe wären wir alle ertrunken.«

»Habt Ihr Schiffbruch erlitten?« fragte Marguerite und tunkte das Brot in die Sauce.

Annibale Strozzi hielt einen Diener an und ließ sich seinen Becher wieder vollschenken.

»Wir, Gott sei Dank, nicht – sonst wäre kaum einer von uns noch am Leben. Wir sind in Genua mit zwei Galeeren in See gestochen, mit der ›Aretusa‹ und der ›Sirena‹. Ursprünglich sollten wir alle an Bord der ›Sirena‹ gehen, aber das Gepäck Montefalcones war irrtümlich auf die ›Aretusa‹ gebracht worden, und er bestand darauf, sein Gepäck zu begleiten. Natürlich konnten wir ihn nicht allein an Bord gehen lassen, aber wir waren alle ziemlich verärgert, auf der ›Aretusa‹ zu segeln. Die ›Sirena‹ war nämlich das größere und bequemere Schiff. Heute preisen wir uns natürlich alle glücklich. Es war, als hätten wir einen Schutzengel gehabt. Kurz vor dem Hafen von Marseille – der Lotse war schon an Bord gekommen – lief die ›Sirena‹ auf ein Riff auf, zerbrach und sank innerhalb weniger Minuten. Von den Leuten, die auf der ›Sirena‹ waren, konnten sich zehn Mann nicht retten.«

»Wieso lief die ›Sirena‹ auf ein Riff, wenn der Lotse schon an Bord war?« fragte Marguerite.

Annibale Strozzi leerte den Becher und hielt nach dem Diener Ausschau.

»Die Überlebenden sagen, er sei betrunken gewesen. Wahrscheinlich stimmt es. Jedenfalls hatte der Kerl ein schlechtes Gewissen. Er gehörte zu den Überlebenden, aber nachdem er an Land gebracht worden war, ist er hingegangen und hat sich erhängt. Arme verlorene Seele.«

»Er ist nur dem Henker zuvorgekommen«, sagte Marguerite gleichgültig. »Hattet Ihr große Verluste durch den Untergang des Schiffes?«

»Ich schon«, sagte Annibale Strozzi düster, »mein ganzes Gepäck und die Pferde waren verloren. Und vielen ging es genauso. Es hat uns eine Menge Zeit gekostet, uns alle wieder so auszustatten, daß wir am Hof erscheinen konnten.«

»Vielleicht wird der König Euch entschädigen, wenn er davon erfährt. Der König ist sehr freigebig.«

»Davon habe ich gehört. Freigebigkeit leert schnell die Kassen«, gab Strozzi zurück, auf die finanziellen Probleme des Königs anspielend.

In die freie Mitte zwischen den drei Tafeln traten Jongleure, die anfangs mit Keulen, dann mit flammenden Fackeln arbeiteten. Strozzi folgte dem Flug der Fackeln mit den Augen und verzog das Gesicht.

»Wie leichtsinnig«, bemerkte er, »bei dieser Trockenheit! Es hat doch seit Monaten nicht mehr geregnet.«

»Solange die Loire noch Wasser führt, ist der Garten nicht trocken«, erklärte Marguerite. »Königin Anne, die ihn hat anlegen lassen, hat ein Rohrnetz einbauen lassen, um ihn zu bewässern. Es speist sich direkt aus der Loire.«

»Wie weitsichtig von ihr. Aber sonst sollte man vorsichtig sein. Frankreichs Wälder brennen. Wir konnten uns selbst davon überzeugen.«

»Habt Ihr abgebrannten Wald gesehen?« fragte Marguerite. »Das muß ein schrecklicher Anblick sein. Nichts als schwarze Stümpfe und Asche. So stelle ich mir immer die Apokalypse vor.«

Annibale Strozzi nahm sich von einer Platte, die ein Diener ihm vorhielt, eine Hasenkeule und begann, sie abzunagen.

»Ich habe nichts dagegen, durch abgebrannte Wälder zu reiten«, sagte er kauend, »aber ich habe etwas dagegen, durch einen brennenden Wald zu reiten.«

»Was?« Marguerite riß die Augen auf und starrte ihn an.

»Wollt Ihr sagen, Ihr seid durch einen brennenden Wald geritten und habt es überlebt?«

»Genau so!« Strozzi nahm die Keule in die Linke und reckte mit der Rechten den Becher, damit der Diener ihm nachschenken konnte.

»Das war ein schönes Feuer. Es prasselte lustig wie im Kamin zu Weihnachten. In Sekundenschnelle standen meterhohe Bäume in Flammen, wie Fackeln, und der Brand breitete sich aus, schneller, als man ihm zusehen konnte. Nicht alle sind den Flammen entkommen.«

Er ließ sich den Becher wieder füllen. Marguerite schätzte, daß es der zehnte war. Seine Zunge wurde bereits schwerer.

An die Stelle der Jongleure waren nun Dudelsackspieler getreten. Das machte die Unterhaltung etwas mühsamer. Die Diener kamen mit neuen Platten und boten Pasteten an.

»Was ist das für ein Mann, Alessandro Montefalcone?« fragte Marguerite. Ihr schien, Annibale Strozzi habe jetzt den Zustand erreicht, in dem er viel und gern redete. »Was ist das für eine Familie, die Montefalcones?«

Sie hatte den jungen Mann falsch eingeschätzt. Seine Zunge mochte ein Opfer des Weines geworden sein, seine Vorsicht war es nicht.

»Die Montefalcones sind alter Adel aus der Romagna. Sie waren Herren in Faenza, bevor die Manfredis sie vertrieben. Sein Vater, Federigo Montefalcone, war zu seiner Zeit einer der teuersten und besten Condottiere. Wenn die Zeiten es erlauben, wird Alessandro es wohl genausoweit bringen. Zu seiner Zeit konnten sich nur wenige die Dienste des alten Montefalcone leisten. Er stand einige Zeit im Dienste Venedigs, kämpfte auch für den Papst und die Franzosen, aber vor allem für die Borgias. Er starb im Bett, was niemand erwartet hätte. Vor drei Jahren.«

»Haben die beiden Brüder dieselbe Mutter?« fragte Marguerite, sich langsam an das herantastend, was sie interessierte.

Annibale Strozzi grinste.

»Das glaubt man nicht, wenn man die beiden nebeneinander sieht, was? Aber es gibt keinen Zweifel. Federigo Montefalcone war nur einmal verheiratet. Mit einer entfernten

Nichte von Papst Alexander VI., die so tugendhaft wie langlebig ist. Sie ist nach dem Tod ihres Mannes ins Kloster gegangen. Nein, beide sind ihre Söhne, und beide sind die Söhne Federigo Montefalcones. Da gibt es keinen Zweifel, Montefalcone selbst hatte nicht den geringsten.«

Der Diener hielt ihnen eine Platte mit gesottenen Fischen vor. Strozzi schob sie mit allen Zeichen des Abscheus fort.

»Nie im Leben wieder Fisch«, sagte er.

»Habt Ihr Euch einmal an einer Gräte verschluckt?« fragte Marguerite.

»Wenn es bloß das gewesen wäre! Nein, es hat mir fast die Gedärme auseinandergerissen. Verzeiht das derbe Wort, Madame! Von Gräten keine Spur. Es war eine durchpassierte Fischsuppe im Gasthof bei Lyon, wo wir abgestiegen waren. Sie sah ganz harmlos aus und schmeckte nach allen Gewürzen Indiens. Besonders nach Pfeffer. Sie brannte geradezu höllisch auf der Zunge. Der Pfeffer verbrannte einem die Geschmacksund Geruchsnerven, so daß keiner gemerkt hat, daß der Fisch in der Suppe verdorben war. Das war wohl, was der Koch mit seinem Würzen beabsichtigt hatte. Wir wälzten uns vier Tage mit Leibkrämpfen im Stroh, als seien wir vergiftet worden. Drei von uns mußten tatsächlich daran glauben.«

»Hat der Koch sich auch erhängt?« fragte Marguerite.

»Der wußte, was ihn erwartet hätte, wenn wir wieder zu Kräften gekommen waren. Der hat Reißaus genommen. Ist wie vom Erdboden verschluckt gewesen. Das beste, was er in seiner Lage tun konnte.«

Allmählich begannen seine Katastrophenberichte Marguerite zu langweilen. Wie dieser Mensch zum Dramatisieren neigte! Ein paar Tage Durchfall, ein Schiff, das im Hafen unterging, und ein kleines Feuer im Wald bauschte er zu Geschichten von Leben und Tod auf. Aber hatte sie nicht immer schon gehört, daß die Italiener zum Übertreiben neigten? Um das Thema abzuschließen, sagte sie:

»Welch gefährliche Reise Ihr gehabt habt! Wie glücklich müßt Ihr sein, Euch jetzt an einem sicheren Ort zu befinden.«

»Im Gegenteil, Madame, im Gegenteil. Jetzt wird es erst richtig gefährlich.«

»Wie das?«

»Nun, bisher galt die Gefahr immer nur unserem Leib. Aber hier in Blois, umgeben von den schönsten Damen Frankreichs, sind unsere Herzen in Gefahr.«

Er hob seinen Becher und blickte ihr tief in die Augen.

»Hat Euch schon einmal jemand gesagt, daß Euer Haar wie Mondlicht ist?«

Marguerite unterdrückte ein Seufzen. Aus Erfahrung wußte sie, daß Männer, die in diesem Stadium der Trunkenheit galant wurden, sich als hartnäckig und lästig erwiesen.

Das Bankett dauerte bereits zwei Stunden und würde noch drei weitere andauern. Es gab schon die ersten Auflösungserscheinungen. Die Hunde waren herangekommen und schnappten nach den Knochen, die ihnen zugeworfen wurden. Irgendwo fochten zwei Betrunkene lautstark einen Wortwechsel aus. Eine Frau kreischte auf, als ihr Tischherr in ihr Dekolleté griff, und überall herrschte ein Kommen und Gehen der Leute, die sich bei so viel Essen und Trinken zwischendurch erleichtern mußten.

Auch Marguerite stand auf und nahm ihren Weg in die Büsche. Sie folgte dabei teils einem natürlichen Bedürfnis, teils dem Wunsch, Annibale Strozzi zu entkommen, der einen Arm um ihre Schulter gelegt hatte und ihr mit Weinatem Unverständliches ins Ohr hauchte.

Sie war aus dem Lichtkreis der Fackeln ins Dunkle getreten, als sie ihren Namen hörte. Sie blieb stehen und lauschte. Auf dem Gartenbeet neben ihr, nur durch eine hohe Buchsbaumhecke und die Dunkelheit von ihr getrennt, schlugen zwei Männer ihr Wasser ab.

»Eure schöne silberne Marguerite, Lioncourt?« sagte der eine Mann auflachend. »Die Zitadelle, die keiner erstürmt? Schlagt sie Euch lieber aus dem Kopf, wenn Euch Eure Gesundheit lieb ist.«

»Was wollt Ihr damit andeuten?« fragte der andere.

»Sie ist auch nur eine von denen, die die Röcke heben, damit der König sie bespringen kann.«

»Verdammt, woher wollt Ihr das wissen?«

»Als ich neulich zur Anprobe für das Drachenkostüm, das ich beim Turnier tragen muß, auf den Boden im neuen Flügel ging, sah ich sie in dem Korridor, der zur Hintertür des königlichen Sekretärs führt. Das ist der übliche Weg, auf dem die Huren kommen und gehen, von denen die offizielle Mätresse nichts wissen soll. Und Ihr wißt, welche hübsche Andenken der König verschenken kann.«

»Ich hätte nie gedacht …«, sagte der zweite Mann.

Der erste lachte wieder auf.

»Immer noch Illusionen, Lioncourt? An diesem Hof wird jede Frau früher oder später zur Hure. Ich wünschte, ich könnte Laura in ein paar Tagen fortbringen.«

Der Kies knirschte unter ihren Füßen. Anscheinend waren sie fertig und gingen zur Gesellschaft zurück.

Marguerite stellte sich auf die Zehenspitzen und spähte über die Hecke. Als die beiden in den Lichtschein eintraten, erkannte sie Lioncourt und de Bethois aus der Leibwache des Königs.

Marguerite blieb stehen und bemühte sich, ihren Atem unter Kontrolle zu bekommen. Sie war wütend. All die Jahre hatte sie sich sorgfältig darum bemüht, einen guten Ruf zu bewahren. Nur ihre Schönheit und ihre Tugend waren ihr Kapital. Daß de Bethois es wagte, so abfällig über sie zu sprechen, empörte sie. Es empörte sie doppelt, weil er unrecht hatte. Der König hatte sie nur als Spionin gewinnen wollen, er hatte kein erotisches Interesse an ihr gezeigt. Verschmäht und trotzdem gedemütigt zu werden, war mehr als sie zu ertragen bereit war. Der König war außerhalb ihrer Reichweite, aber der Hauptmann de Bethois war es nicht. Auch wenn sie nur wenige Tage Zeit hatte – er sollte schon zu spüren bekommen, daß er Madame de St. Philibert nicht ungestraft verleumden durfte.

Im Appartement der Prinzessin Renée herrschte am nächsten Morgen eine gereizte Stimmung.

Renée stand an einem Fenster und sah hinaus. Gelegentlich trommelte sie mit den Fingerspitzen gegen die Scheibe. Zwischen ihren Brauen stand eine steile Falte. Marguerite, die neben der sanften Adeline de Foix am Stickrahmen saß, war noch immer so aufgebracht, daß sie sich nicht auf die Arbeit konzentrieren konnte und ständig von Adeline auf Fehler aufmerksam gemacht werden mußte.

Laura las vor.

Renée hatte ein Kapitel aus Christine de Pisans »Stadt der Frauen« ausgesucht, in dem es darum ging, daß Frauen ebenso zum Herrschen befähigt seien wie Männer. Laura war nicht bei der Sache. Sie betonte Sätze falsch, ließ Wörter aus und begann einen ganzen Absatz, den sie gerade vorgelesen hatte, wieder von vorn.

»Hört auf, hört auf!« sagte die Prinzessin böse. »Das kann ja niemand ertragen.«

Laura entschuldigte sich und ging zum Stickrahmen hinüber.

»Um Gottes willen, laßt die Finger davon! Wenn Ihr so stickt, wie Ihr lest, wird die ganze Arbeit verdorben. Es reicht schon, daß Marguerite heute nichts zustande bringt.«

Marguerite war wütend, daß die Prinzessin ihre Fehler bemerkt hatte.

»Vielleicht hat Laura sich verliebt«, stichelte sie.

»Unsinn! In wen denn?« fragte die Prinzessin kurz angebunden.

»Laura muß bald Abschied von ihrem Verlobten nehmen. Da ist es doch kein Wunder, daß sie manchmal zerstreut ist«, sagte Adeline de Foix sanft. Sie hatte niemals geheiratet. Sie war jenseits der dreißig und würde nach Renées Abreise in ein Kloster gehen, in dem sie dann ebenso wie in Blois Altardecken besticken würde. Sie war immer sanft und freundlich und um Ausgleich bemüht. Marguerite dachte erbittert, ein Kloster sei wahrhaftig der beste Ort für sie. Da konnte sie dann ungestört an der Vervollkommnung ihrer Heiligkeit arbeiten.

Der Page schlüpfte durch die Tür.

»Seine Gnaden, der Botschafter von Ferrara, Graf Montefalcone, bittet unverzüglich um eine Unterredung mit Euch, Königliche Hoheit.«

Nur Adeline de Foix blieb gelassen.

Marguerite ließ die Nadel in den Schoß sinken und drehte sich so, daß sie Lauras Gesicht sehen konnte. Aber das Mädchen ging an ihr vorbei und wählte einen Hocker hinter Adeline, wo Marguerite sie nicht sehen konnte.

Die Prinzessin sagte, sich umwendend, mit hoher, erstaunter Stimme:

»Der Botschafter? Will mich sehen? Jetzt gleich?«

»Halten zu Gnaden, ja, Königliche Hoheit.«

»Ich lasse bitten.«

Sie hinkte zu ihrem Sessel und setzte sich. Als der Botschafter eintrat, hatte sie sich wieder völlig in der Gewalt.

Montefalcone war heute schlicht in braunes Tuch gekleidet.

»Ihr seht mich erstaunt, Graf«, sagte die Prinzessin. »Ich dachte, Ihr verhandelt zu dieser Stunde mit dem Kanzler über meinen Ehevertrag.«

»In zwei Stunden, Königliche Hoheit. Ich hoffe, daß Ihr mir zuerst die Gunst einer Unterredung gewährt, bevor ich in die Verhandlung mit dem Kanzler eintrete.«

»Oh«, sagte die Prinzessin und zeigte sich nun doch verblüfft.

Er gestattete sich ein leichtes Lächeln.

»Es ist meinem Herrn sehr wichtig, daß ich vorher auch Eure Meinung einhole. Schließlich geht es um Euer Leben und Euer Glück, Madame.«

»Das ist mir neu«, bemerkte Renée spitz. »Ich dachte, es geht um Frankreich und Ferrara.«

»Die Beziehungen zwischen Staaten sind um so besser, je besser die Beziehungen zwischen den Menschen sind. Seid versichert, daß Herzog Alfonso und Prinz Ercole alles tun wollen, was in ihrer Macht steht, um eine so edle Prinzessin glücklich zu machen.«

Renée fragte sich, was hinter den diplomatischen Phrasen steckte.

»Dann können wir wohl die Idee eines Autodafés anläßlich meiner Hochzeit fallenlassen. Ich versichere Euch, ich werde nicht glücklich sein, wenn der Geruch verbrannten Fleisches über meiner Hochzeit liegt.«

Er verbeugte sich.

»Ich bedaure außerordentlich, Madame. Das liegt außerhalb meiner Kompetenz und auch außerhalb der Macht des Herzogs. Es ist der Papst selbst, der diesen Wunsch ausgesprochen hat.«

»Wie kann man diese Grausamkeit mit einem Fest verbinden? Wir sind hier in Frankreich und nicht in Spanien.«

»Es gibt Mittel und Wege, es weniger grausam zu machen. Seid versichert, Königliche Hoheit, daß die Delinquenten erdrosselt werden, bevor die Scheiterhaufen brennen. Übrigens werden die Ketzer auf einer Sandbank mitten im Fluß hingerichtet werden, recht weit von der Tribüne, auf der Ihr Platz nehmt, Madame. Ihr werdet nicht viel sehen müssen.«

»Wenn ich es nicht sehe, so werde ich es doch wissen. Es ist trotzdem abscheulich«, sagte Renée zornig, weil sie sich so ohnmächtig fühlte. »Es ist unseres Jahrhunderts nicht würdig und wird einmal ein Schandfleck in der Geschichte Frankreichs sein.«

»Ihr seid sehr jung für solche Einsichten«, bemerkte er.

»Man kann auch Euch nicht alt nennen, Monsieur.«

»Ah, das ist etwas anderes«, sagte er lächelnd. »Die Jahre eines Mannes zählen an Lebenserfahrung doppelt soviel wie die einer Frau. Ich habe mehrere Feldzüge mitgemacht, war einmal in Gefangenschaft, zweimal als Botschafter in Rom und Venedig. Ich denke, Ihr und Eure Damen habt das Glück gehabt, ein stilleres Leben zu führen.«

»Einsichten gewinnt man nicht durch Taten, sondern durch Denken, Monsieur. Sonst wären die Soldaten weise, und nicht die Philosophen.«

Sein Lächeln vertiefte sich.

»Touché, Königliche Hoheit.«

»Ich denke, Ihr seid nicht gekommen, um über die Unterschiede zwischen Männern und Frauen zu reden, Graf. Obwohl ich eine solche Unterhaltung genießen würde, sollten wir sie doch verschieben. Auf dem Weg nach Ferrara werden wir viel Zeit dafür haben. Laßt uns jetzt zur Sache kommen! Was meine persönliche Lebensführung in Ferrara betrifft, so sind mir zwei Dinge von besonderer Wichtigkeit: ich möchte ein eigenes Haus, in das ich mich zurückziehen kann, wenn ich der Ruhe bedarf. Wie Ihr wißt, bin ich kränklich und den Anstrengungen des Hoflebens nicht immer gewachsen.«

»Die Frage, wohin Ihr Euch in solchen Fällen zurückziehen könnt, ist rasch gelöst, Königliche Hoheit. In Ferrara gibt es mehrere Klöster, die zu diesem Zweck hervorragend geeignet sind. Die verstorbene Herzogin Lucrezia pflegte sich häufig nach Corpo Christi zurückzuziehen. Ich wage zu behaupten, daß es auch Euch zusagen wird. Die Nonnen dort sind berühmt für ihre schönen Stimmen.«

»Ihr habt mich mißverstanden, Graf. Ich will mich nicht in ein Kloster zurückziehen. Ich wünsche ein eigenes Haus, das nur mir gehört.«

»Ein ungewöhnlicher Wunsch«, sagte er nachdenklich.

Renée wußte das. Das Kloster war, wie er vorgeschlagen hatte, das gewöhnliche Refugium vornehmer Damen, die sich eine Weile von der Welt ausruhen wollten. Sie fragte sich, wie sie ihren Wunsch durchsetzen konnte. Sie hatte kein Druckmittel, und das wußten sie beide.

»Ich begreife«, sagte er. »Ihr wollt Eure Studien fortsetzen und Gelehrte empfangen, was Euch im Kloster nicht möglich wäre.«

Er behauptete nichts anderes, als daß sie ihre protestantischen Freunde empfangen wolle, ohne vom Hof dabei kontrolliert zu werden.

»So ist es. Ich sehe, wir verstehen einander.«

Täuschte sie sich oder zeigte sich in den kalten grauen Augen ein Schimmer von Sympathie und Anerkennung?

»Ferrara ist eine blühende, moderne Stadt, die sich laufend vergrößert. Der Vater des Herzogs hat viel dazu beigetragen. Er hat einen neuen Stadtteil erbauen lassen. In den letzten Jahren sind dort viele schöne, neue Palazzi entstanden. Es wird Euch nicht schwerfallen, einen zu finden, der Euch für Eure Zwecke zusagt. Wir werden einen entsprechenden Passus in den Ehevertrag aufnehmen.«

Renée neigte dankend den Kopf.

Den ersten Wunsch hatte er ihr erfüllt. Nun kam es auf den zweiten an. Sie hatte das Gefühl, daß er auf ihrer Seite stand und nicht auf der des Herzogs. Vielleicht konnte sie auch den zweiten Wunsch durchsetzen.

»Ich möchte meine Damen selbst auswählen und entlassen können.«

Wenn sie ein eigenes Haus hatte, dann wollte sie auch eine Umgebung, der sie vertrauen konnte und die von ihr abhängig war. Ihre Ehrendamen sollten ihr ergeben sein, und nicht dem Herzog.

»Ihr nehmt die Damen Eurer Wahl aus Frankreich mit«, sagte der Botschafter, »damit Ihr Euch in Ferrara nicht einsam fühlt. Diese Damen können solange verweilen, wie es Euch gefällt. Ihr bestimmt den Zeitpunkt, an dem sie Euch verlassen und nach Frankreich zurückkehren.«

Sie hatte mehr gewollt.

»Gilt das gleiche auch für die italienischen Damen, die ich in meinen Hofstaat aufnehme?«

»Das wird anfangs Schwierigkeiten machen. Es dauert seine Zeit, bis Ihr die Damen kennengelernt habt.«

»Nun, ganz so unwissend in bezug auf Ferrara bin ich nicht, wie Ihr denkt. Ich würde mich freuen, wenn Cristina Nogazza zu mir käme.«

Sie hatte den Namen mit Bedacht gewählt, denn er bedeutete ein Programm. Cristina Nogazza war eine berühmte Frau. Von ihrem Vater als Kind unterrichtet und später mit den besten Lehrern versehen, sprach und schrieb sie Lateinisch, Griechisch und Hebräisch und stand mit bedeutenden Männern wie Erasmus von Rotterdam und Thomas Morus in Briefwechsel. Sie war zwanzig Jahre alt.

»Cristina wird entzückt sein, wenn sie von Eurem Wunsch erfährt, Madame. Und Ihr erweist meinem Haus damit eine große Ehre.«

»Eurem Haus?« fragte Renée erstaunt.

»Cristina Nogazza ist meine Frau, Madame.«

Marguerite wünschte sich, sie könnte sich zu Laura umdrehen. Um so besser, wenn Montefalcone ein verheirateter Mann war. Zwischen ihm und Laura spann sich etwas an, das Marguerite nach Kräften zu fördern bereit war. Wenn Laura in den nächsten Tagen und Nächten eine Affäre mit einem verheirateten Mann begann, so geschah das Yves de Bethois nur recht. Ihm dazu zu verhelfen, schon vor der Ehe ein Hahnrei zu werden, war eine köstliche Rache.

Renée fand, daß dieser Botschafter aus Ferrara ein bemerkenswerter Mann war. Von seinem Ruf als Heerführer hatte sie gehört, seine Bildung hatte sie bei der lateinischen Ansprache bemerkt. Er hatte die Gabe, ihr die Zunge zu lockern, und er sympathisierte eindeutig mit ihr, was dem Erbprinzen und dem Herzog nicht gefallen konnte. Das war schon erstaunlich genug, doch daß er die berühmteste Humanistin Italiens geheiratet hatte, war einzigartig.

»Ich wußte nicht, daß Cristina Nogazza verheiratet ist.«

»Nur wenige wissen es bis jetzt, Königliche Hoheit. Ich bin schneller gereist als der Klatsch, wie es scheint. Ich wurde mit Cristina in aller Stille getraut, nur wenige Wochen nach dem Tode ihres Vaters. Das ist noch nicht lange her.«

»Wenn Eure Vermählung noch jung ist, Graf, dann nehmt meine herzlichsten Glückwünsche entgegen. Eine Verbindung von Schwert und Feder, Mut und Geist – aus einer solchen Verbindung müssen prachtvolle Kinder hervorgehen. Ich zähle auf Euch, daß Eure Frau meine Hofdame wird. Wir sind uns also einig, daß ich allein meine Damen aussuche und entlasse?«

»Der Herzog wird Euch dieses Recht gern zugestehen, Königliche Hoheit, solange Ihr bereit seid, Euch von ihm beraten zu lassen.«

»Beraten mag er wohl, aber nicht bestimmen.«

»Eine Frau ist immer gut beraten, wenn sie den Wünschen ihres Mannes folgt, Madame. Ganz besonders, wenn es nicht um Haushaltsangelegenheiten geht, sondern um Politik. Der Herzog und der Prinz werden immer Euer Wohl im Auge haben, ebenso wie Ihr das Wohl des Staates. Zwischen Eurem Wohl und dem des Staates gibt es keinen Unterschied, Madame. Ihr wißt es. Ihr seid die Tochter eines Königs. Was der Herzog und Euer Gatte Euch raten, solltet Ihr beherzigen, denn zunächst seid Ihr eine Fremde in Ferrara und auf Rat angewiesen.«

Renée schwieg.

Er hatte recht. Sie war keine Privatperson. Sie war eine Figur in einem politischen Spiel, die hin und her geschoben wurde, weil sie eine Frau war. Sie wußte, wann sie verloren hatte.

»Meine französischen Damen behalte ich, solange ich will?« fragte sie, sich den Rückzug sichernd.

»So viele Damen, wie Ihr wünscht, Madame, und solange Ihr wünscht.«

»Vier meiner Hofdamen werden mich begleiten.«

Er verneigte sich.

»Sie werden dem Herzog willkommen sein.«

Yves machte sich auf die Suche nach Laura und fand sie auf einer Steinbank im Schatten des Pavillons der Königin im Garten. Neben ihr saß einer der Italiener und fächelte sie.

An der Situation war nichts Unschickliches, denn die beiden saßen dort keineswegs allein. Eine Menge anderer Leute ging im Garten spazieren. Trotzdem machte der Anblick ihn mürrisch.

Laura stellte ihm den Italiener als Annibale Strozzi vor. Yves verbeugte sich so knapp und starrte den Mann so frostig an, daß Annibale Strozzi Laura bald mit einem ausgefallenen Kompliment ihren Fächer zurückgab und sich verabschiedete.

»Warum habt Ihr ihn verscheucht?« fragte Laura.

»Warum habt Ihr Euch mit ihm getroffen?« hielt er dagegen.

»Ich habe mich nicht mit ihm getroffen, ich habe ihn getroffen. Er hat mir von Ferrara erzählt. Es war sehr interessant.«

Da war ein Ton in Lauras Stimme, der ihm nicht gefiel.

»Ihr solltet Euch nicht für Ferrara interessieren, sondern dafür, wie wir trotz des Verbots der Prinzessin heiraten können. Mir ist eine Idee gekommen. Ich habe einen Plan, der sicher gelingen wird. Ihr müßt natürlich der Prinzessin gehorchen. Aber ich bin ein Mann des Königs. Und seit Pavia ist der König mir Dank schuldig. Wenn ich ihn bitte, unserer Hochzeit zuzustimmen, wird er mir die Bitte nicht abschlagen können, und Ihr müßt die Prinzessin nicht nach Ferrara begleiten. Wir können dann gleich nach der Abreise der Prinzessin heiraten und uns auf mein Gut zurückziehen, so, wie es geplant war. Was sagt Ihr dazu?«

Der Gedanke war ihm erst am Vortag gekommen. Er hatte lange darüber nachgedacht, denn es widerstrebte ihm, den König daran zu erinnern, daß er ihm das Leben verdankte. Aber das schien der einzige Weg zu sein, wie er Laura vor der italienischen Reise retten konnte.

Er sah sie triumphierend an und wartete auf ihre Reaktion.

Laura schwieg eine Weile. Sie starrte auf ihre Hände, die ineinander verschlungen in ihrem Schoß lagen, als sähe sie unbekannte Gegenstände, die es zu erforschen galt. Endlich hob sie den Blick und sah ihn an. Wie immer fand er den Ausdruck der dunklen Augen undeutbar.

»Wir werden nicht heiraten«, antwortete Laura ruhig.

Er setzte sich schwerfällig neben sie auf die Bank.

»Was soll das heißen? Laura, Ihr seid nicht die Sklavin der Prinzessin. Wenn Ihr ihr den Wunsch nicht erfüllt, seid Ihr natürlich in Ungnade, aber was macht das schon aus? Die Prinzessin verläßt Frankreich, Ihr verlaßt den Hof und geht mit mir aufs Land.«

»Nein, Yves, das tue ich nicht. Ich gehe nach Ferrara«, sagte Laura bestimmt.

Yves seufzte. Sie war ein hübsches Mädchen, und er hatte sich auf den ersten Blick in sie verliebt. Der Makel, der ihrer Herkunft anhaftete, weil sie eine illegitime Tochter Cesare Borgias war und die Dame de Lalande zur Großmutter hatte, hatte ihn nicht gestört. Er sah nur einen Fehler in Laura – sie wollte immer den eigenen Kopf durchsetzen, statt zu erkennen, daß ein Mann aufgrund seiner Lebenserfahrung immer besser wußte, was gut war. So etwas, hatte seine Mutter ihm versichert, würde sich in der Ehe geben. Es sei nur auf die verkehrte Erziehung zurückzuführen, die sie bei ihrer Großmutter genossen habe. Falls man das überhaupt eine Erziehung nennen könne, hatte seine Mutter hinzugefügt. Die alte Hexe habe ihr den Kopf mit lauter unnützem Zeug und Aberglauben vollgestopft. »Ich wette, sie weiß nicht einmal, wie man Linnen in der Truhe aufbewahrt, ohne daß es spakt. Aber das wird sie schon lernen. Gebe Gott, daß ich lange genug lebe, um es ihr beizubringen.«

Yves hatte keinen Zweifel, daß es seiner energischen Mutter gelingen würde, Laura in eine gute Hausfrau zu verwandeln. Meistens war sie ja auch ein stilles, anspruchsloses Geschöpf. Daß sie sich gerade jetzt eine Laune in den Kopf gesetzt hatte, verstimmte ihn.

»Nein, bei Gott, Laura, das werdet Ihr nicht tun«, sagte er heftig. »Ihr seid mir versprochen, und für alle Prinzessinnen der Welt bin ich nicht bereit, meine Pläne aufzugeben und die Hochzeit zu verschieben.«

»Es tut mir leid, Yves. Ich muß mit nach Ferrara«, sagte Laura.

Er starrte sie an.

»Was soll denn das bedeuten? Das müßt Ihr keineswegs. Das habe ich Euch doch eben gesagt. Wenn der König befiehlt, muß die Prinzessin auf Euch verzichten. Wollt Ihr etwa sagen, daß Ihr lieber nach Ferrara geht, statt mich zu heiraten? Wollt Ihr unsere Hochzeit wirklich noch ein Jahr aufschieben? Das kann nicht Euer Ernst sein. Wir waren uns doch einig, daß wir so bald wie möglich heiraten wollen.«

Ein Bild erschien in Yves' Kopf. Laura, die lächelnd auf der Bank saß und sich von einem hübschen jungen Mann fächeln ließ. Er wurde erst blaß, dann rot und sagte heftig:

»Auf diesen Gedanken seid Ihr zwischen gestern morgen und heute mittag gekommen. Ihr habt Euch in einen Italiener verliebt. In diesen … diesen Kerl, der hier eben neben Euch gesessen hat!«

Natürlich. Das war es. Diese Italiener waren berüchtigt dafür, den Frauen die Köpfe zu verdrehen mit ihren geschmeidigen Zungen und feurigen Augen und dem ganzen Theater, das sie um die Frauen machten. Laura war viel zu jung, um nicht auf so etwas hereinzufallen. Nun, sie würde diesen Kerl schon vergessen, wenn sie erst einmal mit ihm verheiratet war.

»Verliebt? In Annibale Strozzi?« sagte Laura mit so viel Verachtung in der Stimme, daß er seinen Verdacht ausgeräumt fand. Was konnte denn dann in sie gefahren sein? Plötzlich kam ihm die Erleuchtung. War es bei seiner Schwester nicht genauso gewesen? Den ganzen Tag vor ihrer Trauung hatte sie sich in ihrem Zimmer eingeschlossen, geweint und beteuert, sie wolle nicht heiraten, niemals und unter keinen Umständen. Seine Mutter hatte das mit Gelassenheit aufgenommen und erklärt, das sei die übliche mädchenhafte Schüchternheit. Jedes Mädchen mache vor der Trauung so eine Phase durch, in der sie lieber weglaufen würde als zu heiraten.

Yves lachte erleichtert und gutmütig auf.

»Laura, liebste Laura«, sagte er. »Ihr müßt doch keine Angst haben. Glaubt Ihr, Ihr müßt bis Ferrara laufen, um Euch vor mir in Sicherheit zu bringen? Es ist ganz natürlich, daß Ihr jetzt ängstlich seid. Jedes Mädchen ist es. Ja, ich achte Euch nur noch höher für diese Verschämtheit. Aber ich verspreche Euch, daß Ihr Euch unnötig aufregt. Ich bin kein Berserker. Ich werde Euch nicht weh tun.«

Laura hatte ihm während dieser Rede mit steigender Verwirrung zugehört.

»Wieso Angst?« sagte sie. »Wieso sollte ich plötzlich vor Euch Angst haben? Und warum solltet Ihr mir weh tun wollen? Oder warum sollte ich annehmen, daß Ihr mir weh tun wollt? Und was hat das alles mit meinem Wunsch zu tun, die Prinzessin nach Ferrara zu begleiten?«

Einen Moment wünschte er, sie sei weniger jung und unschuldig. Er fand es ziemlich schwierig, ihre Fragen zu beantworten.

»Jedes Mädchen hat Angst vor der Hochzeit«, sagte er schließlich, und als Laura ihn immer noch verständnislos anblickte, fügte er bedeutungsvoll hinzu: »Nicht direkt vor der Hochzeit, eher vor der Hochzeitsnacht.«

Wenn er erwartet hatte, daß sie erröten würde, sah er sich enttäuscht.

»Ach so«, sagte Laura sachlich, »ich verstehe, was Ihr meint. Aber damit, Yves, hat die Sache gar nichts zu tun. Man kann nicht auf dem Lande aufwachsen oder hier am Hofe leben, ohne zu wissen, was auf ein Mädchen in seiner Hochzeitsnacht zukommen wird. Da gibt es nichts, wovor ich mich fürchten müßte. Jedenfalls nicht bei einem Mann wie Euch, Yves. Etwas anderes ist es natürlich mit den Schwangerschaften und Geburten. Ich denke, sich davor zu fürchten, ist keineswegs albern. Aber wir brauchen das nicht jetzt zu erörtern, da ich doch die Prinzessin nach Ferrara begleiten werde.«

Wie dickköpfig dieses Mädchen war! Er begann, sie etwas ermüdend zu finden.

»Ich erlaube nicht, daß Ihr geht«, sagte er kurz.

»Ich brauche nicht Eure Erlaubnis, sondern die meines Onkels«, erinnerte Laura ihn. »Noch ist er mein Vormund.«

»Euer Onkel wird die Erlaubnis auch nicht geben. Er ist mit unserer Heirat sehr einverstanden.«

Laura lächelte.

»Natürlich wird er es erlauben. Erstens wird er sich nicht die Ungnade der Prinzessin einhandeln wollen. Und zweitens wird er tun, was meine Großmutter will. Er hat Angst vor ihr.«

Damit, dachte Yves, stand der Herr von Lesaux nicht allein. Lauras Großmutter war eine Frau, von der er wünschte, daß er ihr nie im Leben begegnen müßte.

»Heißt das, daß Eure Großmutter plötzlich will, daß Ihr nach Ferrara geht? Sagtet Ihr nicht, das sei der Wunsch der Prinzessin?«

Laura überlegte. Sie ließ ihre dunklen, unergründlichen Augen nachdenklich auf ihm ruhen, bevor sie nach einer Weile sagte:

»Ich will aufrichtig sein, Yves. Ihr habt ein Recht darauf, soviel zu wissen, wie ich selbst weiß. In meinem Horoskop steht, ich sei bestimmt für den Stier in dieser und der anderen Welt. Deshalb habe ich zugestimmt, Euch zu heiraten. Fürchtet nicht, daß sich daran etwas ändert. An dem, was die Sterne sagen, kann sich nichts ändern. Es gibt aber auch noch eine weitere Voraussage in meinem Horoskop, und die bezieht sich auf Ferrara. Sie kann nicht möglich werden, ohne daß ich nach Ferrara gehe. Es ist also unvermeidlich, daß ich mit der Prinzessin dorthin gehe.«

Sie brach ab und sah ihn prüfend an.

Ihm schien, sie überlege sehr sorgfältig, wie sie fortfahren sollte, und als sie nicht weiterredete, hatte er das Gefühl, sie habe beschlossen, ihm etwas zu verschweigen. Yves' Gesicht hatte sich zornig gerötet.

»Euer Horoskop, zum Teufel mit Eurem Horoskop«, sagte er grob. »Da hat Eure Großmutter Euch etwas Schönes in den Kopf gesetzt. Vergeßt es! Ihr werdet mich heiraten, nicht weil es in den Sternen steht, sondern weil Euer Onkel und ich es so verabredet haben. Ich bin ein schlichter Mann, Laura, und ein schlichter Christ. Ich glaube an das, was der Pfarrer mir beigebracht hat und was ein Christenmensch glauben muß. Und was die Sterne sagen, danach frage ich nicht. Das ist alter heidnischer Aberglauben. Wenn man sich erst einmal auf solche schwarzen Künste einläßt, ist die Seele bald verloren. Das ist der sichere Weg ins Verderben.«

»Der König und seine Mutter lassen sich auch von Meister Agrippa von Nettesheim die Sterne deuten. Und meine Großmutter ...«

Er wischte den König und seine Mutter mit einer Handbewegung beiseite.

»Eure Großmutter hat Euch erzogen, und dafür mögt Ihr ihr dankbar sein. Daß sie Euren Kopf mit all diesem Zeug vollgestopft hat, dafür danke ich ihr allerdings nicht. Vergeßt diesen Unsinn. Je schneller, desto besser.«

»Das kann ich nicht«, sagte sie bestimmt.

Er überlegte, ob eine Tracht Prügel in solchen Fällen, in denen eine Frau so halsstarrig blieb, angemessen war. Wie sonst sollte man sie wieder zur Vernunft bringen? Aber noch war er nicht ihr Ehemann, und außerdem wäre es in Gegenwart des halben Hofes, der durch den Garten spazierte, sehr ungehörig gewesen. Er bezähmte seinen Impuls, sie zu ohrfeigen, und sagte:

»Schlagt Euch das aus dem Kopf, Laura. Ihr wißt nicht, wie es an einem italienischen Fürstenhof zugeht. Die Leute dort haben die erlesensten Manieren und schmücken ihre Paläste mit den schönsten Kunstwerken, aber ihre Seelen liefern sie dem Teufel aus. Mit Dolchen und Gift sind sie da schnell bei der Hand, und keine Frau ist vor ihnen sicher. Nicht einmal ihre Schwester, wie man von einigen sagt. Das sind aufgeputzte Schlangengruben. Dagegen ist der Hof von Frankreich das reinste Nonnenkloster.«

Ihr Gesicht blieb unnachgiebig. Ein- oder zweimal hatte Yves sie bereits so erlebt, und er erinnerte sich, daß ihr Streit über Tage angehalten und schließlich damit geendet hatte, daß er nachgegeben hatte. Diesmal würde er allerdings nicht nachgeben. Er würde zum König gehen und die Angelegenheit in Ordnung bringen. Wenn er erst einmal Tatsachen geschaffen hatte, konnte Laura schmollen, solange sie wollte. Sie würde dem Befehl des Königs folgen müssen. Bis es soweit war, war es allerdings geboten, Laura zu versöhnen. Am besten wandte er die Taktik an, mit der man auch ein störrisches Maultier unter seinen Willen zwingen konnte. Nicht durch Zureden, sondern durch Ablenkung.

»Denkt Euch, Laura, das große Turnier auf dem Hochzeitsfest wird unter dem Motto stehen: Der Schwarze Drache entführt die Goldene Prinzessin. Ich soll der Schwarze Drache sein und mir eine Frau aussuchen, die die Prinzessin spielt. Ich wähle Euch. Wollt Ihr?«

Der störrische Zug um Lauras Mund verschwand. Sie sah erleichtert aus. Yves gratulierte sich dazu, daß er den Streit auf so elegante Art aus der Welt geschafft hatte.

»Was hat die Prinzessin zu tun?« fragte sie praktisch.

»Sie muß auf einem Podest zwischen Büschen stehen und sich retten lassen.«

»Von wem?«

»Von Alessandro Montefalcone. Er ist der Anführer der Rettenden Ritter.«

»Ich werde gern die Prinzessin spielen«, sagte Laura. Ihre Augen glänzten, und Yves lächelte. Man mußte eben nur wissen, wie man die Frauen zu behandeln hatte.

Der Raum, in dem Ferraras Botschafter untergebracht worden war, war seinem Rang gemäß groß und gut ausgestattet. Er besaß einen riesigen Kamin, die Holzdecke war bunt bemalt und die Wände waren holzvertäfelt. Möbliert aber war er spärlich, wie auch alle anderen Räume im Schloß. Da der König sich mit dem Hof immer nur einige Wochen im Schloß aufhielt und dann zum nächsten weiterzog, wobei alle Möbel mitgenommen wurden, enthielten die Zimmer nur das Notwendigste. In diesem Fall waren das zwei hochlehnige Armstühle rechts und links vom Kamin, ein schwerer Eichentisch nahe dem Fenster und ein großes Bett mit Baldachin und Vorhängen. Im übrigen war Platz genug für das umfangreiche Gepäck des Botschafters. Kisten, Truhen und Körbe standen allenthalben herum, und aus den meisten quollen Teile des Inhalts heraus.

In einer Ecke des Raumes war Matteo damit beschäftigt, aus einer Truhe Teile einer Rüstung auszupacken, die sorgfältig in ölgetränkte Tücher verpackt war. Am geöffneten Fenster lehnte Antonio Montefalcone, der jüngere Bruder des Botschafters, und spuckte Kirschkerne in den Hof.

»Die Hitze bringt mich noch um«, sagte er mürrisch.

»Dich? Dich bringt nichts um«, antwortete sein Bruder.

Alessandro stand vor dem Bett, nur mit Hose und Hemd bekleidet, und betrachtete nachdenklich zwei Wämser, die dort ausgebreitet lagen.

»Nimm das grüne«, empfahl Antonio ohne wirkliches Interesse. Er spuckte wieder einen Kern aus dem Fenster. Diesmal traf er sein Ziel, einen vorübergehenden Pferdeknecht, an der Schulter. Davon merklich aufgeheitert, fuhr er fort: »Teufel noch mal, wir haben neun Leben wie die Katzen, was? Wir sind nicht ertrunken, nicht verbrannt, nicht an Gift gestorben. Das war eine gefährliche Reise, verdammt noch mal!«

»Du solltest dir das Fluchen abgewöhnen«, sagte Alessandro und entschied sich für das blaue Wams, das aus hellen Seiden- und dunklen Samtstreifen zusammengesetzt war.

»Hör mal, wir waren alle in Gefahr«, protestierte Antonio gekränkt, »und etliche von uns sind dabei draufgegangen. Vergiß das nicht.«

»Ich vergesse es nicht.«

Alessandro streifte das Wams über, und seine Stimme wurde, als sein Kopf in den Falten des Gewandes verschwand, undeutlicher. Dennoch war die Härte in seinem Ton unüberhörbar. Antonio, der den nächsten Kirschkern spucken wollte, vergaß es und schluckte ihn hinunter.

»Was willst du andeuten?« fragte er.

Alessandros blonder Kopf tauchte aus dem Ausschnitt wieder auf.

»Andeuten?« wiederholte er. Die grauen Augen waren mit mildem Erstaunen auf seinen Bruder gerichtet. »Was soll ich denn andeuten wollen?«

»Ich weiß nicht … wenn du das so sagst … das klingt irgendwie, als ob … als ob jemand schuld an dem allen gewesen wäre.«

Er dachte an die Scheune bei Lyon, wo er das Gespräch der Soldaten belauscht hatte. Damals war ihm ein schrecklicher Verdacht gekommen. Aber nachdem er wieder gesund geworden war und es keine weiteren mörderischen Vorfälle gegeben hatte, hatte er den Gedanken als absurde Fieberphantasie beiseite geschoben. Trotzdem bohrte noch ein Rest von Verdacht in seinem Kopf, und sein Ton war deutlich unsicher, als er hinzufügte:

»Es sind doch alles Zufälle gewesen, nicht wahr?«

»Nicht alle Zufälle sind bloß Zufälle«, sagte Alessandro leichthin und befestigte eine diamantbesetzte Agraffe an seinem Barett.

Matteo, der die Rüstung auspackte, wandte den Kopf und sah ihn scharf an.

»Das ist das, was ich schon lange denke, Euer Gnaden«, sagte er bedächtig.

Antonio schaute von einem zum andern. War er nicht der einzige, der einen Verdacht gehegt hatte?

»Ich wußte nicht ...«, sagte er langsam, »ihr könnt doch nicht meinen, daß ... Wenn das keine Zufälle waren, was war das denn?«

»Wenn du weiter nichts zu tun hast, kannst du darüber nachdenken«, empfahl sein Bruder und setzte sich das Barett verwegen schräg auf den Kopf.

»Seid bloß vorsichtig, Euer Gnaden«, warnte der ältere Mann.

»Wenn ich zu einer Dame gerufen werde? Ich bin nie vorsichtiger als bei solchen Gelegenheiten«, sagte der Botschafter und verschwand.

Antonio starrte ihm hinterher. Es war eines, über das Geschwätz abergläubischer Soldaten zu stolpern, und ein anderes, zu entdecken, daß sein Bruder und Matteo denselben Verdacht hatten. Es war unglaublich. Es durfte nicht wahr sein.

»Sag, daß du das nicht so gemeint hast, Matteo. Es kann nicht wahr sein. Alessandro liebt es, einen mit Gerede in Verwirrung zu bringen. Es kann doch niemand im Sinn haben, uns umzubringen.«

Matteo packte eine Beinschiene aus und betrachtete sie sorgfältig.

»Beunruhigt Euch nicht. Euch will niemand ans Leben.«

»Du meinst, es gilt Alessandro? Gibt es jemanden, der ihn aus dem Weg räumen will? Aber wer? Und warum?«

»Das ist eine Frage, auf die ich auch gern eine Antwort hätte«, brummte Matteo. »Übrigens scheint es mir besser, Ihr haltet darüber den Mund gegenüber jedermann. Und jeder Frau«, fügte er vorsichtshalber hinzu.

Antonios hübscher Römerkopf zeigte, wie tief er beleidigt worden war.

»Glaubst du, ich bin ein Waschweib?« fragte er empört.

Währenddessen war sein Bruder auf dem Weg zum Zimmer Louises. Herzogin de la Trémouille, Tochter Charlotte d'Albrets und Cesare Borgias. Sie hatte ihm am Abend vorher durch einen Pagen einen Brief geschickt, dessen höflich formuliertes Ersuchen um einen Besuch nichts anderes als ein

Befehl war, den sie als Cousine des Erbprinzen von Ferrara dem ferraresischen Botschafter erteilen konnte.

Es war ein weiter Weg durch viele Korridore, denn er war im neuen Flügel untergebracht worden, während Louise in dem alten gotischen Teil des Schlosses logierte, den der König am liebsten abgerissen hätte. Nur Geldmangel hinderte ihn daran.

Louises Zimmer war ebenso karg möbliert wie das des Botschafters. Sie empfing ihn in Gesellschaft einer alten Dame, die am Fenster saß, ein Buch las und nicht ein einziges Mal aufblickte. Montefalcone vermutete richtig, daß sie über die hervorragende Eigenschaft der Schwerhörigkeit verfügte.

Louise saß in ihrem zweitschönsten Kleid am Kamin und winkte dem Botschafter, neben ihr Platz zu nehmen. Sie war aufgeregt. Ihre Wangen waren gerötet, und ihre Augen funkelten.

Zunächst wahrte sie trotz ihrer heftigen Gefühle die Form. Sie bedankte sich für sein Kommen, hoffte, er habe eine gute Reise gehabt und es gefalle ihm in Blois. Sie rühmte seine lateinische Rede, und er gestand lächelnd, daß Cristina Nogazza dabei federführend gewesen war. Dann war es, als könne sie nicht länger an sich halten.

»Ich wünschte, ich könnte mit Euch nach Ferrara kommen«, sagte sie. »Ich habe eine solche Sehnsucht, die Familie kennenzulernen, mit der ich von seiten meines Vaters verwandt bin. Prinz Ercole ist mein Cousin. Mit seiner Mutter, meiner Tante Lucrezia, habe ich bis zu ihrem Tode Briefe gewechselt. Ich hätte sie so gern einmal besucht.«

»Der Herzog und sein Sohn werden sich über Euren Besuch freuen. Und gewiß wird Prinzessin Renée entzückt sein, wenn Ihr nach Ferrara kommt.«

Louise schüttelte den Kopf.

»Daran ist nicht zu denken«, sagte sie. »Ich bin keine Privatperson, die das Recht hat, zu gehen, wohin sie will. Meine Familie würde es mir niemals gestatten. Hier in Frankreich bin ich immer nur die Tochter Charlotte d'Albret. Es ist gerade so, als hätte ich gar keinen Vater gehabt. Niemand will etwas von ihm wissen. Nicht einmal meine Schwester.«

»Eure Schwester?« sagte er verwundert. »Ich dachte, Ihr seid Charlotte d'Albrets einziges Kind.«

Louise lachte auf.

»Seht Ihr? Euch geht es genauso. Auch Ihr denkt nur an meine Mutter. Aber von meinem Vater habe ich Geschwister. Bloß Halbgeschwister zwar, aber sie sind alles, was ich noch an nahen Verwandten habe. Ihr wißt, daß Cesare Borgia Bastarde hinterlassen hat.«

Montefalcone zögerte.

»Ich wußte nicht, daß Ihr davon wißt«, erwiderte er schließlich. »Ja, es gibt zwei Kinder, die er anerkannt hat. Gerolamo lebt in Ferrara und seine Schwester Camilla ist Nonne in San Bernardo. Es heißt, sie sei sehr klug und sehr fromm. Man spricht davon, daß sie die Nachfolgerin der Äbtissin werden wird.«

»Sind das alle Kinder meines Vaters, von denen Ihr wißt? Nun, vielleicht ist es in Italien nicht bekannt, aber nach seinem Tod wurde ihm in Viana noch eine Tochter geboren, Laura de Roseval. Sie ist Hofdame bei Renée und wird Euch nach Ferrara begleiten.«

Seine Miene veränderte sich. Wie ein Blitz zuckte Hohn darüber hin und war so rasch verschwunden, daß Louise sich fragte, ob sie sich nicht getäuscht hatte.

»Wie bedauerlich, daß Herzogin Lucrezia davon nichts gewußt hat. Sie hing mit zärtlicher Sorge an ihrem Neffen und ihren Nichten …«, sagte er mit flacher Stimme.

»Erzählt mir von ihr.« Sie lehnte sich in ihrem Stuhl vor und legte die Ellenbogen auf die Knie und das Kinn in die Hände, wie ein Kind, das eine spannende Geschichte hören wollte.

Montefalcone hatte seine gewohnte Nonchalance zurückgewonnen.

»Lucrezia Borgia«, sagte er, sich etwas zurücklehnend. »Sie war freundlich und sanft. Sie hatte für jeden ein gutes Wort und verlor niemals die Geduld. Sie tanzte und lachte gern, und sie hatte gern einen Kreis von klugen Männern um sich, die sie verehrten. In den Grenzen der Schicklichkeit. Der Herzog vertraute ihr. Wenn er das Land verließ, vertraute er ihr die Regierung an, und sie machte ihre Sache gut. Nach dem Tod ihres Bruders …«

»Ja?« sagte Louise aufmunternd, als er einen Moment schweigend in die flammenlose Höhle des Kamins starrte.

»Nach dem Tode ihres Bruders wurde sie fromm. Aber sie machte kein Aufhebens davon. Erst nach ihrem Tode entdeckte man, daß sie ein härenes Büßerhemd unter ihren prachtvollen Kleidern getragen hatte. Ihr Tod traf den Herzog schwer. Ihr Todeskampf nach einer Fehlgeburt dauerte mehrere Tage, in denen er kaum von ihrem Bett wich. Er magerte bis auf die Knochen ab.«

Louise stand auf, ging zu einer Truhe und förderte ein längliches, in Stoff gehülltes Paket zutage. Er trat neben sie.

Louise hatte vier Miniaturen auf den Tisch gelegt. Zwei zeigten Männerporträts, zwei Frauenbilder. Eines, das eine schöne junge Frau abbildete, legte sie beiseite.

»Meine Mutter«, sagte sie. »Sie ist im Moment nicht von Interesse. Schaut Euch diesen Mann an. Erkennt Ihr ihn?«

Das Bild zeigte einen fleischigen Mann in Kardinalskleidung. Er hatte große dunkle Augen, eine Nase, die so scharf gebogen war wie ein Papageienschnabel, und sinnliche Lippen.

»Das ist Rodrigo Borgia, bevor er Papst wurde«, sagte Alessandro gelassen.

»Findet Ihr nicht, daß er Ähnlichkeit mit Eurem jüngeren Bruder hat?«

»Durchaus, Madame. Das ist nicht zu übersehen. Es ist die Nase. Eine eindeutige Borgianase. Er hat sie von unserer Mutter, Leonora Borgia, die eine entfernte Nichte des Papstes war. Mir ist sie Gottlob erspart geblieben.«

Louise schob die zweite Miniatur heran.

»Und wer ist das?« fragte sie.

Das Bild zeigte im Profil einen bärtigen jungen Mann mit kastanienbraunem Haar, dunklen Augen, hohen Wangenknochen und einer schmalen Nase.

»Das Original hing in den Gemächern der Herzogin Lucrezia. Es zeigt Euren Vater«, erwiderte er.

Er schwieg. Sie schob ihm die dritte Miniatur zu. Sie zeigte eine junge schöne Frau mit klaren, grauen Augen, edlen, zarten Gesichtszügen und strahlendgoldenem Haar.

Mit einem dramatischen Unterton in der Stimme sagte Louise:

»Lucrezia Borgia. Sie war berühmt für ihr Haar und ihre wunderschönen Augen. Ist es nicht ein Glück für Euch, daß die Natur auch Euch diese außergewöhnlichen Farben mitgegeben hat?«

Sie wartete gespannt und beobachtete ihn genau. Er zuckte nicht mit der Wimper. Er ließ seinen Blick über die Bilder schweifen und sagte nach einer Weile freundlich:

»Das ist interessant. Es zeigt, daß Cesare und Lucrezia nicht ihrem Vater, sondern eher ihrer Mutter Vanozza Cattanei nachgeschlagen sind, nicht wahr? Ihr allerdings, Madame, habt auch keinerlei Ähnlichkeit mit Eurem Vater. Ihr seid der lebende Beweis dafür, daß Charlotte d'Albret zu Recht als eine der schönsten Frauen ihrer Zeit gegolten hat.«

Louise unterdrückte einen Seufzer. Das Gespräch lief nicht so, wie sie es sich vorgestellt hatte. Sie sah das höfliche Lächeln und die Kälte in den grauen Augen und wußte, daß sie verloren hatte. Es würde ihr nicht gelingen, seine Selbstbeherrschung zu erschüttern.

Der Tag, den Renée gefürchtet hatte wie keinen, war angebrochen. Das Autodafé sollte am Morgen stattfinden, solange die Hitze den Aufenthalt im Freien nicht unerträglich machte.

Renée stand im Morgengrauen auf und ließ sich von ihren Kammerfrauen ankleiden. Sie trug graue Seide. Trauerkleidung anzulegen, wie ihr zuerst durch den Kopf gegangen war, wagte sie nicht. Sie schwieg, während man sie herrichtete, und ließ alles mit steinernem Gesicht über sich ergehen. Dann begab sie sich zur Messe in die Schloßkapelle. Kühl und still umschloß der steinerne Raum die Gemeinde der Höflinge mit einem trügerischen Frieden. Renée war sich bewußt, was jetzt an einem anderen Ort in Blois geschah. In den Tiefen der Kerker krochen die Verurteilten im knisternden Feuerschein der Fackeln von den Strohschütten und schleppten sich kettenklirrend durch die modrigen Gänge die glatten Treppen hinauf in den Saal, in dem die Vertreter der Geistlichkeit sie erwarteten. Man warf ihnen die Büßerhemden über die Lumpen und setzte ihnen zum Zeichen ihrer Ketzerei die spitzen Hüte auf, dann drückte man ihnen lange, weiße, brennende Kerzen in die Hände. Die Mönche intonierten einen dumpfen Trauergesang und formierten sich zu dem Zug, der sie quer durch die Stadt zu den Sandbänken der Loire führen sollte.

Der Hof begab sich nach der Messe zu einem kleinen Frühstück, bei dem keine Stimmung aufkommen wollte. Der König, den heiteren Seiten des Lebens geneigt, war schweigsam und in sich gekehrt, und niemand wagte zu lachen. Schon das Klirren von Gläsern und Tellern wirkte seltsam deplaziert. Es war, als ob sich der ganze Hof versammelt hätte, um der Ketzer in Trauer zu gedenken. Die meisten Männer und Frauen in diesem Saal hatten Schlachten und Belagerungen erlebt, hatten Verwundete gepflegt und Sterbende getröstet. Sie hatten an den Volksfesten blutiger Hinrichtungen teilgenommen und keine Skrupel empfunden. Gewaltsames Sterben war ihnen allen vertraut, und doch war an diesem Morgen alles anders. Sie spürten, daß hier keine gleichen Gegner um Sieg und Niederlage rangen, daß keine Verbrecher der Gerechtigkeit zugeführt wurden, sondern daß Opfer, deren einziges Vergehen darin bestand, Gott auf andere als die vorgeschriebene Weise zu verehren, geschlachtet werden sollten.

Unter den Knechten und Mägden, den Soldaten und Offizieren, den Sekretären und Hofdamen, den Herzögen und Prinzessinnen waren viele, die mit den Protestanten sympathisierten, und auch die glaubensfesten Katholiken fühlten sich an die Märtyrer erinnert, die man um ihrer Glaubenstreue willen ermordet hatte. Mit wohlverborgenem Abscheu sah mancher auf die Königin, die aus Spanien stammte und die an dergleichen Veranstaltungen von Kindesbeinen an gewöhnt war. Sie schien die einzige zu sein, die sich ganz unbefangen und mit gutem Appetit den erlesenen Gabelbissen widmete, die ihr gereicht wurden.

Anschließend begab der Hof sich zu den Tribünen, die am Ufer der Loire aufgeschlagen waren. Die Bürger der Stadt, von Soldaten zurückgedrängt, hatten sich hier schon seit Stunden versammelt. Sie wollten gute Plätze in den vordersten Reihen haben, um den König und die Ketzer beobachten zu können.

Die Loire, die sich zu anderen Zeiten breit und braun und träge an Blois vorbeiwälzte, war zu einem Rinnsal verkümmert und hatte riesige Sandbänke freigegeben. Auf diesen Sandbänken im Fluß waren die Scheiterhaufen errichtet worden, denn Feuer in der Stadt hätte unfehlbar die Häuser in Flammen gesetzt. Nach den Wochen der Dürre war die Brandgefahr aufs Äußerste gestiegen. Viele Häuser in Blois waren aus Holz und mit Stroh gedeckt.

Renée nahm ihren Platz zwischen dem König und dem Botschafter ein. Wie Montefalcone vorhergesagt hatte, war sie weit weg vom Geschehen. Sie saß erhöht und konnte, wenn sie wollte, ihren Blick über den Fluß hinweg zum anderen Ufer mit seinen Feldern und dem Wald am Horizont gleiten lassen.

Sie fror, als sei mitten im heißesten Sommer der frostklirrende Winter hereingebrochen. Zuerst hörten sie den Gesang der Mönche. Die dunklen, dumpfen Klagetöne stiegen aus den Gassen der Stadt auf und schwollen an, je näher der Zug kam. Sie konnte ihn sehen, wie er sich aus den engen Gassen auf die Uferwiesen ergoß. Zwei Mönche führten ihn an. Sie schleppten ein schweres Holzkreuz, das zwischen ihnen schwankte. Ihnen folgten Mönche in schwarzen Kutten, die Hände in den Ärmeln vergraben, den Kopf unter der Kapuze verborgen. Dann kam der Bischof, umringt von Priestern, die Weihrauchfässer schwangen – und schließlich die Ketzer.

Sie waren kein heroischer Anblick. Sie schritten nicht stolz und aufrecht zu einer Stätte, wo sie triumphales Zeugnis für ihren Glauben ablegen wollten. Seit Monaten, oft Jahren, in feuchter, kalter Kerkerluft dahinsiechend, ohne Sonne, ohne ausreichende Nahrung, der Folter ausgeliefert, waren sie schon Sterbende, als man sie aus ihren stinkenden Löchern geholt hatte. Sie schleppten sich mühsam vorwärts. Wenn einer strauchelte, prügelten ihn die Soldaten, die den Zug begleiteten, bis er sich wieder aufraffte. Renée verkrampfte die Hände im Schoß. Laura hatte unrecht gehabt. Das Martyrium war nichts Erhabenes. Es war Elend, Dreck, Geschwür, Hunger, Erschöpfung, Schmerz und Angst. Es zerstörte den Körper. Keine der Gestalten, die sich dort unten am Fluß entlangschleppten, hatte noch Ähnlichkeit mit dem Menschen, der er bei seiner Verhaftung gewesen war.

Auf den Sandbänken ragten zwanzig Pfähle auf, die von Reisigbündeln umgeben waren. Jeweils vier Ketzer wurden zu einem Scheiterhaufen geführt. Man hatte für eine so große Anzahl von Delinquenten zusätzlich Henker von außerhalb holen müssen, denn der König hatte befohlen, die Verbrennung so rasch wie möglich durchzuführen. Den Henkern war eine Belohnung in Aussicht gestellt worden, wenn sie schnell arbeiteten. Daran waren sie auch sonst interessiert, denn es war keine Arbeit, die sie bei sengender Mittagssonne verrichten wollten.

Renée fiel auf, daß das Reisig nur niedrig aufgeschichtet war, zu niedrig, als daß die Gefangenen, die an die Pfähle angekettet wurden, von den Flammen erreicht werden konnten. Sie würden langsam und qualvoll an dem Rauch ersticken, der zu ihnen hinaufzog. Dann erinnerte sie sich an das, was Montefalcone zu ihr gesagt hatte, und zwang sich, die Szene genau zu betrachten.

Einige Henkersknechte, die nackten Oberkörper glänzend von Schweiß, gingen mit der Fackel von Scheiterhaufen zu Scheiterhaufen und zündeten das Holz an. Langsam fraßen die Flammen sich vorwärts. Man mußte das Holz teilweise angefeuchtet haben, denn es entwickelten sich hohe, dunkle Rauchschwaden. In ihrem Schutz machten sich andere Henker an den Verurteilten zu schaffen. Sie arbeiteten so rasch und geschickt, daß ihr Tun niemandem auffiel, der nicht eingeweiht war. Es sah aus, als überprüften sie die Fesseln, während sie in Wirklichkeit die Ketzer erdrosselten und so einen raschen und lautlosen Tod herbeiführten. Qualvolle Schreie aus Todesangst würden dem König erspart bleiben.

Der König ging, bevor alles vorbei war. Der Botschafter flüsterte Renée zu, auch sie könne jetzt aufbrechen. Der Form sei Genüge getan. Aber sie schüttelte den Kopf. Sie saß starr und aufrecht und beobachtete das Schauspiel, das ihretwegen aufgeführt wurde, bis zur letzten Minute. Sie schenkte sich nichts.

Während sie zusah, wie die Verurteilten einer nach dem anderen dem Tode anheimfiel, während sie die Rauchfahnen und die Flammen sah und der Wind allmählich den süßlichen Geruch verbrannten Fleisches zu ihr hin trug, erkannte sie plötzlich, daß Laura doch recht gehabt hatte.

Was hier zugrunde ging, war das Fleisch – das gequälte, gepeinigte, gemarterte Fleisch.

Nur das Fleisch, das ohnehin sterblich war, vom Tage der Geburt an schon der Vernichtung preisgegeben. Was aber unsterblich war, die Wahrheit ihres Lebens, ihres Denkens, hatten diese Menschen gerettet.

Sie äußerte diesen Gedanken später gegenüber Agrippa von

Nettesheim. Sie schätzte seine Gesellschaft und sah ihn gern in ihren Räumen. Wenn sie auch weder an seine alchimistischen Experimente noch an seine Horoskope glaubte, hatte sie doch immer das Gefühl, daß er mehr wußte als die gelehrten Doktoren der Theologie, mit denen sie sich umgab. An diesem Tag sagte er mehr als gewöhnlich. Renée war überzeugt, daß es daran lag, daß ihn das Autodafé innerlich ebenso erregt hatte wie sie selbst, wenn er es auch nicht zugab.

»Die Kirche hat so unrecht nicht, wenn sie sagt, daß jeder Mensch mit der Erbsünde geboren wird«, sagte Agrippa und strich gedankenvoll seinen langen Bart. »Die Geburt selbst ist der Sündenfall. Im Wunsch der Seele, Fleisch zu werden, manifestiert sich das Böse. Sie ist bereit, sich selbst zu vergessen und sich dem Wohl des Körpers auszuliefern.«

»Das heißt, die Materie ist das Böse?« fragte Renée.

Er nickte.

»Sie ist eine Schöpfung des Herrn der Finsternis. Mit ihr unterjocht er den Geist.«

»Die Welt wurde von Gott geschaffen, nicht vom Teufel«, sagte Renée zurückschreckend.

»Gott und Teufel – das sind Eure Begriffe, mit denen Ihr benennt, wovon Ihr so wenig wißt. Euer Teufel ist kein Geschöpf Gottes, kein abgefallener Engel. Er ist der Gegenspieler des Herrn des Lichts. Von Ewigkeit an sind sie beide, und bis in alle Ewigkeit werden sie sein und sich bekämpfen. Der Herr des Lichts ist an der Erschaffung der Erde nicht beteiligt. Aber er kämpft gegen das Böse. Sie spielen ein Spiel miteinander. In dieser Partie sind wir die Figuren. Wenn der Herr des Lichts den Herrn der Finsternis besiegt hat, wird die materielle Welt aufhören zu bestehen. Ein Ereignis, das Ihr den Jüngsten Tag nennt.«

»Was Ihr da äußert, Meister Agrippa, hat nichts mehr mit dem Christentum zu tun. Ihr seid ein größerer Ketzer als die, die man heute umgebracht hat. Vorstellungen wie die Euren haben die Manichäer, die Gnostiker, die Katharer gehegt. Hütet Euch, Meister Agrippa, und bedenkt, zu wem Ihr sprecht! Was Ihr sagt, kann Euch in große Gefahr bringen.«

»Es ist ein Wissen, das älter ist als das Christentum, und die Inquisition wird es nicht ausrotten«, erwiderte er gelassen.

Renée sah sich um. Adeline de Foix und Madame de Soubise saßen in einer entfernten Ecke des Raumes zusammen und unterhielten sich leise. Sie war mit Agrippa ungestört. Niemand konnte ihre Unterhaltung belauschen. Renée wollte mehr wissen.

»Es wäre also unser größtes Glück, wenn die Welt zu bestehen aufhörte? Ist Eure Lehre denn nicht eine Verherrlichung des Todes?«

»Gewiß. Der Tod ist das Wunder, nicht die Geburt. Im Tode findet die Seele zurück in ihr Eigentliches, streift die Materie ab, die das Übel ist, und wird wieder reiner Geist. Der Tod ist die Erlösung.«

»Ist das nicht eine Lehre, die zum Selbstmord auffordert? Wenn die Seele im Fleisch gefangen ist – was könnte dann erstrebenswerter sein als ein baldiger Tod?«

»Mit dem Übergang in die Materie wird ein mächtiger Lebenstrieb in uns eingepflanzt und eine große Todesfurcht. Die meisten Menschen, die sich umbringen, tun es, weil sie verzweifelt sind. Verzweiflung aber ist eine der sieben Todsünden, die dem Herrn der Finsternis dienen. Wenigen nur ist es gegeben, aus der reinen Liebe zur Erkenntnis des Guten auf das materielle Leben zu verzichten.«

»Und die Menschen, die heute gestorben sind?« fragte Renée.

Agrippa lächelte.

»Habt Ihr Euch die Antwort nicht schon selbst gegeben, Madame?«

Renée nickte.

»Und doch bin ich traurig«, sagte sie. »Wenn Eure These richtig wäre, Meister Agrippa, müßte man dann nicht jubeln über das, was heute geschehen ist?«

»Das ist nichts als eine Schwäche des Fleisches, Madame. Ihr könnt sie überwinden und diesen Tag ebenso als einen Freudentag betrachten wie ich.«

Die Prinzessin zuckte zurück.

»Ein Freudentag? Ihr geht zu weit, Meister Agrippa!«

Er betrachtete sie mit einer Heiterkeit, die sie unbegreiflich fand.

»Dieser Tag war ein Sieg für den Herrn des Lichts. Immer

dann, wenn es Menschen gelingt, die Gier des Fleisches nach seiner Existenz zu überwinden, wird die Finsternis zurückgedrängt, und das Licht breitet sich aus.«

Renée holte tief Atem.

»Was Ihr sagt, klingt verlockend, Meister Agrippa, aber es ist unmenschlich. Ihr vergällt uns das Dasein. Indem Ihr den Tod verherrlicht, entwertet Ihr unser ganzes Leben. Oder gibt es in Eurer Lehre etwas, das ebenso wertvoll ist wie der Tod?«

»Das gibt es. Aber es ist sehr selten. Während wir alle des Todes teilhaftig werden, gelingt es nur wenigen Menschen, mit seiner Hilfe schon in dieser Welt die Materie zu überwinden.«

»Und was wäre das?«

»Wißt Ihr es nicht, Madame?«

Renée zögerte.

»Die Liebe?«

Er nickte.

»Aber wer liebt, ist eifersüchtig, besitzgierig, strebt nach Wollust, ist unersättlich und fürchtet nichts so sehr wie den Tod des Geliebten. Was könnte weiter von Eurer Vorstellung des Guten entfernt sein als die Liebe?«

»Ah«, sagte Agrippa voller Spott, »ich höre die Beschreibung dessen, was man am französischen Hof unter Liebe versteht. Die wahre Liebe, Madame, ist anders. Und sie ist sehr selten.«

In einem anderen Flügel des Schlosses wurde zur selben Zeit von der Liebe gesprochen. In ihrem Salon hatte die Herzogin von Étampes um den König und den Botschafter Ferraras einen Kreis von Intellektuellen und Künstlern geladen.

Anne de Pisselieu war nicht zur Herzogin von Étampes aufgestiegen, weil sie schön war. Das waren viele andere Frauen auch, die des Königs Bett doch nur für ein paar Stunden teilten. Es war auch nicht ihre Erfahrung in den Künsten der Liebe. Erfahrene Frauen gab es viele, und der König schätzte die Abwechslung. Zwei Eigenschaften machten Anne für ihn unentbehrlich. Einmal war sie völlig frei von Eifersucht. Sie übersah all seine kleinen Amouren, die er neben ihr hatte, und das war ihm sehr angenehm. Er hatte genug von Frauen, die

die einzige in seinem Leben sein wollten. So etwas führte immer zu unerfreulichen Szenen, die mit Tränen endeten. Er haßte es, eine Frau zum Weinen zu bringen. Er fühlte sich dann hilflos und schuldig. Das einzige Gegenmittel war, eine solche Frau möglichst aus seiner Nähe zu verbannen. Anne machte niemals Szenen. Außerdem – und das war mindestens genauso wichtig – verstand sie es, ihn auf intelligente Weise zu unterhalten und zu amüsieren. Zu ihren berühmten, kleinen Abendgesellschaften lud sie die schönsten Frauen, Künstler und Gelehrte ein. Nicht der Adel der Geburt zähle, erklärte sie, sondern der Adel des Geistes.

Und Anne de Pisselieu wußte unfehlbar, wann sie eine solche Gesellschaft zusammenstellen mußte, um den König zu erheitern. Der Tag des Autodafés war eine solche Gelegenheit. Sie hatte den König genau beobachtet und entschieden, daß Seine Majestät Ablenkung und Aufmunterung brauchte.

So fanden sich am Abend in den Räumen der Herzogin zwei Dutzend ausgewählter Gäste ein. Ein Teil von ihnen war zur Zierde eingeladen worden. Kein Garten ohne Blumen und keine Gesellschaft ohne schöne Frauen, war das Motto des Königs. Anne hatte etliche eingeladen, die ihm gefallen würden. Aus dem Hofstaat der Prinzessin Renée war keine darunter, denn die Prinzessin hatte an diesem Abend alle ihre Hofdamen versammelt und hielt unter Leitung ihres Beichtvaters eine Andacht ab, in der für die armen Seelen gebetet wurde.

Louise de la Trémouille hatte sich eingefunden, was die Herzogin erstaunte, denn Louise war gewöhnlich eher bei Andachtsübungen zu finden als bei frivolen Unterhaltungen. Anne hatte auch die Herren der Gesandtschaft aus Ferrara gebeten. Sie kannte die Italienbegeisterung des Königs und hoffte, daß die Männer einiges zur Unterhaltung beitragen konnten.

Ihre Hoffnung wurde nicht enttäuscht. Der Herzog von Ferrara hatte die Männer, die er gesandt hatte, sorgfältig ausgesucht. Es waren gebildete Höflinge, die sich auf die neueste Malerei genauso verstanden wie auf Architektur und Dichtung.

Sie gratulierten dem König zu dem neuen Flügel, den er in

Blois angebaut hatte, und lobten viele Einzelheiten. So dauerte es nicht lange, bis in dem König jede Erinnerung an die unangenehmen Ereignisse des Vormittags schwand. Von der Architektur gelangten sie über die Bildhauerei und die Musik schließlich zu dem Thema, um das sich letztlich jede Unterhaltung drehte.

»Wer«, fragte der König spielerisch, »wer liebt am meisten?«

Pierre d'Alsace, dessen Sonette neuerdings sehr gerühmt wurden, antwortete sofort:

»Der liebt am meisten, der sein Leben aufs Spiel setzt, um die Geliebte zu gewinnen.«

Es gab ein allgemeines zustimmendes Gemurmel. Es schien, als seien alle mit dieser Definition einverstanden. Anne war unzufrieden. Der König liebte Wortgefechte. Sie schaltete sich ein.

»Wie, Monsieur? Nennt Ihr es Liebe, wenn der Mann nur danach trachtet, die Frau zu gewinnen? Ich behaupte, dieser Mann liebt nicht die Frau, sondern nur ihren Besitz.«

Der König lächelte.

»Ist denn dann Petrarcas Liebe die größte, Eurer Meinung nach? Sollte man ein Leben lang nach einer Frau schmachten, die man nie besitzen kann?«

»Beständigkeit ist die größte Tugend des Liebenden«, sagte Anne.

Pierre d'Alsace wußte, was von ihm erwartet wurde. Er verteidigte seine Position.

»Ein Mann, der nicht nach dem Besitz der Geliebten strebt, liebt sie nicht wahrhaft. Er ist nur in die Idee der Liebe verliebt. Liebt er ehrlich, wird er nicht ein Leben lang schmachten, sondern Mittel und Wege finden, sich in ihren Besitz zu bringen. Liebe macht erfinderisch, und wir wollen immer besitzen, was wir lieben.«

»Das hängt von der Art der Liebe ab«, sagte Annibale Strozzi, »es hängt auch davon ab, was wir unter Besitz verstehen. Die sinnliche Liebe wird sich immer in den Besitz des Körpers der Geliebten bringen wollen. Sonst verbrennt der Liebende an seiner Begierde, oder seine Liebe verdorrt wie das Gras ohne Regen. Aber die seelische Liebe kann auf den Besitz des

Körpers verzichten, denn sie kennt andere Erfüllungen als die fleischlichen.«

»Ah, die berühmte platonische Liebe«, sagte Pierre d'Alsace spöttisch. »Sie ist nichts als der Trost der Greise. Ich behaupte, daß wir nie die Seele lieben, sondern immer den Körper.«

»Das ist eine kühne Behauptung«, sagte der König. »Beweist sie uns, Monsieur!«

»Wodurch gelangen wir zur Liebe? Wir sehen die Geliebte, wir hören ihre Stimme, wir riechen ihren Duft, wir berühren ihre Hand. Die Augen, die Ohren, die Nase, der Tastsinn – das sind die Einfallstore der Liebe. Alle unsere Sinne führen uns zur Liebe. Niemals der Verstand. Niemals liebt ein Mann eine Frau mit dem Verstand, sondern immer mit seinen Sinnen. Deshalb ist die Liebe immer sinnlich und will mit allen Sinnen genießen.«

Anne bewegte langsam ihren Fächer.

»Gut gesprochen«, sagte der König enthusiastisch. »Kann man dagegen Einwände erheben?«

»Monsieur d'Alsace sieht den Menschen nur als Sinnenwesen. Ich bestreite das«, sagte Louise de la Trémouille, die sich, für alle überraschend, plötzlich einmischte. Alle Blicke wandten sich ihr zu, und ihr stieg vor Aufregung das Blut in die Wangen, aber sie fuhr tapfer fort:

»Der Mensch hat doch auch ein Herz und eine Seele. Ich lasse gelten, daß die Liebe durch die Sinne in uns eindringt, aber sie rührt doch viel tiefere Schichten in uns an als bloß das Verlangen zweier Körper, sich zu vereinigen. Sonst müßte die Liebe enden, wenn der Liebende den Geliebten nicht mehr sieht. Aber dem ist nicht so. Liebte Héloïse nicht auch noch Abaïlard, nachdem sie im Kloster lebte?«

Und liebte nicht meine Mutter meinen Vater bis in den Tod? hätte die Tochter Charlotte d'Albrets hinzufügen können.

Der König applaudierte.

»Ihr habt ein schlagendes Beispiel gewählt, Madame. Nun streitet dagegen an, wenn Ihr könnt, Monsieur d'Alsace!«

»Nichts leichter als das«, sagte der Dichter. »Ihre Liebe speiste sich aus der Erinnerung an die genossenen Freuden. Nennt mir einen Menschen, der geliebt hat, ohne diese Freuden genossen zu haben oder sie genießen zu wollen.«

»Also gelangen wir alle zu dem Schluß, daß die Liebe sinnlich ist und nach Vereinigung strebt und der am meisten liebt, der bereit ist, dafür sein Leben aufs Spiel zu setzen«, faßte die Herzogin zusammen. Sie blickte sich herausfordernd im Kreis um. »Oder gibt es jemanden, der dagegen hält?«

Ihr Blick fiel auf Alessandro Montefalcone, der am Ende des Raumes an einer Säule lehnte und der Diskussion mit einem undeutbaren Lächeln gefolgt war. Sie wandte sich direkt an ihn.

»Was sagt Ihr dazu, Graf?«

»Natürlich ist die Liebe sinnlich«, sagte Montefalcone. Pierre d'Alsace nickte nachdrücklich und lächelte. Der Botschafter fuhr fort:

»Jede Frau würde es als Beleidigung auffassen, würden wir ihr sagen, daß wir ihre Seele lieben, aber nicht ihren Körper. Denn dann würden wir sagen, daß wir sie für häßlich halten. Wir lieben das Schöne, also auch ihren Körper. Liebten wir sie aber nur um ihrer körperlichen Schönheit willen, so wäre es wohl am besten, wir liebten Statuen, denn sie sind vollkommener, als jedes Fleisch sein kann. Doch wir lieben den Körper nicht nur um seiner Schönheit willen, sondern auch wegen der Lust, die er uns schenken kann. Deshalb ist Liebe Begehren, sie kann nichts anderes sein.«

Der König nickte.

Alessandro Montefalcone lächelte nicht mehr.

»Aber Liebe ist mehr als das Begehren nach der Lust, die uns ein schöner Körper schenken kann. Sonst müßten wir alle schönen Frauen gleichermaßen lieben. Aber das ist nicht der Fall. Wir lieben, wenn wir lieben, nur eine einzige.«

»Es sei denn, wir hätten einen Harem«, warf jemand aus der Menge ein. Er erntete stürmisches Gelächter.

Montefalcone hob ironisch eine Augenbraue.

»Ich dachte, wir reden von Liebe? Und nicht von Appetit?«

»Fahrt fort«, sagte der König. »Wir begreifen alle den Unterschied.«

»Wir lieben diese eine um ihrer Besonderheit willen. Wir lieben nicht nur ihre Schönheit, sondern ihre Einzigartigkeit. Diese Einzigartigkeit liegt nicht in der Farbe ihres Haares, der

Form ihres Mundes oder der Rundung ihrer Schulter. Die Einzigartigkeit der Frau, die wir lieben, liegt in ihrer Seele. Wir lernen sie durch die Sinne kennen, aber wir lieben sie mit der Seele.«

Anne de Pisselieu klatschte in die Hände.

»Bravo. Das nenne ich eine Rede für die Liebe, und nicht bloß für die Lust.«

»Wenn wir mit der Seele lieben und nicht mit den Augen, Monsieur, dann gibt es keine Liebe auf den ersten Blick?« fragte der König.

»Warum nicht?« sagte Montefalcone. »Wer sagt, daß Seelen einander nicht ebenso rasch erkennen können wie Körper?«

D'Alsace fühlte, daß er sich geschlagen geben sollte, aber er setzte noch einmal nach.

»Ihr gebt doch zu, daß Euer Liebhaber der Seele auch ein Liebhaber des Körpers werden möchte?«

»Natürlich«, erwiderte der Botschafter aus Ferrara. »Ich würde sehr gering von ihm denken, wenn er nicht sein Leben einsetzen würde, um seine Geliebte zu besitzen.«

D'Alsace lächelte wie ein Kater, der Rahm aufgeschleckt hatte.

»Also führt uns die ganze Überlegung doch wieder zu meiner These zurück. Der liebt am meisten, der sein Leben für den Besitz der Geliebten wagt.«

Anne war unzufrieden.

»Das soll das Ende der Diskussion sein? Monsieur de Montefalcone, ich bin enttäuscht. Gibt es in Euren Augen keine höhere Stufe der Liebe?«

Montefalcones Augen blickten so kalt, daß es Anne fröstelte.

»Doch«, sagte er. »Mehr liebt der, der auf die Erfüllung verzichtet, weil ihm das Wohl der Geliebten höher steht als die eigene Lust.«

Anne nickte zufrieden.

»Das nenne ich gut gesprochen.«

Pierre d'Alsace höhnte:

»Ein armseliger Liebhaber. Hinter der Selbstlosigkeit steckt nur Mangel an Feuer und Leidenschaft.«

Montefalcone wandte sich ihm zu. Seine Augen glitzerten hochmütig.

»Ich lade Euch ein, einmal eine solche Liebe zu durchleiden, Monsieur. Das Feuer, das den Mann verzehrt, der entsagen muß, brennt heiß wie das Höllenfeuer.«

Pierre d'Alsace beging einen Fehler. Er war über seine ständigen Niederlagen so verärgert, daß er direkt angriff.

»Ihr sprecht wohl aus eigener Erfahrung, Monsieur?«

Die anderen hielten den Atem an. Der Dichter hatte sich zu weit vorgewagt. Es war eine Übereinkunft, daß alle Diskussionen rein akademisch zu führen waren und jeder persönliche Angriff unterlassen werden mußte. Sonst wären aus den Unterhaltungen zu schnell Streitereien geworden und aus den Streitereien Ehrenhändel, die man mit der Waffe austragen mußte.

Anne de Pisselieu griff sofort ein.

»Die Liebe ist eine universelle Erfahrung, Monsieur. Über sie und ihre Spielarten können wir alle mitreden. Wie sollten wir sonst Euren Standpunkt verstehen können?«

Montefalcone stimmte ihr sofort zu.

»Liebe umgibt uns von der Geburt bis zum Tode. Wir erleben sie und beobachten sie vielfältig. Was aber mich betrifft, Monsieur, so kann ich hinzufügen, daß ich glücklich verheiratet bin. Mit Cristina Nogazza.«

Wenn es Montefalcones Absicht gewesen war, das Thema zu wechseln, so hatte er damit Erfolg. In der nächsten Stunde debattierte man über die Bildung und die Intelligenz der Frauen, wobei der König sich besonders hervortat. Als die Gesellschaft sich endlich auflöste, war Anne überzeugt davon, daß es einer ihrer erfolgreichsten Abende gewesen war. Der König hatte die Ereignisse des Vormittags längst verdrängt.

Yves' Blicke wanderten voller Abneigung zwischen Meister Guillaume und dem unförmigen Gebilde auf der Stange hin und her. Aus den unerforschlichen Tiefen des Dachbodens klang regelmäßiges Hämmern herüber und verriet die Anwesenheit von Meister Guillaumes Gesellen.

»Setzt es auf!« sagte Meister Guillaume mit einer Spur von Ungeduld in der Stimme. »Setzt es auf! Ich denke, es hat die richtige Größe, aber vielleicht müssen wir noch etwas weg-schneiden.«

Yves trat unwillig einen Schritt näher an das schwarze Mon-strum heran. Es war doppelt so groß wie ein Männerkopf und hatte dort, wo Stirn und Wangen sein sollten, einen riesigen Hahnenkamm. Unterhalb der Stirn und der Wangen waren Wülste, die eine Kraterlandschaft von Bergen und Tälern bil-deten. Anstelle von Nase und Mund gähnte in dem Kopf ein großes Loch.

Es war das Drachenhaupt.

Yves nahm es zögernd herunter und stülpte es sich mit Mei-ster Guillaumes Hilfe über den Kopf. Zu seiner Überraschung war das Loch so groß, daß er ohne Mühe sehen, atmen und sprechen konnte. Die Konstruktion war auch erstaunlich leicht und wog bei weitem nicht so viel wie ein Topfhelm.

»Kommt, schaut Euch an«, sagte Meister Guillaume und zog einen Vorhang zur Seite.

Yves drehte sich zu ihm um und erschrak.

Er stand vor sich selbst und sah sich von Kopf bis Fuß so klar und deutlich wie er sonst seine Mitmenschen wahrnahm. Das war kein schemenhafter Umriß auf einer polierten Me-tallplatte, kein verzerrter Körper in einem gewölbten Glas. Vor ihm war eine flache, klare Scheibe, die sein Bild so zurück-gab, daß er sich wie seinem Doppelgänger gegenüberstand.

Meister Guillaume blieb seine Überraschung nicht verbor-gen.

»Das ist kein Teufelszeug«, beantwortete er die nicht ge-stellte Frage, »das ist eine neue Erfindung aus Venedig. Die Revolution des Spiegels. Der König hat drei Exemplare ge-kauft. Sie sind teurer als ein Gemälde, an dem ein Meister ein Jahr arbeitet, und ihre Herstellung ist Staatsgeheimnis. Das wird den Ruhm und Reichtum Venedigs ins Unermeßliche steigern. Welche Frau würde schon auf einen Spiegel verzich-ten, der ihr ihr wahres Gesicht zeigt?«

»Ihr wahres Gesicht?« fragte eine tiefe Stimme ironisch.

Agrippa von Nettesheim trat ins Licht. Er hatte sich so leise genähert, daß es Yves, in sein Bildnis vertieft, entgangen war.

»Wann zeigt eine Frau denn ihr wahres Gesicht? Und glaubst du, daß sie es sehen möchte? Dieser Spiegel ist erbarmungslos. Darin verbirgt man keine Narbe und keine Falte. Er wird kein Erfolg werden. Die Eitelkeit lebt wie die Begierde von der Illusion.«

Meister Guillaume stieß ein trockenes Kichern aus, das einem Hüsteln glich.

»Mein Freund, du vergißt, daß die Illusion nicht von der Konsistenz des Spiegels abhängt. Sie liegt im Geist des Betrachters. Wer hier hineinschaut, wird trotzdem nur sehen, was er sehen möchte.«

Meister Agrippa lächelte. Er trat näher und blickte über Yves' Schulter in das klare Glas. Auf gleicher Höhe zeichneten sich nebeneinander die beiden Köpfe ab, der des alten Mannes mit dem wallenden Bart und der des jungen Hauptmannes, umrahmt von den monströsen schwarzen Stoffmassen des Drachenhauptes. Ihre Augen begegneten sich im Spiegel, und Yves las in denen des Alten eine Mischung von Spott und Mitleid. Der Blick verwirrte und ärgerte ihn. Was vermaß dieser aus dem Nichts aufgestiegene Scharlatan sich, den Hauptmann de Bethois, der einen großen Grundbesitz in der Picardie und vierundzwanzig adlige Ahnen besaß, zu bemitleiden? Das lag natürlich an dieser albernen Maskerade. Er hob die Hände und zerrte an dem Drachenhaupt, um sich davon zu befreien.

»Sachte, sachte«, warnte Meister Guillaume, aber es war schon zu spät. Yves hatte den Hahnenkamm vom Schädel gerissen. Wütend über sein Ungeschick, warf er den Rest des Kopfes auf den Boden und drehte sich vom Spiegel weg. Agrippa von Nettesheim wich nicht schnell genug aus, und der junge Mann streifte ihn hart an der Schulter. Yves murmelte ein paar Worte, die sich als Entschuldigung auslegen ließen, und sagte barsch zu Meister Guillaume:

»Ich denke, Eure Erfindung wird ihren Dienst tun. Wann soll ich wieder zur Anprobe kommen?«

Der Künstler klaubte die beiden Teile des Drachenhauptes vom Boden auf und betrachtete die Bruchstelle nachdenklich.

»Das sollte nicht passieren«, murmelte er. »Wir müßten das aus einem Stück machen, das wäre besser.«

»Wann soll ich wiederkommen?« fragte Yves lauter.

»Übermorgen vielleicht«, sagte Meister Guillaume vage.

»In vier Tagen ist das Turnier.«

Meister Guillaume zuckte die Achseln.

»Wenn Ihr Euren Drachenkopf zerstört, müßt Ihr Geduld haben, junger Mann.«

Er legte die beiden Teile sorgfältig auf einen Tisch, auf dem sich Holzstücke, Leimtöpfe und verschiedene Messer ein Stelldichein gaben. Dann rief er etwas in den Hintergrund. Das Hämmern hörte auf. Füße scharrten über den Boden, und die Gesellen tauchten auf. Meister Guillaume wies sie mit einer Kopfbewegung zur Treppe. Schweigend stapften sie an den drei Männern vorbei. Yves schloß sich ihnen an, nachdem er vor Agrippa und Meister Guillaume die knappste Verbeugung ausgeführt hatte, die sich noch mit der Höflichkeit vereinbaren ließ.

Agrippa sah ihm nach.

»Kenne ich ihn nicht?«

»Diesen ungestümen jungen Mann? Er soll bei dem Turnier den Schwarzen Drachen spielen. Du hast ihn schon einmal bei mir getroffen.«

»Ich erinnere mich.«

Agrippas Stimme war flach und ausdruckslos. Meister Guillaume wandte sich ihm rasch zu und sah den Gesichtsausdruck seines Freundes. Sein Mund formte lautlos die Frage. Agrippa nickte.

»Er ist gegen mich geprallt, bevor ich wußte, was er vorhatte. Ich konnte ihm nicht ausweichen. Es war unvermeidlich.«

»Er wird sterben?«

Meister Guillaume war einer der wenigen Menschen, die um Agrippas Gabe wußten, die ihn veranlaßte, jedem Körperkontakt aus dem Weg zu gehen.

»Der Engel des Todes begleitet ihn«, sagte Agrippa, »aber er hat ihm nicht die Hand auf die Schulter gelegt.«

»Was bedeutet das?«

»Wenn der Engel so nahe ist, dann wird der Tod nicht lange auf sich warten lassen. Aber es ist unklar, ob dieser junge Hitzkopf selbst den Tod finden oder ob er ihn jemand anderem bringen wird.«

»Dann kommt es zu einem tödlichen Unfall auf dem Turnier?«

»Ich weiß nur, daß es geschehen wird, aber nicht, wann und wie. Es klingt wahrscheinlich, nicht wahr? Solche Dinge passieren nicht selten.«

Meister Guillaume wandte sich wieder dem mißhandelten Drachenkopf zu und untersuchte den Schaden sorgfältig.

Eine Weile schwiegen beide Männer, und die Stille hing schwer und drückend in der Hitze des Dachbodens. Agrippa atmete tief ein und stieß die Luft mit einem Seufzen wieder aus.

»Du weißt mehr über das Spiel, das begonnen hat?« fragte Meister Guillaume nach einer Weile.

Agrippa zog sich einen Schemel heran und setzte sich.

»Es geht um den Botschafter Ferraras«, sagte er. »Du hast gehört, daß der Erbprinz nicht persönlich gekommen ist, um die Prinzessin zu heiraten. Er konnte Ferrara nicht verlassen, weil sein Vater einen leichten Schlaganfall erlitten hat. Er kann sich angesichts des labilen Zustands des Herzogs eine Abwesenheit nicht leisten. Statt seiner ist Alessandro Montefalcone gekommen. Er hat Laura getroffen.«

»Und?«

»Ich weiß es nicht. Ich kann in diesem Mann nicht lesen. Er hält seine Gedanken, Gefühle und Empfindungen sorgfältig verborgen. Er hütet sie, wie ein Mensch eine Truhe hütet, in der ein schreckliches Geheimnis verschlossen ist.«

»Und Laura?«

»Oh, Laura hat kein Geheimnis. Sie ist wie ein offenes Buch. Sie ist ein beherztes Mädchen, das nicht abwartend die Hände in den Schoß legt und hofft, daß das Glück ihr hineinfällt. Sie hat einen starken Willen und ein klares Ziel.«

»Dann besteht diesmal Hoffnung?«

Die Sonne hatte das Fenster gegenüber dem Spiegel erreicht, und ihre Strahlen trafen auf die polierte Glasfläche wie eine Explosion von Glanz und Licht. Meister Guillaume zog geblendet den Vorhang vor den Spiegel.

Agrippa betrachtete seinen Freund mit nachsichtigem Spott.

»Hoffnung ist das einzige, was uns bleibt, mein Lieber. Verzweiflung ist die freiwillige Übergabe an den Feind.«

»Aber glaubst du, daß Laura stark ist?«

»Stärker als die Dame de Lalande jemals war.«

»Also hoffen wir«, sagte Meister Guillaume entschlossen.

Die silberhaarige Marguerite de St. Philibert sah vom Fenster aus, wie Yves de Bethois den Hof überquerte, um den alten Flügel des Palastes zu betreten. Das konnte nur bedeuten, daß er zu Laura wollte, denn sonst hatte ein Hauptmann der Leibwache, der nicht im Dienst war, in diesem Teil des Schlosses nichts zu tun.

Sie raffte ihre Röcke und eilte ihm entgegen. Das mochte die Gelegenheit sein, auf die sie seit dem Abend gewartet hatte, an dem Yves sie als Hure des Königs verleumdet hatte. Yves stieg mürrisch die Treppe in den zweiten Stock hinauf. Als er Marguerite kommen sah, verbesserte sich seine Laune nicht. Er mochte die Hofdame nicht, mit der Laura ein Zimmer teilte. Er war objektiv genug, um zuzugeben, daß sie eine der schönsten Frauen am Hofe war, und er hätte nicht zu sagen gewußt, was ihn an ihr störte. Aber jedesmal, wenn er sie traf, spürte er ein vages Unbehagen.

Er versuchte, ihr mit einer raschen Verbeugung aus dem Weg zu gehen. Dabei stellte er sich so ungeschickt an, daß er mit ihr zusammenstieß und sie zu Fall brachte. Er mußte sich niederbeugen, ihr auf die Füße helfen, sich entschuldigen und sich erkundigen, ob sie sich verletzt hatte. Das brauchte seine Zeit und Höflichkeit, und als er damit fertig war, stellte er fest, daß Marguerite mit ihrem weiten Rock fast die ganze Breite des Korridors ausfüllte und keine Anstalten machte, beiseite zu treten. Ohne sie unhöflich fortzustoßen, kam er nicht an ihr vorbei.

»Wohin so stürmisch, Hauptmann?« fragte sie. »Wenn Ihr zu Laura wollt – sie ist nicht da. Sie dolmetscht für die Prinzessin. Einige der italienischen Herren haben Audienz bei ihr.«

»Wie lange dauert das denn?«

Marguerite hob die Schultern.

»Das kann niemand wissen. Die Prinzessin findet die Gesellschaft der italienischen Herren sehr anregend. Sie ist nicht die einzige Frau, die dem Charme der Fremden zugänglich ist. Ein Jammer, daß Eure Hochzeit verschoben werden mußte.«

Das war sehr plump, wie Marguerite wohl wußte, aber sie glaubte nicht, daß subtilere Andeutungen bei dem Hauptmann auf fruchtbaren Boden fallen würden. Daß ihre Worte wirkten, erkannte sie, als seine Augen aufblitzten und seine helle Haut sich rot färbte.

»Was wollt Ihr damit andeuten, Madame?«

Marguerite lächelte verächtlich.

»Mein lieber Freund, ich deute gar nichts an. Ich sage klar heraus, was ich denke. Ihr scheint mich für eine Intrigantin zu halten. Ihr tut mir Unrecht. Ich bin Laura aufrichtig ergeben, und deshalb will ich Euch warnen. Ganz offen und ohne jede Andeutung. Es wäre für Laura besser, wenn sie Euch heiraten würde. Sie wird sehr unglücklich werden, wenn sie die Prinzessin nach Ferrara begleitet.«

Yves' Farbe vertiefte sich.

»Ihr meint, daß Laura in einen der Italiener verliebt ist? In Annibale Strozzi?«

Sieh an, dachte Marguerite und schlug die Augen nieder, damit er das amüsierte Glitzern darin nicht entdeckte, unser hitzköpfiger Hauptmann braucht nicht mehr als einen kleinen Stoß in die richtige Richtung. Ihm muß Lauras Veränderung aufgefallen sein. Er hat sich schon selbst seine Gedanken gemacht.

»In Annibale Strozzi?« wiederholte sie. »Wie kommt Ihr denn darauf? Nein, Laura zielt höher. Sie hat sich in den schönen blonden Botschafter verliebt. Wenn mich nicht alles täuscht, findet auch er sie anziehend. Aber der Mann ist verheiratet. Ich fürchte, diese Geschichte wird für Laura tragisch enden. Deshalb spreche ich Euch darauf an. Tut, was in Eurer Macht steht, um Lauras Reise nach Ferrara zu verhindern.«

Sie raffte ihre weiten Röcke, nickte ihm zu und setzte ihren Weg fort.

Yves blieb lange dort stehen, wo sie ihn verlassen hatte.

Er traute ihr nicht. Aber warum sollte sie ihn belügen? Und war es denn wirklich eine Lüge? Hatte Laura ihm nicht deutlich erklärt, daß sie lieber nach Ferrara ginge als ihn zu heiraten? Sie hatte etwas von ihrem Horoskop gefaselt, aber das konnte nur ein Vorwand gewesen sein, mit dem sie ihn davon abhalten wollte, ihrem wirklichen Motiv auf die Spur zu kommen. Er hatte sie beschuldigt, in Strozzi verliebt zu sein. Die Verachtung in ihrer Stimme, mit der sie den Verdacht zurückgewiesen hatte, hatte ihn beruhigt. Aber jetzt ließ sich ihre Reaktion auch anders erklären. Er hatte nur den falschen Mann im Verdacht gehabt. Sie liebte nicht Strozzi, sondern Alessandro Montefalcone.

Aber Alessandro Montefalcone würde Laura nicht bekommen. In Pavia war es ihm gelungen, Montefalcone den König zu entreißen. Jetzt würde er Laura vor ihm in Sicherheit bringen.

Am späten Nachmittag fand die Trauung der Prinzessin mit dem Prinzen Ercole in der Person des Botschafters statt. Es war eine Gelegenheit für den ganzen Hof, das Äußerste an Pracht zu entfalten. Keine Dame aber übertraf die Prinzessin Renée, die ein Oberkleid aus pfauenblauer Seide über einem goldbestickten, grünseidenen Unterkleid trug. Die lange Schleppe des Oberkleides war über und über mit Perlen bestickt. Vier Jungfrauen trugen sie. Eine davon war Laura.

Die Prinzessin zog am Arm des Königs in die Kirche ein. Der Erzbischof wartete bereits am Altar. Vor der Chorschranke stand, umgeben von den Höflingen aus Ferrara, blendend in Weiß und Gold gekleidet, strahlend wie der Erzengel Michael, Alessandro Montefalcone.

Die Prinzessin schritt langsam, wobei ihr Hinken stärker auffiel als gewöhnlich, den Mittelgang entlang bis zu den Altarstufen. Dort war eine breite, mit rotem Samt gepolsterte Fußbank vorbereitet. Sie kniete an der Seite des Botschafters nieder. Der Erzbischof trat auf sie zu, segnete sie und die Gemeinde und begann mit den Gebeten.

Dann kam er zu der eigentlichen Trauformel. Er wandte sich zuerst an Montefalcone und fragte ihn, ob er im Namen und Auftrag des Prinzen Ercole handele, wenn er das Gelübde ehelicher Treue ablege.

»Ich schwöre im Namen meines Herrn Ercole d'Este, Prinz von Ferrara, daß er die Prinzessin Renée, Tochter des verstorbenen König Ludwig und der verstorbenen Königin Anne, heiraten, für sie sorgen und ihr treu bleiben wird, bis daß der Tod sie scheidet.«

Alessandros Stimme füllte mühelos das Kirchenschiff.

Der Erzbischof wandte sich der Prinzessin zu.

»Bist du, Renata de Francia, bereit, den Prinzen Ercole d'Este als deinen Herrn anzuerkennen, ihn zu lieben, ihm treu und gehorsam zu sein, bis daß der Tod euch scheidet?«

»Ich will!«

Renées Stimme war leise, aber klar und fest.

Der Erzbischof segnete das Paar noch einmal, dann erhob Alessandro sich, bot der Prinzessin den Arm und führte sie aus der Kirche. Der Hofstaat schloß sich an. Die Gesellschaft strömte in den großen Saal, in dem das Bankett vorbereitet war.

Der Fußboden war mit Blumen bestreut. Über die Tische hingen schwere weiße Damastdecken. Vor jedem Gast waren ein silberner Teller und ein silberner Becher gestellt worden, dazu ein Messer und ein Löffel mit versilbertem Holzstiel. Eine üppige Dekoration aus Rosen, Lilien und Efeu lief rund um die Tische, dazwischen brannten wachsgelbe Kerzen in silbernen Leuchtern. Über allem lag betäubend der Duft von Rosenwasser. Auf der Galerie hatten sich die Musiker aufgestellt und begannen, sobald die Türen zum Saal aufgestoßen wurden, zu spielen.

Laura suchte ihrem Rang entsprechend einen Platz am unteren Ende eines Tisches, aber ein Diener lenkte sie weiter zur Mitte. Zu ihrem Erstaunen fand sie sich neben dem Bruder des Botschafters.

»Das muß ein Irrtum sein«, sagte sie.

»Bitte setzt Euch zu mir«, sagte er mit verschwörerischer Miene. »Es hat mich eine ziemliche Summe gekostet, um Euch als Tischdame zu bekommen. Ich habe nämlich herausgefunden, daß mir Mademoiselle de Foix oder Madame de St. Philibert zugedacht waren, und ich finde die beiden so furchteinflößend, daß mir bestimmt eine Gräte im Hals steckenbleiben und ich ersticken würde. Wenn Ihr also nicht für meinen qualvollen Tod verantwortlich sein wollt, dann setzt Euch.«

Laura lachte und glitt neben ihm auf die Bank.

»Gut. Ich verspreche Euch, ich bin harmlos wie ein Kaninchen.«

Er protestierte unverzüglich.

»Nein, nein, kein Kaninchen. Ihr seid ein viel edleres Wild. Eine Hirschkuh zum Beispiel.«

»Ich fühle mich sehr geschmeichelt«, sagte Laura, »aber was um des Himmels willen bringt Euch auf den Vergleich mit einer Hirschkuh?«

Er stotterte leicht. »Ist das nicht richtig? Ich dachte, weil Ihr so anmutig seid, und irgendwie habe ich ein Gefühl, daß Ihr stark seid, also ich meine, nicht kräftig, sondern irgendwie … ich kann das nicht beschreiben, aber ich finde das. Habe ich etwas Dummes gesagt?« Er schaute sie ängstlich an. »Wißt Ihr, ich bin noch nicht oft am Hof gewesen. Ich lebe meistens auf dem Land. Deshalb mache ich noch viele Fehler.«

»Ich lebe auch noch nicht lange am Hof und mache auch Fehler«, sagte Laura tröstend.

»Gefällt es Euch?«

»Fehler zu machen?«

»Ach, Ihr lacht mich aus. Nein, ich meine, am Hof zu leben. Es ist alles so schwierig und so kompliziert, und es gibt so viele Regeln, und alles ist so undurchschaubar, findet Ihr nicht?«

»Mit der Zeit gewöhnt man sich daran«, sagte sie.

»Ja, das sagt Alessandro auch. Er findet, ich muß es üben. Deshalb hat er mich auch auf diese Reise mitgenommen. Er paßt höllisch auf, daß ich alles richtig mache.«

»Macht er denn immer alles richtig?«

»O ja«, sagte Antonio und gab sich ganz seiner Begeisterung hin. »Alessandro kann alles, wißt Ihr? Er ist ein verdammt guter Offizier – entschuldigt, ich weiß, daß ich nicht fluchen soll –, und Matteo sagt, im Kampf möchte man niemanden lieber an der Seite haben als ihn. Aber er hat auch die Rechte studiert und argumentiert Euch jeden Advokaten an die Wand, er ist furchtbar klug und gebildet, er spricht Spanisch, Französisch, Deutsch, Lateinisch und Griechisch, er kann tanzen, die Laute spielen und dichten«, schloß er, von seiner eigenen Schilderung überwältigt.

Laura schaute an das obere Ende der Tafel, wo der Gerühmte zwischen der Königin und der Prinzessin saß. Er machte gerade eine Bemerkung, die ein Lächeln auf Renées blasses

Gesicht zauberte. Der König beugte sich vor, Alessandro wiederholte offenbar seine Bemerkung, und der König brach in brüllendes Gelächter aus.

»Ihr liebt Euren Bruder sehr, nicht wahr?« fragte Laura.

»Ja«, sagte er schlicht, »und manchmal glaube ich, daß er mich auch mag. Obwohl er immer an mir herumerzieht wie ein Vater, und man bei ihm ja nie weiß, welche Gefühle er hat. Ich wäre bestimmt nie darauf gekommen, daß er Cristina Nogazza liebt. Ich meine, er war gern in ihrer Gesellschaft und hat mit ihr Griechisch gesprochen und über Philosophie diskutiert, aber das ist doch eigentlich keine Grundlage für eine Ehe, oder?«

»Ich weiß nicht«, sagte Laura, »ich war noch nie verheiratet.«

»Jedenfalls denke ich, daß er sie liebt. Warum hätte er sie sonst geheiratet? Sie hat keine Mitgift und ist von ziemlich bescheidener Herkunft. Sie ist auch nicht besonders schön und dazu noch so teuflisch gescheit. Ich meine, wenn ein Mann unter solchen Bedingungen heiratet, muß er schon blind vor Liebe sein. Meint Ihr nicht auch?«

»Dazu kann ich nichts sagen. Ich kenne Euren Bruder und seine Frau ja nicht.«

»Werdet Ihr sie kennenlernen? Kommt Ihr mit nach Ferrara?«

»Ja, ich werde mit Euch kommen.«

»Das ist gut«, sagte Antonio naiv. »Mit Euch kann man richtig reden. Ihr wollt nicht immer bloß Komplimente hören. Was ist denn jetzt?«

Der König und einige Damen und Herren hatten sich erhoben und verließen die Tafel.

»Sie gehen sich umziehen. Sie werden gleich ein Ballett tanzen.«

»Der König auch?«

»O ja, der König liebt es zu tanzen.«

»Aha. Unser Herzog nicht. Er tanzt nie. Ich meine, es ist nicht wie in der Provinz bei uns. In Ferrara feiern wir auch großartige Feste, aber daß der Herzog tanzen würde … nie im Leben. Die verstorbene Herzogin Lucrezia war anders.«

»Habt Ihr sie gekannt?«

»Nicht richtig. Als ich noch ein Kind war, nahm mein Vater

mich manchmal mit, wenn er ins Schloß ging. Ich erinnere mich noch, daß Madonna Lucrezia mir wie eine Fee vorkam. Sie hatte eine ganz sanfte Stimme und wunderschöne helle Augen und Haare wie gesponnenes Gold, so wie Alessandro. Sie hat gern getanzt, und sie war auch ganz verrückt auf Dichter.«

»Erstaunlich dieses Blond bei Italienern«, bemerkte Laura.

»Ja, besonders weil sonst alle in unserer Familie dunkelhaarig sind. Aber durch unser Land sind eine Menge Fremde gezogen, all die Germanen, die Ostgoten, die Langobarden und dann jahrhundertelang die deutschen Kaiser. Da ist wohl etwas hängengeblieben. Ich gleiche meiner Mutter. Man sagt, wir haben beide die berühmte Borgianase.« In seiner Stimme lag Stolz.

Die Musiker spielten einen lauten Tusch, und die Türen des Saales wurden geöffnet.

Die Unterhaltung brach ab.

Durch eine breite Doppeltür fuhr ein Wagen ein, der von sechs leichtgeschürzten Mädchen gezogen wurde. Auf dem Wagen, unter einem Baldachin, von dem es Rosen regnete, thronte die Herzogin von Étampes in einem dünnen weißen Kleid, das eine Schulter freiließ. Zu ihren Füßen kauerten mehrere Damen, genauso gekleidet. Alle trugen einen Bogen und einen Köcher mit Pfeilen auf dem Rücken. Der Wagen rollte langsam bis ans andere Ende des Saales. Dann ertönte ein neuer Tusch, und durch die Tür stürmte eine Gruppe von gepanzerten Männern, angeführt von einem Ritter in silberner Rüstung mit einem weißen Mantel. Sobald die Ritter erschienen, sprangen die Frauen vom Wagen, spannten die Bogen und legten Pfeile an, auf die Männer zielend.

»Wer soll das sein?« fragte Antonio leise. »Ist das Venus mit ganz vielen Amorknaben?«

»Eher die Amazonenkönigin«, erwiderte Laura.

Es begann ein Tanz mit komplizierten Bewegungsmustern, der einen Kampf zwischen den Rittern und den Amazonen symbolisierte. Am Ende legte die Amazonenkönigin den Pfeil auf die Brust des Silbernen Ritters, während er ihre Haare gefaßt hatte, ihren Kopf nach hinten bog und den Dolch an ihre Kehle setzte. Da ertönte ein neuer Tusch, die Kämpfenden fuhren auseinander, und herein rollte etwas, was Antonio unschwer als den Himmel erkennen konnte. Der Boden des Wagens war mit weißem Stoff bedeckt und üppig dekoriert, so daß er für Wolken gelten konnte, über dem Wagen wölbte sich ein blauer, sterngeschmückter Baldachin, der nur das Firmament vorstellen konnte. Auf diesem Wagen stand der König, angetan mit einem goldenen Gewand, in der Rechten einen großen, vergoldeten Blitz. Er verließ den Wagen und schritt majestätisch auf die Streitenden zu. In etlichen Figuren und Schritten gelang es ihm, die Amazonen und die Ritter zu versöhnen, bis alles schließlich in einer allgemeinen Umarmung endete, die der König, milde lächelnd, präsentierte.

»Wer ist der König?« fragte Antonio. »Der Kaiser von Byzanz?«

»Mit dem Blitz in der Hand? Ich halte ihn für Jupiter persönlich«, sagte Laura.

Der Beifall war allgemein und langanhaltend. Die Musiker setzten zu einer langsamen Pavane an.

»Noch ein Ballett?« fragte Antonio.

»Nein, jetzt ist Tanz für uns alle. Wenn Ihr wollt, können wir sitzenbleiben«, bot Laura großmütig an.

Antonio sah aus, als würde er den Vorschlag sehr gern annehmen, aber er sagte tapfer:

»Tanzen kann ich schon. Ich habe Unterricht gehabt. Ich mache Euch keine Schande, keine Angst. Wenn ich sitzenbleibe, würde Alessandro mir einiges zu sagen haben, und nichts Angenehmes, versichere ich Euch.«

Er stand auf und führte Laura zu den Tanzpaaren, die sich hintereinander aufgereiht hatten. Die Damen legten ihre Fingerspitzen auf die Handrücken der Herren, und langsam schritten sie eine Runde durch den Saal.

Im Kerzenschein funkelten Diamanten und Edelsteine, zeigten die Perlen ihr sanftes Feuer, lächelten die Lippen, glänzten die Augen.

Die Paare stellten sich in Vierecken einander gegenüber und begannen mit komplizierten Verbeugungen, Drehungen und Schritten, so daß die Partner immer wieder gewechselt wurden. Marguerite de St. Philibert fand sich neben Laura. Sie war mit Alessandro Montefalcone zum Tanz angetreten, weil die Prinzessin nicht tanzen konnte. Er hatte ihr tief in die Augen gesehen, ihr zugelächelt und ihr Haar mit dem Schaum des Meeres verglichen, dem Aphrodite entstiegen war. Marguerite war verwirrt.

Als der Tanz sie trennte, hatte er ihre Hand einen Moment zu lange festgehalten. Warum machte er ihr den Hof? Was war zwischen ihm und der kleinen Roseval? Sollte sie sich geirrt haben? Die nächste Figur des Tanzes mußte ihn mit Laura zusammenführen. Marguerite beschloß, die beiden genau zu beobachten.

Antonios Nervosität legte sich langsam. Er hatte drei Jahre lang den Unterricht des berühmtesten Tanzmeisters von Ferrara genossen und an mehreren Bällen im Palast des Herzogs teilgenommen. Zu seiner Erleichterung bemerkte er, daß seine Schulung gut genug war für den Hof des Königs von Frankreich.

Annibale Strozzi, der drei Paare hinter Antonio Louise de la Trémouille im Kreis drehte, fand diese Veranstaltung im Vergleich zu einigen in Venedig, Urbino und Mantua, an denen er teilgenommen hatte, recht provinziell. Allein die Kleidung der Damen war in Italien seit mindestens zehn Jahren aus der Mode. Unter den tiefausgeschnittenen Roben trugen die Italienerinnen längst nicht mehr die gefälteten Leinenhemden. Ihre brillant- und perlenbesetzten Kolliers funkelten auf der bloßen Haut. Auch die Pavane, die gespielt wurde, war ein altmodischer Tanz. Und altmodisch war das Benehmen der Frau an seiner Seite, die auf jedes ausgefallene, gewagte Kompliment mit einer Zurückhaltung antwortete, als würde jemand ihre Tugend in Gold aufwiegen.

Die Paare formierten sich zu neuen Karrees. Annibale und Marguerite fanden sich Alessandro Montefalcone und Louise de la Trémouille gegenüber. Wie alle, die die beiden nebeneinander sahen, war auch Annibale von einer undefinierbaren Ähnlichkeit überrascht. Dabei konnten sie verschiedener nicht sein. Alessandro war groß, mit hellem Haar und grauen Augen, Louise eher klein und dunkel. Die Ähnlichkeit, entschied Annibale nach einiger Betrachtung, lag nicht in den Gesichtszügen, sondern in ihrer herrischen Haltung. Beide wirkten unnahbar und kalt. Sie trugen ihre Einsamkeit hochmütig wie einen Purpurmantel.

138

Die vier Damen des Karrees lösten ihre Fingerspitzen von den Handrücken der Herren, schritten in die Mitte und verneigten sich voreinander. Dann wechselten sie die Plätze und kehrten in das Karree zurück, jetzt aber zu einem anderen Tänzer.

Laura de Roseval kam zu Annibale Strozzi herüber. Er lächelte ihr entgegen. Laura erwiderte sein Lächeln nur mit dem Mund, ihre Augen blieben ernst und unergründlich. Annibale seufzte innerlich. Warum verstanden diese französischen Damen so wenig von der Kunst der Koketterie? Vielleicht lag es daran, daß man auch junge Mädchen bei Hofe zuließ und deshalb die Tugend der Frauen schärfer bewacht wurde? Oder gab es so viele heimliche Protestantinnen hier? Es hieß ja, die Prinzessin selbst neige der Ketzerei zu. Vielleicht versammelten sich gerade unter ihren Damen die Häretikerinnen des Hofes.

Annibale verneigte sich vor Laura und tat die nächsten Schritte in die Mitte mit den anderen drei Herren. Er verneigte sich vor den anderen und tat die drei Schritte nach rechts, die ihn zu Louise de la Trémouille führen würden, aber jemand verlegte ihm den Weg. Er stieß gegen einen breiten Rücken und unterdrückte einen Fluch. Antonio Montefalcone entschuldigte sich mit hochrotem Kopf. Annibale reagierte schnell. Wenn er jetzt noch versuchen würde, Louise zu erreichen, würde ihr Karree völlig aus dem Takt geraten und sie damit vor dem ganzen Hof blamieren. Er drehte sich auf dem Absatz um und kehrte zu Laura zurück. Aus den Augenwinkeln sah er, daß Alessandro Montefalcone ebenso schnell reagiert hatte und seinen Platz wieder neben Louise eingenommen hatte. Sie setzten den Tanz in aller Gelassenheit fort. Nur Antonios Wangen brannten vor Scham über seine Tölpeligkeit.

Beim nächsten Partnerwechsel war Marguerite an der Seite des Botschafters.

»Ihr hättet mit Mademoiselle de Roseval tanzen sollen«, sagte sie ausdruckslos.

»Mit wem?«

»Mademoiselle de Roseval. Das schwarzhaarige Mädchen, das mit Monsieur Strozzi tanzt.«

Er legte seine Handfläche gegen ihre und warf einen kurzen Blick in die angegebene Richtung.

»Ach ja, das Mädchen, das die Prinzessin nach Ferrara begleitet«, sagte er leichthin. »Ich erinnere mich.«

»Findet Ihr nicht, daß sie besonders hübsch ist?«

Er schaute nicht zu Laura hinüber, sondern lächelte in Marguerites Augen.

»In einigen Jahren vielleicht. Ich finde keinen Geschmack an Rosenknospen. Ich ziehe vollerblühte Rosen vor.«

Als Antonio Laura wieder zu ihrem Platz führte, sagte er kläglich: »Ich habe das ganz schön verpfuscht, wie? Mich wieder mal benommen wie ein Bauerntölpel.«

»Wieso?« fragte Laura. »Soweit ich es gesehen habe, habt Ihr mit vollendetem Anstand getanzt.«

»Habt Ihr denn nicht gemerkt, wie ich einmal alles durcheinandergebracht habe? Teufel, ist mir das peinlich. Alessandro wird mich schön aufziehen damit.«

»Das ist unwahrscheinlich«, sagte Laura, »schließlich war er es, der den Fehler gemacht hat.«

»Seid Ihr sicher? Das glaube ich nicht. Alessandro macht niemals Fehler.«

»Diesmal doch«, sagte Laura bestimmt.

Noch vor Mitternacht erklärte die Prinzessin, daß sie erschöpft sei. Die Blässe ihres Gesichts und die dunklen Schatten unter ihren Augen legten davon ein beredtes Zeugnis ab. Sie erbat vom König die Erlaubnis, sich zurückziehen zu dürfen, und ging, begleitet von ihren Damen, hinaus.

In ihrem Zimmer angekommen, verlangte sie sofort nach der Ersten Kammerfrau, um sich auskleiden zu lassen.

»Ich brauche jetzt viel Schlaf«, sagte sie. »Ich will morgen nicht vor dem Mittagsläuten geweckt werden.«

»Und die Jagd?« fragte Marguerite.

»Die Jagd wird ohne mich stattfinden müssen«, sagte die Prinzessin. Sie bemerkte enttäuschte Gesichter um sich herum und fuhr fort: »Aber laßt Euch davon nicht abhalten. Wer von Euch vor Tagesanbruch schon wieder auf den Beinen sein möchte, kann meinetwegen gern mitreiten.«

»Ich würde lieber bei Euch bleiben, Madame«, sagte die

sanfte Adeline de Foix, die körperlichen Anstrengungen nichts abgewinnen konnte.

»Ich würde gern auf die Jagd gehen«, sagte Laura.

»Ich auch«, schloß Marguerite sich an.

Die Prinzessin warf ihr einen scharfen Blick zu.

»Woher Euer plötzliches Interesse am Waidwerk, Madame? Welches Wild wollt Ihr denn jagen?« fragte sie ätzend.

»Ich glaube, Bewegung im kühlen Wald würde mir guttun, Königliche Hoheit. Aber wenn Ihr wünscht, daß ich hierbleibe …?«

Renée schüttelte den Kopf. »Nein, nein, reitet mit, wenn Ihr wollt. Soll ich Euch Waidmannsheil wünschen? Oder werdet Ihr das Wild sein, das zur Strecke gebracht wird?«

»Weder noch, Madame«, versetzte Marguerite. »Ich reite nur um der Bewegung willen aus.«

Renée kräuselte flüchtig die Lippen, kommentierte das aber nicht mehr und schickte ihre Damen zu Bett.

Ich bin in Ungnade gefallen, dachte Marguerite. Sollte sie eifersüchtig sein? Mißgönnt sie mir die Tändelei mit dem Botschafter? Sollte die Prinzessin entdeckt haben, daß man noch etwas anderes als die Philosophie lieben kann?

Laura hatte eine Kerze ergriffen und schützte die Flamme mit der Hand, während sie neben Marguerite den Korridor hinunterging. Die beiden teilten einen Raum. Durch die kleinen Fenster floß sanft das Mondlicht herein und zeichnete an der gegenüberliegenden Wand helle Vierecke, aus denen dunkel das Fensterkreuz abstach. Es war still, denn fast alle Schloßbewohner waren noch beim Bankett, das sich bis in die Morgenstunden hinziehen würde. Viele würden gar nicht mehr schlafen gehen, sondern sich nur umziehen und dann gleich auf die Jagd reiten. Laura schwieg, und Marguerite war froh, daß sie in Ruhe ihren Gedanken nachhängen konnte. Dieser Abend war für sie überraschend verlaufen. Während sie sich darauf gefaßt gemacht hatte, zu beobachten, wie die Beziehung zwischen Montefalcone und Laura sich entwickeln würde, hatte Montefalcone sie selbst zum Ziel seiner Galanterie gemacht, und zwar so deutlich, daß es jedem im Saal aufgefallen sein mußte. Laura hatte er nicht beachtet. Laura hingegen hatte ihn oft angeblickt, aber sie hatte kein Anzeichen von Ärger, Ungeduld oder Eifersucht gezeigt. Ihr Blick war ruhig, gelassen, ja beinahe heiter gewesen. Marguerite überlegte, ob sie sich getäuscht haben konnte. Hatte sie sich den Blickwechsel beim Empfang des Botschafters nur eingebildet?

Sie beschloß, bei Laura auf den Busch zu klopfen. Sie mußte vorsichtig zu Werke gehen, denn obwohl sie seit einem halben Jahr das Zimmer mit ihr teilte, waren sie einander nicht nahegekommen. Marguerite hatte es anfangs versucht, aber um Laura war immer eine freundliche Distanz gewesen, die sie nicht hatte überwinden können. Es schien, als lebe Laura hinter einer Rosenhecke. Die Hecke war schön anzusehen, aber wer eindringen wollte, bekam die Dornen zu spüren.

»Wie gefällt Euch denn der Botschafter aus Ferrara?« fragte Marguerite.

Laura öffnete die Tür zu ihrem Raum, und die beiden traten ein. Laura entzündete zwei weitere Kerzen, die auf der Fensterbank standen, und stellte die mitgebrachte Kerze dazu. Die drei Flammen erhellten den Raum ausreichend, denn er war klein und weißgetüncht. Außer zwei Truhen befand sich nur ein breites Bett darin, das die beiden miteinander teilten.

»Der Botschafter? Er ist der vollendete Hofmann«, erklärte Laura feierlich. In ihren Augen tanzten kleine goldene Spottteufelchen.

»Ah, er hat auf Euch großen Eindruck gemacht, wie ich sehe. Ihr bewundert ihn?«

Laura löste ihr Haarnetz und zog die Nadeln aus den Flechten, so daß die Zöpfe herabfielen.

»Ich? Nein, wie könnte ich das? Ich weiß das von seinem Bruder. Er hat mich den ganzen Abend über damit unterhalten, wie vollkommen sein Bruder ist. Auf allen Gebieten des Lebens, wenn ich das richtig verstanden habe.«

Marguerite löste die Bänder ihres Mieders und überlegte, wie sie fortfahren konnte. Die erste Runde war glatt an Laura gegangen.

»Ob er auf allen Gebieten vollkommen ist, weiß ich nicht. Auf dem Gebiet der Galanterie auf jeden Fall«, sagte Marguerite und reckte sich. »Ein schöner Mann. Wenn er so lächelt und gewisse Dinge sagt, könnte ich direkt schwach werden.«

Laura stand zwischen ihr und den Kerzen, so daß sie sie nur als Schattenriß wahrnehmen konnte. Ihre Stimme war unverändert ruhig und heiter.

»Ich glaube, Monsieur Strozzi würde das gar nicht gefallen, Marguerite. In Begleitung gleich zweier entflammter Kavaliere nach Ferrara zu reisen, dürfte etwas anstrengend werden, meint Ihr nicht?«

Marguerite machte eine wegwerfende Handbewegung.

»Was ist Strozzi schon im Vergleich zu Montefalcone?«

Laura schlüpfte aus ihrem Kleid und legte es sorgsam auf eine der Truhen.

»Die Zeit des Schlafens ist knapp bemessen«, sagte sie und gähnte. »Wir müssen schon vor dem ersten Hahnenschrei wieder raus.« Sie schlug das dünne Laken zurück, unter dem sie bei dieser Hitze schliefen, und schlüpfte ins Bett.

Marguerite löschte die Kerzen und glitt an ihre Seite. Sie wollte noch nicht aufgeben und versuchte, von einer anderen Seite aus anzugreifen.

»Freut Ihr Euch auf Eure Hochzeit, Laura? Ihr seid mit Yves de Bethois sehr vertraut, nicht wahr? Es muß schön sein, wenn man keine Angst zu haben braucht vor dem Mann, den man heiraten wird. So ein Glück hat nicht jede.«

»Ich weiß. Yves wird ein guter Ehemann sein«, sagte Laura und drehte sich um.

Marguerite wartete einen Moment, dann fragte sie behutsam ins Dunkle:

»Liebt Ihr ihn eigentlich als Mann, Laura?«

Sie hörte ein leises Kichern neben sich.

»Wollt Ihr mich zum Erröten bringen, Marguerite?«

»Wer an diesem Hof lebt, errötet nicht so schnell, meine Liebe. Nichts gegen Euren de Bethois, er ist sicher ein guter Mann, aber erotisch aufregend ist er nicht. Da gibt es ganz andere Männer. Zum Beispiel der Botschafter von Ferrara! Wenn Ihr die beiden miteinander vergleicht …«

Laura gähnte wieder.

»Warum sollte ich Yves mit einem anderen Mann vergleichen? Ich werde ihn heiraten, das steht fest. Das ist von Anfang an so bestimmt gewesen. Ich habe gar keine andere Wahl.«

»Und wenn Ihr die Wahl hättet?« beharrte Marguerite. »Wenn Ihr die Wahl zwischen Alessandro Montefalcone und Yves de Bethois hättet?«

»Mein Gott, bin ich müde«, sagte Laura. »Ich wäre Euch dankbar, wenn Ihr mir solche Fragen morgen wieder stelltet. Ich bin zu erschöpft, um darüber nachzudenken. Abgesehen davon, daß natürlich niemand jemals die Wahl hat. Es ist alles vorherbestimmt. Wir erfüllen nur unser Schicksal, wenn wir frei zu handeln glauben. Gute Nacht, Marguerite.«

Gleich darauf verrieten ihre tiefen, regelmäßigen Atemzüge, daß sie eingeschlafen war.

Marguerite lag noch eine Weile wach.

Ein Gefühl des Ärgers stieg in ihr auf und überflutete sie. Auf keine ihrer Fragen hatte sie eine befriedigende Antwort erhalten. Es kam ihr so vor, als habe Laura mit ihr absichtlich Katz und Maus gespielt und sich auf ihre Kosten amüsiert. Aber Marguerite war nicht bereit, so schnell aufzugeben. Was sie gesehen hatte, hatte sie gesehen.

Daß Montefalcone Laura übersah, konnte Gleichgültigkeit sein, es konnte aber auch Absicht sein. Daß er sein Herz an sie, Marguerite, verloren hatte, glaubte sie keinen Moment. All seinen Komplimenten und seinem Lächeln zum Trotz waren seine grauen Augen sehr kühl und sehr fern gewesen. Mit dem Herzen war er nicht bei der Sache gewesen, als er ihr den Hof gemacht hatte. War sein Herz bei Laura gewesen?

Marguerite war entschlossen, es herauszufinden. Einmal, um eine Situation herbeizuführen, die de Bethois der Lächerlichkeit preisgab. Sie hatte durchaus nicht vergessen und noch weniger verziehen, wie er sie herabgesetzt hatte. Zum anderen aber auch, weil sie sich weder von Montefalcone noch von Laura – von Laura schon gar nicht – hinters Licht führen lassen wollte.

Sie überlegte, wie sie es anstellen sollte, die beiden in eine kompromittierende Situation zu manövrieren. Morgen müßte sich eine Gelegenheit bieten. Morgen ritten sie alle auf die Jagd. Zwar würden sie zu Hunderten sein, wenn man die Treiber mitrechnete, aber trotzdem gab es keine bessere Gelegenheit für ein Paar, das sich heimlich treffen wollte, als eine Jagdgesellschaft. Der Wald war groß und das Unterholz dicht, und wer vom Wege abkam, geriet den anderen bald aus den Augen.

Natürlich gab es ein Problem. Montefalcone war der Ehrengast des Königs. Er würde mit dem König, dem Kardinal und den Herzögen von Aumale und Beaufort gleich hinter der Meute reiten, sie aber und Laura würden weit hinten folgen müssen. Wie konnte sie es bewerkstelligen, daß er zurückbleiben mußte? Oder daß sie und Laura an die Spitze aufrückten?

Marguerite überlegte hin und her, aber ihr fiel nichts ein. Sie würde morgen die Augen offenhalten und bei günstiger Gelegenheit improvisieren müssen. Mit diesem Gedanken schlief sie endlich ein.

Sie ahnte nicht, daß das ruhig schlummernde Mädchen an ihrer Seite dasselbe Problem schon vor Stunden bedacht und eine Lösung gefunden hatte.

Schüchtern stahl sich das erste Sonnenlicht in die Nacht und färbte den Himmel grau.

Die Hunde zerrten an den Leinen und kläfften, die Pferde stampften und wieherten. Zwischen den Tieren liefen die Knechte umher und schrien sich Anweisungen zu. Laura betrachtete zweifelnd das Tier, das ein Mann ihr zuführte.

»Es hat vier Beine«, sagte sie, »aber kann es auch laufen?« Der Mann zuckte die Achseln.

»Wir verteilen fünfhundert Pferde, Mademoiselle«, sagte er. »Tauscht mit wem Ihr wollt, aber verlangt nicht, daß ich Euch ein besonderes Exemplar heraussuche.«

Schon war er weitergehetzt. Marguerite neben ihr sagte:

»Was ist? Warum seid Ihr unzufrieden?«

»Ein lahmer Gaul, der nur noch das Gnadenbrot verdient«, sagte Laura. »Man sollte ihm seine Ruhe im Stall gönnen, damit macht die Jagd keinen Spaß.«

»Vielleicht findet Ihr mein Tier besser?«

Laura warf einen Blick auf die Stute, die Marguerite zu besteigen im Begriff war. Ihr Gesicht leuchtete auf, als sie das Tier tänzeln sah.

»O ja, sie ist jung und hat Temperament«, sagte sie. »Sie wird Euch nicht langweilen.«

»Ich hatte nicht vor, mich mit meinem Pferd zu unterhalten«, bemerkte Marguerite. »Wenn Ihr wollt, können wir tauschen.«

»Es macht Euch nichts aus?«

Marguerite schüttelte den Kopf.

Antonio kam zu ihnen herübergeritten.

»Gut, daß ich Euch gefunden habe«, sagte er. »Mein Gott, ist das ein Gedränge! Wie viele Leute mögen auf den Beinen sein?«

»Fünfhundert zu Pferd«, sagte Laura prompt. »Dazu muß man noch die Treiber rechnen, die Hundeführer, die Diener mit dem Troß ...«

»Troß?«

»Es gibt nachher ein Frühstück im Wald.«

»Also sechshundert bis siebenhundert Leute.« Antonio war merklich beeindruckt, wie Laura feststellte. Die Hofhaltung eines Königs von Frankreich fiel erheblich größer aus als die eines Herzogs von Ferrara. Sie fügte hinzu: »Das ist nur eine kleine Gruppe. Wenn der ganze Hof von Schloß zu Schloß zieht, sind mit den Soldaten etwa zehntausend Leute unterwegs. So ein Zug wälzt sich wie ein Lindwurm kilometerweit durchs Land.«

Der König, in Lederhosen und Lederwams, erschien auf der Treppe, dicht gefolgt von dem Kardinal, den Herzögen von Aumale und Beaufort und dem Botschafter von Ferrara.

»Da ist Alessandro«, sagte Antonio überflüssigerweise.

Marguerite und Laura hatten den goldenen Haarschopf über dem klaren Gesicht, dem die durchfeierte Nacht nicht anzumerken war, wohl bemerkt. Der König schwang sich auf seinen isabellfarbenen Hengst, der am Fuß der Treppe stand, die Bläser schmetterten ins Horn, und unter dem ohrenbetäubenden Lärm von Musik, Hufgeklapper und Hundegebell setzte sich die Jagdgesellschaft in Bewegung, an der Spitze der König.

Marguerite, Laura und Antonio folgten im Mittelfeld. Als sie das Schloß verlassen hatten und über die Brücke trabten, schloß Annibale Strozzi zu ihnen auf.

»Ah, die Damen sind schon wieder munter. Lieblich wie der junge Morgen«, sagte er, sich aus der Hüfte verneigend.

Laura konnte ihm nur mit einer Kopfbewegung danken. Die kleine Stute, die sie von Marguerite übernommen hatte, erwies sich als außergewöhnlich ängstlich. Auf der schmalen

Brücke von Reitern dicht bedrängt, versuchte sie ständig auszuscheren. Laura war froh, als sie offenes Gelände erreicht hatten und das Feld der Reiter sich auseinanderzog. Sie ritten über die offenen Äcker zum Wald hin, in dem der König schon längst verschwunden war.

»Irgendwie ist das keine richtige Jagd«, sagte Antonio verdrossen. »Bei so vielen Leuten haben wir überhaupt keine Chance. Bis wir den Wald erreichen, ist das Wild schon bis Spanien geflohen.«

»Wenn es denn eine Chance hätte«, sagte Strozzi. »Natürlich sind überall Posten von Treibern aufgestellt, die das Wild dem König zutreiben. Es kann nicht entkommen. Aber wir sind zu weit hinten, das ist richtig. Uns bleibt nichts übrig, als gemütlich vor uns hin zu reiten und uns zu freuen, daß die Vögel zwitschern.«

Antonio schnaubte verächtlich.

»Unter einem Jagdtag verstehe ich etwas anderes.«

»Es ist die Jagd des Königs«, erinnerte Strozzi ihn. »Allenfalls Euer Bruder wird Gelegenheit haben, ein Wildschwein abzustechen. Aber erst, wenn der König mindestens drei erlegt hat.«

»Was tun wir dann hier? Wozu sind wir überhaupt ausgeritten?«

»Zur Dekoration«, meinte Strozzi lachend. »Ohne uns würde sich der König einsam fühlen.«

Sie hatten den Wald erreicht und ritten wie in einen grünen Dom ein. Pfeilergleich stiegen die schlanken Baumstämme in die Höhe, und die grünen Kronen überwölbten sie mit einem Dach aus Laub, durch das golden die Morgensonne einsickerte. Irgendwo stieg eine Lerche auf und jubelte in den Tag.

Laura fühlte sich voller Erwartung und Erregung. Sie hatte das Gefühl, daß an diesem Tag, in diesem Wald etwas Außergewöhnliches geschehen würde. Sie hörte kaum auf das Gespräch zwischen Antonio und Annibale Strozzi.

Marguerite an ihrer Seite seufzte.

»Ihr hattet recht, Laura. Dieses Pferd verdient sein Gnadenbrot. Ich glaube, es erwartet, daß ich absteige und es auf mir reiten lasse.«

»Wie langsam wir sind!« rief Antonio. »Ich finde es unerträglich. Können wir nicht etwas dagegen tun?«

Annibale Strozzi nickte.

»Der König ist nach rechts geritten«, sagte er, »alle werden ihm jetzt folgen. Wenn wir uns links halten und einen Bogen reiten, werden wir länger unterwegs sein, aber doch schneller vorankommen.«

»Das ist eine gute Idee«, rief Antonio und gab seinem Pferd die Sporen. Er setzte über ein Gebüsch und verschwand im Dickicht.

Lauras Pferd hielt das ebenfalls für eine gute Idee. Bevor sie sich versah, hatte es auch den Busch genommen und folgte ungestüm seinem Gefährten, froh, dem Gedränge in die Freiheit zu entkommen.

Einen Augenblick genoß Laura den wilden Ritt. Nach all der Beschränkung im Schloß, der Abgezirkeltheit aller Bewegungen, war dieser freie, ungebundene Ritt, der sie an ihre Kindheit im Mas de Lalande erinnerte, fantastisch. Aber es dauerte nur zwei Minuten, bis sie wieder zur Besinnung kam. Sie konnte nicht mit Antonio allein durch den Wald sprengen.

Das war gegen alle Regeln des Anstands und würde einen Skandal hervorrufen. Weder ihr Verlobter noch die Prinzessin würden einen Funken Verständnis dafür aufbringen.

Sie rief Antonio zu, zu warten, bis Marguerite sie eingeholt hätte, aber er hörte nicht. Laura versuchte, ihr Pferd durch Zügel- und Fersendruck zum Stehen zu bringen, aber die kleine Stute war noch nicht gut zugeritten und reagierte nicht. Laura mußte alle ihre Kraft darauf verwenden, sich im Sattel zu halten. Sie duckte sich, als ein niedriger Ast ihr den Weg versperrte. Ihr Barett wurde ihr von den Zweigen vom Kopf gerissen.

»Wunderbar, wie?« schrie Antonio und drehte sich einen Moment um. Er entdeckte an dem Ausdruck auf ihrem Gesicht, daß sie seine Begeisterung nicht teilte. Er ritt langsamer und ließ sich von ihr einholen.

»Was ist? Gefällt es Euch nicht? Habt Ihr Angst?« fragte er ungläubig.

Lauras Stute, sehr zufrieden damit, ihren Gefährten eingeholt zu haben, fiel an seiner Seite in eine langsamere Gangart.

»Wir sollten warten«, sagte Laura, »bis Madame de St. Philibert und Monsieur Strozzi uns eingeholt haben.«

»Wie? Sind sie nicht …?«

»Nein«, sagte Laura, »Marguerite hat ein Pferd, das für diesen Weg zwei Monate braucht. Und Monsieur Strozzi wird ihr wohl nicht so davonstürzen, wie Ihr es getan habt.«

»Oh«, sagte Antonio, und seine dunkle Haut färbte sich noch dunkler, als ihm die Röte in die Wangen schoß, »ich war wohl viel zu impulsiv, wie? Ich habe nicht nachgedacht. Na gut, warten wir auf die beiden. Möchtet Ihr absitzen?«

»Das lohnt sich nicht, sie werden ja gleich kommen«, erwiderte Laura. Damit hatte sie unrecht. Sie warteten zehn Minuten unter den Bäumen, ohne daß sie Gesellschaft erhielten.

»Was tun wir jetzt?« fragte Antonio gedrückt. Ihm war unbehaglich klar geworden, in welche Situation er sie mit seiner Spontaneität geführt hatte.

Laura schlug vor, zurückzureiten. Vielleicht würde man ihnen dabei begegnen, auf jeden Fall aber auf den Troß mit der Verpflegung stoßen. Antonio stimmte zu. Sie wendeten die Pferde und ritten langsamer und schweigend zurück. Antonio begann zu überlegen, ob man wohl von ihm erwarten würde, sie zu heiraten. Laura schien ähnlichen Gedanken nachzuhängen, denn sie sagte plötzlich:

»Wenn wir die anderen hören, trennen wir uns und reiten zu verschiedenen Seiten, so daß man uns nicht zusammen zurückkehren sieht. Ich denke, es wird keine Probleme geben. Bei so vielen Menschen, wie sie heute unterwegs sind, fällt es nicht auf, ob zwei mehr oder weniger dabei sind.«

Antonio nickte, und sein Gesicht hellte sich auf, bis sie hinzufügte: »Es sei denn, Marguerite oder Monsieur Strozzi haben eine aufwendige Suche nach uns begonnen und damit die Aufmerksamkeit auf uns gelenkt.«

»Warum sollten sie das tun?« fragte Antonio.

»Das weiß ich nicht«, erwiderte Laura, »es hängt davon ab, ob ihre Diskretion oder ihre Sorge größer sind. Erinnert Ihr Euch übrigens, daß wir vorhin diesen Bach übersprungen haben?«

»Wir sind über keinen Bach gekommen«, sagte Antonio bestimmt.

»Eben. Aber hier ist ein Bach«, erwiderte Laura sachlich.

Sie starrten auf ein schmales Rinnsal, das über Kiesel munter vorwärtsplätscherte.

»Wenn wir jetzt an einem Bach sind und vorher keiner da war, dann …«, sagte Antonio und dachte vorsichtshalber nicht weiter.

»Da sich in dieser Viertelstunde die Topographie des Waldes nicht verändert haben wird, bedeutet das nur eines«, sagte Laura.

»Was machen wir jetzt?«

»Habt Ihr etwas zu essen und zu trinken dabei?«

Er schüttelte den Kopf.

»Es sollte doch ein Frühstück geben. Habt Ihr etwas?«

»Nein. Wir wissen nicht, wie lange wir brauchen, bis wir zurückfinden. Laßt uns erst einmal etwas trinken.«

Sie glitt aus dem Sattel und beugte sich am Bach über das Wasser, es mit der hohlen Hand schöpfend und zum Mund führend.

»Wir finden die Jagdgesellschaft bald. So groß kann der Wald gar nicht sein«, sagte Antonio.

»Zwei Tagesritte breit und drei Tagesritte lang«, sagte Laura. »Das Wasser ist köstlich kühl. Die Quelle muß ganz in der Nähe sein. Kommt, probiert es auch. Und dann lassen wir die Pferde saufen.«

Antonio folgte ihrem Beispiel. Er bewunderte ihre Gelassenheit und Kaltblütigkeit. Oder war sie zu dumm, um zu wissen, in welcher Lage sie sich befand? Eigentlich hielt er sie nicht für beschränkt. Aber vielleicht war in Frankreich alles ganz anders als in Italien. Schon die Tatsache, daß unverheiratete Mädchen bei Hofe zugelassen waren, sprach dafür. In Italien wurde jedes Mädchen bis zu seiner Verheiratung im Haus bewacht. Man konnte höchstens einmal einen Blick auf sie erhaschen, wenn sie verstohlen aus dem Fenster sah. Wenn Frauen in Frankreich soviel Freiheit erlaubt war, mußte die Konsequenz wohl auch sein, daß man nicht gleich ein Mädchen heiraten mußte, mit dem man eine Stunde allein gewesen war. Ganz sicher fühlte er sich in dem Punkt allerdings nicht. Und fragen konnte er sie schlecht. Was Alessandro zu der

Klemme sagen würde, in die er sich hineinmanövriert hatte, wagte er sich gar nicht auszumalen.

»Ich halte unsere Lage trotzdem nicht für hoffnungslos«, sagte Laura. »Erstens macht die Jagdgesellschaft gräßlichen Lärm, damit das Wild erschreckt wird. Wenn wir also Tiere sehen, die davonlaufen, müssen wir bloß in die Richtung reiten, aus der sie kommen. Zweitens ist es eine Treibjagd, und die Treiber werden so einen Höllenkrach machen, um dem König das Wild vor den Speer zu treiben, daß wir bloß diesen Krach hören müssen, um die Gesellschaft wiederzufinden. Man kann in einem Wald nicht verlorengehen, in dem fünfhundert Leute jagen.«

»Hoffentlich finden wir sie rasch«, murmelte er.

Laura streifte ihn mit einem erheiterten Blick.

»Keine Angst«, sagte sie, »Ihr müßt mich nicht heiraten.«

Er wurde rot.

»Woher wißt Ihr ... ich meine, ich will doch ... also es ist ja nicht so, daß ...«, stammelte er und überlegte schwitzend, wie er ihr, wie es die Pflicht eines Hofmannes war, sagen konnte, es sei ihm eine große Ehre, sie zu heiraten, ohne daß das Ganze wie ein Heiratsantrag klang, den er durchaus nicht machen wollte. Laura war zweifellos hübsch und ein vernünftiges Mädchen, in dessen Gesellschaft man sich wohlfühlen konnte, aber Antonio lag nichts ferner als der Gedanke, er könne ein Ehemann werden, womöglich gar ein Familienvater.

»Laßt uns weiterreiten«, schlug sie vor. »Je früher wir wieder bei den anderen sind, um so besser.«

Antonio nickte und hob sie in den Sattel. Die Stute tänzelte aufgeregt und nervös.

Sie ritten, ohne zu reden, und lauschten angestrengt, ob sie irgendwo ein Geräusch der Jagd vernehmen konnten.

Die Lerche jubelte wieder, was Antonio ganz unangemessen fand. Das Unterholz knackte leise, wenn sich ein Kaninchen bei ihrer Näherung in Sicherheit brachte. Auf dem weichen Waldboden klangen die Hufe ihrer Pferde dumpf. Es war still und friedlich.

Plötzlich brach die Hölle los. Etwa fünfzig Schritte vor ihnen sprangen die Treiber aus dem Gebüsch, wo sie seit Stunden gesessen hatten, brüllten und schlugen Metall gegen Metall.

Antonio drehte sich zu Laura.

»Wir haben es geschafft«, sagte er und strahlte. »Wollt Ihr geradeaus weiterreiten? Ich nehme dann einen Bogen und komme von der gegenüberliegenden Seite.«

Lauras Augen waren vor Entsetzen geweitet. Ihre Stute bäumte sich auf, und Antonio spürte, wie sein eigenes Pferd auszubrechen versuchte.

»Paßt auf!« schrie sie.

Er drehte sich um.

Dann sah er es. Mit ungeheurer Wucht brach ein Eber, mehrere Zentner schwer, aus dem Unterholz und raste mit angriffslustig gesenktem Kopf direkt auf ihn zu. Er hatte den Sinn der Treibjagd mißverstanden. Statt sich von dem Lärm in Richtung des Königs drängen zu lassen, war er durch die Reihe der Treiber durchgebrochen und suchte sein Heil in einer Flucht, die ihn alles niedertrampeln hieß, was ihm im Weg stand.

Antonio griff nach seinem Speer und warf ihn. Er traf die Stelle im Nacken genau, aber nicht tief genug. Der Speer zitterte mit dem Schaft im Nackenspeck des Ebers. Ein wütendes Kopfschütteln, und er fiel heraus. Antonio zog sein Schwert und sprang aus dem Sattel. Dabei verhakte sich sein Wams am Sattelbogen. Während er sich vorbeugte, um sich loszumachen, bäumte sich sein Pferd auf und bot damit dem Eber den bloßen Bauch dar, in den das wütende Tier seine Hauer rammte. Mit einem langgezogenen Wiehern voller Qual stürzte das Pferd zu Boden, riß Antonio mit und begrub ihn unter sich. Nur Brust, Schultern und Kopf ragten noch unter dem Leib des Pferdes hervor und waren schutzlos dem Angriff des zornigen Ebers ausgeliefert.

Laura schrie.

Antonio sah, wie das Tier den Kopf von dem toten Pferd abwandte und sich gegen ihn wandte. Die blutunterlaufenen kleinen Augen funkelten bösartig. Der heiße, nach verwestem Fleisch stinkende Atem fuhr ihm ins Gesicht. Er schloß die Augen. Das war der letzte Moment seines Lebens. Mit Lauras Schrei in den Ohren würde er sterben.

Lauras Schrei brach jäh ab. Antonio spürte, daß ein Gewicht von mehreren Zentnern auf seine Brust gedrückt wurde, ihm die Rippen brach und den Atem abschnürte. Dann wurde ihm schwarz vor Augen.

Als er wieder zu sich kam, fand er sich in einer riesigen Ansammlung von Menschen. Direkt über seinen Augen erschien Alessandros goldblonder Kopf, dicht daneben lächelte der König auf ihn nieder.

»Er kommt zu sich«, sagte der König.

Antonio holte vorsichtig Atem. Die Rippen schmerzten höllisch, aber die Luft erreichte seine Lungen. Das Zentnergewicht war verschwunden. Mehrere Hände griffen ihm unter die Schultern und richteten ihn auf.

»Was ist passiert?« fragte er verwirrt.

Der König reichte ihm einen Becher mit Wein.

»Trinkt das, junger Mann. Ihr seid um Haaresbreite dem Tod entkommen. Der Eber war schon dabei, seine Zähne in Euch zu schlagen. Ohne Euren Bruder wäret Ihr jetzt tot.«

Antonio wagte einen vorsichtigen Blick in Alessandros Gesicht, und was er dort las, erfüllte seine schlimmsten Befürchtungen. Sein Bruder betrachtete ihn mit kalter Mißbilligung.

»Und ohne die junge Dame«, fuhr der König heiter fort, »die so stimmgewaltig ist, daß sie den ganzen Treiberlärm mühelos übertönt hat. Euer Bruder war der erste, der den Schrei hörte und sich auf den Weg machte. Als er Euch in Gefahr sah, hat er den besten Wurf seines Lebens getan. Der Speer war aus fünfzig Schritt Entfernung geschleudert, und schaut Euch an, wie er getroffen hat. Unfehlbar und tödlich.«

Antonio gab dem König den Becher zurück und versuchte aufzustehen. Es ging, aber es schmerzte in der Brust.

Alessandro, der bemerkte, wie er den Schmerz zu verbeißen suchte, sagte mitleidlos: »Der Eber ist auf dir zusammengebrochen. Du hast dir mehrere Rippen gebrochen. Ich hoffe, alle.«

Antonio gelang ein klägliches Grinsen.

Der König verkündete, da die Jagd jetzt doch unterbrochen sei, könne man frühstücken. Er ging zu der Lichtung zurück, auf der er auf die Wildschweine gewartet hatte, und der Hof folgte ihm. Bei Antonio blieben nur Alessandro, Laura und Marguerite de St. Philibert. Marguerite hatte die Arme um

Laura geschlungen, die totenbleich an einem Baumstamm lehnte.

»Mein Gott«, sagte Marguerite plötzlich, »Wildschweine sind dreckige und stinkende Tiere. Ihr seht so aus, daß Ihr glatt als Wilder Mann aus dem Wald die Kinder erschrecken könntet. Ihr müßt Euch erst einmal säubern. Kommt.«

Sie ließ Laura allein und streckte Antonio die Hand entgegen.

»Kommt! Ich bringe Euch zu den Dienern am Wasserfaß. Da könnt Ihr Euch reinigen.«

Antonio folgte ihr. Seine Knie zitterten noch.

Alessandro sah Laura an.

»Geht es Euch gut? Habt Ihr den Schock überwunden?« fragte er.

Laura nickte.

»Wenn Ihr nicht gewesen wäret, dann wäre Euer Bruder jetzt tot«, sagte sie schaudernd.

»Ich wüßte gern, wieso er mit Euch auf diese Seite der Treiberlinie geraten ist«, sagte der Botschafter, genau den skandalösen Punkt ansteuernd.

»Wir hatten uns im Wald verirrt«, sagte Laura.

»Wir?« wiederholte er. »Meint Ihr, mein Bruder und Ihr? Ihr habt Euch damit vergnügt, allein im Wald herumzureiten? Ohne jede Begleitung? Was ist dem jungen Narren eingefallen, Euch so zu kompromittieren?«

Die Haut um seinen Mund war weiß vor Zorn.

»Er konnte nichts dafür«, sagte Laura, »es lag an meinem Pferd. Sie ist noch nicht gut zugeritten, und als Euer Bruder davonpreschte, ist sie ihm nachgerannt. Ich konnte sie nicht mehr zügeln. So sind wir von den anderen fortgekommen. Als wir zurückreiten wollten, haben wir uns verirrt.«

»Er hat sich also hirnlos benommen. Wie immer«, sagte Antonios Bruder vernichtend. »Und Ihr, mein Fräulein, könntet in Zukunft vielleicht Pferde reiten, die Euren Fähigkeiten angemessen sind.«

Er drehte sich um und wollte den anderen folgen, aber Laura hielt ihn zurück.

»Wartet«, sagte sie leise.

Er drehte sich um.

»Ja?« Seine Stimme und seine Augen waren kalt und unpersönlich.

»Wir sollten miteinander reden«, sagte sie. »Wir haben nicht viel Gelegenheit, allein zu sein.«

»Wir sollten nicht allein sein«, antwortete er. »Es scheint, nicht nur mein Bruder vergißt das Denken. Eure Situation ist nicht angenehm, Mademoiselle. Fügt dem Schlechten nicht noch das Schlimmere hinzu. Euer Alleinsein mit meinem Bruder mag in der Geschichte vom Eberkampf untergehen, obwohl Ihr sicher sein könnt, daß sich etliche Leute fragen werden, wie Ihr in diese Lage gekommen seid. Ich muß Euch doch wohl nicht daran erinnern, daß ein junges Mädchen auf seinen Ruf zu achten hat.«

»Das ist mir egal«, sagte Laura heftig.

Er hob eine Braue.

»Was für ein Muster an weiblichem Benehmen Ihr seid, meine Liebe. Ist das die Frucht der Bemühungen Eurer Mutter, oder lernt man das im Gefolge der Prinzessin Renée?«

Laura ließ sich nicht ablenken. Sie heftete ihre dunklen Augen fest auf sein Gesicht.

Ihre ganze Seele lag in ihren Augen.

»Wir müssen miteinander reden«, wiederholte sie.

Er betrachtete sie einen Moment nachdenklich. Dann spannte sich sein Mund zu einem Lächeln des Hohnes.

»Gut, Mademoiselle, reden wir miteinander. Offen und ehrlich. Seit meiner Ankunft verfolgt Ihr mich mit dem feuchten, anbetenden Blick eines Kalbes. Ich wäre Euch verbunden, wenn Ihr Euer Betragen ändern würdet. Ich bin Italiener, vergeßt das nicht! Wir schenken unser Herz und unseren Körper nur erwachsenen Frauen.«

Röte stieg in Lauras blasse Wangen. Sie ballte die Hände zu Fäusten, aber sie wankte nicht, und ihr Ton verriet nicht, ob die Demütigung sie getroffen hatte.

»Warum tut Ihr das?«

»Was?«

»Ihr behandelt mich, als würdet Ihr mich nicht ernst nehmen.«

»Um ehrlich zu sein, mein Kind, ich nehme Euch nicht ernst. Nicht mehr als meinen Bruder. Ihr seid beide den Kinderschuhen kaum entwachsen und lernt erst, Euch in der Welt zurechtzufinden. Ihr glaubt, in mich verliebt zu sein. Das steht Euch deutlich genug ins Gesicht geschrieben. Solch eine Schwärmerei ist ganz normal in Eurem Alter. Das geht vorüber. Ein paar Tage tut das kleine Herzchen weh, dann ist alles ausgestanden. In vier Wochen habt Ihr mich vergessen, Mademoiselle.«

»Nein«, antwortete Laura fest.

Sie stand hochaufgerichtet vor ihm. Sie war fast so groß wie er und wandte den Blick nicht von dem schönen, grausamen Gesicht.

»Es steht Euch schlecht an, mich zu verspotten, Alessandro Montefalcone. Ich liebe Euch. Aber nicht mit der naiven Backfischschwärmerei, die Ihr mir einreden wollt. Ich weiß es, und Ihr wißt es auch. Als wir uns im Festsaal des Königs zum ersten Mal begegnet sind, haben wir einander erkannt. Wir sind füreinander geschaffen. Leugnet es, wenn Ihr könnt!«

Er war blaß geworden unter der Sonnenbräune, und die grauen Augen funkelten in kaltem Zorn. Er lachte grell auf.

»Bravo, Mademoiselle! Eine Rede, würdig, auf dem Theater gehalten zu werden. Das Leben ist etwas weniger pathetisch, wie Ihr bemerken werdet! Treibt Euch nicht mit jungen Männern im Wald herum und heiratet Euren ehrenwerten Hauptmann möglichst bald, gebärt ihm ein Dutzend Kinder. Dafür seid Ihr bestimmt. Inmitten von Kindergeschrei, saurer Milch und zerlöcherten Strümpfen vergehen solche albernen Gefühle am schnellsten.«

Er drehte sich um und ging davon, ohne sich noch einmal umzusehen.

Laura folgte ihm nicht.

Sie wußte nicht, woran sie war. Verwirrung war ihr bisher fremd gewesen. Ihr Leben war immer klar und geradlinig verlaufen. Sie hatte ihr Horoskop, ihr Weg war festgelegt. Sie würde Yves de Bethois heiraten. Den Stier, der ihr vorausgesagt worden war.

Aber warum hatten die Sterne ihr nichts von dem enthüllt, was ihr jetzt geschah? Als sie Alessandro Montefalcone vom Fenster Louises aus gesehen hatte, war ihr gewesen, als müßte ihr das Herz stehenbleiben. Als sie ihm am Ende des Empfangs gegenübergestanden hatte, als er den Fächer in ihre Hand gelegt und sie angeblickt hatte, da hatte sie wieder dasselbe Gefühl gehabt und gespürt, daß es ihm genauso ging. Eine Sekunde lang war sein Gesicht nackt gewesen, hatten sich seine Empfindungen deutlich in seinen Augen gemalt.

Warum leugnete er das jetzt ab? Warum behandelte er sie wie ein lästiges kleines Mädchen? Warum umwarb er vor ihren Augen Marguerite?

Hatte sie sich getäuscht? War es nur auf ihrer Seite Liebe? War sie ihm so gleichgültig, wie er behauptete?

Sie glaubte es nicht.

Sie sah den kalten Zorn in seinem Blick, hörte wieder den Hohn in seiner Stimme und wußte, daß sie sich nicht geirrt hatte.

Ein erfahrener Hofmann und vollendeter Kavalier hätte ein junges Mädchen mit Sanftmut und Freundlichkeit zurückgewiesen. Er hätte sie nicht grausam gedemütigt. Nur wer sich getroffen fühlte, schlug zurück.

Aber warum, wenn er sie liebte, wollte er sie verletzen?

Antonio wachte am nächsten Morgen auf und war ein Held.

Sein Bruder erklärte ihm im ätzenden Ton, was am Tag zuvor geschehen sei. Lauras Pferd sei durchgegangen. Antonio, der es als einziger bemerkt habe, habe ihr nachgesetzt und sie in letzter Minute davor bewahrt, sich den Hals zu brechen. Bei ihrer Rückkehr zur Jagdgesellschaft seien sie dann auf den Eber gestoßen.

»Und wenn ich ein Wort davon höre, daß es anders gewesen sei, wirst du es bis an dein Lebensende bereuen«, fügte er drohend hinzu.

Antonio bedachte die Geschichte und erfaßte dann ihre Bedeutung.

»Das heißt, ich bin nur ihr Retter, und nicht ihr Verführer. Ich muß sie nicht heiraten«, sagte er erleichtert.

»Wie ungalant«, bemerkte sein Bruder.

»Nun ja, es ist ja nicht so, daß ich sie nicht nett finde. Sie ist sogar besonders nett. Weißt du, man kann mit ihr richtig reden und muß nicht immerzu Süßholz raspeln, und sie ist auch nicht hilflos und fängt an, in Tränen zu baden, wenn die Lage schwierig wird. Ich glaube, wenn ich heiraten müßte, würde ich lieber sie nehmen als eine andere. Die Tatsache ist nur, daß ich eben überhaupt noch nicht heiraten will.«

»Mademoiselle de Roseval wird es überstehen. Außerdem hat sie bereits einen Bräutigam. Sie wird also in dieser Hinsicht keine Forderung an dich stellen.«

»Hoffentlich ist er auch nett«, meinte Antonio. »Ich glaube, er hat Glück, sie zu bekommen. Sie ist nicht nur nett, sie ist auch besonders hübsch, findest du nicht?«

Alessandro zuckte die Achseln.

»Ich habe sie mir nicht näher angesehen.«

Antonio grinste, was sehr schmerzhaft war.

»Die andere dafür um so gründlicher, was? Was wird denn deine Frau dazu sagen, daß du die schöne blonde Marguerite erobert hast?«

»Ich habe sie nicht erobert, ich belagere die Festung noch«, erklärte Alessandro.

Antonio war in das Bett seines Bruders gelegt worden statt in das Zimmer, das er mit den übrigen Herren aus Ferrara teilte, und hatte so eine ruhige Nacht verbringen können. Am Morgen hatte der Arzt noch einmal nach ihm gesehen, sich sehr befriedigt davon gezeigt, daß der Patient kein Fieber bekommen hatte, und einige Tage Bettruhe verordnet. Von einer besonderen Diät hatte er nichts gesagt. Als Matteo jetzt mit dem Frühstückstablett hereinkam und es am Bettrand absetzte, bog es sich vor Speisen. Brot, dreierlei gebratenes Fleisch, Eier, zwei Pasteten und ein großer Krug Bier fanden darauf gerade noch Platz.

»Wer soll das alles essen?« fragte der Botschafter spöttisch. »Es ist nicht der Eber, der hier im Bett liegt, Matteo.«

Matteo grinste.

»Junge Männer haben immer Hunger.«

»Stimmt«, sagte Antonio, griff zu einer Hasenkeule und wollte kräftig zubeißen. Schmerzerfüllt hielt er inne.

»He, was ist das? Wieso tut das jedesmal weh, wenn ich den Mund aufmache?«

»Euer Gesicht«, sagte Matteo heiter, »ist eine ganze Landschaft von Farben, von gelb über grün und blau bis ins Violette hinein. Außerdem habt Ihr ein paar Täler und Höhen, wo gestern noch keine waren. Anders ausgedrückt, der Eber hat nicht bloß Eure Rippen geknackt, sondern sich auch auf Eurem Gesicht verewigt.«

»Kann ich einen Spiegel kriegen?«

»Ihr befindet Euch nicht im Boudoir einer Dame. Hier gibt es keinen. Aber ich kann nachher bestimmt einen auftreiben. Ihr solltet Euch sehen. Ihr seid durchaus sehenswert«, erklärte Matteo und zog sich zurück.

Antonio beäugte kritisch das Tablett und entschloß sich zu einer Pastete, die an seine Kauwerkzeuge nicht so hohe Anforderungen stellte.

»Übrigens«, sagte er mit vollem Mund, »du bist es nicht allein, der die Festung belagert. Strozzi hat es auch auf die schöne Marguerite abgesehen.«

Alessandro polierte seine Nägel. Ohne aufzusehen, sagte er friedlich:

»Möge der Tüchtigere in dem edlen Wettbewerb siegen.«

Antonio hörte einen Moment auf zu kauen.

»Bist du nicht eifersüchtig? Du redest, als ginge es um einen sportlichen Wettkampf.«

Sein Bruder lächelte flüchtig.

»Aber natürlich. Die Liebe ist der Ersatz für den Kampf in Friedenszeiten. Man plant seine Eroberungen strategisch, beginnt mit leichten Scharmützeln, fährt dann schweres Geschütz auf. Manchmal muß man monatelang belagern, manchmal nimmt man eine Festung im Sturmangriff. Und manchmal rückt eine stärkere feindliche Armee an, und man muß sich zurückziehen. Das Schlachtenglück ist launisch.«

»Dann geht es bloß um den Sieg und gar nicht um Liebe?« fragte Antonio verblüfft.

Alessandro hob eine Braue und blickte ironisch auf ihn herunter.

»Mein lieber Junge, die Liebe ist etwas für die Dichter. Im wirklichen Leben taugt sie nichts. Da machst du besser einen großen Bogen um sie herum.«

Als Laura von einer Vorlesestunde bei der Prinzessin zu ihrer Schlafkammer zurückkam, sah sie vor ihrer Tür Yves de Bethois. Er ging in dem Korridor auf und ab mit den ungeduldigen Schritten eines Mannes, der die Grenzen seiner Geduld erreicht hatte. Als sie um die Ecke bog, blieb er stehen und wartete mit finsterem Gesicht, bis sie herangekommen war. Ohne eine Begrüßung sagte er schroff:

»Ich erwarte eine Erklärung.«

»Wofür?« fragte Laura verblüfft.

»Für Euer gestriges Abenteuer natürlich! Ich will wissen, was wirklich geschehen ist. Und lügt mich nicht an, Laura! Habt Ihr Euch in den jungen Mann vergafft? Seid Ihr ihm freiwillig in den Wald gefolgt, oder hat er Gewalt gebraucht?«

Laura brach in Gelächter aus.

»Von allen absurden Gedanken, die Ihr im Kopf haben könntet, Yves, ist das der absurdeste. Antonio ist doch noch ein Junge. Bei der Vorstellung eines Rendezvous mit einer Frau im Wald würde ihm der kalte Schweiß ausbrechen. Hat sich noch nicht bis zu Euch herumgesprochen, daß mein Pferd durchgegangen ist? Der junge Montefalcone hat mich gerettet.«

Eine Ader schwoll an seiner Schläfe an.

»Haltet mich nicht zum Narren, Laura. Alle anderen könnt Ihr an der Nase herumführen, aber mich nicht. Ich will die Wahrheit wissen.«

Seine Stimme war laut geworden. Das war die Stimme eines Mannes, der glaubte, der Herr zu sein und das Recht zu haben, sie zu verhören, eines Mannes, der glaubte, sie sei ihm Rechenschaft schuldig. Lauras Augen begannen zu funkeln.

»Was macht Euch so sicher, Yves, daß ich lüge?« fragte sie mit trügerischer Sanftheit.

»Euer Pferd konnte nicht durchgehen«, erklärte er, »selbst wenn es das gewollt hätte, was bestimmt nicht der Fall gewesen ist. Ich kenne Euch, Laura, und weiß, welche tollkühne Reiterin Ihr seid. Deshalb habe ich den Stallmeister bestochen, damit er Euch Robert le Diable gibt. Nie trug ein Gaul einen falscheren Namen. Robert le Diable ist zwanzig Jahre alt und verzehrt das Gnadenbrot. Der geht nur noch im Schritt. Wenn man ihn auf Trab bringen kann, ist das eine spektakuläre Leistung. Ich habe mich beim Stallmeister erkundigt. Er hat sein Versprechen gehalten. Ihr seid gestern auf Robert le Diable geritten.

Laura hielt mühsam an sich.

»Wie war das? Ihr habt den Stallmeister bestochen! Ihr entscheidet also, welches Pferd ich reite? Mit welchem Recht nehmt Ihr Euch heraus ...«

»Als Ehemann habe ich das Recht ...«

»Noch seid Ihr nicht mein Ehemann«, schleuderte sie ihm entgegen, »und selbst, wenn Ihr es wäret! Wagt nur nicht, mich zu behandeln, als sei ich ein dummes kleines Mädchen, das noch in den Kinderschuhen steckt und das von einem großen, starken Mann beschützt werden muß.«

Ihre Augen blitzten, ihr Busen wogte, ihre Hände waren zu Fäusten geballt.

Yves starrte fassungslos auf die kleine Furie. Irgend etwas lief hier schief. Er hatte doch jeden Grund, sie ins Verhör zu nehmen und zu verlangen, die Wahrheit zu erfahren. Statt dessen geriet er jetzt in die Rolle des Angeklagten. Das war typisch. Wenn man mit einer Frau stritt, konnte man sicher sein, daß sie unsachlich wurde oder das Thema wechselte. Aber mit ihm konnte sie das nicht machen.

»Lenkt nicht ab, Laura! Ich will wissen, was gestern passiert ist. Euer Pferd ist nicht durchgegangen.«

»Ach? Ihr müßt es ja wissen, Ihr seid ja dabei gewesen«, höhnte sie. »Um es kurz zu machen: Ich habe den wackeren Robert le Diable unter Marguerites Hintern geschoben und ihr Pferd genommen. Wenn Ihr mir nicht glaubt, fragt sie doch selbst. Da kommt sie gerade.«

Laura drehte sich auf dem Absatz um, verschwand in ihrem Zimmer und knallte die Tür hinter sich zu.

Yves hatte das peinliche Gefühl, eine lächerliche Figur zu machen. Marguerite kam gerade um die Ecke. Sie hatte bestimmt noch Lauras letzte Worte und das Zufallen der Tür mitbekommen. War in dem Lächeln, mit dem sie ihn betrachtete, nicht leichter Spott zu lesen? Er wollte an ihr mit einer kurzen Verbeugung vorübergehen, aber Marguerite beherrschte wie schon einmal die Kunst, den Gang zu versperren.

»Guten Tag, Hauptmann«, sagte Marguerite freundlich, und in seinen Ohren klang es allzu freundlich. »Mir scheint, ich tauche zu ungelegener Zeit auf. Sollte es zu einem kleinen Streit zwischen Laura und Euch gekommen sein?«

»Wir hatten eine Meinungsverschiedenheit«, gab er widerwillig zu.

»Doch hoffentlich nicht wegen des gestrigen Vorfalls? Ich mache mir ja die größten Vorwürfe«, sagte sie ernst.

»Ihr, Madame?«

»Es war alles nur meine Schuld. Ich hatte nicht gedacht, daß Laura keine gute Reiterin sei. Ich meine, irgendwie habe ich immer geglaubt, sie könne sehr gut reiten. Das kann ich von mir nicht behaupten. Als Laura mir deshalb den Pferdetausch anbot, war ich sehr glücklich. Sie hatte so einen lahmen Gaul erwischt, auf dem man gemütlich wie im Lehnstuhl sitzen konnte. Das war gerade das Richtige für mich. Hingegen war das Pferd, das man mir gegeben hatte, eine nervöse junge Stute, bei der ich gar nicht sicher war, sie bändigen zu können. Als Laura vorschlug, die Pferde zu tauschen, war ich ehrlich froh. Wenn ich natürlich gewußt hätte, was passieren würde! Mein Gott, ich hätte mir nie verziehen, wenn sie sich den Hals gebrochen hätte.«

»Ihr habt also tatsächlich die Pferde getauscht«, sagte er langsam.

Marguerite erfaßte den Punkt sofort.

»Oh«, sagte sie und lächelte wieder, »ich verstehe. Laura hat Euch das erzählt, und Ihr habt ihr nicht geglaubt. Dachtet Ihr, Laura habe eine Liebschaft mit Antonio Montefalcone?«

Yves ärgerte sich, als er merkte, daß er rot wurde. Marguerite lachte auf und legte ihm beschwichtigend eine Hand auf den Arm.

»Nein, nein, Ihr braucht Euch nicht zu genieren. Wir Frauen haben es ganz gern, wenn ein Mann etwas Eifersucht zeigt. Dann wissen wir doch, daß wir ihm nicht ganz gleichgültig sind. Aber Ihr solltet Euch darüber klar sein, daß es nicht Antonio Montefalcone ist, auf den Ihr eifersüchtig sein solltet, sondern sein Bruder.«

Sie gab ihm noch einen leichten Klaps auf den Arm und verschwand im Zimmer. Bevor er noch eine Frage stellen konnte, fiel die Tür ins Schloß. Yves entfernte sich langsam. Marguerite hatte ihn schon einmal darauf hingewiesen, daß sich zwischen Laura und dem Botschafter eine Beziehung anbahnte. Ob sie wirklich recht hatte? Aber nach allem, was er gehört hatte, zeigte der Mann doch ein starkes Interesse an Marguerite selbst.

Laura hatte sich jedenfalls verändert. Nie war sie so heftig und aggressiv gewesen wie heute. Oder hatte er sie nur nicht so gut gekannt? Wenn das eine Kostprobe ihres wahren Temperaments war, dann würde sie ihm noch ein paar hübsche Tänzchen aufführen, bis er sie gezähmt hatte. Daß er sie zähmen konnte, daran zweifelte er keinen Augenblick. Wenn sie erst einmal verheiratet waren, würde sie schon begreifen, wer der Herr im Haus war. Und bis dahin würde er weiter die Augen offenhalten.

Die Prinzessin entschied, daß sie am Maskenball nicht teilnehmen würde. Sie begründete es damit, daß die Hitze sie anstrenge und sie sich im Hinblick auf die bevorstehende Reise schonen müsse. Laura glaubte, sie wolle auch der Langeweile entgehen. Da die Prinzessin aufgrund ihres angeborenen Hüftleidens nicht tanzen konnte, bedeutete ein Ball für sie nur stundenlanges Sitzen und Zuschauen. Aber Renée war großzügig genug, fast allen ihren Hofdamen zu erlauben, an dem Maskenball teilzunehmen. Sie behielt nur Adeline de Foix und Laura de Roseval bei sich.

Adeline, die sich berufen fühlte, ins Kloster zu gehen, stand solchen Lustbarkeiten gleichgültig gegenüber, und Laura war nach Meinung der Prinzessin zu jung für eine Veranstaltung, bei der im Laufe des Abends unter dem Schutz der Masken höfische Etikette mit Füßen getreten werde und ungezügeltes Benehmen hervorbrechen würde.

Adeline und Laura fanden sich zur Stunde des Balles in Renées Zimmer ein. Zu Lauras Erstaunen gesellte sich Louise de la Trémouille zu ihnen.

Sie klagte über die Hitze.

»Heute abend ist es ganz unerträglich. Ich habe Kopfschmerzen davon.«

»Es ist schwül geworden«, bemerkte Adeline. »Vielleicht gibt es heute noch ein Gewitter.«

»Hoffentlich nicht vor dem Feuerwerk«, rief Laura.

»Ach ja, das Feuerwerk«, sagte Renée lächelnd. »Ich glaube, Ihr habt noch keines gesehen, nicht wahr?«

»Noch nie.«

»Das ist ein Anblick, den man nicht wieder vergißt. Wir werden es vom Fenster aus gut beobachten können.«

»Vom Fenster aus ist es nicht dasselbe«, meinte Louise. »Ich werde hinuntergehen. Gestattet Ihr, daß ich Laura mitnehme?«

Renée nickte.

»Womit verkürzen wir uns den Abend?«

»Wir könnten Trictrac spielen«, schlug Adeline vor.

Renée schüttelte den Kopf.

»Nein, kein Spiel«, sagte sie. »Wir werden nie wieder so zusammensitzen. In zwei Tagen reise ich, und wir werden uns nie wiedersehen. Es ist eine Reise ohne Wiederkehr.«

Wie immer hob sie am Ende des Satzes die Stimme, so daß es wie eine Frage klang, aber die Traurigkeit in ihrer Stimme verriet, daß sie nicht daran zweifelte. Sie würde gehen, alles verlassen, was ihr vertraut und teuer war, und in der Fremde, unter fremden Menschen, denen sie nichts bedeutete, ein neues Leben aufbauen müssen.

Ihr zum Trost sagte Louise aufmunternd:

»Ich wünsche Euch, daß Ihr in Eurer neuen Heimat alles Glück findet.«

Aber Renée war nicht so leicht zu trösten.

»Glück?« wiederholte sie bitter, »was ist schon Glück?«

Die Frage stand einige Zeit im Raum, und jede der vier Frauen sann nach, wie sie sie beantworten würde.

Als die Prinzessin die Frage noch einmal stellte, war es Adeline, die als erste antwortete:

»Ich glaube, daß Glück etwas Vollkommenes ist. Deshalb kann es von nichts Unbeständigem abhängen. Wenn ich fürchten müßte, das, was mich glücklich macht, zu verlieren, so wäre ich wegen dieser Furcht schon nicht mehr vollkommen glücklich. Deshalb kann ich Glück nur in Gott finden. Er ist, der er ist, von Ewigkeit zu Ewigkeit. In ihm nur ist Bestand. In ihm findet meine Seele Ruhe und Frieden und ist frei von Angst. Gott zu lieben ist Glück.«

Louise schüttelte den Kopf.

»Das mag für Euch zutreffen, Adeline. Ich für meinen Teil kann mir Glück nicht so weltabgewandt vorstellen. Glück und

Liebe gehen zusammen, das ja. Aber es fragt sich, welche Art von Liebe glücklich macht. Die Liebe zu Gott ist mir zu abstrakt, und die Liebe zu einem Mann ist oft nichts als rasch aufflammendes Begehren zweier Körper, die erlischt, kaum daß das Verlangen gestillt wird. Glücklich macht nur die Liebe, die von der Geburt bis zum Tod unser Leben begleitet, die unerschütterlich an dem Geliebten festhält, was immer er auch getan hat, die Liebe, die nichts für sich will. Sie ist einfach nur da, um in der Dunkelheit zu leuchten und in der Kälte zu wärmen. Solche Liebe findet man nur in der Familie. Es ist die Liebe einer Mutter zu ihren Kindern, der Kinder zu ihren Eltern ...«

Ihre Stimme war leiser geworden und verklang wie ein Hauch.

»Und Ihr, Laura? Was ist für Euch Glück?« fragte die Prinzessin nach einer Weile.

Laura zögerte.

»Ich weiß es nicht«, sagte sie. »Ich denke, es gibt keine Erklärung, die für jeden zutrifft. Für jeden ist das Glück etwas anders.«

»Aber was ist es für Euch?« beharrte die Prinzessin.

»Es ist mir nicht wichtig. Ich glaube nicht, daß wir auf der Welt sind, um glücklich zu sein.«

Die drei Frauen starrten sie an. In der Dämmerung war Lauras Gesichtsausdruck nicht mehr zu erkennen.

»Aber wozu denn dann?« fragte Louise.

»Unser Leben soll dem richtigen Ziel dienen.«

»Und was ist das richtige Ziel?« fragte Adeline.

Laura schwieg einen Moment.

»Meine Großmutter hat mich gelehrt«, sagte sie, »daß die Welt in einem unaufhörlichen Kampf des Guten mit dem Bösen verstrickt ist. Sein Leben dafür einzusetzen, daß das Gute stärker ist als das Böse, das ist der Sinn unseres Lebens.«

»Merkwürdig«, sagte die Prinzessin nachdenklich, »Ihr alle definiert Glück als Selbstaufgabe. Ihr, Adeline, wollt in Gott aufgehen, Ihr, Louise in den Freuden der Mutterschaft, und Ihr, Laura, in einem philosophisch gefaßten Guten, das letztlich doch auch nichts anderes als Gott bedeutet. Ich kann dem nicht beipflichten. Wie kann ich glücklich sein, wenn ich mich selbst dabei aufgebe? Glück, das heißt, ich selbst sein zu dürfen. Zu tun, was ich tun möchte, zu denken und zu glauben, was ich denken und glauben möchte, zu gehen, wohin ich möchte, und zu bleiben, wo ich bleiben möchte. Meine eigene Herrin sein zu dürfen, das nenne ich Glück.«

Der Himmel über Blois entfärbte sich. Das strahlende Blau verblich allmählich zu einem farblosen Grau. Nur am Horizont, wo Himmel und Wald dunkel verschmolzen, stand noch als letztes Zeichen der besiegten Sonne ein Streifen von orangenfarbenem Gold, zu wenig, um den Raum noch zu erhellen. Dämmerung senkte sich in das Gemach der Prinzessin und legte blaue Schleier über die Gesichter der Frauen, verwischte sie sanft. Vielleicht können wir nur deshalb unsere Seelen entblößen, dachte Laura, weil unsere Gesichter in den Mantel der Nacht gehüllt sind. Adeline machte eine Bewegung zu einer Kerze hin, aber die Prinzessin winkte ab.

»Für Euch alle«, fuhr sie mit Bitterkeit in der Stimme fort, »ist das Glück erreichbar. Ihr, Adeline, werdet Euer Glück im Kloster finden, Ihr, Louise, könntet eine neue Ehe eingehen und Kinder bekommen. Ihr, Laura, werdet immer wieder Momente des reinen Glücks erleben, wenn Ihr glaubt, daß Ihr für das Richtige kämpft. Ich hingegen ...« Sie sprach nicht weiter. Es war auch nicht nötig. Jede von ihnen wußte, daß das Leben einer Herzogin von Ferrara niemals ein selbstbestimmtes sein konnte.

»Werde ich Kinder haben können?« fragte Louise, und auch ihre Stimme klang bitter. »Als ich achtzehn war, gab man mir einen Mann von sechzig. Wird man mir überhaupt erlauben, mich wieder zu verheiraten? Und wenn ja, welchen Gatten wird man diesmal für mich aussuchen? Nein, meine Aussichten auf Mutterschaft sind nicht allzu groß.«

»Je höher wir stehen, desto weniger gehören wir uns selbst. Die wir bestimmt sind, das Leben der Mächtigen zu teilen, sind ohnmächtig«, sagte Renée bitter.

»Verzeiht, Königliche Hoheit«, widersprach Laura, »ohnmächtig nur in einem äußerlichen Sinn. Ihr könnt nicht über Euren Körper bestimmen, das ist wahr. Wohin Ihr geht, wen Ihr heiratet – das zu bestimmen, liegt nicht in Eurer Macht. Aber Euer Leben ist doch nicht nur Körper, sondern auch Geist. Und über Euren Geist kann niemand bestimmen. Er ist frei, zu denken, wie er will. Selbst im Kerker gibt es diese Freiheit.«

Renée zuckte die Achseln.

»Worte, nichts als Worte, Laura. Es klingt schön, aber was bedeutet es schon? Der Geist ist an den Körper gebunden. Ohne ihn besteht er nicht. Körperliche Freiheit ist die Voraussetzung für die geistige. Oder glaubt Ihr auch an die Lehre Meister Agrippas, wonach der Körper nichts und die Seele alles ist?«

»Aber das ist gegen die Lehre der Kirche!« rief Adeline entsetzt.

Louise erhob sich.

»Wenn Ihr gestattet, Königliche Hoheit? Ich unterbreche diese Debatte sehr ungern, aber wenn Laura und ich rechtzeitig zum Feuerwerk kommen wollen, müssen wir jetzt aufbrechen.«

Die Prinzessin gab ihnen gnädig die Erlaubnis, sie zu verlassen. Ihrer Stimme war eine gewisse Erleichterung anzumerken. Es war gut, eine Unterhaltung abzubrechen, die sie in allzu gefährliche Untiefen führen konnte. Und vor allem Laura. Sie hätte Agrippa von Nettesheim nicht anführen dürfen. Da gab es doch Gerüchte um Lauras spanische Großmutter, die sie lieber nicht untersuchen wollte. Agrippa selbst war geschützt durch das Wohlwollen des Königs und seiner Mutter. Andere, die Irrlehren anhingen, aber keineswegs. Die Inquisition hatte ihre Augen und Ohren überall. Und wie mächtig sie war, hatte sich erst vor drei Tagen am Ufer der Loire erwiesen.

Um die Bürger von Blois an der Hochzeitsfeier zu beteiligen und den Andrang aller Schaulustigen zu bewältigen, fand das Feuerwerk am Ufer der Loire statt, an demselben Platz, an dem vier Tage zuvor die Ketzer verbrannt worden waren. Die Zuschauertribünen, die dafür aufgeschlagen worden waren, hatte man bis zum Feuerwerk stehenlassen. Sie waren ausschließlich für den Hof vorgesehen, und der Zutritt zu ihnen wurde von Soldaten bewacht.

Laura und Louise waren unter den letzten, die einen Platz auf der Tribüne anstrebten. Ringsum hatten sich Hunderte von Stadtbewohnern gelagert, dicht an dicht, und die beiden Frauen wären nicht durchgekommen, hätte nicht Louise die Umsicht besessen, einen Fackelträger mitzunehmen, der vor ihnen her ging und ihnen den Weg bahnte, indem er rief:

»Platz für die hochedle Herzogin de la Trémouille! Platz für die hochedle Herzogin de la Trémouille!« Daraufhin rückten die Leute murrend ein bißchen zur Seite. Schließlich erreichten sie die Absperrung bei den Tribünen. Hier war das Problem, daß alle Plätze besetzt zu sein schienen. Der Fackelträger schrie auch jetzt Louises Namen und Rang, und er öffnete ihr auch hier wieder eine Gasse, die sich aber so schnell schloß, daß Laura, die einen Moment über die Köpfe der Zuschauer hinweg nach einem besonderen blonden Kopf Ausschau gehalten hatte, den Anschluß verlor und hilflos im Gewühl steckenblieb. Sie war eingeklemmt zwischen einer dicken Alten, die betäubend nach einem allzu süßen Parfüm roch, und einem jungen Mann, dessen Atem verriet, daß er schon stark dem Wein zugesprochen hatte und der das allgemeine Gedränge zum Anlaß nahm, sich dicht an Laura zu drücken.

Dann wurden alle Fackeln gelöscht. Dunkelheit fiel über das Ufer, die kein Mond und kein Stern erhellte. Das Feuerwerk begann. Eine Rakete sauste in den Himmel, explodierte dort und überschüttete die Zuschauer mit einem Regen von tausend goldenen Sternen. Laura staunte. Sie vergaß alles um sich herum und starrte mit offenem Mund das Schauspiel an. Sie hatte noch nie ein Feuerwerk gesehen. Eine ganze Salve von Raketen explodierte jetzt, grüne, blaue, rote Kreise erschienen am Himmel und verglühten, langsam herabfallend. Der junge Mann schob sich noch näher an Laura heran. Sie versuchte vergeblich, ihm auszuweichen. Sein weinseliger Atem schlug an ihr Ohr. Wind kam auf, ließ die Baumkronen aufrauschen und zerrte an den Kleidern und Frisuren.

Wieder schossen mehrere Raketen gleichzeitig in den Himmel, mit einem lauten Krachen explodierten sie, dann war ein Moment Stille und absolute Dunkelheit. In diesem Moment zuckte ein fahles Licht am Horizont auf.

»Es wird ein Gewitter geben«, sagte die dicke Frau neben Laura.

»Es war den ganzen Tag schon so schwül«, antwortete eine

Stimme aus der Dunkelheit, und jemand anders sagte: »Endlich. Wir können den Regen brauchen.«

»Ich will aber vor dem Gewitter wieder drinnen sein«, sagte die Dicke.

»Es ist weit weg«, meinte ein anderer. Der nächste Kanonenschlag ließ sie sich wieder auf das Feuerwerk konzentrieren. Goldene Lichtblitze schossen in den Himmel und malten dort ein großes »F«, eine Huldigung an den König und an Ferrara zugleich. Die Menge applaudierte.

Dann brach das Unwetter aus. Fast ohne Vorwarnung prasselte der Regen herab, als habe der Himmel seine Schleusen aufgetan, um alles Wasser, das er Frankreich seit Monaten vorenthalten hatte, auf einmal auszuschütten. Blitze zuckten grell und in rascher Folge und beleuchteten das Schauspiel, das sich auf der Tribüne bot. Während die Einwohner von Blois in hellen Scharen über die Uferwiesen rannten, um ein schützendes Dach zu erreichen, mußte der Hof erst einmal von den Sitzreihen der Tribüne herabsteigen. Der Wind zerrte an ihren Kleidern, der Regen troff ihnen von Haaren und Gesicht, und jeder hatte nur das Ziel, so schnell wie möglich ins Schloß zu fliehen. Das Feuerwerk war erloschen, und die einzige Beleuchtung kam von den Blitzen, die das Auge blendeten. Danach war die Finsternis nur um so tiefer.

Laura spürte mehr, als daß sie sah, wie alles um sie herum in panische Bewegung geriet, die Menge vor ihr sich wandte und blind dem Ausgang zutrampelte, bereit, alles zu zermalmen, was sich ihr in den Weg stellen würde. Sie wich zurück, spürte ein kurzes Beben unter ihren Füßen, und dann war nichts mehr unter ihr. Sie stürzte ins Bodenlose. Sie schrie auf, klammerte sich an den Ärmel des jungen Mannes neben ihr, der Stoff riß unter ihren Fingern, und sie behielt einen Fetzen in der Hand. Dann schlug sie hart auf, etwas traf mit mörderischer Wucht ihre Schläfe, und sie verlor das Bewußtsein.

Als sie erwachte, hatte sie zuerst das Gefühl von Nässe. Ihre Kleider, schwer von dem Wasser, mit dem sie vollgesogen waren, umklammerten sie kalt und feucht. Ihr Kopf schmerzte. Sie hob vorsichtig eine Hand an die Schläfe und zuckte zurück. Rings um sie herum war alles still. Mit unendlicher Mühe öffnete sie die Augen.

Ein grauenbliger Morgenhimmel hing über ihr. Sie wandte den Kopf und sah, daß sie inmitten eines Chaos lag. Zerbrochene Bretter und Bänke ragten in groteskem Winkel um sie herum zum Himmel auf und waren in einem wirren Durcheinander garniert mit Hüten, Federn, Fächern und Stoffetzen, sogar mit einer Perücke, deren Locken sich aufgelöst hatten und jetzt traurig herabweinten.

Laura besann sich. Das letzte, woran sie sich erinnern konnte, war das Feuerwerk. Das war gegen Mitternacht gewesen, also schon viele Stunden her. Dann war das Gewitter ausgebrochen, und sie war inmitten der flüchtenden Menge gestürzt. Sie betrachtete das Trümmerfeld um sich herum. Die Tribüne mußte eingestürzt sein. Wahrscheinlich war sie unter dem plötzlichen Ansturm der flüchtenden Menge zusammengebrochen. Sie war von etwas am Kopf getroffen worden. Vorsichtig betastete sie noch einmal ihre Schläfe. Unter ihren Fingern spürte sie eine Kruste, und dann kam der Schmerz wieder. Anscheinend hatte das, was sie dort getroffen hatte, eine Wunde geschlagen, deren Blut in den letzten Stunden bereits geronnen war. In den letzten Stunden! Sie mußte schon stundenlang hier liegen. Warum hatte sich niemand um sie gekümmert? Alle waren mit sich selbst beschäftigt gewesen, aber sicher waren nachher Soldaten ausgeschickt worden, um nach Opfern zu suchen und sie zu bergen. Man mußte sie übersehen haben, weil sie sich nicht durch Rufe hatte bemerkbar machen können. Wenn sie nicht so entsetzliche Kopfschmerzen hätte!

Sie versuchte, sich aufzurichten, aber ein scharfer Schmerz durchzuckte sie, und sie konnte ihre Beine nicht bewegen. Sie richtete sich auf dem Ellbogen auf und blickte nach unten. Von der Taille ab war sie in den Trümmern begraben. Sie zerrte mit den Händen ein paar kleine Holzstücke beiseite, aber die großen Bretter hatten sich so ineinander verkeilt, daß sie sie nicht einen Zentimeter bewegen konnte. Stöhnend gab sie auf und ließ sich vorsichtig wieder zurückgleiten. Es half nichts, sie war hier gefangen, bis Rettung nahte. Die konnte nicht mehr lange auf sich warten lassen. Schließlich war es schon Morgen. Ob Marguerite sie vermißte und einen Suchtrupp organisierte? Wenn nicht, würden sicher Arbeiter ausgeschickt werden, um die Trümmer zu beseitigen. Oder Leute aus der Stadt würden kommen, um zu sehen, was sie hier noch Brauchbares finden konnten. Sie mußte nur Geduld haben.

Sie schloß wieder die Augen, weil das Licht, selbst dieses fahle graue Morgenlicht, sie schmerzte. Es war immer noch alles ganz still. Dann fiel ihr ein, daß heute der Tag des Turniers war, bei dem sie gerettet werden sollte. Auf Rettung wartete sie jetzt auch, aber sie erwartete sie weder von den Rettenden Rittern, noch glich sie auch nur im entferntesten der Goldenen Prinzessin. Ihre Zähne schlugen aufeinander. Das Gewitter hatte Abkühlung gebracht, und sie fror in ihren nassen Kleidern.

Dann hörte sie ein Geräusch. Zuerst war es noch fern. Schritte, zögernd, immer wieder unterbrochen, weil der Mensch stehenblieb. Er untersuchte offenbar die Trümmer, denn sie hörte, wie etwas aufgehoben und wieder weggeworfen wurde. Es schien nur einer zu sein. Der früheste Frühaufsteher aus der Bevölkerung von Blois war erschienen, um zu plündern. Jetzt begann er zu pfeifen.

Laura rief. Beim ersten Mal entrang sich ihrer Kehle nur ein heiserer, unartikulierter Laut. Sie räusperte sich und versuchte es noch einmal. Diesmal war ihre Stimme schon lauter. Der Mann hatte sie offenbar gehört, denn das Pfeifen brach ab. Sie rief noch einmal, damit er die Richtung fand. Die Schritte kamen näher, und ein Schatten fiel über ihr Gesicht.

»Gott sei Dank«, murmelte Laura und schlug die Augen auf.

Selbst in diesem Morgennebel schimmerte sein Haar wie Gold. Laura sah, wie eine ganze Welle von Gefühlen über sein Gesicht hinging, ehe es zu einer freundlichen, unverbindlichen Maske wurde.

Alessandro Montefalcone sagte gelassen:

»Ah, die Schönheit in Nöten. Guten Morgen, Mademoiselle de Roseval. Ihr werdet eine unbehagliche Nacht verbracht haben. Gestattet, daß ich Euch ins Schloß zurückbringe! Seid Ihr verletzt?«

»Mein Kopf«, sagte Laura.

Er streckte seine Hände aus und betaste rasch und geschickt ihre Schläfe. Die Berührung war so leicht wie Schmetterlingsflügel, trotzdem zuckte sie zusammen.

»Es ist nicht so schlimm«, sagte er. »Es hat stark geblutet, aber das ist bei Kopfverletzungen meistens der Fall. Es ist nicht tief gegangen, wenn ich das richtig sehe. Könnt Ihr aufstehen?«

»Meine Beine …«, sagte Laura.

Bisher hatte er den Blick auf ihr Gesicht gerichtet, jetzt sah er ihre Beine an.

»Mein Gott«, sagte er leise, kauerte nieder und begann, die verkeilten Holzstücke zu lockern und eines nach dem anderen fortzuwerfen. Er riß sich die Hände an Splittern auf und unterdrückte einmal mühsam einen Fluch, als ein Span unter seinen Fingernagel fuhr. Die weiten Ärmel seines Hemdes behinderten ihn, und er schob sie bis über die Ellbogen hinauf. Laura bemerkte, daß er am linken Unterarm einen Verband trug.

Endlich hatte er ihre Beine freigelegt. Er half ihr, sich aufzurichten. Als sie stand, wurde ihr schwindlig. Sie taumelte. Er fing sie auf, bevor sie gegen ihn sinken konnte, und hielt sie mit eisernem Griff aufrecht und von sich fern.

»Könnt Ihr gehen?«

»Ich weiß nicht«, sagte Laura unsicher.

»Könnt Ihr Eure Zehen bewegen?«

Sie probierte es.

»Ja.«

»Gut. Ich denke, Euch fehlt nichts weiter als ein heißes Bad, trockene Kleidung und Schlaf. Kommt!«

Er legte ihr den einen Arm unter die Knie, den anderen unter die Schultern und hob sie hoch. Laura schlang die Arme um seinen Hals. Er blickte auf sie nieder.

Laura konnte durch das Hemd hindurch seinen Herzschlag spüren. Er war ebenso schnell wie der ihre. Sie hob die Augen und sah ihn an. Die unverbindliche Freundlichkeit war aus seinem Gesicht fortgewischt. Er war weiß unter seiner Bräune. Sein Atem ging rasch, an der Wange zuckte ein Muskel und die Augen, mit denen er auf sie niederschaute, waren dunkel. Er stand ganz still.

Laura legte ihre Hände an seine Wangen, zog seinen Kopf zu sich herunter und küßte ihn.

Es war ihr erster Kuß. Ihre Verwandten hatten sie trocken

auf die Wange oder die Stirn geküßt, Yves hatte ihr manchmal die Hand geküßt, aber noch nie hatte sie den Mund eines Mannes berührt. Sie war erstaunt, wie weich seine Lippen waren, sanft und zärtlich. Sie spürte nicht mehr die Schwere und Kälte ihrer nassen Kleider, ihr Kopf schmerzte nicht mehr. Sie fühlte nicht, daß ihr das Wasser aus den aufgelösten Flechten über den Rücken troff. Die Welt bestand nur noch aus diesem Herzen, das an dem ihren schlug, aus diesen Lippen, die auf den ihren lagen, heftiger und fordernder wurden, voll von einem verzweifelten Begehren. Ihre Lippen teilten sich, und ihr Mund gab ihm, was er verlangte. So standen sie regungslos, und Laura konnte niemals sagen, ob es Sekunden oder Minuten gedauert hatte.

Dann hob er jäh den Kopf, so schroff und unvermittelt, daß die Trennung sie wie ein Peitschenhieb traf.

»Hübsche Mädchen wie Ihr, Mademoiselle, sollten nicht mit dem Feuer spielen«, sagte er mit schneidendem Hohn, »sie könnten sich daran verbrennen.«

Er drehte sich um und begann mit ihr auf den Armen durch die Trümmer zu stapfen. Sein Blick war auf den Weg gerichtet, sein Gesicht kalt und abweisend.

Laura rang nach Atem. Er hatte sie das zweite Mal zurückgewiesen. Er hatte sie bei der Jagd behandelt, als sei sie ein törichtes kleines Mädchen, und jetzt, als sei sie eine Kokotte. Er hatte versucht, sie zu demütigen und zu beleidigen. Damit sie ihn in Ruhe ließ. Wahrscheinlich rechnete er damit, daß sie zu stolz sein würde, um hinter ihm herzulaufen, wenn er sie abwies. Aber sie hatte keinen Stolz. Nicht ihm gegenüber. Und wie abweisend er sich auch geben mochte, er hatte sich zweimal verraten. Als er nach dem Empfang beim König ihren Fächer aufgehoben hatte, hatte sie in seinen Augen dasselbe jähe Erkennen gelesen, das sie bei seinem ersten Anblick empfunden hatte. Und in seinem Kuß hatten alle Gefühle gelegen, die er für sie hegte. Warum wies er sie ab?

Sie legte den Kopf an seine Schulter, was ihn einen Moment aus dem Tritt brachte. Der Muskel in seiner Wange zuckte wieder. Sie studierte sein Gesicht, das dem ihren so nah war. Sie sah die schweren Lider mit den goldenen Wimpern über den grauen Augen, die Linien der Lachfältchen hell in der gebräunten Haut um seine Augen herum. Sie sah die feinen Schweißtropfen auf seiner Stirn und die tiefe Falte über der Nasenwurzel, die daher rührte, daß er die Brauen finster zusammengezogen hatte. Sie sah den Mund, den sie eben noch so weich gefühlt hatte und der jetzt nur noch ein schmaler, harter Strich war.

Wenn er spürte, daß sie ihn betrachtete, ließ er es sich jedenfalls nicht anmerken.

»Warum?« fragte sie.

Er hob den Kopf, aber er sah sie nicht an. Seine Augen waren auf eine Gruppe von Männern gerichtet, die ihnen entgegenkam. Laura folgte seinem Blick.

Es waren drei Wachsoldaten, die mürrisch dahertrotteten, und Hauptmann de Bethois. Er blieb wie angewurzelt stehen, als er Laura auf Montefalcones Armen erblickte.

»Ah, Monsieur de Bethois, wie angenehm, Euch zu treffen«, sagte der Botschafter liebenswürdig. »Hättet Ihr die Güte, die Sorge für Eure Braut zu übernehmen? Die junge Dame entwickelt eine Begabung, sich in Schwierigkeiten zu bringen, aus denen ich sie befreien muß, die nachgerade etwas lästig wird. Euer Diener, Mademoiselle.«

Er stellte Laura auf die Füße, lehnte sie gegen den Hauptmann und verschwand mit einer knappen Verbeugung leichtfüßig in Richtung Schloß.

Yves starrte Laura mit gerunzelter Stirn an. Sein Blick umfaßte ihre aufgelösten, triefenden Haare, das schmutzige, zerrissene, durchweichte Kleid, das Blut an Wange und Schläfe, das bleiche Gesicht, die blauen Lippen, die klappernden Zähne.

»Was hat das zu bedeuten?« fragte er barsch.

Dann entsann er sich der Soldaten, die gaffend daneben standen, und schickte sie mit einem kurzen Befehl weg. Nachdem sie langsam und unwillig davongetrottet waren, legte er Laura die Hände auf die Schultern und schüttelte sie.

»Was habt Ihr mir zu sagen?« grollte er.

»Ich? Hier? Jetzt?« erwiderte sie mit jähem Zorn. »Nichts. Bringt mich in mein Zimmer. Ich brauche ein heißes Bad, etwas zu essen und zu trinken und ein Bett. Danach habe ich Euch allerdings einiges zu sagen.«

Yves hob sie wortlos hoch und trug sie in ihre Schlafkammer, die sie leer fanden. Er rief eine Dienerin, die sich um sie kümmerte. Bevor er sie verließ, sagte er schroff:

»Mein Dienst endet in drei Stunden. Ich erwarte Euch mit einer Erklärung am Pavillon der Königin.«

Antonio bewohnte immer noch das Bett seines Bruders. Er war es satt, auf diese Weise von allen aufregenden Ereignissen ferngehalten zu werden. Hatte ihn schon die Aussicht, am Feuerwerk nicht teilnehmen zu dürfen, verdrossen, so war die Nachricht vom Einsturz der Tribüne vollends dazu angetan, seine Laune auf den Tiefpunkt zu bringen. Er wollte alle Einzelheiten des aufregenden Ereignisses hören, aber Matteo sagte nur kurz, so dramatisch sei es auch wieder nicht gewesen, nur sehr unbequem wegen der Dunkelheit und des Regens. Im übrigen sei kaum jemand ernsthaft zu Schaden gekommen.

»Ein paar Knochenbrüche und Gehirnerschütterungen, soweit ich gehört habe«, sagte Matteo knapp. »Nichts, weshalb Ihr Euch wie ein Narr aufführen müßt. Außerdem ist sowieso alles vorbei.«

Antonio machte trotzdem Anstalten, das Bett zu verlassen, und Matteo, der sah, daß mit Worten wenig auszurichten war, wollte gerade handgreiflich werden, als der Botschafter in den Raum schlenderte.

Antonio vergaß augenblicklich seinen Wunsch, aufzustehen, und starrte seinen Bruder an. Alessandro war nur mit Hemd und Hose bekleidet, und quer über die Brust lief eine dunkle Spur, die Dreck und Wasser dort hinterlassen hatten. Er war blaß, und seine Hände waren zerschunden. Er warf sich in einen der Armstühle am Kamin und streckte die Beine von sich.

»Nun?« fragte Matteo. Er ließ von Antonio ab und schoß einen scharfen Blick auf seinen Herrn.

»Du hattest recht«, sagte Alessandro. »Mindestens an vier Stellen und nirgends mehr als zur Hälfte. Sehr raffiniert gemacht.«

»Und das Turnier heute nachmittag?« fragte Matteo.

»Unwahrscheinlich«, antwortete er gedankenvoll. »Theoretisch natürlich eine gute Möglichkeit, aber ich denke, es ist zu öffentlich. Zu viele genaue Beobachter. Das ist nicht der Stil unseres Freundes. Aber trotzdem – sieh zu, daß kein Fremder sich an meine Waffen und Pferde heranmacht.«

Als Matteo wortlos gegangen war, sagte Antonio: »Nicht, daß ich auch nur ein Wort verstanden hätte! Was ist los, Alessandro?«

Sein Bruder warf ihm unter den goldenen Wimpern einen langen Blick zu.

»Nichts, was dich etwas angeht. Sieh zu, daß deine Rippen heilen, damit du auf der Reise keine gottverdammte Last bist.«

»Verdammt, Alessandro, ich bin kein Wickelkind!« begehrte Antonio auf. »Ich bin erwachsen.«

Er starrte seinen Bruder herausfordernd an.

»Wenn du mir nichts sagst, heißt das, daß du mir nicht traust.«

»Ich traue weder deiner Verschwiegenheit noch deiner Verstellungskunst«, sagte sein Bruder.

Als sei das Thema damit für ihn abgeschlossen, stand er auf, streifte das schmutzige Hemd ab und warf es auf den Boden. Dann kniete er sich vor eine Truhe und kramte nach einem frischen Hemd. Antonio starrte erbost auf den schmalen, schlanken Rücken. Unter der weißen Haut, die wie Milch leuchtete im Kontrast zu dem gebräunten Nacken und den braunen Armen, spielten locker die Muskeln. Am linken Unterarm trug er einen Verband.

»Du denkst, daß ich ein Mädchen bin«, sagte er anklagend, »aber Matteo weiß alles, wie? Dem vertraust du, und deinem eigenen Bruder nicht.«

Alessandro hatte ein Hemd gefunden. Er nahm es heraus und drehte sich um. Auf den Knien hockend, sah er zum Bett hinüber.

»Laß es gut sein, Antonio. Matteo hilft mir.«

»Ich könnte dir auch helfen«, sagte Antonio prompt.

»Nein.«

Das klang kalt und kurz und endgültig. Das war der Ton, mit dem der Ältere den Jüngeren immer zum Schweigen gebracht hatte, und auch diesmal schwieg Antonio. Aber nur eine Minute lang, dann sagte er:

»Weißt du, ich bin nicht ganz so dumm, wie du denkst. Es

geht um die Sache mit den Unfällen, nicht? Gehört der Einsturz der Tribüne zu unseren Unfällen? Ich finde, du solltest es mir sagen. Es ist besser, ich weiß alles, als wenn ich alles nur vermute. Du kannst mir wirklich vertrauen«, setzte er kindlich hinzu.

Alessandro lächelte flüchtig.

»Ich weiß.«

Er schlüpfte in das Hemd, band die Kordel am Hals mit großer Sorgfalt zu und wanderte dann durch das Zimmer. Antonio beobachtete ihn abwartend.

»Gut«, sagte er endlich, »es ist richtig. Du weißt einiges, und du solltest alles wissen. Ich sehe nicht, welchen Schaden du anrichten könntest. Wenn du nicht den Mund hältst, machst du dich lächerlich, weil das, was du sagst, völlig unglaubwürdig klingt. Und wenn das Gerücht ausgestreut wird, könnte es sein, daß es keine weiteren Unfälle mehr gibt. Allerdings könnte ich dann nicht herausfinden, wer dahintersteckt.«

»Also, was ist los?« fragte Antonio gespannt.

»Jemand legt großen Wert darauf, mich ins Jenseits zu befördern«, antwortete sein Bruder seelenruhig.

Antonio sprang mit einem mörderischen Schrei auf, wobei auch ihm unklar blieb, ob der Schrei aus Überraschung oder aus Schmerz ausgestoßen wurde.

»Wer? Warum?« rief er.

Alessandro kehrte zu dem Lehnstuhl zurück und wies Antonio mit einer Handbewegung den zweiten Stuhl an. Antonio ließ sich vorsichtig hineingleiten.

»Von den Unfällen auf dem Weg hierher weißt du«, sagte Alessandro. »Der Einsturz der Tribüne gestern nacht gehört in diese Serie von Unfällen. Matteo hat die Trümmer des Holzgerüstes untersucht und etwas Interessantes entdeckt. Ich habe es vorhin überprüft und bestätigt gefunden. Wenn fest verbundenes Holz, Bretter und Balken, unter großem Druck nachgeben, dann splittern sie. An vier verschiedenen Balken und Brettern haben Matteo und ich festgestellt, daß sie nur zur Hälfte gesplittert waren. Die andere Hälfte hatte eine glatte Bruchkante, sauber und gerade, wie man Holzschnitte mit der Säge macht. Das heißt, die Tribüne war präpariert worden. Sie sollte bei dem Feuerwerk zusammenbrechen.«

»Wie kann man so etwas machen?« fragte Antonio.

»Es war leicht. Das Gerüst stand dort am Ufer seit dem Autodafé, unbewacht. Ein paar Männer in der Dämmerung brauchen nicht lange für eine solche Arbeit.«

Antonio bedachte das.

»Gut«, sagte er, »nehmen wir an, daß alle diese Unfälle Versuche waren, dich zu töten. Dann ist dein Mörder aber ein außerordentlich umständlicher Mann. Von seiner Skrupellosigkeit ganz zu schweigen. Und irgendwie finde ich ihn sehr dumm. Er arrangiert immer Situationen, in denen viele Leute gefährdet sind, zum Teil auch sterben, aber seine Vorkehrungen treffen nie den Richtigen. Wenn ich dich umbringen wollte, würde ich mir ein paar Halsabschneider dingen, dich in einer einsamen Gasse überfallen und dir einen Dolch zwischen die Rippen stoßen. Das wäre ein ehrlicher, offener Mord, der nur das richtige Opfer trifft. Aber so? Wie wollte dein Mörder denn sicherstellen, daß dir beim Zusammenbruch der Tribüne ein Balken den Schädel zerschmettert? Das ist unmöglich vorherzusehen, und es hat ja auch nicht funktioniert.«

Alessandro streifte lächelnd den Ärmel seines Hemdes zurück und wies auf den Verband.

»Unser Freund hat nicht auf den Balken gewartet. Er war deinem Plan schon ganz nahe. Als das Gerüst zusammenbrach, war ein Mensch neben mir so reizend, mich mit seinem Dolch Bekanntschaft schließen zu lassen. Nur daß ich meinen Arm noch hochreißen konnte, sonst wäre mir die Waffe – wie hast du das so treffend ausgedrückt? – zwischen die Rippen gefahren. Ich bin überzeugt, anschließend wäre mir auch noch ein Brett über den Schädel geschlagen worden, damit es echter ausgesehen hätte.«

»Wer war es?« fragte Antonio gespannt.

Alessandro zuckte die Achseln.

»Woher soll ich das wissen? Es war stockdunkel und völlig chaotisch. Ich hatte weder eine Chance, ihn zu erkennen noch ihn festzuhalten.«

»Trotzdem – es leuchtet mir nicht ein, daß jemand, der dich so haßt, daß er dich töten will, so umständlich zu Werke geht.«

»Tja, das hat mir auch Kopfzerbrechen gemacht«, gestand sein Bruder. »Zuerst dachte ich, die Überfälle gelten unserer Mission. Man wolle verhindern, daß diese Heirat zustande kommt. Aber nun ist sie unter Dach und Fach, und es geht trotzdem weiter. Das heißt, die Unfälle haben keine politische Ursache. Daß ich persönlich das alleinige Ziel bin, ist mir dann gestern abend klargeworden, als ich den Dolch abwehrte. Es gilt mir, Antonio, und jemandem ist höllisch daran gelegen, daß mein Tod wie ein Unfall aussieht, und nicht wie ein Mord.«

Er sprach so sachlich, als erörtere er ein rein akademisches Problem. Antonio fragte sich, ob diese fantastische Geschichte wirklich wahr sein konnte. Wer sollte denn Alessandro etwas antun wollen? Soviel er wußte, gab es keine eifersüchtigen Ehemänner, die vor Wut schäumten, weil er ihnen Hörner aufgesetzt hatte. Der Conte Montefalcone war auch nicht der Erbe eines Fürstentums, das sich jemand aneignen wollte. Er plante keine Umstürze und hatte Ferraras Herzögen und seiner verstorbenen Herzogin immer erfolgreich und loyal gedient.

»Ich verstehe das nicht«, sagte er ratlos.

»Daß es wie ein Unfall aussehen soll? Das ist doch klar. Das Opfer eines Unfalls wird bedauert und begraben. Damit ist die Sache beendet. Ein Mord zieht Nachforschungen nach sich. Man sucht den Mörder, man sucht den Grund für den Mord. Unser Freund möchte nicht, daß mein Tod diese Art von Staub aufwirbelt.«

»Weißt du, warum er dich umbringen will?«

»Nein«, sagte er knapp, »wüßte ich es, so wüßte ich auch, wer es ist.«

»Und jetzt?« fragte Antonio.

»Und jetzt«, sagte er und stand auf, »werde ich mich vollständig ankleiden und mich einweisen lassen, was die Rettenden Ritter heute beim Turnier zu tun haben.« Er streifte mit dem Fuß das abgelegte schmutzige Hemd, hob es auf und starrte einen Augenblick mit sonderbarem Ausdruck darauf nieder. Dann knüllte er es zusammen und warf es in eine Ecke.

»Matteo glaubt, daß das Turnier gefährlich sein könnte, nicht wahr?« fragte Antonio ängstlich.

»Ja, aber ich nehme es nicht an«, erwiderte sein Bruder. »Wie ich schon sagte, es sind zu viele Beobachter dabei. Die Rettung der Goldenen Prinzessin ist eine sehr öffentliche Angelegenheit. Hast du eigentlich eine Ahnung, wen wir da retten sollen?«

»Ja«, sagte Antonio, »es ist Mademoiselle de Roseval.«

»Was, schon wieder?« Und zu Antonios maßlosem Erstaunen schlug sein Bruder ein Höllengelächter an, für das es nun überhaupt keinen Grund gab.

Als Yves de Bethois seinen Dienst beendet hatte, eilte er unverzüglich in den Garten. Laura war schon da und erwartete ihn auf derselben Bank, auf der sie mit Annibale Strozzi gesessen hatte. Sie trug ein einfaches dunkelblaues Kleid, ihre Haare waren schlicht zu zwei dicken Zöpfen geflochten und hingen ihr über die Schultern bis zur Taille. An ihrer Schläfe war ein großer braunroter Fleck eingetrockneten Blutes. Er und die riesigen veilchenblauen Augen waren das einzig Farbige in dem blassen Gesicht. Sie sah sehr jung und sehr verletzlich aus.

De Bethois blieb vor ihr stehen, starrte grimmig auf sie nieder und stieß ohne jede Einleitung rauh hervor:

»Also? Was habt Ihr mir zu sagen? Es sah aus, als habe er Euch vergewaltigt und Ihr hättet es genossen.«

Zu seiner Empörung wurde sie nicht rot. Sie wies mit der Hand auf die Bank neben ihr und sagte ruhig:

»Setzt Euch, Yves, und spielt nicht den wilden Mann. Wir haben etwas Wichtiges zu besprechen. Ich würde vorziehen, wenn wir dabei zivilisierte Umgangsformen wahren könnten.«

Er spürte, daß ihm die Röte in die Wangen schoß. Verärgert ließ er sich neben ihr nieder und sagte grollend:

»Glaubt bloß nicht, daß Ihr mich mit Schöntun, Ausflüchten oder Lügen einwickeln könnt.«

Laura wandte ihm ihre riesigen Augen zu. Sie waren dunkel, fast schwarz und ihr Ausdruck undeutbar.

»Nein«, entgegnete sie mit der gleichen Ruhe, »dazu respektiere ich Euch zu sehr, Yves. Ihr habt die Wahrheit verdient. Ich auch. Alles andere wäre unwürdig.«

Ihre Ruhe machte ihn nervös. Es lag etwas darin wie die Ruhe vor dem Sturm – kein Frieden, sondern die Andeutung einer drohenden Gefahr. Er zog die Handschuhe aus und schlug sie gegen die Handfläche.

»Nun?« sagte er unnachgiebig und hart.

»Zunächst einmal die Erklärung für die Szene heute morgen. Monsieur de Montefalcone hat mich aus den Trümmern der Tribüne aufgelesen. Ich bin gestern abend gestürzt und ohnmächtig geworden, und niemand hat mich bemerkt.«

»Das ist eine Lüge«, unterbrach er barsch. »Ihr wart nicht bei dem Feuerwerk. Ihr hattet Dienst bei der Prinzessin.«

»Ich hatte Dienst bis zum Feuerwerk. Dann ging ich mit der Herzogin de la Trémouille zu der Tribüne. Wenn Ihr dem hier nicht glaubt«, sie berührte flüchtig den Schorf an ihrer Schläfe, »dann könnt Ihr Euch bei Madame de la Trémouille erkundigen.«

Widerwillig räumte er ein, daß sie die Wahrheit gesagt hatte.

»Ihr seid also beim Zusammenbruch des Gerüstes ohnmächtig geworden.«

»Ja. Deshalb konnte ich mich auch nicht bemerkbar machen, als die Helfer nach Verletzten suchten. In der Dunkelheit hat man mich übersehen. Ich lag da, bis heute morgen Monsieur de Montefalcone kam.«

Sofort war de Bethois' Mißtrauen wieder wach.

»Was hatte Montefalcone denn heute morgen bei den Trümmern zu schaffen?«

»Ich weiß es nicht«, sagte sie, »ich habe ihn nicht gefragt. Ich denke, er hat etwas gesucht, was er verloren hatte.«

»Was wohl?« höhnte er.

»Nicht mich, wenn Ihr das denkt«, erwiderte Laura. Ihre Gelassenheit war nicht zu zerstören. »Ich war jedenfalls sehr froh, daß er kam. Es war nicht angenehm, völlig durchnäßt unter den Trümmern eingeklemmt zu sein, das kann ich Euch sagen.«

»Eingeklemmt?«

»Balken waren so auf meine Beine gefallen, daß ich mich nicht selbst befreien konnte. Monsieur de Montefalcone hat mich ausgegraben. Und weil ich naß, müde, erschöpft und unterkühlt war, hat er mich getragen.«

De Bethois betrachtete das feine Profil des Mädchens. Sie hatte eine hohe Stirn, eine gerade Nase und ein festes, entschlossenes Kinn. Er blieb argwöhnisch. Die Geschichte war zu glatt, um ihn zufriedenzustellen. Immerhin hatte sie drei Stunden Zeit gehabt, sie sich auszudenken. Er wußte, was ihm daran nicht gefiel. Als er Montefalcone mit Laura auf den Armen herankommen sah, hatte er keine müde und erschöpfte Frau gesehen, sondern ein Mädchen, das die Arme um seinen Liebsten geschlungen hatte, zärtliche Anbetung in den Augen. Und Montefalcone? Er hatte ihm Laura rasch in die Arme gedrückt und sich mit einer rüden Bemerkung verabschiedet. Dieser rasche Abgang hatte eher einer Flucht geglichen. Was immer Laura ihm eben erzählt hatte, es war nicht die wahre Geschichte.

»Ich glaube Euch nicht«, sagte er langsam. »Da steckt mehr dahinter, als Ihr zugeben wollt. Ihr wart allein da draußen mit dem Botschafter, ganz allein und für viele Stunden.«

»Mein Gott, Yves«, antwortete sie und strich sich mit einer Bewegung, die aufkeimende Ungeduld verriet, eine Haarsträhne aus der Stirn, »macht Euch doch nicht lächerlich. Wollt Ihr andeuten, beim Einsturz des Gerüsts sei er auf mich draufgefallen und dann über mich hergefallen, und wir hätten zwischen Trümmern und Dreck im strömenden Regen eine rauschende Liebesnacht verbracht und seien dann heute morgen, bei hellem Tageslicht, als schon Dutzende von Leuten wieder wach waren, in enger Umarmung ins Schloß zurückgeschlichen?«

So ungefähr hatte er sich das gedacht, aber als sie diesen Gedanken erbarmungslos sachlich ans Tageslicht zerrte, wurde ihm klar, wie lächerlich das war. Trotzdem blieb immer noch die Hingabe in Lauras Gesicht, die er nicht vergessen konnte.

»Ihr seid in ihn verliebt«, sagte er heftig.

Zu seiner Überraschung antwortete sie knapp. Eine lange, pathetische Rede hätte keine größere Wirkung hervorbringen können.

»Ja«, sagte sie schlicht.

Zwei Gärtner kamen vorbei. Der Kies knirschte unter ihren Schritten. Sie hatten Hacke und Sense geschultert und lachten dröhnend. Der Hauptmann beobachtete sie, bis sie hinter einer mannshohen Buchsbaumhecke verschwunden waren. Er fühlte sich hilflos und entwaffnet. Er war mit einer klaren Vorstellung der Rollenverteilung hergekommen. Er war der Ankläger, sie die Beschuldigte, die sich verteidigen mußte. Er hatte vorgehabt, sie so lange in die Enge zu treiben, bis ihre Beschwichtigungen, Ausflüchte, Lügen zusammenbrechen würden und sie seiner Gnade ausgeliefert war.

Aber das Mädchen neben ihm fühlte sich nicht angeklagt. Sie leugnete nichts, sie rechtfertigte sich für nichts, sie stellte nur Tatsachen dar. Er überlegte vergeblich, was er auf ihre Antwort sagen konnte. Was sagte ein Mann, wenn seine zukünftige Ehefrau ihm mitteilte, daß sie einen anderen liebe? Schließlich brachte er das einzige hervor, was ihm wie ein Mühlrad durch den Kopf ging.

»Und nun?« fragte er hilflos. »Heißt das denn … Wollt Ihr sagen, daß …?«

»Ja«, sagte sie gelassen, »ich kann Euch nicht heiraten, Yves. Ich muß nach Ferrara gehen. Ihr kennt mein Horoskop. Ich habe es bisher falsch interpretiert. Der Stier ist Alessandro Montefalcone. Ich habe es gewußt, sobald ich ihn zum ersten Mal erblickt habe. Es tut mir leid für Euch, Yves, aber es ist immer noch besser, ich verlasse Euch vor als nach der Hochzeit.«

»Laura, dieser Glaube an die Sterne, den Eure Großmutter Euch eingeflößt hat, ist lächerlich. Mir scheint, sie hat damit große Verwirrung angerichtet in Eurem hübschen Köpfchen. Allerdings ist Euer Schicksal vorherbestimmt, aber nicht von den Sternen, sondern von Eurem Onkel und mir. Der Vertrag zwischen uns gilt. Ich bestehe darauf, daß Ihr ihn erfüllt. Wir werden nach der Abreise der Prinzessin heiraten.«

Als sie die Prophezeiung erwähnte, hatte Yves wieder festen Boden unter den Füßen gespürt. Er wußte, welche Bedeutung sie aufgrund ihrer sonderbaren Erziehung diesen Dingen beimaß, die er lächerlich fand. Ein junges phantasievolles Mädchen wie Laura war von solchem Hokuspokus leicht zu beeindrucken. Und Laura war jung und leicht beeindruckbar. Und auch, daß sie sich in Montefalcone verliebt hatte, war ärgerlich, aber nicht unerklärlich. Der Botschafter war ein auf seine Art, wie de Bethois widerwillig zugeben mußte, anziehender Mann. Und er hatte ihr zweimal in einer schwierigen Situation geholfen. Das hatte ihn in Lauras Augen zum Helden gemacht. Aber diese backfischhafte romantische Verliebtheit würde schon schnell wieder vergehen, wenn die Italiener erst abgereist und sie beide verheiratet waren.

»Laura«, sagte er ernst und eindringlich, ganz im Ton eines väterlichen Erwachsenen, der zu einem unvernünftigen Kind spricht. »Ich verstehe, was los ist. Ihr habt Euch in den Botschafter verliebt. Er ist Euch als Retter und Held erschienen. Viele junge Mädchen schwärmen für Helden. Das geht bald vorüber.« Und mit einem Versuch, alles ins Scherzhafte zu ziehen, fügte er hinzu: »Ich wünschte, ich würde Euch als Held und Retter erscheinen. Aber selbst beim Turnier heute nachmittag ist das wieder Montefalcones Rolle. Er ist auf eine unfaire Weise im Vorteil.«

Laura machte nicht einmal den Versuch zu lächeln. Sie saß aufrecht, die Hände im Schoß gefaltet und die Augen, dunkel in dem blassen Gesicht, ruhig auf ihn gerichtet.

»Nein, Yves, das ist keine Vernarrtheit eines törichten kleinen Mädchens. Es ist die Liebe meines Lebens, und ich werde ihr folgen, wohin auch immer, was auch immer geschieht.«

Sie hatte ihm die Munition selbst geliefert. Zornig fuhr er sie an:

»Was auch immer geschieht? Was soll denn geschehen? Er ist verheiratet. Zu seiner Frau kann er Euch nicht machen. Wollt Ihr seine Hure werden?«

Sie zuckte unter dieser Brutalität nicht zusammen.

»Wenn er es will«, sagte sie einfach.

De Bethois schoß das Blut in den Kopf.

»Ihr meint, er braucht nur mit dem Finger zu schnipsen, und Ihr kommt angewinselt wie eine läufige Hündin?«

Sie sah jung und verletzlich aus, aber der Anblick täuschte. Sie besaß eine Stärke, die er nie in ihr vermutet hätte. Sie brach unter dem Angriff nicht zusammen. Sie wankte nicht einmal.

»Ich bin sein mit Haut und Haar. Mein Körper und meine Seele gehören ihm. Wohin er geht, gehe ich. Was er will, will auch ich.«

De Bethois sah einen Strohhalm, an den er sich klammern konnte.

»Und was will er? Will er Euch überhaupt? Wenn Ihr mich fragt, seid Ihr ihm lästig. Er wünscht sich die schöne Marguerite als Bettschätzchen.«

Lauras Blick blieb klar.

»Er liebt mich. Ich weiß es.«

Darauf gab es nichts mehr zu sagen. De Bethois konnte sie noch einmal an den Vertrag erinnern. Sie hatte kein Recht, diesen Vertrag ohne die Zustimmung ihres Onkels zu brechen. Aber er wußte, daß es vergeblich sein würde. Er konnte sie nicht an den Haaren zum Altar schleifen, und selbst dann, wenn er Gewalt anwenden würde, konnte sie im Angesicht des Priesters immer noch nein sagen. Und sie würde nein sagen. Sie war wie eine Klinge aus Stahl, hart und unerbittlich, und nichts würde sie beugen.

Laura stand auf. Ihr blauer Rock streifte flüchtig seine Knie. Sie sah auf ihn herunter, aber sie berührte ihn nicht. In ihren Augen war kein Lächeln.

»Lebt wohl, Yves. Ihr werdet eine andere Frau finden.« Sie wandte sich zum Gehen.

»Glaubt Ihr, daß Ihr frei seid?« rief er.

Sie drehte sich noch einmal um.

»Frei? Von jeder Verpflichtung gegen Euch – ja«, sagte sie. »Ich bin frei, meiner Bestimmung zu folgen.«

Damit drehte sie sich endgültig um und schritt davon. Sie trug den Kopf mit den schweren schwarzen Zöpfen hoch und stolz, der blaue Rock schwang anmutig um ihre Füße. Unter ihrem leichten Schritt rollte kein Kiesel.

De Bethois blieb sitzen und ballte die Fäuste.

Ihr Besitz war ihm bisher so selbstverständlich gewesen wie die Luft, die er atmete. Er hatte nie darüber nachgedacht, was sie ihm bedeutete. Sie war so gut sein Eigentum wie sein Pferd, seine Jagdhunde, das Gut, das er einmal erben würde. Sie gehörte zu ihm wie seine Hände und sein Verstand. Er würde Laura nicht aufgeben, genausowenig wie er sein Pferd, seine Hunde, sein Erbe aufgeben würde. Gegen ihren Entschluß, mit Montefalcone zu gehen, konnte er nicht kämpfen, aber er konnte gegen Montefalcone kämpfen. Heute nachmittag würden sie sich im Turnier gegenüberstehen, der Schwarze Drache und der Rettende Ritter. Es würde kein Schaukampf werden. Der Schwarze Drache würde die Goldene Prinzessin behalten und den Rettenden Ritter töten.

Antonio war der einzige der Herren aus Ferrara, der am Turnier nur als Zuschauer teilnahm. Wie eine halbfertiggestellte Mumie, den Oberkörper fest mit Bandagen umwickelt, nahm er in der Nähe der Prinzessin Renée an Marguerites Seite Platz. Er war prächtig gekleidet, in roten Samt und weiße Seide, und trug das Barett mit der Reiherfeder keck auf den glänzenden schwarzen Locken. Die Spuren der Verwüstung, die der Eber in seinem Gesicht angerichtet hatte, heilten allmählich ab.

Der Schloßhof war mit Wagenladungen von Sand bestreut worden. Alle Fenster waren offen, und Trauben von Menschen drängten sich in den Vierecken, um einen guten Ausblick zu haben. Der offene Treppenturm mit der Wendeltreppe, den der König hatte erbauen lassen, war auf das prächtigste geschmückt. Wandteppiche hingen über das Geländer und ließen Szenen aus dem trojanischen Krieg in der Sonne erglänzen. Hier saßen die königliche Familie und der engere Kreis des Hofes wie in Theaterlogen.

Das Turnier sollte mit einem Ringelstechen beginnen. Deshalb war am Ende des Hofes ein Mast errichtet worden mit einem Querbaum, von dem eiserne Ringe herunterhingen. Die Aufgabe des Reiters war es, in vollem Galopp mit der Lanze durch einen Ring zu zielen und ihn abzureißen. An diesem Teil des Turniers nahm auch der König teil. Ihm gelang es, die höchste Zahl der Ringe zu erbeuten, während der Botschafter von Ferrara mit der zweithöchsten Punktzahl um drei Ringe zurücklag.

»Ein guter Diplomat«, sagte Marguerite lächelnd.

Antonio achtete sowenig darauf, wie er auf das Stechen geachtet hatte. Seit Alessandro ihn am Morgen über das Komplott unterrichtet hatte, hatte es seine Gedanken nicht mehr losgelassen. Er starrte auf den Hof hinunter, ohne wirklich etwas zu sehen.

Zuerst hatte er die Geschichte unglaubwürdig gefunden. Sich eines Feindes durch Meuchelmord zu entledigen, war nicht neu noch selten. Aber daß ein solcher Anschlag nicht nur dem Opfer galt, sondern bewußt den Tod vieler Unschuldiger in Kauf nahm, hatte sein Verstand sich zunächst anzunehmen geweigert. Darin lag mehr als rasch aufflammende Emotion, hinter diesem Haß war ein so skrupellos planendes, kaltblütiges Gehirn, daß er es nicht glauben mochte. Das ist unmöglich, seit Cesare Borgia tot ist, hatte er gesagt. Sein Bruder hatte ihn sonderbar angeschaut und bemerkt, es gebe immer noch Nachfahren der Borgia, was er bedenken solle, wenn er nur auf den eigenen Vorteil sehende Amoralität für vererbbar halte. Aber Antonio wußte, daß er mit seinem Aufbegehren nur ein Scheingefecht lieferte, weil es einen Grad von Bösem gab, an den zu glauben er sich fürchtete.

Er glaubte an das, was Alessandro als Verdacht geäußert hatte, und er versuchte, durch bloßes logisches Denken herauszufinden, wer der Täter war. Alessandro hatte gesagt, daß er das Motiv zur Tat nicht kenne, vielleicht konnte man sich aber der Identität des Täters nähern, wenn man untersuchte, wer die Gelegenheit zur Tat gehabt hatte.

Während der König unter dem Schmettern der Trompeten und dem Jubel der Zuschauer den vierten Ring stach, begann Antonio so logisch vorzugehen, wie er es einst bei seinem Lateinlehrer gelernt hatte.

Der erste Unfall war der mit dem auf Grund gesetzten Schiff gewesen. Er war ohne Mithilfe des Lotsen nicht zu bewerkstelligen gewesen. Jemand hatte also den Lotsen bestochen – aber den Lotsen des falschen Schiffes. Ursprünglich hatte Alessandro sich auf der »Sirena« einschiffen wollen und erst im letzten Moment seine Absicht geändert. Der Lotse mußte seinen Auftrag von jemanden bekommen haben, der von dieser Änderung nichts wußte, also von jemandem, der in Genua nicht dabei gewesen war, als sie an Bord gegangen waren. Damit schieden alle Mitglieder der Gesandtschaft aus Ferrara aus, denn sie alle wußten, daß Alessandro an Bord der »Aretusa« segelte.

Antonio war ungemein erleichtert, als er zu diesem Schluß gelangte. Es wäre ein unerträglicher Gedanke gewesen, den ganzen Weg nach Ferrara zurück an der Seite eines Mörders zu reiten.

Trompetengeschmetter weckte ihn aus seinem Brüten. Der

König ritt mit strahlendem Gesicht eine Ehrenrunde um den Hof und hielt dann mit gesenkter Lanze vor der Loge seiner Gemahlin. Die Königin zog einen Handschuh aus und heftete ihn an die Spitze seiner Lanze.

»Euer Bruder ist ein geschickter Diplomat«, wiederholte Marguerite. Sie trug ein weißes, mit Silberfäden besticktes Kleid und war in eine Wolke von Rosenduft gehüllt.

»Er ist auch ein guter Kämpfer«, sagte Antonio erwachend.

»Er ist der Liebling der Damen. Viele Herzen werden morgen brechen, wenn Ihr abreist«, sagte Marguerite lächelnd.

»Eures auch?« fragte Antonio.

»Ich reise mit Euch nach Ferrara«, bemerkte Marguerite. Sie steckte eine Süßigkeit in den Mund, von denen die Diener reichlich anboten. Antonio fand, sie sah in ihrem Silber und Weiß aus wie gesponnener Zucker, und sie war ebenso süß, aber er hatte das Gefühl, im Umgang mit ihr konnte man sich mehr verderben als nur den Magen.

Im Schloßhof wurde der Sand geharkt und die Palia aufgebaut, die mit Leinwand verhängte Holzschranke, die verhindern sollte, daß die Pferde beim Tjosten gegeneinanderprallten. Die Pause wurde mit Musik gefüllt. Diener eilten geschäftig umher und boten Süßigkeiten und Wein an.

Plötzlich, während er müßig der Musik lauschte, überfiel Antonio die Wahrheit wie ein Blitz, und geblendet saß er da, unfähig, noch etwas um sich herum wahrzunehmen.

Viele Leute hatten in Genua ihre Abfahrt bemerkt und gesehen, welches Schiff Alessandro bestiegen hatte. Wenn jemand den Untergang des Schiffes befohlen hatte, so hatte er sicher auch einen Spion im Hafen gehabt, der die Abfahrt der Schiffe beobachtete. Jeder Eilkurier konnte von Genua schneller in Marseille sein als ihre Schiffe. Der Mörder hätte vorgewarnt sein und den Lotsen auf das richtige Schiff schikken können. Der Mörder mußte jemand sein, der entweder nichts vom Tausch der Schiffe wußte oder aber keine Gelegenheit gehabt hatte, den Lotsen auf das richtige Schiff anzusetzen. Er konnte keine Verbindung mit dem Lotsen oder mit der »Sirena« aufnehmen, und es gab nur eine Gruppe von Männern, auf die das zutraf: die Männer auf der »Aretusa«. Von Genua bis Marseille waren sie in Sichtweite gesegelt, aber niemals war ein Boot zwischen ihnen hin- und hergegangen. Antonio entsann sich, daß Alessandro das ausdrücklich verboten hatte. Deshalb konnte keine Nachricht für den Lotsen übermittelt werden, und der steuerte, ahnungslos, daß sein Werk überflüssig geworden war, die »Sirena« in den Untergang. Antonio überlegte, wer auf der »Aretusa« gewesen war. Alessandro, er selbst, drei Männer, die an dem vergifteten Fisch gestorben waren, und die drei, die sich gerade auf das Lanzenstechen vorbereiteten: Annibale Strozzi, Matteo Romani, Teobaldo Casiraghi. Einer von ihnen mußte der Mörder sein.

Unten trat Teobaldo Casiraghi gegen einen französischen Ritter an. Beide Männer saßen auf schweren Pferden, von der Schulter bis zum Fuß gepanzert. Ein Page ließ das Banner mit dem Wappen über ihren Köpfen flattern, ein anderer reichte den Helm, stülpte ihn über den Kopf des Kämpfers und schloß das Visier. Funkelnd von Stahl im Sonnenlicht und funkelnd in der silber- und goldbestickten Pracht ihrer Waffenröcke, den Schild in der Linken, die Lanze, die länger war als zwei Männer, eingelegt, boten sie ein Bild von Macht und Kraft, bedrohlich und tödlich. Ihre friedliche Absicht bewies nur die Lanze, die statt einer scharfen Spitze eine harmlose Krone trug.

Die Trompeten schmetterten, die Trommeln schlugen einen Wirbel, der Schiedsrichter senkte den Stab, und die beiden Männer trieben unter dem Geschrei der Zuschauer ihre Pferde an. In einer halben Minute war alles vorbei. Die Männer waren an der Palia zusammengetroffen, hatten die Lanzen gezogen und gegeneinandergeschlagen. Casiraghis Lanze war gesplittert, die Wucht des Schlages hatte ihn aus dem Sattel gehoben und in den Staub geworfen, wo rasch herbeieilende Pagen ihm wieder auf die Beine halfen, während der siegreiche Franzose die Ehrenrunde ritt und dem König, der seinen Platz in der Loge wieder eingenommen hatte, salutierte.

Antonio dachte über die Fischvergiftung nach. Jeder der drei Männer, die er verdächtigte, hatte selbst zu den unglücklichen Opfern gezählt. Aber Antonio kamen Mahlzeiten aus seiner Kindheit vor Augen, bei denen er gezwungen werden sollte, ein Essen herunterzuwürgen, das er verabscheute, und er wußte, wie einfach es war, eine Kelle Suppe nicht zu schlürfen, sondern unter dem Tisch zu verschütten. Freilich konnte man Durchfall schlecht vortäuschen, aber wer sagte denn, daß der Mörder Gift in seinen Eingeweiden hatte? Reichten nicht ein starkes Abführmittel und ein bißchen Schauspielerei?

Unten trat Matteo Romani gegen einen Franzosen an und hatte mehr Glück. Bei dem Zusammenprall splitterten beide Lanzen, und beide Reiter hielten sich im Sattel.

Antonio applaudierte und überlegte, was er über den Waldbrand wußte. Die Männer, die mitgeritten waren, hatten sich in höchster Gefahr befunden, und niemand konnte nur so tun, als würde er verbrennen. Es war unmöglich, daß der Mörder zu Alessandros Trupp gehört hatte. Die anderen aber waren am Flußufer zurückgeblieben, viel zu weit entfernt, als daß sie nur das geringste mit dem Ausbruch des Brandes zu tun haben konnten.

Der letzte Anschlag war der auf die Tribüne gewesen. Die Tribüne hatte tage- und nächtelang unbewacht am Flußufer gestanden, ein ideales Ziel für einen Anschlag. Wer immer das Attentat ersonnen hatte, hatte im Schutz der Dunkelheit handeln können.

Es war ebenso unmöglich, herauszufinden, wer die Tribüne hatte ansägen lassen, wie dem Mann auf die Spur zu kommen, der den Koch bestochen hatte, die Fischsuppe zu vergiften. Nur mit dem Untergang der »Sirena« war Antonio sich ganz sicher. Hier war der Kreis der Verdächtigen eingeschränkt: Romani, Strozzi oder Casiraghi. Ein anderer kam nicht in Frage. Hochzufrieden mit seinen logischen Schlußfolgerungen, lehnte Antonio sich zurück und betrachtete zum ersten Mal den Fortgang des Turniers mit Interesse.

Die Trompeten schmetterten.

Ein Beben ging durch den mächtigen Leib von Strozzis Pferd. Der Reiter schlug ihm die Fersen in die Flanken, und es preschte los. Sand sprühte unter den Hufen auf wie kleine Fontänen. Die Lanze wiegte sich in Strozzis Hand, der Reiter beugte sich weit vor und zielte nicht auf die Lanze seines Gegners, sondern auf seine linke Schulter. Im Galopp vorüberreitend, stieß er genau im richtigen Bruchteil der Sekunde zu und warf den französischen Ritter in den Sand.

Marguerite winkte einem Diener nach Wein.

»Ich dachte, die Regel schriebe vor, Lanzen zu brechen«, sagte sie. »Monsieur Strozzi scheint etwas falsch verstanden zu haben.«

Antonio begriff, weshalb sein Bruder sich beim Turnier sicher fühlte. Mindestens zweitausend Augenpaare waren auf den Kampfplatz gerichtet. Die meisten Zuschauer hatten schon vielen Turnieren beigewohnt oder selbst am Kampf teilgenommen. Ihnen entging keine Einzelheit des Kampfes. Kein Mörder, der einen Unfall vortäuschen wollte, würde wagen, in dieser Öffentlichkeit vorzugehen. Die einzige Möglichkeit hätte darin bestanden, Alessandros Waffen oder sein Pferd zu manipulieren, doch Matteo verbürgte sich dafür, daß niemand auch nur in die Nähe der Rüstung, des Sattels, des Zaumzeugs oder des Pferdes gekommen war.

Unter neuem Fanfarenstoß ritt der Botschafter Ferraras in die Schranken. Über ihm wehte das rotweiße Banner Ferraras, ihm zur Seite ritt ein Page mit seiner eigenen Standarte. Alessandro Montefalcones Rüstung war schwarz, darüber trug er den Wappenrock in den leuchtenden Farben Ferraras. Rot und Weiß waren auch die Straußenfedern im Kopfschmuck seines Rappen. Ihm gegenüber auf der anderen Seite des Platzes war der Konnetabel angetreten, der Schwertarm des Königs von Frankreich, angetan mit goldziseliertem Stahl und den Farben seines königlichen Herrn.

Antonio wog Alessandros Chancen ab. Der Konnetabel war einige Jahre älter und um etliches schwerer. Er besaß den Vorteil der größeren Erfahrung und des größeren Gewichts. Für Alessandro sprachen seine höhere Geschwindigkeit, die Meisterschaft, mit der er sein Pferd beherrschte, und seine Fähigkeit, in Sekundenschnelle präzise zu reagieren.

Die Trompeten kündigten den Beginn des Zweikampfes an, der Schiedsrichter gab das Zeichen, die Reiter beugten sich vor und stoben aufeinander zu. Antonios Handflächen wurden feucht. Zum ersten Mal hatte er Angst um seinen Bruder. Er beugte sich vor, seine Hände umklammerten die Balustrade, und seine Augen brannten vor intensivem Starren.

Die Reiter hatten die Palia erreicht. Die Köpfe der Pferde waren fast auf gleicher Höhe. Schaum von den Lefzen des einen spritzte auf die Nüstern des anderen. Die Lanzen schimmerten silbern in der Sonne und krachten aneinander. Beide splitterten, und beide Reiter setzten ihren Weg fort, bis sie am Ende der Bahn die mächtigen Pferde zum Stehen zwangen.

Antonio stieß heftig den zurückgehaltenen Atem aus.

»Habt Ihr so wenig Vertrauen in die Fähigkeiten Eures Bruders?« fragte Marguerite. Sie winkte einem Diener und bot auch Antonio von dem Konfekt an. »Ich sagte doch, er sei ein guter Diplomat. Welchen Ausgang des Zusammenstoßes hattet Ihr erwartet?«

War das ein Schuß ins Blaue oder war sie eine so scharfe Beobachterin? Es war nur eine winzige Drehung Alessandros gewesen in dem Moment, als die Reiter aufeinanderstießen, die dazu geführt hatte, daß der Konnetabel sich im Sattel halten konnte. Ferrara war nicht gestürzt, und Frankreich hatte sich nicht im Staub gewälzt. Das war wirklich ein Sieg der Diplomatie über den Kampfgeist, der zum Sieg trieb. Außerdem war mit Alessandros Pferd und seinem Sattelzeug zu Antonios Erleichterung alles in Ordnung.

Die Palia wurde abgebaut, der Sand geglättet, Musik spielte, Jongleure und Akrobaten strömten in die Arena, der Hof lehnte sich zurück und erwartete mit Zuckerwerk und Wein und tändelndem Geplauder den Höhepunkt des Turniers.

Zuerst kamen zwölf Zwerge. Sie trugen schwarze Kniehosen, schwarzgoldgestreifte Wämser und goldene Halbmasken. Sie wurden von schwarzgekleideten Frauen, die über ihren Köpfen Peitschen schwangen, in den Hof getrieben. Die Zwerge jammerten und heulten und wälzten sich im Sand, die Frauen verhöhnten sie, und aus den Wechselreden erschloß sich, daß die Zwerge um ihre Herrin klagten, die Goldene Prinzessin, die vom Schwarzen Drachen gefangengenommen worden war und auf dem Schwarzen Berg in Gewahrsam gehalten wurde. Bei einem neuen Fanfarenstoß trieben die schwarzen Frauen die Zwerge davon, und der Schwarze Berg rollte herein.

Er wurde von zwölf schwarzen Pferden gezogen, die schwarz aufgezäumt waren. Der Wagen selbst war schwarz verhängt und trug einen pyramidenförmigen Treppenaufbau mit schwarzen Stufen. Auf jeder Stufe hockte ein kleiner Drache und schnob Feuer. Auf der Spitze der Pyramide war ein schwarzer Sessel installiert, auf dem die Goldene Prinzessin saß. Sie war über und über in golddurchwirkte wehende Schleier gehüllt, ihre Handschuhe waren aus goldenem Leder, ihr Gesicht bedeckte eine goldene Maske, und ihr Haar war verborgen unter einer funkelnden Perücke, die aus tausend Goldfäden gesponnen war.

»Wer würde in dieser Prinzessin unsere Laura erkennen«, sagte Marguerite. Sie war jetzt nicht mehr so amüsiert und gelassen wie während des Ringelstechens und Lanzenbrechens. Eine Art untergründiger Erregung, die sie zu verbergen trachtete, hatte sie ergriffen. Antonio nahm wahr, wie sich in den süßen Duft ihres Rosenparfüms der scharfe Geruch von Schweiß mischte.

Der Schwarze Berg wurde bis zur Treppe gezogen. Dort erhob sich die Goldene Prinzessin anmutig, verneigte sich vor dem König und der Königin, erhob ihre klangvolle Stimme und beklagte in wohlgereimten Terzinen das bittere Los, dem Drachen vermählt zu werden, wenn kein Ritter käme, sie zu befreien. Daraufhin setzte der Wagen sich wieder in Bewegung, rollte bis ans Ende des Hofes und gab den ganzen Platz frei für den Auftritt des Schwarzen Drachen.

Meister Guillaume hatte sich selbst übertroffen. Antonio war von Ferrara, einem der glänzendsten Höfe Italiens, verwöhnt, aber der Anblick des Schwarzen Drachen riß ihn vom Sitz.

Der Drachen hatte drei Köpfe, die jeder in eine andere Richtung blickten. Zwei dieser Köpfe ließen feurige Zungen aus dem Maul hängen. Hinter den drei Köpfen wälzte sich der Schuppenleib, sich windend wie eine Riesenschlange, in den Hof und füllte ihn mindestens zur Hälfte.

Die drei Drachenköpfe verhielten vor der Königsloge, und der Drachenkopf ohne Feuerzunge forderte die ganze christliche Ritterschaft heraus, die Goldene Prinzessin zu befreien. Er schrie mit der Stimme eines Mannes, der gewohnt ist, sich im Lärm der Schlacht Gehör zu verschaffen.

»Yves de Bethois«, erläuterte Marguerite. Sie winkte einem Diener nach Wein und schüttete ihn so schnell die Kehle hinab, daß sie etwas davon auf ihr weißes Kleid verschüttete, wo der Fleck wie rote Blutstropfen leuchtete.

Die Trompeten setzten zu einem schmetternden Triumphsignal an, und der Botschafter von Ferrara ritt als Rettender Ritter ein. Er hatte die schwarze Rüstung gegen eine silberne vertauscht und ritt diesmal einen Schimmel.

Antonio wunderte sich, daß er allein kam. Gewöhnlich waren diese Szenen Kulissen für ein Massenstechen. Er hatte erwartet, Alessandro von Strozzi, Romani und Casiraghi begleitet zu sehen. Offenbar war nur ein Zweikampf geplant. War das auf Wunsch Alessandros geschehen? Hatte er sich unter all diesen Beobachtern doch nicht so sicher gefühlt, zu riskieren, Seite an Seite mit seinem Mörder zu kämpfen?

Der Silberne Ritter warf vor dem Schwarzen Drachen einen Eisenhandschuh zu Boden und ritt zum Schwarzen Berg, wo er sich in den Steigbügeln aufrichtete und sich zum Ritter und Befreier der Prinzessin erklärte. Die Goldene Prinzessin dankte ihm und ließ einen ihrer Schleier zu ihm herunterwehen. Er fing ihn mit dem Schwert auf, über dessen abgerundete Spitze sich das Tuch bebend schlang. Alessandro nahm ihn mit der eisengepanzerten Faust und befestigte ihn an seinem Sattelgurt.

Aus der fantastischen Maskierung des Drachens löste sich der Kopf, der gesprochen hatte, und unter dem zurückgeworfenen Tuch mit dem aufgemalten Schuppenpanzer ritt ein Mann hervor, der ganz in Schwarz gerüstet war. Die beiden anderen Drachenköpfe und der Leib zogen sich an den Rand der Kampffläche zurück.

Der Schwarze Drache hob den Drachenkopf an und schleuderte ihn in den Sand. Beide Männer hoben, einander grüßend, das Schwert.

Marguerite neben ihm zog scharf den Atem ein. Auch Antonio hatte es sofort gesehen. Der Schwarze Drache hatte ein Schwert mit scharfer Spitze gezogen, das nicht zum Schaukampf, sondern für die Schlacht gedacht war.

Der Schiedsrichter warf einen Blick in Richtung der Königsloge, empfing kein Zeichen und senkte den Stab. Die beiden Kämpfer ritten aufeinander zu. Ihre Gesichter waren unter der Beckenhaube, einem Helm ohne Visier, ungeschützt, und de Bethois hatte ein scharfes Schwert.

Die Goldene Prinzessin blieb hoch oben auf dem Schwarzen Berg stehen. Sie verfluchte die Maske, die sie nicht abnehmen durfte. Der Schweiß lief ihr in Strömen über die Stirn und tropfte ihr in die Augen. Ungeduldig wischte sie sie frei. Sie hatte die Spitze des Schwerts bemerkt, und sie hatte, als er das Drachenhaupt von sich geschleudert hatte, auch einen Blick von Yves aufgefangen. Sie zwang sich, still stehenzubleiben. Jede Bewegung von ihr konnte die Kämpfer oder die Pferde irritieren, und der Silberne Ritter brauchte seine ganze Konzentration für das, was vor ihm lag. Laura hoffte, daß er den Blick auch gesehen und richtig gedeutet hatte, damit er vorgewarnt war. In Yves' Blick hatte Mord gelegen.

Unter ihr hatte der Kampf begonnen. Der erste Zusammenstoß war vorbei. Schwert war gegen Schwert geklirrt, das stumpfe hat den Schlag des scharfen pariert. Sie wendeten die Pferde und trieben sie wieder aufeinander zu. Diesmal zielte de Bethois tiefer als das erste Mal. Er fing mit seiner Linken mühelos den Schwerthieb Montefalcones ab und bohrte seinen Stahl tief in die Flanke des Pferdes, das nur mit einer wattierten Decke geschützt war. Als er das Schwert wieder herauszog, floß ein Strom von Blut heraus. Mit einem langgezogenen, markerschütternden Wiehern brach das Pferd zusammen. Es hätte seinen Reiter mitgerissen und ihn, hilflos wie einen Käfer auf dem Rücken liegend, in den Sand geworfen, wenn Montefalcone nicht, schnell wie der Gedanke, die Füße aus den Steigbügeln gezogen hätte. Er ließ sich in den Sand rollen und kam aus eigener Kraft wieder hoch, gerade als de Bethois sich aus dem Sattel schwang. Beim Fall hatte der Botschafter sein Schwert verloren. Es war hinter den Schwarzen Drachen geschleudert worden. Um es wiederzuerlangen, mußte er an dem Mann mit dem Schwert vorbei, der ihm den Weg versperrte, die Spitze der Waffe unmißverständlich auf seinen Hals gerichtet.

Das war der Moment, da dem letzten Zuschauer klar werden mußte, daß hier kein Spiel mehr stattfand, daß dieser Kampf tödlicher Ernst war. Jetzt mußte der Schiedsrichter den Pfeil werfen, zum Zeichen, daß der Kampf abgebrochen werden sollte. Zwölf Reiter mit langen Stangen standen unter seinem Kommando bereit, auf Befehl die Kämpfenden zu trennen. Der Schiedsrichter blickte auf den König, und der

König schüttelte unmerklich den Kopf. Der Pfeil flog nicht, die zwölf Reiter mit den Stangen verharrten auf ihren Plätzen, und Antonios schöne Theorie über die Person, die seinen Bruder ermorden wollte, fiel in sich zusammen wie ein Baumstamm, der so lange im Kaminfeuer scheinbar unversehrt gelegen hatte, bis er plötzlich, von innen verglüht, zu Asche zerfiel. Der König billigte den scharfen Kampf. Er machte keine Anstalten, den Botschafter zu retten. Er gab seinem Hauptmann freie Hand, Alessandro zu töten. Und Antonio sah plötzlich den Zusammenhang. Alle ihre Unfälle waren auf französischem Boden passiert, und beim letzten, dem Zusammenbruch der Tribüne, hätte der König selbst zu Schaden kommen können, wenn er denn anwesend gewesen wäre. Aber er hatte es vorgezogen, dem Feuerwerk vom Schloß aus zuzusehen. Weil er wußte, was auf der Tribüne geschehen würde? Es waren nicht Strozzi, Romani oder Casiraghi, die Alessandro nach dem Leben trachteten, es war der König von Frankreich selbst.

Bei diesem Gedanken hatte Antonio das Gefühl, ihm müßte der Schädel bersten, aber er wandte die Augen nicht vom Kampfplatz.

Der Silberne Ritter hatte seinen Schild aus dem Sturz gerettet. Er hielt ihn mit beiden Händen vor und über sich und deckte sich gegen die furchtbaren Streiche, die de Bethois gegen ihn führte. Dabei versuchte er, ihm springend auszuweichen und in einem Bogen an sein Schwert zu gelangen. Aber de Bethois durchschaute den Plan und vereitelte ihn. Unbarmherzig holte er aus. Schlag auf Schlag ging auf den Schild nieder, und mit jedem Schritt trieb er Montefalcone vor sich her, ihn immer weiter von seinem Schwert abdrängend.

Dumpf hallten die Schwertschläge auf dem Leder des Schildes. Schon geriet das Schutzdach ins Wanken, konnte gerade noch rechtzeitig erhoben werden, drohte wieder zu sinken. Antonio erinnerte sich an den Verband, den er am Arm seines Bruders gesehen hatte. Am Abend vorher hatte Alessandro da den Dolch aufgefangen, der auf sein Herz gezielt hatte. Wie lange würde dieser verletzte Arm noch die Kraft haben, den fürchterlichen Schlägen zu widerstehen? Alessandro hatte keine Chance mehr. Wankend, rückwärts und seitwärts springend, versuchte er, sein Leben zu retten, das einzig und allein noch so lange dauern konnte, wie er Kraft besaß, sich mit dem Schild zu schützen.

Marguerite neben ihm keuchte. Sie hatte die Zähne in die Unterlippe gebohrt, ihre Stirn war leicht mit Schweiß bedeckt, und ihr Atem ging so schnell, als empfinde sie angesichts des Kampfes die gleiche Lust wie im Bett. Antonio ekelte sich plötzlich vor dieser zarten, silbernen Schönheit mit dem roten Fleck auf dem Kleid.

Gnadenlos trieb de Bethois den erschöpften Mann vor sich her. Schritt für Schritt entfernte ihn mehr von dem einzig rettenden Ort, wo sein Schwert lag. Sich mit dem Schild deckend und springend der eine, das Schwert schwingend und stampfend der andere, führten die beiden eisengepanzerten Männer ein groteskes Ballett auf. Dann begriff Antonio, daß Alessandro nicht der Getriebene war. In seinen Sprüngen lag Methode. Nicht de Bethois führte ihn von dem Schwert weg, er führte de Bethois zu dem Drachenhaupt hin, das der Schwarze Ritter vorhin in den Sand geschleudert hatte. De Bethois sah nicht, wohin der Weg führte und welches Hindernis ihm bereitet wurde. Er hatte nur Augen für den Mann vor ihm.

Montefalcone lief der Schweiß in Strömen über das Gesicht. Sein Mund stand offen. Er keuchte vor Anstrengung. Der Schild, zuerst kraftvoll gehalten, wankte immer stärker. Lange konnte er nicht mehr durchhalten. Es nützte ihm nichts, daß er sich flink wie ein Aal drehte und wendete, de Bethois war nicht so leicht zu erschöpfen. Er war kein Diplomat und Höfling, er war Berufssoldat, kräftig und durchtrainiert, und der Haß verlieh ihm übermenschliche Kräfte. Er hob das Schwert und ließ es mit voller Wucht niederschmettern. Der Schild fiel dumpf auf den Boden. Wehrlos stand der Botschafter vor dem Mann, der ihn töten wollte. Er sprang zur Seite. De Bethois' Zähne entblößten sich in einem wölfischen Grinsen. Noch ein Hieb, und alles würde zu Ende sein. De Bethois drehte sich zur Seite, machte einen Schritt auf den sich Duckenden zu – und stolperte über den Drachenkopf.

Ein Aufstöhnen lief durch die Zuschauer.

De Bethois stürzte nicht, er strauchelte nur und hatte in einer Sekunde sein Gleichgewicht wiedergefunden. Dem

Mann vor ihm blieb keine Zeit, seinen Schild aufzuheben oder sein Schwert zu erreichen, er versuchte es auch gar nicht. Den winzigen Moment, den de Bethois abgelenkt war, benutzte er, um den Dolch aus seinem Wehrgehänge zu ziehen.

Doch Yves wußte, daß er den Kampf nun in der Hand hatte. Er konnte jederzeit ein Ende machen. Das schöne goldbronzene Gesicht vor ihm verfiel zu aschener Erschöpfung. Um den Mund hatten sich tiefe Furchen des Schmerzes eingegraben. Die Augen blickten noch wach und konzentriert, aber die dunklen Schatten darunter waren die einer tödlichen Ermattung. Der Dolch war für Yves keine Bedrohung. Er mußte nur vorsichtiger sein, durfte seine Deckung nicht so vernachlässigen, konnte nicht mehr so blindlings zuschlagen wie vorhin. Der Schweiß rann ihm in Strömen über den Körper, seine Muskeln zitterten unter der Anspannung, und eine singende Freude erfüllte sein Herz, als er jetzt auf Montefalcone zusprang, um allem ein Ende zu machen. Er hatte Montefalcones Schwäche im linken Arm bemerkt und seinen Schlag danach berechnet. Ein einhändiger Mann mit einem kurzen Dolch war kein Gegner. Yves legte all seine ihm noch verbliebene Kraft in diesen letzten Schlag. Er sprang den Gegner an und ließ die Klinge mit aller Macht niederfahren. Das Schwert traf ins Leere. Montefalcone war nicht zurückgewichen, wie Yves erwartet hatte, er hatte statt dessen einen Ausfall nach vorn getan, und während Yves' Schwert hinter seinem Rücken die Luft zerschnitt, hatte er seinen Dolch in den Hals des Gegners gebohrt.

Yves ließ das Schwert fahren, griff mit beiden Händen nach seiner Kehle, und während eine Fontäne frischen, hellroten Blutes sprudelnd zwischen seinen Fingern aufsprang, taumelte er, brach in die Knie und stürzte schwer wie ein gefällter Ochse in den Sand.

Er war nicht tot, und er war bei klarem Bewußtsein. Er hörte den Schrei aus zweitausend Kehlen, der ringsum aufstieg, als käme er aus einer einzigen, und der den Triumph seines Gegners verkündete. Er sah Montefalcones Gesicht über sich, vom Helm befreit, das blonde Haar dunkel vor Schweiß und das Gesicht grau und fleckig, und er hörte ihn mit flacher, gepreßter Stimme sagen:

»Wer, de Bethois? Wer hat Euch den Auftrag gegeben?«

In das Gesicht des Hauptmanns malte sich aufrichtiges, kindliches Erstaunen. Wußte Montefalcone nicht, worum es gegangen war?

»Das Mädchen«, murmelte er. Sein Atem ging pfeifend.

Dann war Laura da. Sie mußte schnell wie ein Pfeil die Pyramide heruntergeflogen sein. Sie kniete neben ihm nieder und riß sich die goldene Maske vom Gesicht. Yves' Blick saugte sich an ihr fest. Ihm blieb nur noch wenig Luft zum Atmen und zum Reden, und er wußte es.

»Laura«, flüsterte er, und sein Atem ging pfeifend durch das Loch in seinem Hals, »Eure Schuld ...«

Ihre Augen waren groß und dunkel auf ihn gerichtet. Die elfenbeinerne Haut war blutlos, als wäre ihr alles Leben entwichen, sie atmete rasch und erregt, aber ihr Verstand war so unerbittlich wie immer.

»Nein, Yves«, sagte das Mädchen, um dessentwillen er hatte töten wollen und nun starb. »Nein, es ist allein Eure Schuld. Ihr hattet eine Wahl, und Ihr habt Eure Wahl allein getroffen. Möge Gott Eurer Seele gnädig sein.«

»Amen«, sagte der Botschafter, und das war das letzte, was Yves de Bethois in dieser Welt hörte. Ein Strom von Blut schoß gleich einer Springflut in den Himmel, sein Körper bäumte sich im Sand auf, dann war alles vorbei.

Der Mann und das Mädchen knieten neben dem Toten und blickten einander an.

Dann kamen sie. Der Schiedsrichter, der den Pfeil nicht geworfen hatte, die zwölf Reiter, die die Kämpfer nicht getrennt hatten, Pagen und Diener und Stallknechte und Soldaten aus der Leibwache. Der Botschafter wurde aufgehoben und gestützt, man gratulierte ihm. Und dann war da endlich Matteo mit einem Becher Wein, der mit einem Betäubungsmittel versetzt war. Matteo, der ihm die Armschiene abnahm, ohne sich die Mühe zu machen, den alten, durchgebluteten, nassen Verband abzunehmen, fest einen neuen darum wickelte, damit die Blutung zum Stillstand kam, in der sein Leben im Sand verrann. Matteo, an dessen Schulter er sich festhalten konnte, als sich plötzlich die ganze Welt zu drehen begann.

In der ersten Sänfte hinter fünfzig Lanzenträgern zu Pferde saß die Prinzessin mit einer Hofdame. Ein langer Zug folgte, zunächst Sänften mit weiteren Hofdamen, dann die acht Wagen, in denen die Kammerfrauen und Dienerinnen befördert wurden, und die hundert Maultiere, auf denen das Gepäck der Reisenden und die Aussteuer der Prinzessin aufgeladen war. Eskortiert wurde dieser Zug unter dem Kommando von Alessandro Conte Montefalcone von zehn ferraresischen Offizieren und einer Garde von zweihundert berittenen Lanzenträgern. Wie ein Lindwurm wälzte sich der Zug durch Frankreich und nahm seinen langsamen Weg von Stadt zu Stadt und Schloß zu Schloß. Von Blois nach Fougères, Vierzon und Bourges, Nevèrs, Moulin, Mâcon und Lyon und dann zu Schiff die Rhône hinunter über Vienne und Tournoi, Valence und Montelimar, Orange und Avignon, Tarascon und Arles. Fünf Wochen waren sie unterwegs. In jeder Stadt wurde die königliche Braut, die auf dem Weg nach Italien war, festlich begrüßt. Keine Stadt ließ es sich nehmen, sie zu feiern und damit sich selbst darzustellen: mit Triumphbögen und Festaufzügen, Theateraufführungen und Konzerten, Banketten und Bällen und immer wieder mit Ansprachen. All das verlangsamte die Reisegeschwindigkeit des Lindwurms. Die Gesandtschaft aus Ferrara brauchte für den Rückweg die dreifache Zeit, die sie für den Hinweg gebraucht hatte.

In der ganzen Zeit ereignete sich nicht ein einziger Unfall.

Manchmal dachte Antonio, sie hätten sich das Komplott gegen seinen Bruder nur eingebildet. Einmal deutete er das Matteo gegenüber an. Der Diener, braungebrannt wie ein Araber, ungewöhnlich schweigsam in dieser Zeit und grimmig, schüttelte nur den Kopf und sagte knapp:

»Wir haben einen Schutzengel.«

Antonio dachte eine Weile darüber nach, dann fragte er:

»Die Prinzessin?«

Matteo nickte.

»Solange Euer Bruder in der Nähe der Prinzessin ist, wird ihm nichts geschehen.«

Er schloß den Mund, und Antonio wußte aus Erfahrung, daß er nichts weiter sagen würde. Er fragte auch nicht weiter. Matteo war also zu demselben Schluß gekommen wie er. Die

Attentate auf Alessandro gingen von dem französischen König aus.

In Anbetracht der vielen Festlichkeiten, die ihnen zu Ehren gegeben wurden, hätte man eigentlich erwarten können, daß der Brautzug fröhlich und heiter gestimmt sei. Obwohl Antonio in diesen Dingen nicht besonders feinfühlig war, konnte er sich doch nicht der gedrückten und gedämpften Atmosphäre entziehen. Ihm war, als begleite man nicht eine königliche Braut, sondern eine königliche Leiche.

Nur die Lanzenträger waren rauh und derb und mußten oft daran erinnert werden, Lieder zu singen, die auch für die Ohren von Damen geeignet waren. Dann grölten sie Lieder, die weniger drastisch waren, aber nur für kurze Zeit.

Von den Damen der Prinzessin wirkte einzig Marguerite unbeschwert. Ihre Heiterkeit erinnerte Antonio an die stille Genugtuung einer Katze, die die Maus gefangen und verspeist hat.

Die Prinzessin und die übrigen Hofdamen waren, wenn sie nicht auf den offiziellen Empfängen lächeln und plaudern mußten, meist still und in sich gekehrt. Antonio überlegte, ob das daran liegen konnte, daß sie Abschied von der Heimat nahmen und nicht wußten, was sie in der Fremde erwartete – ob sie jemals zurückkehren würden. Dann schien ihm ihre Melancholie begreiflich. Begreiflich war auch das Schweigen, in das Laura de Roseval sich wie in einen Mantel hüllte. Schließlich war ihr Bräutigam in ihren Armen gestorben, und es konnte ihr keine Freude machen, mit dem Mann zu reisen, der ihn getötet hatte.

Was Antonio nicht begriff, war das Verhalten seines Bruders.

Nach dem Turnier war Alessandro bewußtlos geworden, teils durch den Blutverlust, teils durch den mit Drogen versetzten Wein, dem Matteo ihm gereicht hatte. Er schlief zwei volle Tage, ohne zu erwachen.

Ihre Abreise war um etliche Tage verschoben worden. Da sie aber das Mittelmeer vor dem Aufkommen der Herbststürme erreichen mußten, brachen sie auf, bevor er sich mehr als notdürftig erholt hatte. Er war immer noch bleich wie eine Marmorstatue unter dem goldenen Haar und so schwach, daß sie ihn in den Sattel heben mußten. Den ganzen Tag hielten

Matteo und ein anderer Mann sich dicht neben ihm. Am Abend entdeckte Antonio, daß sie ihn auf dem Pferd festgebunden hatten.

Alessandro erholte sich körperlich zusehends. Seine Haut wurde tiefbraun, er gewann seine Spannkraft zurück, aber seine Laune blieb vom Aufbruch in Blois bis zu diesem Abend in Arles gleichbleibend. Er war unnahbar, ein Block von Eis, der andere mit einem Blick seiner grauen Augen bis ins Mark erschaudern lassen konnte.

Dem Landsknecht, der seine Stiefel nicht geputzt hatte oder dem eine Tresse abgerissen war oder der ein obszönes Lied in Hörweite der Prinzessin anstimmte, wären einige Peitschenhiebe auf seinen Rücken lieber gewesen als die öffentliche Züchtigung durch diese kalte, ätzende Stimme.

Der Prinzessin leistete Alessandro nur zu den offiziellen Anlässen Gesellschaft. Er ließ es nicht an peinlich korrekter Höflichkeit fehlen. Aber die lächelnde Liebenswürdigkeit, das Funkeln von Bildung und Geist, der ganze Charme, mit dem er bezaubern konnte, war ausgelöscht wie die Flamme einer Kerze.

Seltsamerweise kommentierten weder die Prinzessin noch ihre Damen sein Verhalten. Renée betrachtete den Botschafter gelegentlich mit einem prüfenden Blick, als wolle sie sehen, wieweit seine Kraft und sein Durchhaltevermögen noch reichten. Es schien, als glaubte sie nicht, daß er mit jedem Tag kräftiger werde und sich von seiner Verletzung erhole, sondern daß das Gegenteil der Fall sei. Marguerite schien Antonio amüsiert, wie eine sprungbereite Katze im Gras einen Vogel beobachtet, der noch munter herumhüpft, von dem sie aber weiß, daß er gleich unter einem Prankenhieb fallen wird.

Wenn Lauras Augen auf Alessandro ruhten, konnte Antonio ihren Blick nicht deuten.

Er fragte sich, ob sie ihn als Mörder ihres Verlobten haßte. Die dunklen Augen gaben nichts preis.

In den fünf Wochen zwischen Blois und Arles gelang es Antonio nie, mit seinem Bruder ein Wort unter vier Augen zu sprechen. Alessandro zog sich, sooft es ging, in seine Zimmer zurück und entschuldigte sich mit Arbeit. Wenn Antonio dann zu ihm gehen wollte, stand Matteo zufällig in der Nähe und sagte:

»Laßt ihn allein, Messer Antonio. Es ist besser, ihn nicht zu stören.«

Zwar erforderte die Aufgabe, eine Kavalkade von vierhundert Menschen und dreihundert Tieren wochenlang durch das Land zu führen, große logistische Anstrengungen, aber Antonio bezweifelte, daß Alessandro sich die ganze Zeit, die er allein verbrachte, damit beschäftigte. Matteo, der allgegenwärtige Matteo, hüllte sich auf Nachfragen in Schweigen. Aber die Falten zwischen Mund und Nase wurden von Woche zu Woche tiefer und sein Blick grimmiger.

Auf ausdrücklichen Wunsch der Prinzessin verbrachten sie in Arles eine ganze Woche. Sie war erschöpft, wollte sich ausruhen, auch die römischen Altertümer in der Stadt besichtigen und das Kloster von Montmajour.

Jeden Abend veranstaltete die Stadt ihr zu Ehren ein Bankett, bei dem es immer eine außergewöhnliche Darbietung gab: einmal ein von Zwergen getanztes Fackelballett, einmal eine mannshohe Pastete, aus der Akrobaten sprangen, einmal ein Ringkampf zwischen zwei berühmten Ringern, der spektakulär verlief. An diesem Abend hatten die Stadtväter von Arles Philippe aus St. Remy aufgeboten.

In diesem lavendelduftenden, sonnendurchglühten Land, dieser Brücke zwischen dem maurischen Spanien und dem christlichen Europa war der Minnesang der Troubadoure einst strahlend zum Himmel aufgestiegen, und immer noch waren der Klang der Laute, die süßen wohllautenden Verse der Liebe und der zärtliche Klang einer Männerstimme die Erfüllung der blauen Nächte.

Philippe aus St. Remy kam erst, als das Bankett schon vorüber war und nur noch der engste Kreis um die Prinzessin versammelt war. Mit dem Hochmut des Künstlers sang er nicht für die Masse und verlangte auch von den Höchstgeborenen die ungeteilte Aufmerksamkeit. Man hatte für ihn ein Polster auf den Boden vor dem Kamin gelegt. Dort saß er und stimmte die Laute mit langen schmalen Fingern, den dunklen schönen Kopf über das Instrument gebeugt.

Kein Geräusch drang von der Welt außerhalb in den getäfelten Raum. Sie hatten viele Kerzen gelöscht. Die, die noch brannten, flackerten nicht. Sie warfen ihren Lichtschein sanft und honigfarben auf die Menschen, die im Kreis um den Lautenspieler saßen. Hier und da blitzte in ihrem Licht ein Diamant auf, schimmerten Perlen, funkelte Goldgewebe, wenn jemand nach dem Weinbecher griff.

Die Prinzessin saß regungslos, den blassen Kopf an den hohen Rücken ihres Lehnstuhls gelegt, die Hände locker im Schoß. Um sie herum blühten wie in einem Blumenbeet ihre Hofdamen in Samt und Seide und Brokat. Laura saß ihr zu Füßen, den Kopf gesenkt, das Gesicht verborgen hinter der Masse der schwarzen Haare.

Am Ende des Raums, nur noch durch das schimmernde Weiß seines Gewandes und die goldene Aureole seiner Haare zu erahnen, lehnte der Botschafter an der Täfelung.

Philippe aus St. Remy brachte mit seinen langen schlanken Fingern die Saiten zum Klingen und erhob die Stimme. Er verfügte über alle Töne, sanfte, dunkle, zärtliche, helle, ironische, strahlende, triumphierende. Unter seinen Händen erzitterten die Saiten, weinten und jubelten, spotteten und beteten. Philippe aus St. Remy besang die Liebe, die in der Provence in tausend Liedern verewigt worden war. Er sang die Lieder, die schon in Granada erklungen waren und am Hof der schönen Königin Eleonore von Aquitanien, die Lieder Bertram de Borns und Bernard de Ventadours und Jaufré Rudels und des Herzogs Wilhelm. Er schlug sie alle in Bann, ihre Seelen weinten und jubelten mit ihm.

> Pour oublier mon malheur
> Il faut que je chante
> Mon chant calme la douleur
> Qui tant me tourmente
> Cent soupirs pour chaque jour
> C'est ma triste rente
> Le seul bien que j'ai d'amour
> C'est une mort lente.

Marguerite ließ ihre Augen langsam zu dem Mann in Weiß schweifen, während der Sänger die letzten Verse von der Liebe, die der langsame Tod ist, wiederholte. Der Botschafter rührte sich nicht.

Philippes Stimme fuhr fort, hell und hoch und gespannt wie ein Seil zwischen zwei Türmen, über dem jemand über den Abgrund balanciert.

> Mon cœur a bien raison et droit
> d'adorer la belle
> Car tout homme qui la voit
> S'enamoure d'elle.

Laura hob den Kopf. Ihre Augen waren groß und dunkel, und die Kerzenflammen spiegelten sich darin als goldene Punkte.

Und Philippes Stimme hob sich zum strahlenden Jubel.

> Nul me dit bien qui ne soit
> Ni mal qu'il ne mente
> Heureux celui qu'elle reçoit
> Dessous sa douce tente.

Antonios Blick glitt müßig durch den Raum und berührte seinen Bruder. Kein Juwel funkelte an ihm, kein Silberfaden leuchtete im Licht, so still stand er. Fast war es Antonio, als ob er nicht einmal atme.

Sie hatten alle Mühe, aus dem Zaubergarten zurückzufinden, in den die Musik sie geführt hatte. Sie brachen rasch auf und sprachen wenig.

Der Botschafter geleitete die Prinzessin zu ihren Gemächern und schritt dann rasch auf sein Zimmer zu. Antonio folgte ihm auf dem Fuße, aber sein Bruder sagte schroff »Nein«, als er ihm ins Zimmer folgen wollte, und schloß ihm die Tür vor der Nase.

Alessandro durchquerte den Raum bis zum Fenster, legte die Stirn an das kühle Glas und blieb so regungslos.

Nach einer Weile hörte er, wie die Tür sacht geöffnet und wieder geschlossen wurde. Ein leises Rauschen von Seidenröcken, ein leichter Atem und ein Duft füllten den Raum.

Alessandro drehte sich nicht um.

»Geht, Laura«, sagte er tonlos.

Laura blieb an der Tür stehen. Sie sah auf seinen geraden

Rücken und den erhobenen Kopf, die unmißverständlich Ablehnung ausdrückten. Sie dachte an den Blick, mit dem er ihr ihren Fächer auf die Hand gelegt hatte, an seine Worte auf der Eberjagd und nach dem Kuß, und sie dachte an den Blick, der auf ihr geruht hatte, als Philippe sang.

»Mon cœur a bien raison et droit«, antwortete sie.

Es blieb lange still.

Die einzige Kerze, die auf dem Kaminsims entzündet war, brannte tapfer mit stetiger Flamme und durchdrang doch nicht die Dunkelheit, die zwischen dem Mann und dem Mädchen stand.

»Nein«, sagte er endlich. »Nein, mein Herz hat kein Recht.«

Laura atmete tief. Was er eben gesagt hatte, war nichts weniger als das Eingeständnis, daß er sie liebte. Er liebte sie, aber er glaubte, kein Recht dazu zu haben. Ihr Herz klopfte so heftig, daß sie es bis zum Hals schlagen fühlte.

Laura trat nicht näher. Sie blieb neben der Tür stehen und schickte ihre Stimme als Boten durch den Raum.

»Nur das Herz hat recht«, beharrte sie.

»In dieser Welt?« fragte der Mann am Fenster bitter.

Er leugnete nichts.

»In welcher Welt auch immer«, sagte sie.

Die Stirn an die Scheibe gelehnt, die Augen blicklos hinaus in die Dunkelheit gerichtet, sagte er nach einer Weile kühl und brutal:

»Bewerbt Ihr Euch um die Stelle als meine Hure? Der Platz ist frei.«

Die Seide rauschte nicht auf. Sie krümmte sich nicht unter dem Peitschenhieb der Verachtung. Was sie immer gehofft hatte, wußte sie jetzt. Sein Hohn galt nicht ihr. Sie mußte diesen Panzer der Abweisung durchdringen, wie sehr er sie dabei auch immer verletzen wollte.

»War Isolde eine Hure?« fragte sie. »Oder Héloïse?«

»Wurden sie glücklich?« antwortete er schroff.

Sie wies das Argument hochmütig zurück.

»Ich bettele nicht um Glück. Ich fordere mein Recht auf Liebe.«

Er bewegte sich nicht. Immer noch in die Dunkelheit hinausschauend, begann er nach einigem Schweigen, die Steine aufzuheben, aus denen er die Mauer bauen konnte, die sie trennen würde.

»Ich bin verheiratet.«

Sie wußte, daß er sie nicht heiraten konnte. Aber was zählte das Gelöbnis vor dem Altar angesichts ihrer Bestimmung?

»Was schert mich der Segen eines Pfaffen«, sagte sie verächtlich.

»Ich habe Euren Verlobten getötet.«

»In einem Kampf, den er Euch aufgezwungen hat.«

»Er starb, weil er Euch liebte.«

»Nein, weil er mich nicht freigeben wollte. Ist das Liebe, die den Geliebten fesseln will wie ein Kerkermeister den Gefangenen?«

»Wenn Liebe nicht fesseln will«, sagte er, rasch zuschlagend, »dann gebt mich frei! Verabschiedet Euch von der Prinzessin, reist zu Eurem Onkel nach Lesaux. Unsere Wege müssen sich trennen.«

Laura begriff nicht, warum er kämpfte. Sie kam zu ihm, freiwillig, bedingungslos, sich aller Konsequenzen bewußt. Die Zitadelle verteidigte sich nicht, ihre Tore waren weit geöffnet. Warum zog er nicht im festlichen Triumph in die Stadt ein, die ihn mit offenen Armen willkommen hieß? Was gewann er, wenn er sie abwies?

»Werdet Ihr dann aufhören, mich zu lieben?« fragte ihre Stimme, körperlos in der Dunkelheit.

»Aufhören, Euch zu lieben?«

Er lachte hart auf.

»Wenn ich wüßte, wie man aufhört zu lieben, ich hätte es längst getan. Aber eher könnte ich aufhören zu atmen.«

Die Kerze, die schon fast niedergebrannt war, flackerte noch einmal kurz und erstaunt auf und verlosch dann ganz.

Beim Klang seiner Stimme stockte ihr der Atem.

»Warum quält Ihr mich, Laura? Ich habe Euch in Blois zurückgestoßen. Warum habt Ihr das nicht akzeptiert? Warum begleitet Ihr die Prinzessin? Jeder Tag, den ich Euch sehen muß, steigert meine Qual ins Unerträgliche. Ich liebe Euch mit meinem Körper, meinem Geist und meiner Seele, auf alle Arten, auf die ein Mann eine Frau lieben kann. Wäre der Preis, um Euch zu besitzen, meine ewige Seligkeit, ich würde ihn mit Freuden und ohne zu zaudern bezahlen. Aber nicht ich muß dafür zahlen, sondern Ihr. Und der Preis ist zu hoch. Deshalb flehe ich Euch an: Geht und laßt mich allein.«

»Wenn ich den Preis zahlen muß«, sagte sie langsam, »dann muß ich auch das Recht haben, zu entscheiden, ob er zu hoch ist.«

Er schüttelte ungeduldig den Kopf.

»Ihr versteht nicht, Laura. Es kommt nicht darauf an, ob Ihr bereit seid, den Preis zu zahlen. Wenn ich es zuließe, würde ich mich dafür hassen.«

»Es ist Euer Stolz, der mich zurückweist?«

Sie standen in der Finsternis, und nur das rasche, laute Atmen verriet ihnen die Anwesenheit des anderen. Laura meinte, er müsse das rasende Pochen ihres Herzens hören, das in ihren Ohren dröhnte. Sie spannte den Bogen ihres Geistes und schickte mitleidlos die Pfeile ihrer Worte zu ihm hinüber. An seinem Keuchen hörte sie, daß jeder sein Ziel traf.

»Ich sehne mich nach dir. Ich will deine Lippen auf meinem Mund und deine Hände auf meiner Haut spüren. Ich will dich mit Leib und Seele lieben.«

Als er antwortete, stockte ihr das Blut in den Adern angesichts der Verzweiflung in seiner Stimme.

»Höre auf, Laura, es ist genug. Es ist mehr, als ich ertragen kann.«

Sie hatte den Panzer seiner Abwehr durchbrochen. Aber sie hatte noch nicht gesiegt. Er zeigte ihr, wie er litt, aber er ergab sich nicht. Er appellierte an ihr Mitleid. Aber sie hielt nicht inne. Wie ein Hammer den Nagel in die Wand, trieb sie ihre Worte in seine Seele.

»Du bist mein Brunnen in der Wüste, mein Licht in der Dunkelheit, mein Feuer in der Kälte. Ohne dich verdurste ich. Ohne dich bin ich blind. Ohne dich erfriere ich. Ich kann ohne dich nicht sein.«

»Glaubst du, ich fühlte nicht genauso wie du? Aber wenn ich dir nachgebe, wird es dein Verderben in dieser und in der nächsten Welt sein, Laura.«

»Wie edel von dir, an mein Seelenheil zu denken«, schleuderte sie ihm entgegen. »Aber wer ist für meine Seele verantwortlich, wenn nicht ich selbst? Welcher Teufel des Hochmuts reitet dich, meine Liebe in den Staub zu treten? Du sagtest, du würdest dein Seelenheil für mich aufs Spiel setzen. Wer sagt dir, daß ich nicht dasselbe für dich tun kann? Hältst du mich für soviel kleiner als dich selbst? Glaubst du, die Flammen der Hölle könnten mich schrecken, dich aber nicht? Es ist dein Stolz, Alessandro Montefalcone, der größer ist als deine Liebe. Um mich zu lieben, mußt du deinen Stolz besiegen.«

Sie hörte ihn keuchen. Es dauerte eine Weile, bis er seinen Atem so weit unter Kontrolle hatte, daß er antworten konnte.

»Du hast recht. Es ist mein Stolz. Du kannst ihn mir nehmen, Laura. Du hast die Macht dazu. Du liebst den glänzenden Conte Montefalcone, den Kavalier, Diplomaten und Heerführer, angesehen, reich, mit großer Zukunft. Du weißt nicht, wer ich wirklich bin. Abschaum. Bastard von Bastarden, gezeugt unter dem hohnlachenden Beifall des Teufels. Ich habe nichts als meinen Stolz. Nimm ihn mir, Laura! Komm herüber zu mir, lege deinen Mund auf meinen und genieße deinen Sieg.«

Die Selbstverachtung in seiner Stimme traf sie härter, als wenn er sie geschlagen hätte.

Sie blieb stumm.

»Nun, Laura«, sagte er nach einer Weile beißend, »wie lange willst du mich warten lassen? Willst du nicht kommen und in meinen Armen vor Wonne vergehen?«

In der Dunkelheit hörte er das leise Knistern von Seide. Die Tür öffnete und schloß sich fast geräuschlos. Er war allein.

Er öffnete mühsam die Hände, die er die ganze Zeit zu Fäusten geballt gehalten hatte. Wo die Nägel in das Fleisch eingedrungen waren, quoll langsam Blut hervor.

Die Orgel jubelte laut das Gloria. Sonnenlicht strömte durch die Fenster, brachte sie zu rotem und blauem und gelbem und goldenem Glühen, färbte die tanzenden Staubkörner und malte bunte Flecken auf den Steinboden.

Marguerites Haar leuchtete in ihrem Licht rosa, Sie kniete auf einem roten Samtkissen, den Kopf gebeugt, und es war nicht zu entscheiden, ob sie die Muster auf dem Boden betrachtete oder ihr Seelenheil bedachte. Sie tat nichts dergleichen. Statt dessen überlegte sie nüchtern, wie sie ihre Zukunft gestalten konnte. Denn gestalten würde sie sie, das stand für sie fest. Sie war kein Spielball des Geschicks, hilflos den Mächten ausgeliefert. Mit Klugheit, Energie und Zähigkeit konnte man vieles erreichen, als Mann alles.

Am französischen Hof war sie gescheitert. Sie machte sich nichts vor. Als sie als junge Witwe vor fünf Jahren in den Haushalt der Prinzessin Renée eingetreten war, hatte sie auf eine gute zweite Heirat gehofft. Sie war mittellos, ihre Abkunft zwar adlig, aber nicht glänzend. Renées Mutter, Anne von der Bretagne, hatte es sich zur Aufgabe gemacht, schöne junge Frauen um sich zu scharen, die den Ruhm des Hofes vergrößerten und die sie mit einer guten Mitgift ausgestattet verheiratete. Aber Königin Anne war tot. Die neue Königin setzte ihr Werk nicht fort, und Renée war viel zu jung und nach dem Tode ihres Vaters auch zu unbedeutend, um etwas für ihre Hofdamen tun zu können.

Eine Weile hatte Marguerite noch auf eine Änderung gehofft, ihre Tugend vorsichtshalber bewahrt, da sie ihr einziges Kapital war, aber es hatte ihr nichts genützt. Nicht einmal ihr guter Ruf war ihr erhalten geblieben. Sie dachte an die Nacht, als sie gehört hatte, wie Yves de Bethois sie verächtlich gemacht hatte. Als er beim Turnier das scharfe Schwert gezogen hatte, hatte ihr Herz einen Freudensprung gemacht. So hatte das Gift der Eifersucht, das sie ihm eingeträufelt hatte, gewirkt. Wie immer das Duell ausgegangen wäre, er wäre erledigt gewesen. Hätte er den Botschafter getötet, so hätte man natürlich aus diplomatischen Rücksichten alles als einen bedauerlichen Unfall hingestellt, wie er bei Turnieren immer wieder vorkam, aber er wäre dennoch in Ungnade gefallen und vom Hofe verbannt worden.

De Bethois' Tod aber hatte Marguerites Rache vollkommen gemacht. Jetzt wäre sie Montefalcone in jeder Hinsicht entgegengekommen, wenn er es gewollt hätte. Aber er wollte es nicht. Nachdem er ihr in den ersten Tagen den Hof gemacht und sie öffentlich ausgezeichnet hatte, war er nach dem Turnier nicht mehr an ihrer Seite aufgetaucht. Im Grunde war Marguerite darüber erleichtert. Sie war zu erfahren, als daß sie nicht hinter seinem Charme und seiner Galanterie die Kälte und Interesselosigkeit gespürt hätte. Hingerissen von ihrem Triumph über den Hauptmann, hätte sie vielleicht eine Dummheit begangen, die Montefalcone nicht wert war. Er war verheiratet, und nur eine Närrin wie Laura machte sich an einen verheirateten Mann heran.

Sie beobachtete Laura und Montefalcone während der Reise, und es füllte die unerträglich langweiligen Wochen mit ihren immer gleichen Festlichkeiten mit einer leichten Spannung. Sie verstand Montefalcone nicht. Er war erfahren genug, um zu sehen, daß Laura eine reife Frucht war, nach der er nur die Hand auszustrecken brauchte, um sie zu pflücken. Warum nahm er sie nicht in Besitz, sondern ging ihr aus dem Weg? Sollte er Skrupel haben, weil er de Bethois getötet hatte? Marguerite verzog den Mund. Im Krieg und in der Liebe waren alle Mittel erlaubt. Er hätte es niemals zu dem erfolgreichen Söldnerführer und Diplomaten gebracht, der er war, wenn er Skrupel kennen würde. Ihre Zeit war keine, in der die weltliche Macht sich den Luxus eines Gewissens leisten konnte. Wenn er seine Seele hätte rein halten wollen, wäre er ins Kloster gegangen, und nicht in die Politik. Was hielt ihn dann zurück?

Gleichgültigkeit war es auf keinen Fall. Marguerite sah in den fünf Wochen, wie dunklere Schatten über seine Schläfen krochen, wie die Haut über den Backenknochen sich straffer spannte. Kein Lächeln lockerte die Härte des Mundes oder schmolz das Eis in den grauen Augen. Marguerite registrierte jedes Abwenden des Blickes, jedes unmerkliche Zittern der Hände, wenn Laura in seine Nähe kam. Hier in Arles hatte sie zum ersten Mal das Gefühl gehabt, daß er bald an das Ende seiner Kraft und Beherrschung gelangen werde. Es machte sie neugierig, was dann geschehen würde, aber so sehr es sie unterhielt, so wenig löste es ihr eigentliches Problem.

Sie nahm mit halbem Ohr wahr, daß inzwischen die Predigt eingesetzt hatte. Langhin rollten durch das Kirchenschiff die tönenden Worte einer geschulten Stimme, die sich an ihren eigenen Phrasen berauschte und Wörter zu Sätzen band wie Blumen zu Girlanden, Gelehrsamkeit und Redekunst ausstellend zu ihrem eigenen Ruhm.

Marguerite interessierte das nicht. Sie bedachte, was ihre

Lage in Ferrara sein würde. Eine unbemittelte, immer noch schöne Witwe im Gefolge der Prinzessin. Es mochte vielen Kavalieren nach ihrer silbernen Schönheit gelüsten, aber heiraten, da war sie sicher, würde sie keiner wollen. Die Italiener, die Bankiers zu Fürsten und Päpsten machten, waren in dieser Hinsicht noch nüchternere Rechner als die Franzosen. Sie hatte zwei Wege, die sie gehen konnte. Entweder verschaffte sie sich eine Mitgift, oder sie fand einen Liebhaber, der es wert war, daß sie zu ihm ins Bett stieg.

Da kamen nur zwei Männer in Frage. Ein Kirchenfürst oder ein Adliger, wie reich auch immer, würde langfristig ihren Zwecken nicht dienen. Sie dachte an die Zukunft eines ganzen Lebens, nicht nur die nächsten Jahre. War sie einmal die Geliebte eines solchen Mannes gewesen und er hatte sie, ihrer überdrüssig, beiseite geschoben, dann war sie nur noch Abfall, und der nächste, der sich danach bücken würde, war in Rang und Ansehen geringer als der erste. Nur die Mätresse eines Fürsten genoß Ehre und Ansehen ihr Leben lang.

Sie hatte Annibale Strozzi und die anderen Offiziere aus Ferrara eingehend befragt. Der regierende Herzog Alfonso war ein Mann von Mitte Fünfzig, der die Frauen wenig, die Kanonen dafür um so mehr liebte. Er hatte erst mit Anna Sforza, dann mit Lucrezia Borgia eine gelassene, glückliche Ehe geführt, und es hieß, er sei so sehr zum Ehemann geschaffen, daß er seine jetzige Mätresse Laura Dianti heimlich geheiratet habe. In den letzten Jahren hatte die Herrschaft der Este über Ferrara so oft auf des Messers Schneide gestanden, war das Herzogtum ein solcher Spielball gewesen in der großen Partie zwischen dem Kaiser, Frankreich und dem Papst um die Herrschaft in Italien, daß Alfonso alle seine Kraft hatte aufwenden müssen, um nicht zu stürzen. Er hatte unter großen Gefahren und Aufbietung eines riesigen Vermögens die Herrschaft für die Este gerettet. Es war nicht anzunehmen, daß dieser Mann, immer noch umgetrieben von politischen Gefahren und finanziellen Problemen, seine häusliche Ruhe aufgeben würde für eine hübsche silberblonde Französin aus dem Gefolge seiner Schwiegertochter. Um ihretwillen würde er der Dianti nicht den Laufpaß geben, schon gar nicht, wenn sie wirklich verheiratet waren.

Blieb der Erbprinz Ercole, Renées Gatte, ein junger Mann von zwanzig Jahren. Heißblütig hatten seine Offiziere ihn genannt, immer hinter den Unterröcken her, aber nur, wenn sie den Huren oder Mägden gehörten, denn Ercole schätzte keine Vergnügungen, die ihn mehr als eine Handvoll Dukaten kosteten. Er war zu geizig, um sich eine Mätresse im großen Stil zu leisten. Außerdem wäre es ein Affront gegen Renée und damit gegen Frankreich, wenn er ihre Hofdame zu seiner Geliebten machte. Man hatte ihr auch gesagt, daß Ercole, wie alle Este, ein nüchterner politischer Spieler war, der, wenn er über dem Schachbrett der Macht saß, sich von keinen persönlichen Erwägungen leiten ließ. Ferrara konnte es sich nicht leisten, Frankreich zu verärgern. Der König hatte die Schlacht in Pavia verloren, aber noch nicht das Spiel um Italien. Noch war Prinzessin Renée ein kostbares Unterpfand der französischen Freundschaft für Ferrara, und der Herzog und sein Sohn würden alles tun, um sie nicht zu kränken.

Glöckchen klingelten durch das Schweigen im Kirchenschiff. Die Luft war schwer vom Weihrauch, der einen grauen Schleier zwischen Altar und Gemeinde legte. Durch diesen Schleier blitzte im Schein der Sonne der goldene Kelch, den der Priester hob, die Wandlung von Brot und Wein beschwörend.

Sie hatte also nur eine Chance, wenn sie nicht ins Kloster gehen wollte. Sie mußte sich eine Mitgift besorgen, die ihr einen Gatten sicherte. Was der König von Frankreich ihr aussetzen würde für ihre Dienste in Ferrara, reichte dazu sicher nicht aus. Es gab nur einen Menschen, der über genug Mittel verfügte, um ihr eine angemessene Ehe zu verschaffen. Das war der Herzog von Ferrara. Welches Interesse konnte er aber daran haben, eine Spionin Frankreichs auszustatten? Ganz sicher nahm er an, daß es eine solche in Renées Gefolge gab, und es würde ihn sicher interessieren, zu wissen, daß sie dieselbe war. Aber allein mit der Enthüllung der Tatsache verdiente sie sich immer noch nicht genug. Sie mußte ihm einen größeren Dienst leisten. Wenn sie ihre Rolle im Dienste Frankreichs weiterspielte, ihre Berichte an den Hof des Königs aber nur das enthielten, was die Este ihn wissen lassen wollten, wenn sie also eine Doppelagentin werden würde, dann konnte ihr Spiel ihr wohl soviel eintragen, daß sie ausgesorgt hatte. Sie würde sehr geschickt und vorsichtig zu Werke gehen müssen, aber es war ein Weg, der Erfolg versprach.

Die Messe war zu Ende. Der Priester erteilte den Segen, die Gemeinde bekreuzigte sich und strömte hinaus. Marguerite fand Annibale Strozzi an ihrer Seite, als sie durch das Portal auf den Platz trat.

Er zog schwungvoll das Barett vor ihr.

»Jeden Abend gehe ich zu Bett in der Gewißheit, daß Ihr die schönste Frau Frankreichs seid, Madame. Und jeden Morgen, wenn ich Euch von neuem sehe, erkenne ich meinen Irrtum. Ihr seid nicht die schönste Frau Frankreichs.«

Er legte eine kleine, wirkungsvolle Pause ein und fügte dann hinzu:

»Ihr seid die schönste Frau der Welt.«

Marguerite lächelte automatisch.

»Was gibt man Euch zu essen, Monsieur Strozzi? Nachtigallenzungen mit Honig?«

»Wie soll ich wissen, was ich esse oder trinke? In Eurer Nähe vergesse ich alles«, sagte er feurig.

Marguerite unterdrückte ein Seufzen. Warum konnte er nicht mit ihr reden wie mit einem vernünftigen Menschen? Seine Galanterie war erfreulich, aber seine übertriebene Salbaderei erweckte den Eindruck, daß er entweder ein Idiot war, was sie nicht glaubte, oder daß er sie für eine Idiotin hielt, was sie ärgerte. Sie musterte ihn verstohlen von der Seite. Er war noch keine dreißig, sah auf eine schwere Weise gut aus. Vielleicht würde er später fett werden. Aber was spielte das für eine Rolle? Seiner Kleidung nach zu urteilen, war er mehr als nur wohlhabend. Und er war unverheiratet. Gegen ihre Reize schien er nicht immun zu sein. Sie würde in Ferrara Erkundigungen einholen über den Rang und den Reichtum der Familie Strozzi.

Ein Esel hatte in der Mitte des Platzes eine Kiepe mit Orangen verloren. Die aufgeplatzten Früchte waren über den Boden gerollt. Auf dem Fruchtfleisch saßen blauschwarz die Fliegen, der Saft floß zäh und klebrig der Kloake entgegen. Strozzi faßte Marguerite leicht unter den Ellbogen und führte sie um die Stelle herum.

»Die Prinzessin war nicht in der Messe«, sagte Strozzi.

»Sie ist erschöpft«, antwortete Marguerite. »Ihr Kaplan hat in ihrem Schlafzimmer eine Andacht abgehalten.«

»In Gegenwart von Mademoiselle de Roseval, nehme ich an. Sie war auch nicht in der Kirche.«

Vom Ende des Platzes kam der Botschafter auf sie zu. Anscheinend wollte er Strozzi sprechen. Er blieb stehen und begrüßte sie.

Es muß etwas geschehen sein, dachte Marguerite. Sein Ausdruck entsetzte sie. Es war, als habe er kein menschliches Gesicht mehr, sondern als seien das Fleisch und die Haut nur eine Maske, hinter der sich die Knochen des Totenschädels verbargen.

»Mademoiselle de Roseval«, sagte Marguerite, Strozzis nicht gestellte Frage beantwortend, »hat uns verlassen. Sie hat heute morgen die Prinzessin um Urlaub gebeten.«

Im Gesicht des Botschafters regte sich nichts.

»Wann wird sie zurückkommen?« fragte Annibale Strozzi uninteressiert.

»Von einer Rückkehr weiß ich nichts«, antwortete Marguerite.

Am Nachmittag kam der Graf von Lesaux, und er kam nicht gern. Er ritt auf einer schönen Fuchsstute in Arles ein, über ihm wehte sein Banner, und zehn Berittene folgten ihm. Sie trugen die blaue und weiße Livree seines Hauses, und er ritt ihnen voraus, hochaufgerichtet, breitschultrig und rotgesichtig, den mächtigen Leib in bunten Brokat gehüllt.

Bei dieser Hitze zu reiten, war eine Qual für einen so beleibten Mann. Er wäre viel lieber zu Hause geblieben, in seinem Schloß hoch oben auf dem Felsen, von dem aus er weit ins Land schauen konnte, und hätte in der Loggia im Schatten und leichtem Wind vor einem Schachbrett und einem Becher Wein gesessen.

Natürlich war es immer noch besser, wenn er selbst nach Arles ritt, als wenn die Prinzessin ihn besucht hätte. Pflichtschuldigst hatte er ihr geschrieben, welche Ehre es für sein Haus bedeute, wenn sie ihm die Gnade ihrer Anwesenheit erwiese. Die Aussicht auf den Besuch der königlichen Braut versetzte seine Frau und seine beiden Töchter in fieberhafte Erregung. Bei jeder gemeinsamen Mahlzeit wurde ihm vorgehalten, wessen man alles bedürfe, um standesgemäß auftreten zu können. Die Tapisserien waren schäbig, die Bettvorhänge zerschlissen, die Kamine zogen nicht richtig, es fehlte an Gold- und Silbergeschirr, es gab nicht genug Mägde und Köche, und vor allem hatten weder Mutter noch Töchter genügend Kleider und Juwelen. Sie würden wie Bürgerfrauen vor den Gästen erscheinen, die der Luxus des königlichen Hofes umwehte. Lesaux hatte sie immer wieder vertröstet, was nicht zum Frieden bei Tisch beigetragen hatte.

Wenn er die Kosten berechnete, die ein zweitägiger Aufenthalt der Prinzessin verursachte, das Futter für die Pferde und Maultiere, das Essen für die Soldaten und Bedienten, das Bankett und den Ball für die Prinzessin und ihre Begleiter, die Kleider für seine Damen und die Investitionen gegen die Schäbigkeit des Schlosses, dann wälzte er sich schlaflos im Bett. Er würde ein Darlehen aufnehmen müssen und mindestens drei Jahre – gute Ernten vorausgesetzt – verschuldet sein.

Dann war die Nachricht gekommen, die ihn von seinen Sorgen befreite. Die Prinzessin bedankte sich herzlich, hätte außerordentlich gern das berühmte Schloß besucht, nur leider erlaube ihre Zeit ihr nicht, von der direkten Route abzuweichen. Sie würde sich aber sehr freuen, den Herrn von Lesaux, den Onkel ihrer lieben Laura, in Arles zu sehen.

Jetzt war keine Rede mehr von Tapisserien, Bettvorhängen und Geschirr. Die Damen von Lesaux schwelgten in Phantasien von Kleidern und Juwelen, die sie tragen würden, wenn sie auf den rauschenden Festen tanzten, die zu Ehren der Prinzessin in Arles gegeben werden würden.

Lesaux hörte sich das eine Weile schweigend an. Dann warf er seine Streitaxt in den Ring. Er würde allein nach Arles gehen.

Ein Aufruhr brach los, dem ein schwächerer Mann nicht standgehalten hätte. Lesaux, ein erfahrener Jäger, wartete ab, bis das Wild sich müde gelaufen hatte. Dann holte er zum endgültigen Hieb aus und sagte in dem Ton, gegen den der Erfahrung aller nach kein Widerspruch möglich war, er denke nicht daran, zwei hübsche Gänschen wie seine Töchter aufzuputzen und in Arles auszustellen, wo zu viele junge Männer herumliefen, deren einziges Ziel es sei, aus anständigen Mädchen unanständige zu machen. Bis zu ihrer Vermählung seien sie am besten in Lesaux aufgehoben, und in seiner Abwesenheit gebe es keine Person, die besser imstande sei, auf sie aufzupassen als ihre Mutter.

Nur die Jüngste wagte daraufhin noch ein Wort einzuwerfen.

»Aber Laura …«, begann sie und erntete einen so vernichtenden Blick, daß sie auf die Fortsetzung ihrer Rede vernünftigerweise verzichtete.

Am liebsten hätte Lesaux eine Krankheit erfunden, die ihn ans Bett fesselte, aber er konnte natürlich um Lauras willen nicht fernbleiben.

Als er in den Hof des Palais einritt, in dem die Prinzessin logierte, wurde er bewundernswert prompt bedient. Mit geölter Präzision wurde ihm vom Pferd geholfen, das Pferd fortgeführt, seinen Begleitern ein Quartier angewiesen und er selbst in einen Raum geführt, in dem er sich waschen konnte. Dann passierte in all dieser Effizienz aber doch ein Irrtum. Statt der Prinzessin wurde er dem Botschafter gemeldet.

Er bemerkte den Irrtum erst, als er schon die Schwelle überschritten hatte und sich statt eines zwitschernden Käfigs voller Paradiesvögel einem einzigen Mann gegenübersah.

Lesaux' erster Eindruck war der von ungeheurem Reichtum. Was dieser noch junge blonde Mann an Juwelen an sich trug, mußte dem Jahreseinkommen eines kleinen Fürstentums entsprechen. Sein zweiter Eindruck war der von Härte, Entschlossenheit und Kälte.

Der junge Mann erhob sich bei seinem Eintritt und kam ihm entgegen.

»Ich bin entzückt, Euch zu sehen, Monsieur«, sagte er. Sein Französisch hatte nur eine ganz leichte italienische Färbung.

»Ganz meinerseits, Exzellenz«, antwortete Lesaux, »obwohl ich denke, daß hier ein Irrtum vorliegt. Ich wollte die Prinzessin …«

»Ihr werdet gleich sehen, daß es kein Irrtum ist«, sagte der Botschafter und komplimentierte ihn zu einem Stuhl. »Ich habe Befehl gegeben, daß man Euch zuerst zu mir führt.«

Lesaux setzte sich verwirrt. Was konnte der Botschafter ausgerechnet mit ihm zu besprechen haben? Montefalcone schenkte zwei Becher voll Wein und reichte ihm einen. Dann wählte er den Stuhl ihm gegenüber, schlug die Knöchel übereinander und lehnte sich lässig zurück.

»Seid Ihr heute morgen sehr früh aus Lesaux aufgebrochen?« fragte er höflich.

»In aller Herrgottsfrühe. Über Mittag haben wir drei Stunden gerastet, sonst wären wir geröstet worden.«

Montefalcone quittierte das Wortspiel mit einem leichten Heben der Mundwinkel, das man als Lächeln deuten konnte.

»Es ist außerordentlich schwierig, in diesem Jahr zu reisen«, sagte er. »Wir haben große Probleme, vor allem mit der Beschaffung des Trinkwassers. Immerhin ist das Schlimmste überstanden. Wenn wir in Marseille an Bord gegangen sind, wird alles einfacher. Wie geht es übrigens Eurer Nichte?«

»Meiner Nichte?« fragte Lesaux überrascht.

»Mademoiselle de Roseval«, erläuterte der Botschafter hilfreich.

Lesaux zog ein Tuch aus dem Ärmel und wischte sich den Schweiß von der Stirn. Diese verdammte Hitze! Und dieses verdammte Mädchen! Was hatte sie angestellt? Hatte er nicht geahnt, daß es wegen Laura Ärger geben würde?

»Ich verstehe Eure Frage nicht, Exzellenz. Ihr solltet sie mir beantworten können. Schließlich reist Ihr seit Wochen in ihrer Gesellschaft. Ich selbst habe Laura zuletzt Weihnachten vor zwei Jahren gesehen.«

Der Botschafter setzte seinen Becher mit äußerster Behutsamkeit auf den Tisch neben sich.

»Heißt das, sie hält sich zur Zeit nicht in Lesaux auf?«

»Nein, Exzellenz. Ich dachte, sie sei in Gesellschaft der Prinzessin.«

»Mademoiselle de Roseval hat gestern morgen von der Prinzessin Urlaub erbeten. Ich nahm an, sie habe sich zu Euch begeben«, sagte Montefalcone.

Lauras Onkel schüttelte den Kopf.

»Darf ich daraus schließen«, fuhr der Botschafter ausdruckslos fort, »daß Mademoiselle de Roseval den Hof der Prinzessin mit unbekanntem Ziel verlassen hat, ohne ihre

Herrin oder ihren Vormund über ihre Absichten zu informieren?«

Teufel, wenn man das so formulierte und in diesem Tonfall vortrug, klang das geradezu, als habe Laura ein Verbrechen begangen. Er wischte sich wieder den Schweiß ab. Er kam sich wie ein Trottel vor neben diesem makellosen Mann, dem kein Schweiß herunterströmte, sondern der kalt wie ein Eisblock war. Das sah Laura ähnlich. Sie handelte immer nach ihrem eigenen Kopf und fragte nie, wen sie damit in Schwierigkeiten brachte. Niemals hätte man sie ihrer Großmutter zur Erziehung überlassen dürfen. Diese Frau hatte das Kind verdorben. Und er saß nun da und konnte es ausbaden. Wenn de Bethois nicht zur Unzeit gestorben wäre, dann säße der jetzt mit der Verantwortung für Laura da, und er wäre fein heraus. War es nicht der Botschafter selbst gewesen, der de Bethois getötet hatte? Lesaux sah den jungen Mann mit frisch gewachsener Abneigung an. Ohne ihn hätte er jetzt kein Problem mit Laura.

»Gibt es einen anderen Ort in der Nähe«, fragte der Botschafter, »zu dem Mademoiselle de Roseval sich begeben haben könnte? Das Kloster vielleicht, in dem sie erzogen worden ist?«

»Laura ist nicht im Kloster erzogen worden, sie ist bei …« Lesaux unterbrach sich und schlug sich mit der flachen Hand vor die Stirn. »Natürlich, das ist es! Sie hat die Gelegenheit benutzt, ihre Großmutter zu besuchen. Sie wohnt gar nicht weit von hier. Vielleicht zwei Stunden auf einem guten Pferd. In Richtung Salon.«

Lesaux entging nicht, daß der Botschafter sich leicht entspannte.

»Ich hoffe, daß Ihr recht habt. Ich werde Nachforschungen anstellen lassen. Es ist mir nicht angenehm, wenn unter meinem Befehl eine Dame der Prinzessin abhanden und vielleicht zu Schaden kommt. Ich wäre Euch dankbar, wenn Ihr mir den Weg beschreibt.«

Lesaux tat es und erbot sich außerdem, auf der Rückreise einen Umweg zu machen und bei der Dame de Lalande vorbeizureiten. Der Botschafter konnte natürlich nicht wissen, wie sehr ihm dieses Angebot gegen den Strich ging. Er hatte die Dame de Lalande zuletzt vor zehn Jahren gesehen, und er würde es vorziehen, wenn es die letzte Begegnung in seinem Leben gewesen wäre.

»Das wird das Beste sein«, sagte der Botschafter und schenkte ihm Wein nach. Ein Diamant blitzte an seiner Hand auf, den Lesaux auf mindestens tausend Dukaten schätzte.

»Ich würde gern noch mit Euch über Eure Nichte sprechen, ehe Ihr die Prinzessin aufsucht.«

Lesaux verschüttete etwas von dem Wein, den er gerade trank, und wischte sich Mund und Kinn mit dem Handrücken ab. Was gab es denn noch? Hatte Laura noch mehr Ärger gemacht?

»Ihr wißt vermutlich, Monsieur, daß ich es war, der den Tod von Monsieur de Bethois verursacht hat. Ein bedauerlicher Unfall, wie er bei Turnieren gelegentlich vorkommt. Trotzdem fühle ich mich in gewisser Weise Eurer Nichte gegenüber verpflichtet, da ich ihr den Bräutigam genommen habe.«

In Lesaux keimte eine winzige Hoffnung auf. Der Botschafter war jung, Laura war hübsch. Sollte diese Unterredung auf einen Heiratsantrag hinauslaufen? Er wäre der letzte, sich dagegen auszusprechen. Allein schon wenn man seine kostbare Kleidung in Betracht zog, war der Botschafter eine viel bessere Partie als der arme verblichene Yves, Gott sei seiner Seele gnädig.

Mit der nächsten Bemerkung zerstörte Montefalcone das zarte Pflänzchen Hoffnung, das in Lesaux aufgekeimt war.

»Ich möchte Euch als ihren Vormund darauf hinweisen, daß ich es für passender halte, wenn Ihr Mademoiselle de Roseval nicht gestattet, nach Ferrara weiterzureisen. Es ist besser, sie bleibt bei Euch oder bei ihrer Großmutter.«

Lesaux starrte den Botschafter an.

»Würdet Ihr mir bitte erklären, wieso …?«

Der Botschafter stand auf, legte die Hände auf dem Rücken zusammen und wanderte durch das Zimmer.

»Ich spreche als Italiener, Monsieur. Wir behandeln unsere Frauen anders als ihr Franzosen. Verheiratete und verwitwete Frauen haben alle schickliche Freiheit in der Gesellschaft und Öffentlichkeit. Unsere jungen Mädchen aber bewahren wir bis zu ihrer Heirat im Inneren des Hauses. Es ist ihnen nicht einmal gestattet, sich auf dem Balkon oder am Fenster zu zeigen. Mademoiselle de Roseval, die noch ledig ist, wird sich diesen Einschränkungen nur schwer fügen können. Eure Nichte hat ihren eigenen Kopf, Monsieur. Sie wird sich am Hof von Ferrara nicht glücklich fühlen. Es wäre sicher das beste, Mademoiselle de Roseval bliebe hier in Frankreich, im Kreis ihrer Familie.«

Er blieb stehen, Lesaux den Rücken zuwendend, und blickte aus dem Fenster, wo irgendein Vorgang im Hof seine Aufmerksamkeit fesselte.

Lesaux starrte auf den schlanken, geraden Rücken in blauem Satin. Eine glatte Art war das, ihm Laura wieder aufzuschwatzen. Er hatte keine Lust, sie in Lesaux zu sehen, wo sie seine Autorität bei seinen Töchtern untergraben würde, und wieder einen Gatten für sie zu suchen. Er hatte selbst zwei Töchter unterzubringen.

»Ist das auch der Wunsch der Prinzessin?« fragte er.

Der Botschafter drehte sich nicht um.

»Die Prinzessin kennt die italienischen Verhältnisse noch nicht und ist noch nicht imstande, das Problem vollständig zu erfassen. Aber als Vormund habt Ihr das Recht, Eure Nichte aus ihrer Gesellschaft zu entfernen, und wenn Ihr Eure Verantwortung kennt, habt Ihr die Pflicht. Deshalb wollte ich selbst mit Euch sprechen, ehe Ihr die Prinzessin aufsucht.«

»Und Laura? Wie denkt sie darüber?« fragte ihr Onkel.

»Ich habe sie nicht gefragt. Spielt das eine Rolle?« fragte der Botschafter, und Lesaux konnte aus dem Klang der Stimme schließen, daß er erstaunt war über eine solche nebensächliche Frage. Man konnte ihm nicht gut sagen, daß das der wichtigste Punkt war. Natürlich würde der junge Mann ihn für einen völligen Versager halten, wenn er eingestand, daß er über seine Nichte keinerlei Autorität besaß. Sie würde sich höchstens dem Willen ihrer Großmutter beugen.

»Ich werde darüber nachdenken«, sagte er diplomatisch und stand auf. »Ich danke Eurer Exzellenz für die Güte, mit der Ihr Euch um das Schicksal meiner Nichte besorgt zeigt.«

Der Botschafter läutete und gab dem Diener Anweisung, ihn zu der Prinzessin zu führen. Renée empfing ihn lächelnd im Kreis ihrer Damen, nannte Laura schmeichelhaft ihre liebe Freundin und erkundigte sich, wie es ihr in Lesaux gehe. Lauras Onkel, schon vorgewarnt, zeigte kein Erstaunen, sondern murmelte etwas Unverbindliches. Renée kam nach einigen höflichen Umwegen auf die weitere Reise zu sprechen und erbat von ihm als Lauras Vormund die Erlaubnis, Laura nach Ferrara mitnehmen zu dürfen.

»Ich kann verstehen«, sagte sie, »wenn Ihr nach dem Schicksalsschlag, der Eure Nichte getroffen hat, sie bei Euch zu behalten wünscht, um ihr Trost zu spenden und eine neue Ehe anzubahnen. Andererseits würde es mich schmerzen, auf Lauras Gegenwart verzichten zu müssen. Sie ist eine hervorragende Vorleserin und im Augenblick meine einzige Dolmetscherin.«

Lesaux gefiel es ganz und gar nicht, daß er in diese Zwickmühle geraten war. Der Botschafter wollte Laura entfernen, die Prinzessin wollte sie behalten, und er sollte die Entscheidung treffen über ein Mädchen, das diese Entscheidung vielleicht nicht akzeptieren würde.

Er fand einen salomonischen Ausweg, der ihm den vollen Beifall der Prinzessin eintrug.

»Nichts, Königliche Hoheit, könnte mir größere Freude bereiten, als Laura in meinem Haus eine Zuflucht in ihrem Schmerz zu bieten. Aber der Tochter meines verstorbenen Königs eine geschätzte Gesellschaft zu entziehen, würde mein Herz mit Kummer erfüllen. Ich denke, es ist das beste, wenn Laura selbst die Entscheidung trifft.«

Wobei er sicher war, daß sich Laura nicht für Lesaux entscheiden würde.

Laura hockte mit angezogenen Beinen auf dem Boden und ließ einen Stapel Tarotkarten durch ihre Finger laufen. Gelegentlich zog sie eine heraus. Der Narr. Der Eremit. Der Magier. Der Mond. Der Gehängte. Der Herrscher. Der Tod. Die Sonne.

Sie mischte die Karten neu und zog wieder acht heraus. Der Turm. Die Hohepriesterin. Der Tod. Die Welt. Die Sonne. Die Liebenden. Der Mond. Das Rad des Schicksals.

Sie saß im Mas de Lalande, dem Haus, in das ihre Großmutter sich nach dem Tode ihres Mannes zurückgezogen hatte. Das war kaum ein Gut zu nennen, eher ein größerer Bauernhof. Zur Straße und von dort einsehbar lagen die Wirtschaftsgebäude und das Wohnhaus des Verwalters und des Gesindes. Dahinter, durch einen Garten getrennt, in dem Kräuter und seltene Pflanzen wuchsen, lag das Haus, das nach den Plänen der Dame de Lalande erbaut worden war. Von außen wirkte es unscheinbar, unterschied sich in nichts von den anderen provenzalischen Bauernhäusern. Es war einstöckig, hatte ein flaches, mit gebrannten Ziegeln gedecktes Dach und terrakottafarbene Wände. Wer eintrat, war überrascht. Das ganze Haus bestand aus einem einzigen Raum, der bis ins Dach offen war. Gegenüber der Tür an der Längswand befand sich ein mannshoher Kamin, in dem an eisernen Haken kupferne und gußeiserne Töpfe und Pfannen der verschiedensten Größe hingen. Es gab mehrere große Schränke und Truhen, die mit Eisenbändern und schweren Schlössern gesichert waren. An einem Ende des Raumes stand ein großes Bett ohne Vorhänge, mit einem schlichten Bretterhimmel. Es war so aufgestellt, daß man vom Kopfende aus durch ein Dachfenster in den Himmel sehen konnte. Daneben stand ein einfaches Gestell für Waschschüssel und Wasserkanne. In der anderen Hälfte des Raumes gab es einen riesigen Tisch, der belegt war mit unzähligen Bögen Pergament, die mit geheimnisvollen Ziffern und Buchstaben bedeckt waren.

Laura mischte die Karten wieder und zog von neuem. Das Rad des Schicksals. Der Mond. Der Herrscher. Der Magier. Die Sonne. Der Narr. Der Tod. Der Gehängte. Sie legte die Karten beiseite und sah zum Tisch hinüber, wo sie eine Bewegung wahrgenommen hatte.

An diesem Tisch saß ihre Großmutter. Sie war alterslos. Groß und schlank, ganz in Schwarz gekleidet wie eine einfache Bäuerin, gingen Kraft und Würde von ihr aus. Von ihr hatte Laura die elfenbeinerne Haut und das blauschwarze Haar geerbt. Das Haar der Dame de Lalande war immer noch schwarz. Nur eine breite weiße Strähne entsprang an der Stirn und verlor sich in den Flechten. Ihr Gesicht war faltenlos. Sie hatte weit auseinanderstehende Augen von einer glanzlosen Schwärze, die das Licht schluckten wie ein tiefer Brunnen. Ihr

Mund war breit, ihre Nase fleischig und ihr Kinn fest und rund. Es war das Gesicht einer Frau, die sich ihrer ganz sicher war. Sie hätte einem Maler für das Porträt einer Kaiserin Modell sitzen können. Nur eine gewisse Erschlaffung der Haut unter dem Kinn und die Adern, die sich dick auf den Handrücken abzeichneten, wiesen auf ihr Alter hin.

Wie alt sie wirklich war, wußte niemand. Sie war in der zweiten Hälfte des vorigen Jahrhunderts geboren worden und 1493 als einsame, mittellose Frau in Arles aufgetaucht. Es gab Gerüchte. Es hieß, sie sei die Tochter eines maurischen Prinzen und einer schönen Jüdin und in einem Palast in Granada aufgewachsen. Nachdem die Spanier Granada erobert hatten, sei sie geflohen. Sie kannte die Gerüchte, lächelte dazu und schwieg. Monsieur de Lalande, ein harmloser Landedelmann, der seinen Wein, seinen Falken und sein Schwert liebte, wußte später nie zu sagen, wie es zugegangen war, daß er diese Frau geheiratet hatte. Sie habe ihn verhext, behauptete seine Mutter, und Monsieur de Lalande war geneigt, ihr zuzustimmen. Dabei war die Ehe kein Mißerfolg. Seine Frau kam ihren Pflichten pünktlich nach, gebar zwei Söhne und eine Tochter, und der große Haushalt lief tadellos. Sie zeigte an den Söhnen gar kein und an der Tochter nur ein geringes Interesse. Die meiste Zeit des Tages verbrachte sie in einem Raum in dem großen, runden Turm von Lalande, den sie zu ihrem Studierzimmer ausgebaut hatte und den niemand außer ihr und ihrer alten spanischen Dienerin betreten durfte.

Was sie dort trieb, wußte niemand genau. Sie suche nach dem Stein der Weisen, hieß es, oder auch nach dem Jungbrunnen. Andere meinten, sie wolle einen Trank brauen, der das ewige Leben schenke. Wieder andere glaubten, sie suche das Elixier, das Steine in Gold verwandeln könne. Einig waren sich alle darin, daß ihr Treiben auf jeden Fall unchristlich und sündhaft sei und daß die Inquisition sich sehr eingehend damit befaßt hätte, wenn sie nicht den Namen der Lalande getragen hätte.

Gelegentlich verließ ihre alte Dienerin das Schloß mit kleinen Tiegeln und Töpfchen, die duftende Salben enthielten und die sie in Arles und Avignon teuer verkaufte. Mit dem Erlös wurde alles bezahlt, was im Studierzimmer gebraucht wurde.

Niemals bat Madame de Lalande ihren Mann auch nur um einen Dukaten.

Nach dem Tode von Monsieur de Lalande zog sie sich in das Mas zurück und ignorierte ihre Familie. Sie tauchte nur einmal auf, als Lauras Eltern gestorben waren, und verlangte, daß man ihr ihre Enkelin zur Erziehung übergäbe. Der Dame de Lalande widersprach man nicht. So war Laura in das Haus gekommen, war hier aufgewachsen und hatte hier gelernt. Die Dame de Lalande gab ihr einen Teil ihres Wissens. Sie lernte Spanisch, Italienisch, Latein, Griechisch, Arabisch und etwas Hebräisch. Sie las die alten Philosophen und Dichter, spielte die Laute und das Spinett und verstand etwas von Mathematik und Astronomie. Nie lehrte ihre Großmutter sie die Wirkung der Pflanzen, die im Garten wuchsen, nie die Bedeutung der Tarotkarten oder die Anlage eines Horoskops. Laura wußte nicht, warum. Man fragte die Dame de Lalande nicht nach ihren Gründen.

Die Dame de Lalande schob die Papiere zusammen und stand auf, um ihre Glieder zu lockern.

»Ich habe es fünfmal nachgerechnet«, sagte sie, und ihre Stimme war tief und schwingend wie eine Glocke. »Es ist jedesmal dasselbe. Der Mann, dessen Geburtsdatum du mir gegeben hast, ist seit zwei Jahren tot.«

»Ich habe es von seinem Bruder. Er ist sein einziger Bruder. Ich glaube nicht, daß man sich in dem Geburtstag seines einzigen Bruders irrt.«

»Was schließt du daraus?« fragte die Dame.

»Alessandro Montefalcone ist nicht an dem Tag geboren, den er für seinen Geburtstag hält.«

Die Dame nickte und forderte Laura mit einer Handbewegung auf, weiterzusprechen.

»Jemand hat sich die Mühe gemacht, sein Geburtsdatum zu fälschen. Wäre er der eheliche erstgeborene Sohn des Grafen und der Gräfin Montefalcone, würde sein Geburtsdatum stimmen. Es hätte keinen Grund gegeben, es zu fälschen. Das heißt, er ist nicht der, der er zu sein scheint.«

»Das hat er dir gesagt«, bemerkte die Dame.

»Aber ich begreife dennoch nicht, wie er sich so verabscheuen kann«, rief Laura. »Er glaubt, daß seine Abstammung von der Art ist, daß sie unsagbare Schande über ihn und die Seinen bringt, wenn sie bekannt wird.«

»Deshalb ist er unfähig zur Hingabe. Du hast es erlebt. Sein Stolz ist ihm mehr als seine Liebe. Wenn du diesen Stolz brichst, zerstörst du das letzte, was er in sich noch achtet.«

Schweigen breitete sich zwischen ihnen aus. Laura ließ die Karten wieder durch die Finger laufen und zog mechanisch acht heraus. Sie flatterten wie leichte Vögel zu Boden, eine bunte Versammlung von Gestalten, die sie in ihrer gemalten Unveränderlichkeit zu verspotten schienen.

»Ich weiß«, sagte Laura endlich. »O ja, ich weiß. Er ist unberührbar wie ein Aussätziger. Gibt es nichts, was das ändern kann?«

»Nicht, wenn seine Herkunft wirklich so auf ihm lastet. Das heißt, wenn es wirklich so gewesen ist, wie wir annehmen.«

»Du meinst, es könnte auch anders gewesen sein? Er könnte sich irren?«

Die Dame de Lalande schwieg.

»Ich werde es herausfinden«, sagte Laura. »Es kann einfach nicht sein. Würde es denn Sinn machen? Wären wir beide von Ewigkeit her füreinander geschaffen und würden uns in diesem einen einzigen Wimpernschlag des Universums begegnen und erkennen, nur um dann an der Sünde seiner Eltern und dem Fluch der Borgia zu scheitern? So grausam kann Gott nicht sein.«

Darauf antwortete die Dame de Lalande nicht.

»Ich werde es herausfinden«, sagte Laura nach einer Weile noch einmal.

»Es wird nicht einfach sein. Und vielleicht gefährlich.«

»Ich fürchte mich nicht«, sagte Laura heftig. Ihre Großmutter lächelte.

»Das will ich hoffen. Ich habe dich nicht gelehrt, dich zu fürchten. Geh deinen Weg, Laura. Aber stelle dich der Wahrheit. Auch wenn das bedeutet, daß er für dich verloren ist.«

Laura senkte den Kopf. Das schwarze Haar fiel wie ein Witwenschleier vor ihr Gesicht.

»Ich kann ihm seine Selbstachtung nicht nehmen. Sonst wäre es, als umarmte ich einen lebenden Leichnam. Aber wenn er unrecht hat, zerstört er um einer Einbildung willen unser Glück. Das kann ich nicht hinnehmen.«

»Was willst du tun?« fragte die Dame, und ihr Ton verriet, daß sie es an der Zeit fand, sich praktischen Fragen zuzuwenden.

»Wirst du morgen zu der Prinzessin zurückkehren und mit ihr nach Ferrara gehen?«

»Das wäre der einfachste Weg, um Alessandros Herkunft zu klären. Aber ich weiß nicht, ob er die Kraft hat, mich noch länger in seiner Nähe zu ertragen. Ich glaube, er ist fast am Ende. Was rätst du mir?«

Die Dame blickte sie aus glanzlosen schwarzen Augen an, ohne zu antworten. Laura lächelte flüchtig.

»Ich weiß. Ich habe es nicht vergessen. Du gibst niemals einen Rat. Aber deute mir die Karten. Willst du das für mich tun?«

Ihre Großmutter hob schweigend die acht Karten auf, die zu Boden gefallen waren. Das Rad des Schicksals lag zuoberst. Sie betrachtete es nachdenklich. Aus den vier Ecken blickten sie der Engel, der Adler, der Löwe und der Stier an, die Symbole der vier Elemente Feuer, Wasser, Erde, Luft. Im Rad wiederholten sie sich in ihren hebräischen Anfangsbuchstaben, die das Wort Jahwe bildeten. Die Schlange Typhon grinste ihr Zerstörung entgegen, der Gott Anubis tröstete sie mit dem Aufbauenden, und über allem thronte die Sphinx, das Symbol der Weisheit.

»Welche Karten hast du gefunden?« fragte die Dame und ließ die acht Karten, die Laura zuletzt gezogen hatte, durch ihre Finger gleiten.

»Ich habe viermal gezogen«, sagte Laura, »und viermal kamen die Sonne, der Mond und der Tod.«

Die Dame zog diese Karten heraus und legte sie nebeneinander auf das schwarze Tuch ihres Rockes in ihren Schoß. Laura wartete.

Nach einer Weile blickte ihre Großmutter auf und sagte:

»Sonne und Mond stehen für Personen, der Tod für das, was ihnen widerfährt. Die Sonne ist der Ursprung allen Lichtes. Sie findet ihre Kraft in sich selbst und überwindet alles Dunkel. Der Mond ist im Vergangenen gefangen. Sein Weg geht in das Dunkel, nicht das Licht. Wer seine Kraft in der Abwehr verbraucht, wird untergehen.«

Die beiden Frauen schwiegen. Draußen, in einer Welt, die ihnen so nah und doch so fern war, zwitscherten die Vögel, sangen die Kinder des Verwalters einen Abzählreim, klapperte eine Magd mit Eimern.

Endlich sprach die Dame de Lalande weiter.

»Der Tod. Damit etwas Neues möglich wird, muß das Alte sterben. Jedes Ende birgt einen neuen Anfang. Und der Tod wartet in Ferrara.«

Schwer fielen ihre Worte in die Stille. Laura krampfte die Hände zusammen. Alles Blut war aus ihrem Gesicht gewichen. Ihre Großmutter betrachtete sie und sagte nach einer Weile:

»Ich kann dich einen Blick in die Zukunft werfen lassen.«

Laura sah sie verständnislos an.

»Ich habe ein Mittel von meiner Großmutter, und die hat es von ihrer Großmutter und immer so fort, bis in die Zeit des alten Ägypten. Es sind die Tränen der Sphinx. Wer davon drei Tropfen nimmt, träumt ein Bild aus seiner Zukunft. Man darf im Leben nur einmal die Tropfen nehmen. Wer es zum zweiten Mal tut, wird wahnsinnig.«

Laura stand auf.

»Gib mir die Tropfen.«

Die Dame zögerte.

»Du wirst nur eine einzige Szene sehen. Weder, was vorher geschah, noch was hinterher sein wird. Es kann sein, daß du die Wahrheit siehst, sie aber nicht richtig deuten kannst.«

»Gib mir die Tropfen«, sagte Laura nur.

Die Dame nickte, schloß einen der mächtigen Schränke auf und trug einen schweren eisernen Kasten zum Tisch. Auch er war mit einem Schloß gesichert. Sie klappte den Deckel hoch. In seinem Inneren barg er ein buntes Sammelsurium von Perlen, Siegeln und Petschaften, Muscheln und Schneckenhäusern und kleinen dunklen Fläschchen. In der Mitte gab es noch einen kleinen Eisenkasten, dem großen gleich. Ihn hob sie heraus und schloß ein winziges verborgenes Schloß auf, indem sie eine Seite verschob. Laura trat zu ihr. Auf verblichenem rotem Samt lag eine Phiole aus durchsichtigem

Kristall, gefüllt mit einer bernsteinfarbenen Flüssigkeit. Behutsam hob die Dame die Flasche aus ihrem samtenen Sarg und entstöpselte sie. Ein Duft von Zedernholz strömte heraus.

In dem Kasten lag auch ein kleiner Silberlöffel. Die Dame ließ drei Tropfen daraus fallen. Zäh und schwer fielen sie vom Rand der Phiole und lagen in dem gerundeten Silber wie flüssiger Honig.

Laura zögerte nicht. Es schmeckte bitter, und sie verzog unwillkürlich das Gesicht.

»Geh schlafen«, sagte die Dame de Lalande. »Möge dir Gott einen guten Traum schicken.«

Sie tat, was sie seit Lauras Kindertagen nicht mehr getan hatte; sie küßte das Mädchen auf die Stirn.

Nachdem Laura gegangen war – sie schlief im Hause des Verwalters –, stand die Dame noch lange regungslos. Dann rief sie die Magd, daß sie ihr beim Auskleiden helfe.

»Mademoiselle Laura hat Kummer«, sagte Anna vorsichtig.

Die Dame seufzte.

»Sie wird viel Kraft brauchen. Vielleicht ist das Hindernis unüberwindlich. Sie hat die Aufgabe, das zu tun, was für sie das Schwerste ist. Laura kann kämpfen, aber sie wird leiden und ertragen müssen. Wenn sie verzweifelt …«

Sie sprach den Satz nicht zu Ende. Anna verstand auch das Unausgesprochene.

»Ihr hättet es ihr sagen müssen«, sagte sie vorsichtig.

Die Dame de Lalande wandte ihr das Gesicht zu. Jetzt zeigte es deutlich die Spuren des Alters.

»Ich wage es nicht. Ich bin so weit gegangen, wie ich gehen darf. Alles, was ich darüber hinaus tue, dient nur der Finsternis.«

Es ist bitterkalt. Der Morgentau ist unter der Kälte gefroren. Die ganze Welt ist weiß. Wenn ich ausatme, stoße ich eine Wolke von Dampf aus, die vor mir her weht. Ich liebe die Kälte. Meine Füße berühren kaum den Boden. Ich renne schon seit Stunden. Mich kann nichts ermüden. Im dichten Unterholz peitschen die gefrorenen Zweige meine Flanken. Ich bin allein. Gestern waren wir ein Dutzend, zogen den Hang herab. Wir witterten es alle. Blut-

geruch lag in der Luft, Geruch von frischem, nassem Blut. Wir erspähten es schon von der Höhe. Dunkel lag es unten auf der mondhellen Wiese. Ein Schaf, aufgerissen, die Gedärme hingen zerfetzt aus dem Bauch. Wir stürzten den Hang herunter. Es gibt nicht viel in diesem harten, langen Winter. Seit Wochen war ich nicht mehr satt geworden. Der Blutdunst betäubte unsere Vorsicht. Wir stoben heran, ein Bündel aus Beinen, Schnauzen, Zähnen. Ich erwischte einen Schenkel. Das Fleisch war noch warm. Dann waren sie über uns. Pferde, Männer, Schreie, Speere, Lanzen, Musketen. Wir stoben in alle Richtungen davon. Jetzt bin ich allein. Im Morgengrauen habe ich ein fernes Heulen gehört, aber ich habe die Richtung meines Laufes nicht geändert. Ich bin allein. Es ist gut, allein zu sein. Ich habe die Witterung eines Hasen aufgenommen. Ich folge ihr. Die Schnauze dicht am Boden, schnüffelnd, vorsichtig. Den Hügel hinauf, zwischen den schwarzen, kahlen Bäumen hindurch. Auf der Lichtung kommt eine neue Spur dazu. Ein Pferd. Nur eines. Ein Pferd ist keine Falle. Ein Pferd ist eine Beute. Besser als ein Hase. Vorsichtig am Kamm des Hügels weiter. Da unten, ein Mann auf einem Pferd, allein. Er reitet unten, ich folge ihm auf der Höhe. Langsam schraube ich mich nach unten, bin auf gleicher Höhe, schräg dahinter. Dann ein Sprung, an dem Bein des Reiters vorbei hinauf zur Kehle des Pferdes. Der Biß. Das Blut, sprudelnd, warm. Dann der Schlag über den Rücken. Ich lasse ab, wende mich, das Pferd stürzt, der Mann springt ab, kommt auf mich zu, eine lange Eisenstange schwingend, seine hellen Augen wie Eis. Ich ziehe alle meine Kraft in einem Punkt zusammen und stoße mich ab. Meine Vorderpfoten landen auf seiner Brust. Er fällt, er verliert den Speer. Er liegt unter mir, will seine Arme um meinen Hals klammern, mich erwürgen. Ich bin schneller. Als ich meine Zähne in ihn schlage, löst sich der Griff. Ich spüre das Fleisch unter dem Stoff, die Knochen, das Blut. Ich stehe über ihm, meine Vorderpfoten auf seiner Brust, mein Gebiß bleckt über seinem Gesicht, und aus meinen Lefzen tropft das Blut in sein goldenes Haar.

Laura fuhr schreiend hoch. Dunkelheit erfüllte ihre Schlafkammer. Sie stopfte sich die Hand in den Mund, um die Schreie zu ersticken.

Sie kamen gleich darauf mit Kerzen und Mitgefühl. Ein Alptraum, nichts Schlimmes. Es würde gleich wieder gut werden. Ein Glas Milch, oder warmer gewürzter Wein?

Laura saß zitternd im Bett, die Schultern an die Wand gelehnt, die Hände über den Augen voll Entsetzen. Sie schüttelte bei jedem gutgemeinten Trost den Kopf, wortlos. Schließlich ließ ihr Eifer nach. Sie waren müde und fühlten ihr Mitleid vergeudet. Erst scharrten sie verlegen mit den Füßen, dann zogen sie sich zurück, ein bißchen zögernd.

Laura war allein mit der Finsternis und dem Grauen.

Der Baron von Lesaux und Antonio Montefalcone ritten am frühen Morgen von Arles nach Osten in Richtung Salon. Jeder hatte zehn Männer dabei. Es war ein stattliches Aufgebot, das ausgeschickt worden war, um Laura de Roseval im Mas de Lalande aufzusuchen.

Die Mitteilung des Barons, er wolle Laura die Entscheidung überlassen, hatte der Botschafter zu seiner Erleichterung nicht kommentiert. Er hatte nur seinen Bruder abkommandiert, Lauras Onkel zu begleiten, weil das Mädchen, wenn es zur Prinzessin zurückkehren wollte, eine angemessene Eskorte brauche. Seines Wissens sei sie nur mit zwei Reitknechten aufgebrochen. Wenn jemand bei sich fand, ein Leutnant und zehn Soldaten seien eine bemerkenswerte Eskorte für ein junges Mädchen, das sich in einem friedlichen Land keine zwei Stunden entfernt aufhielt, so sprach das niemand aus. Der Botschafter sah nicht aus, als ob er auf anderer Leute Meinung Wert legte.

So ritten sie an diesem Morgen, der noch kühl war vom Tau, durch Wolken von Lavendel-, Thymian- und Rosenduft, unter dem Gesang der Vögel und der schwerelosen Bläue des Himmels, und einmal sagte Antonio überwältigt:

»Ihr bewohnt ein gesegnetes Land.«

»Der Wein ist gut, und die Frauen sind schön, aber mit der Jagd ist es nicht weit her – zuwenig Rotwild«, sagte Lesaux. Er kniff die Augen zusammen.

»Seht Ihr etwas? Da vorn? Drei Reiter, einer im Damensattel, wenn ich nicht irre.«

Antonio beschattete die Hand mit den Augen.

»Die Knechte tragen unsere Farben. Das muß Eure Nichte sein.«

»Auf dem Rückweg also. Na, da können wir uns den Weg ins Mas sparen«, sagte Lesaux, den diese Aussicht froher stimmte, und trieb sein Pferd vorwärts.

Sie trafen keine zwei Minuten später zusammen.

»Onkel«, sagte das Mädchen überrascht, »was tut Ihr denn hier?«

»Das, meine Liebe, sollte ich wohl eher dich fragen«, polterte er. »Ich komme gestern nach Arles, um dich zu besuchen, und, meiner Treu, der Vogel ist ausgeflogen und treibt sich im Land herum.«

»Herumtreiben?« Sie zog die Augenbrauen auf eine Weise hoch, die ihn unangenehm an ihre Großmutter erinnerte. »Ich nehme doch an«, fuhr sie honigsüß fort, »daß Ihr mich bei meiner Großmutter vermutet habt. Oder seid Ihr auf dem Weg ins Mas, um ihr einen Freundschaftsbesuch abzustatten? In dem Fall will ich Euch nicht aufhalten.«

Lesaux lief rot an.

»Hüte deine Zunge, Mädchen. Sie läuft schneller, als für dich gut ist. Allerdings will ich nicht mit deiner Großmutter sprechen, sondern mit dir.«

Laura ließ den Blick über die zwanzig Reiter schweifen.

»Zehn Männer aus Lesaux und zehn von den Este. Welch ein Gefolge! Habt Ihr angenommen, daß es der Überzeugungskraft so vieler Männer bedarf, um mich zur Rückkehr zu bewegen?«

Die rote Gesichtsfarbe des Barons vertiefte sich. Ihm war peinlich bewußt, daß ein Leutnant und zwanzig Männer dem Wortwechsel mit dem schnippischen Mädchen zuhörten.

»Ich habe etwas mit dir zu besprechen«, sagte er. »Da ich dich hier treffe, können wir das auch gleich erledigen. Dann spare ich mir den Weg ins Mas. Dort drüben«, er wies mit der Peitsche über den Weg, »sind ein paar Steine. Dort können wir uns setzen.«

Bevor er sich aus dem Sattel gequält hatte, war Antonio schon abgesprungen, hatte Laura vom Pferd gehoben und die Zügel der beiden Pferde einem Knecht zugeworfen. Er reichte ihr seinem Arm, führte sie zu den Felsbrocken, legte seinen

Umhang schwungvoll darauf und bat sie dann, Platz zu nehmen.

»Galant, galant«, sagte Lesaux mit einer Spur Bosheit. Als Antonio sich entfernen wollte, hielt er ihn zurück.

»Bleibt! Vielleicht hat meine Nichte die eine oder andere Frage an Euch über Ferrara.«

Erstaunt ließ Antonio sich zu Lauras Füßen in das wilde Gras sinken.

Lesaux setzte sich ächzend neben Laura auf einen Stein und trocknete sein Gesicht mit einem Tuch.

Laura wartete ab. Der Baron suchte nach einem passenden Anfang. Da er so unverhofft auf sie gestoßen war, hatte er sich seine Worte noch nicht zurechtgelegt.

»Tja«, fing er endlich an. »Also die Frage ist, ob du nach Ferrara gehst oder hierbleibst.«

»Wieso ist das eine Frage? Habt Ihr nicht der Prinzessin schon die Zustimmung gegeben?«

Lesaux hustete.

»Gewiß, gewiß. Nur ist jetzt ein neuer Gesichtspunkt aufgetaucht. Der Botschafter … Er glaubt, daß du dich in Ferrara nicht wohlfühlen wirst, weil sie da alle unverheirateten Frauen im Haus einsperren wie der Großtürke seinen Harem, und er meint, das würde dir nicht passen.«

Antonio setzte sich noch aufrechter. Das war eine faustdicke Lüge. Er selbst war dabeigewesen, als der Ehevertrag verhandelt wurde. Der Prinzessin war ausdrücklich das Recht zugebilligt worden, ihren kleinen französischen Hofstaat nach französischer Sitte zu führen. Niemand wußte das besser als Alessandro, der die Verhandlungen für Ferrara geleitet hatte. Was bezweckte er damit, daß er dieses Mädchen aus dem Gefolge der Prinzessin entfernen wollte?

Antonio konnte nur eine Erklärung finden. Alessandros Leben war bedroht, und zwar von französischer Seite. Er hatte ja beim Turnier erlebt, daß der König keinen Finger gerührt hatte, um seinen Bruder zu retten. War Laura eine Agentin des Königs und hatte sie die Aufgabe, den gedungenen Mordgesellen zu helfen? Je länger Antonio darüber nachdachte, desto einleuchtender schien ihm die Idee. Laura hatte durch Alessandro ihren Bräutigam verloren. Er sah noch das Bild, wie sie im Sand neben dem Toten gekniet hatte, die Hände besudelt von seinem Blut. Sie hatte Grund, Alessandro zu hassen. Wahrscheinlich wollte sie sich an ihm rächen und war deshalb bereit, mit den Mördern zusammenzuarbeiten. Jung wie sie war, würde niemand sie für dessen fähig halten. Jung war sie wohl, aber weder schüchtern noch zimperlich. Antonio erinnerte sich, wie energisch, umsichtig und kundig sie gewesen war, als sie sich im Wald verirrt hatten. Sie war intelligent, selbstbewußt und furchtlos und hatte Grund, seinem Bruder Übles zu wollen. Hatte sie ihn nicht unterwegs manchmal sehr merkwürdig angesehen, wenn sie sich unbeobachtet glaubte?

Lesaux hatte zu Ende gesprochen und wartete auf Lauras Antwort. Stille breitete sich zwischen ihnen aus. Eine Eidechse, davon ermutigt, kroch aus einer Felsspalte zwischen den Steinen an die Sonne.

»Ihr überlaßt mir die Wahl?« sagte Laura endlich. »Wie großzügig von Euch, Onkel. Im Mas kann ich nicht bleiben. Es ist also die Wahl zwischen Lesaux und Ferrara. Ich denke, ich ziehe Ferrara vor.«

Lesaux war erleichtert. Er bemerkte, in diesem Fall treffe es sich gut, daß der Botschafter seinen Bruder mit einer Bedeckung mitgeschickt habe. So könne dieser Laura nach Arles zurückbringen, während er, Lesaux, der schon viel Zeit ihretwegen verloren habe, noch vor Abend zu Hause sein könne. Ohne übertriebene verwandtschaftliche Liebe zu zeigen, nahmen sie Abschied voneinander. Lesaux entfernte sich mit seinen zehn Männern, und Antonio hatte die ehrenvolle Aufgabe, das Mädchen, das seinem Bruder nach dem Leben trachtete, sicher nach Arles zu geleiten.

Wenige Tage später erreichten sie Marseille, mußten aber dort länger bleiben, als sie geplant hatten. Der König hatte ihnen für die Überfahrt nach Italien zwei Galeassen gestellt, deren Schiffsraum sich als nicht ausreichend erwies, um das ganze Gefolge der Prinzessin standesgemäß unterzubringen. Bis sie ein drittes Schiff aufgetrieben hatten, verging wertvolle Zeit. Es war jetzt Ende September, immer noch warm und sonnig, aber der Mistral blies schon gelegentlich seinen kalten Atem durch die Gassen der Stadt. Die Zeit der Herbststürme kündigte sich an, in der die Schiffe, die jetzt noch mit geblähten Segeln wie stolze Schwäne über das Meer glitten, in den Häfen Zuflucht suchen würden wie die Küken unter den Flügeln der Glucke. Wie immer seit den Tagen von Blois fand Antonio auch jetzt keine Gelegenheit, mit seinem Bruder allein zu sprechen.

Antonio war stolz auf sich. Ihm war seit der Begegnung auf der Landstraße vor Arles klar, daß Laura überwacht werden mußte. Er hatte darüber nachgedacht, wie er das am besten bewerkstelligen konnte. Und dann war ihm plötzlich eine geniale Idee zugeflogen. Ein junger Mann konnte nur einen Grund haben, wenn er sich ständig in der Nähe eines Mädchens aufhielt und es nicht aus den Augen ließ. Antonio beschloß, Lauras glühender Verehrer zu werden. Vom Aufbruch in Arles bis zur Einschiffung in Marseille spulte er das ganze Repertoire ab. Er schenkte ihr Rosen, brachte eine Serenade dar, half ihr in die Sänfte, suchte ständig den Platz neben ihr und raspelte Süßholz, bis ihm die Zunge weh tat. Von dem Moment, da sie morgens ihre Kammer verließ, bis sie sie zum Schlafen wieder betrat, konnte sie keinen Schritt tun, der nicht von feurigen schwarzen Augen beobachtet wurde.

Der Einfall bewährte sich. Antonio schluckte gelassen die amüsierten Blicke der Prinzessin und gelegentliche spöttische Bemerkungen Marguerites und war ganz unempfindlich gegen alle Versuche Lauras, ihn durch Kälte oder Sarkasmus fortzuscheuchen. Schließlich gab sie es auf, ihn aus ihrer Gesellschaft zu entfernen, und behandelte ihn mit der gereizten Geduld, die eine ältere Schwester dem lästigen jüngeren Bruder gegenüber an den Tag legt.

Alessandro kommentierte Antonios Bemühungen nicht. Sein Tag war ununterbrochen angefüllt. Er verhandelte mit Kapitänen, Schiffsmaklern, Händlern über Schiffsraum, Wasser, Proviant, Unterkünfte und hatte außerdem alle Hände voll damit zu tun, die Disziplin der Soldaten aufrechtzuhalten, die untätig in einer Stadt herumlungerten, in der es mehr Bordelle als Wohnhäuser gab.

Matteo sprach ihn eines Tages an. Der treue Gefährte saß im Schatten eines Pfeilers und schnitzte an einem Stückchen

Holz, als Antonio gerade den Hof überquerte. Er rief ihn leise zu sich und sagte, nachdem sie eine Weile lang Banalitäten ausgetauscht hatten:

»Mir scheint, Ihr habt Euer Herz an Mademoiselle de Roseval verloren. Ihr solltet Euch von ihr besser fernhalten.«

»Mir kann sie nichts anhaben«, sagte Antonio. »Ich denke, es ist gut, wenn ich mich um sie kümmere. Dieses Mädchen bedeutet den Tod für Alessandro.«

Matteo ließ das Schnitzmesser sinken und blickte auf.

»Ihr habt das also auch bemerkt?«

»Ich kann zwei und zwei zusammenzählen«, erwiderte Antonio. »Ich halte es für das beste, sie von ihm fernzuhalten.«

»Es wäre besser gewesen, sie hätte uns in Arles verlassen«, sagte Matteo und schälte vorsichtig einen Span aus dem Holz.

»Ihr Onkel konnte sich nicht durchsetzen. Er wollte es wohl auch nicht. Ich glaube, er war ganz erleichtert, daß er sie nicht aufnehmen mußte. Ich kann ihn gut verstehen. Wenn ich das Familienoberhaupt wäre, würde ich ein solches Mädchen auch nicht gern unter meinem Dach haben. Es fehlt ihr an weiblicher Bescheidenheit und Demut. Ich glaube, sie kann sogar sehr gefährlich werden.«

»Sie ist gefährlich«, sagte Matteo. »Sie mit nach Ferrara zu nehmen, ist, als wenn man Arsen unter das Essen Eures Bruders mischt, jeden Tag ein Gran. Am Ende stirbt das Opfer an der schleichenden Vergiftung.«

»Sie wird keine Gelegenheit haben, ihm zu schaden. Ich schütze ihn vor ihr«, sagte Antonio stolz.

Matteo kränkte ihn mit einem lauten Gelächter.

»Wie jung Ihr seid, Messer Antonio! Sonst wüßtet Ihr, daß niemand einen Mann vor einer Frau schützen kann.«

Das, dachte Antonio, war überaus unfair. Er tat sein Bestes, und es zahlte sich schon aus. Seit er sich um Laura bemühte, konnte sein Bruder in aller Ruhe seinen Geschäften nachgehen, die so zahlreich waren, daß er nicht einmal mehr zu den Mahlzeiten in der Gesellschaft der Prinzessin erschien.

Für einen tüchtigen Schwimmer, wie Matteo es in seiner Jugend gewesen war, besaß er in seinen späteren Jahren eine erstaunliche und fast krankhaft zu nennende Abneigung gegen

Gewässer, so daß die Aussicht auf eine Schiffsreise sein Gemüt schon Tage vorher zu verdüstern begann. Er zögerte das Betreten des Schiffes so lange hinaus wie er konnte und behielt während der ganzen Schiffsfahrt ein schroffes und mürrisches Wesen bei. Er mißtraute dem Wasser, weil ihm – was die wenigsten wußten – eine Zigeunerin beim Karneval vor vielen Jahren ein nasses Grab vorausgesagt hatte.

In diesem Herbst allerdings überwand er seine Todesfurcht und betrachtete die Seereise nach Modena als ein großes Glück, zwar nicht für ihn, wohl aber für seinen Herrn Alessandro Montefalcone.

Matteo war der Milchbruder des verstorbenen Grafen Federigo Montefalcone und hatte mit ihm zu seinen Lebzeiten alles geteilt: als Säugling die nährende Brust der Amme, später die wilden Spiele, die Kriegszüge und auch seine Geheimnisse. Er erinnerte sich lebhaft an jenen Tag, als Federigo ihm das blonde, grauäugige Kind in die Arme gelegt hatte, das als sein erstgeborener Sohn und Erbe aufgezogen werden sollte.

»Hüte ihn gut, Matteo«, hatte Federigo gesagt. »Wache über ihn mit den Augen des Adlers und dem Mut des Löwen. Weiß Gott, er wird es nötig haben.«

Seitdem war Matteo nicht mehr von der Seite des Kindes gewichen. Er hatte ihm das erste Spielzeug geschnitzt, ihn auf das erste Pony gesetzt, ihm das erste Schwert in die Hand gedrückt und das erste Mädchen zugeführt.

Er hatte gedacht, nachdem Federigo Montefalcone tot war und Madonna Leonora, seine Frau, sich in das ewige Schweigen des Klosters zurückgezogen hatte, der einzige Mensch zu sein, der das Geheimnis von Alessandros Geburt kannte. Die Anschläge, die auf der Reise verübt worden waren, hatten ihn erschreckt. Es mußte einen weiteren Menschen geben, der das Geheimnis kannte. Ein Mensch, der mächtig war und dem er gefährlich werden konnte.

Matteo dachte an Alessandros Mutter mit dem blonden Haar und den hellen Augen, die lieblichste und anmutigste Frau, die er je gesehen hatte. Er hütete das Kind nicht nur für Federigo Montefalcone, sondern vor allem für diese Frau, die er vom ersten Augenblick an geliebt hatte und die er bis zu seinem Tod lieben würde. Er hatte immer gewußt, daß er hoffnungslos liebte, aber seine Lage war nicht so entsetzlich gewesen wie die Alessandros.

Es war eines, sein Herz an eine Dame zu verlieren, die im Rang so hoch über ihm stand, daß sie unerreichbar war, und ein anderes, ein Mädchen zu lieben, das ein paar Zimmer entfernt nichts sehnlicher wünschte, als ihn in ihrem Bett zu empfangen und sich die Erfüllung zu versagen.

Matteo, der mit Adleraugen über Alessandro wachte, war nichts entgangen. In grimmigem Schweigen hatte er die letzten Wochen zugesehen, wie sein Herr sich zugrunde richtete. Er war jeden Morgen noch vor Sonnenaufgang aufgestanden und hatte sein Pferd satteln lassen. Nach einem Ritt, von dem das Tier zitternd und schweißbedeckt zurückkehrte, hatte er die Soldaten exerzieren lassen. Dann waren die endlosen Verhandlungen an der Tagesordnung gewesen, die sich bis Mitternacht hinzogen, und am Ende der Wein und die Nymphe, für die Matteo gesorgt hatte, und die Wohltat des Vergessens im Schlaf, der nie länger als drei oder vier Stunden gedauert hatte.

Matteo hatte alle Anzeichen des Verfalls beobachtet, das Schwinden des Fleisches von den Knochen, das Zittern der Hände, wenn sie morgens nach den Zügeln griffen, die Schatten, die über das Gesicht krochen, das grau war unter der Bronzebräune, und die Grausamkeit, mit der er Verstöße gegen die Disziplin ahndete.

Matteo saß unter dem Großmast, schnitzte an einem Stück Holz, verfluchte das Mädchen und spuckte aus.

Wenigstens war sie nicht an Bord der Galeasse. Von ihrer Gegenwart befreit, ohne die Möglichkeit zu wilden Ritten und mit dem Weinkrug, in den Matteo ein Schlafmittel mischte als einzige Fluchtmöglichkeit, mußte Alessandro sich in diesen zwei Wochen der Seereise wenigstens körperlich erholen. Etliche Hofdamen hatten Quartier auf dem anderen Schiff nehmen müssen, darunter Laura de Roseval. Es war eine Erleichterung.

Matteo hackte mit dem Messer verbissen in das Holz. Die Erleichterung wäre noch größer gewesen, wenn Antonio nicht darauf bestanden hätte, an Bord desselben Schiffes zu gehen wie Laura. Der Junge war ein Narr. Er hatte ihn gewarnt, aber wie jeder allzu junge Mann glaubte er klüger zu sein als die Älteren. Er wollte Alessandro vor Laura schützen. Gut und schön, aber es wäre besser gewesen, er hätte zu Arsen gegriffen als zu dieser kindischen Maßnahme. Er glaubte, wenn er Laura nur lange genug von Alessandro ablenkte und fernhielte, so würde dessen Neigung allmählich erlöschen wie ein Feuer, dessen Flammen keine Nahrung fanden. Matteo bezweifelte das. Alessandro wurde von einem Feuer verzehrt, das steter loderte als das Strohfeuer des erotischen Verlangens. Und was, wenn die Liebe zum jüngeren Bruder in jähe Eifersucht umschlagen sollte?

Grausame Rache zu nehmen, war nichts Ungewöhnliches für einen großen Herrn, und Alessandro stammte aus einer Familie, die bedenkenlos Blut vergossen hatte.

Matteo erinnerte sich an die Geschichte der schwarzhaarigen Angela Borgia, der vor 25 Jahren Giulio, der schöne Bastard des verstorbenen Herzogs von Ferrara, und der Kardinal Ippolito, sein ehelicher Sohn, zu Füßen gelegen hatten. Die dunkle Angela hatte Giulio vorgezogen und dem Kardinal gegenüber seine schönen Augen gerühmt. Kurz darauf war Giulio von Männern des Kardinals überfallen worden, die ihm die Augen ausstachen. Giulio, wütend darüber, daß ihr gemeinsamer Bruder, der Herzog, den Kardinal nicht bestrafte, hatte eine Verschwörung angezettelt, war entdeckt und eingekerkert worden. Seit mehr als zwanzig Jahren vegetierte er in einer feuchten, modrigen Zelle im Keller des herzoglichen Schlosses, deren winziges vergittertes Fenster gerade über dem Wasserspiegel des stinkenden Burggrabens lag.

Nein, nach Matteos Meinung zählte die Bruderliebe nicht viel, wenn es um die Macht oder um eine Frau ging.

Ein Schatten fiel über Matteo. Aufblickend gewahrte er, spreizbeinig vor ihm aufragend, die dunkle Gestalt Annibale Strozzis.

»Keine drei Tage mehr«, sagte er, »dann haben wir wieder festen Boden unter den Füßen. Falls alle Schiffe die Reede von Genua erreichen. Mir scheint, der Rückweg verläuft so harmlos, wie die Hinreise gefährlich war.«

»Noch sind wir nicht in Ferrara«, sagte Matteo knapp.

»Ah, das klingt, als hieltest du Ferrara für einen Hort der Sicherheit«, sagte Annibale Strozzi spöttisch, »aber meinst du, daß es überhaupt sichere Orte gibt? Überall kann uns der Tod ereilen, und soviel ist gewiß, er ereilt jeden von uns.«

Mit einem leichten Lachen schritt er weiter zum Bug, wo Marguerite de St. Philibert unter einem Sonnensegel saß, das ihre zarte Haut schützte.

Matteo starrte ihm nach.

War das eine Warnung gewesen?

Oder eine Drohung?

In Modena betrat der Hochzeitszug der französischen Prinzessin zum ersten Mal das Herrschaftsgebiet der Este. Hier sollte Prinzessin Renée nun endlich ihrem Gemahl, dem Prinzen Ercole, zugeführt werden. Der Prinz würde sie dann in großem Gefolge an den Hof von Ferrara geleiten. Doch zunächst sollte der Empfang der französischen Prinzessin auf herzoglichem Grund und Boden gebührend vonstatten gehen.

Die Este hatten alles aufgeboten, Glanz zu entfalten. Marguerite und die anderen Mitglieder von Renées Hofstaat waren überwältigt. Wenn Renée auch beeindruckt war, so verbarg sie es doch sehr geschickt hinter einer Fassade freundlichen Entgegenkommens gegen jedermann, ohne sich zu einer spontanen Gefühlsäußerung hinreißen zu lassen.

Prinz Ercole erwartete seine Braut in der Gesellschaft der Herzöge von Mailand und Urbino und des Markgrafen von Mantua. Zweitausend Menschen drängten sich zusätzlich in den Gassen und Palästen der Stadt, zehn Tage lang wurde gefeiert, wurden Turniere und Kavalkaden, Pferderennen, Bälle, Ballette und Theateraufführungen veranstaltet.

Renée fragte sich, warum sie so lange in Modena blieben und warum diese prunkvolle Festivität nicht in Ferrara stattfand, sondern in dieser kleinen verschlafenen Provinzstadt. Und sie fragte sich, was hinter der Stirn ihres Mannes vorgehen mochte, denn sooft er sich von ihr unbeobachtet glaubte, verdüsterte sich sein Gesicht, um sogleich wieder zu strahlen, wenn er sich ihr zuwandte.

Sie konnte sich über Ercole nicht beklagen. Ihre Damen wurden nicht müde, ihr zu versichern, sie habe bei ihrer Gattenwahl ein Glück gehabt, wie es nur selten eine Prinzessin fände. Renée hörte ihnen zu, lächelte und schwieg.

Sie lag in dem breiten Prunkbett, das sie mit Ercole teilte, und bemühte sich, gleichmäßig zu atmen, damit er glaubte, daß sie schliefe. Er hatte sich in den letzten Nächten ruhelos hin- und hergewälzt. Es dauerte meist bis zum Morgengrauen, ehe in den schweren Körper neben dem ihren die Ruhe der Erschöpfung einkehrte.

Renée überlegte, was ihn so angespannt sein ließ. Hinter all dem bunten, festlichen Treiben spürte sie etwas Dunkles, Schreckliches, das vor sich ging.

Der erste Anblick Ercoles hatte sie verstört. Er war wenig über zwanzig, schwer gebaut, breitschultrig und mit starkem Brustkasten. Haut und Haare waren dunkel, die Augen von einem bernsteinfarbenen Braun. Er bewegte sich in seinen prachtvollen Gewändern mit natürlicher Würde und einer Anmut, die den Männern in Italien angeboren zu sein schien. Aber jede seiner Bewegungen verriet auch die Kraft seines muskulösen Körpers, und Renée fürchtete sich, wenn sie es auch zu verbergen verstand.

Später erwies sich ihre Furcht als unbegründet. Ercole war ein umsichtiger, rücksichtsvoller Gatte, den keine unbezähmbare Leidenschaft zu ihr ins Bett trieb. Sie ließ alles schweigend über sich ergehen, fand es aber zu ihrem Erstaunen nicht unangenehm, vor allem, weil Ercole ihre Distanziertheit respektierte. Er nahm sie auf eine unpersönliche Weise in Besitz, die deutlich machte, daß zwei zivilisierte Menschen einen staatspolitischen Akt besiegelten. Wenn sie sich morgens aus dem gemeinsamen Bett erhoben, waren sie einander so fremd wie zuvor.

Ercole wälzte sich in den Laken umher und streifte mit seinem Bein das ihre. Renée zog sich bis an die Bettkante zurück.

»Verzeiht«, sagte er, »habe ich Euch geweckt?«

»Ich kann nicht schlafen«, sagte sie ausweichend.

»Ich bin ein schlechter Bettgenosse, ich weiß«, sagte er entschuldigend. »Ich würde Euch gern das Bett allein überlassen und in ein anderes Schlafzimmer übersiedeln, damit Ihr Eure Ruhe habt, aber das ist in den nächsten Wochen unmöglich. Es würde Gerede geben.«

»Niemand würde sich wundern«, gab sie heftig zurück. »Es setzt eher alle in Erstaunen, daß Ihr hier bei mir liegen bleibt, da Euch doch die schönsten Damen des Hofes zur Verfügung stünden, wenn Ihr nur mit dem Finger winktet.«

Sie hatte das nicht sagen wollen. Sie ärgerte sich, daß sie ihre Beherrschung verloren hatte. Es mußte daran liegen, daß sie eigentlich todmüde war. Sie spürte, wie Ercole sich aufrichtete, und spähte zu ihm hinüber. Er hatte sich ihr zugewandt und, den Kopf auf den Arm gestützt, musterte sie mit einem kühlen, abschätzenden Blick.

»Habt Ihr eine bestimmte im Auge?« fragte er mit mildem Interesse.

Renée biß sich auf die Lippen.

»Wenn Ihr glaubt, daß ich eifersüchtig bin, dann habt Ihr Euch getäuscht. Es ist Eure Pflicht, mir Söhne zu machen, und meine, Euch Söhne zu gebären. Daß ein sinnlicher Mann wie Ihr Euch nicht mit einer kränklichen, verkrüppelten Frau wie mir begnügen wird, ist mir klar. Aber ich wäre dankbar, wenn Ihr taktvoll wäret und nicht unter meinen Augen mit meiner Hofdame anbandeln würdet.«

»Mit Eurer Hofdame?« wiederholte er verblüfft.

»Ihr habt Euch den halben Abend mit Laura de Roseval unterhalten.«

Sie spürte in dem ungewissen Mondlicht, das durch das Fenster sickerte, mehr, als daß sie sah, wie er lächelte.

»Laura de Roseval. Eine interessante Person. Sie spricht hervorragend Italienisch. Ich mußte sie mir gewogen machen, denn durch ihre Ohren werdet Ihr vieles hören, was am Hofe vor sich geht. Bis Ihr selbst meine Sprache sprecht.«

Sie redeten französisch, er langsam und mit Akzent.

»Ich nehme Unterricht«, sagte Renée. »Ich denke, ich bedarf Lauras Hilfe nicht lange. Es wird gut sein, wenn sie bald nach Frankreich zurückkehren kann. Ihr Onkel sollte sie bald verheiraten.«

»Ich habe gehört, daß Montefalcone ihren Verlobten getötet hat. Das ist bedauerlich. Eine Hochzeit sollte nur Freude bereiten und kein Leid. Immerhin trägt sie es mit Fassung. Warum sollten wir sie nach Frankreich zurückschicken? Finden wir doch hier einen Gatten für sie! Vielleicht sollte das Eure erste Aufgabe sein. Schließlich ist Laura mit mir verwandt. Wenn sie auch taktvollerweise kein Aufhebens davon macht. Hätte Eure silberblonde Marguerite mir nicht davon erzählt, wüßte ich es wohl immer noch nicht.«

»Laura mit Euch verwandt?« fragte Renée erstaunt.

»Eine illegitime Cousine, wenn ich es richtig verstanden habe. Ihr Vater war der Bruder meiner Mutter. Wußtet Ihr das nicht?«

»Ich hatte es vergessen. Wie Ihr schon sagt – sie mißt dem selbst keine Bedeutung bei. Sie hat nie versucht, aus der Verwandtschaft zu Louise de la Trémouille Vorteil zu ziehen. Sie wird sicher auch in Ferrara keine Ansprüche erheben auf eine Stellung, die über die hinausgeht, die sie jetzt bekleidet. Dazu ist sie zu klug. Sie weiß, daß es das beste ist, wenn man keine Fragen nach ihrer Herkunft stellt. Denn sie ist nicht nur eine außereheliche Tochter Cesare Borgias. Ihre Großmutter kam aus Spanien und man sagt, sie sei eine maurische Prinzessin oder eine Jüdin, und eine Zauberin obendrein. Laura redet niemals über ihre Herkunft. Sie wird keinen Ärger machen. Aber es ist trotzdem besser, wenn sie bald nach Frankreich zurückkehrt.«

»Warum?«

In seiner müßig plaudernden Stimme war ein antwortfordernder Ton, den sie an ihm noch nicht kannte. Sie zögerte. Sie hatte nur Vermutungen, und schließlich handelte es sich hier einzig und allein um Lauras Geheimnis, das diesen Fremden neben ihr nichts anging.

Ercole seufzte. Dann streckte er seine Hand aus und legte sie sanft auf Renées Schulter.

»Wir sind Mann und Frau«, sagte er freundlich. »Wir teilen ein Bett und irgendwann einen Thron. Wir müssen zusammenarbeiten, Ihr und ich. Ihr seid nicht nur die Mutter meiner Kinder. Es werden auch Eure Kinder sein. Für ihr Wohl müssen wir zusammenstehen. Ihr dürft kein Geheimnis vor mir haben. Auch, wenn Ihr denkt, daß es unbedeutend ist. In der Politik ist nichts unbedeutend, nicht einmal die Liebschaft einer kleinen Hofdame. Schon gar nicht, wenn sie eine Verwandte ist.«

»Ihr wißt …?«

»Ich habe Augen im Kopf, meine Liebe. Laura de Roseval ist verliebt in unseren schönen blonden Conte Montefalcone.«

»Warum fragt Ihr, wenn Ihr es wißt?«

»Ich möchte Eure Bestätigung. Was wißt Ihr darüber?«

Wieder war der stählerne Klang in seiner Stimme, gegen den Renée sich am liebsten aufgelehnt hätte. Aber sie wußte, daß sie sich nur lächerlich machen würde.

»Laura hat sich mir nicht anvertraut, falls Ihr das meint. Ich weiß auch nur, was ich beobachtet habe. Sie himmelt ihn an, und er geht ihr aus dem Weg, wo es nur möglich ist. Ich weiß nicht, warum das von Bedeutung sein sollte. Ich möchte nur, daß Laura bald geht, damit sie aus seiner Nähe fort ist, in der sie unglücklich sein muß. Es ist ganz offensichtlich, daß ihre Neigung ihm lästig ist.«

»Nichts, was Montefalcone angeht, ist bedeutungslos. Er ist ein wichtiger Mann in Ferrara. Er verfügt über große Reichtümer und große Talente. Einen solchen Mann halten wir lieber in unseren Diensten, als daß wir ihn zu unseren Feinden wechseln lassen.«

»Zu Euren Feinden?«

Ercole schlug das Laken zurück und stand auf. Renée beobachtete ihn, wie er durch den Raum ging bis zu dem Tisch, auf dem eine Karaffe und zwei Becher standen. Er sah fragend zu ihr hinüber. Sie schüttelte den Kopf. Er schenkte sich einen Becher voll Wein, kehrte zu ihr zurück und nahm am Fußende Platz. Das Mondlicht modellierte jeden Muskel seines nackten Körpers, und Renée blickte befangen zur Seite.

»Ihr wißt, was diese Ehe für Frankreich bedeutet«, sagte er.

Sie nickte.

»Der König braucht Ferrara als Verbündeten, um wieder Fuß fassen zu können in Italien.«

»Und Ferrara braucht die Hilfe Frankreichs. Wir spielen ein gefährliches Spiel, und der Preis ist die Herzogskrone und unser Leben. Der Papst ist unser erbitterter Feind. Er setzt die Politik Alexanders VI. fort. Auch er will alle Herrschaften in Mittelitalien beseitigen und einen Kirchenstaat errichten, der direkt von Rom regiert wird. Gegen Alexanders Pläne haben wir uns gewehrt durch die Verschwägerung mit den Borgias. Der jetzige Papst hat keine Tochter, die ich heiraten könnte.«

»Ist nicht auch der Kaiser Euer Feind?«

Ercole nahm einen Schluck Wein, ehe er antwortete.

»Ihr seid jetzt die Erbprinzessin von Ferrara. Vergeßt nicht, wo von jetzt an Eure Loyalität liegen muß. Es wird nicht leicht für Euch sein, denn wir müssen mit sehr viel Takt und Diplomatie zwischen dem König, dem Kaiser und dem Papst lavieren. Das Interesse des Königs liegt auf der Hand, den Kaiser können wir mit Geld gnädig stimmen. Er ist immer in chronischem Geldmangel. Unser ärgster und unmittelbarster Gegner ist der Papst, und gegen ihn hilft uns nur die größte Wachsamkeit.«

»Ihr habt ein Heer. Das ist mehr, als der Papst gegenwärtig hat.«

»Dem Papst würde es reichen, ein einziges Schwert gegen uns zu mobilisieren. Heute nacht, vielleicht zu dieser Stunde, wird in Ferrara Paolo Luzzesco mit dem Halseisen erwürgt. Er hat auf der Folter gestanden, daß er vom päpstlichen Gesandten in Bologna Geld erhalten hat, um meinen Vater zu töten.«

Renée schauderte.

»Das muß nicht wahr sein«, flüsterte sie. »Ein Geständnis auf der Folter muß nicht wahr sein.«

»Ihr glaubt nicht, daß der Papst Mörder ausschickt? Luzzesco ist nicht der erste und wird nicht der letzte sein. Vor zwei Monaten hat mein Vater Girolamo Pio von Sassuolo hinrichten lassen. Er hatte seinen Mordauftrag vom Bischof in Casale erhalten.«

Ercole stürzte den Rest des Bechers hinunter.

Renée wußte nichts zu antworten.

Plötzlich sehnte sie sich nach Frankreich zurück. Wie klar und einfach war dort ihr Leben im Schatten des Thrones gewesen. Jetzt war ihr, als habe sie den Fuß geradenwegs in eine Schlangengrube gesetzt. Was waren all diese prachtvollen Feste anderes als die Maskerade scheußlicher Verbrechen? Die alten Geschichten über die Este drängten sich ihr auf. Die Blendung und ewige Kerkerhaft Don Giulios, die Ermordung Parisinas und Ugos, die Ermordung Ercole Strozzis. Die Geschichte der Este in Ferrara troff von Blut.

Und Ercole, ihr Mann? Klebte auch an seinen Händen Blut?

Renée wünschte sich fort aus diesem Zimmer, aus der Nähe

dieses Mannes, fort von den Festen in ein kühles, ruhiges Gemach, in dem sie mit kühlen alten Männern über alte Handschriften reden konnte. Sie wollte sich nicht in diese Kämpfe um die Macht hineinziehen lassen. Sie wollte sich eine Zuflucht im Reich des Geistes bauen.

Marguerite war tief beeindruckt. Gewöhnt an den Luxus eines großen Königreiches, war sie überwältigt von dem Prunk, den die Este, Herrscher eines nicht allzu großen Fürstentums, entfalteten. An dem Abend, an dem die Pfauen serviert wurden, verschlug es Marguerite vor Erstaunen die Sprache. Die großen Vögel waren gebraten und in einem sinnreichen Eisengestell wieder zu Lebensgröße aufgestellt worden. Ihre Körper waren mit Goldplättchen über und über belegt, ihre Schwanzfedern waren sorgfältig zum Rad aufgestellt, und in ihre Schnäbel hatte man Wattebäusche mit Kampfer gesteckt. Je zwei Bedienstete trugen einen solchen Vogel auf einer Silberplatte zwischen sich. Bevor sich die Türen des Saales öffneten, wurde der Kampfer angezündet. Dann schritten hundert Diener in einer langen Prozession unter Trompetengeschmetter herein. Die aus den Schnäbeln der Pfauen züngelnden Flammen ließen ihre goldene Haut erglühen und die blauen und grünen Federn glänzten. Es war ein überwältigender Anblick.

Beim Bankett am nächsten Abend war Blandina die Überraschung.

Vier Köche schleppten eine Silberplatte herein, auf der eine große Pastete stand. Sie stellten das Tablett auf einem Tisch ab, der vor der Empore des Fürsten stand, und zogen sich mit einer Verbeugung zurück. Die Musik im Saal verstummte, auch die Gespräche erstarben. In die Stille hinein hörte man die Klänge einer Harfe und eine helle süße Stimme. Nach dem Ende des Liedes, das alle angerührt hatte, ertönte frenetischer Applaus. Ein Mohr in scharlachroter und goldener Livree eilte herbei, hob den Deckel der Pastete und half der Sängerin heraus. Sie war in den Armen des riesigen Mannes nicht größer als eine Puppe, mit der Kinder spielen. Das winzige Wesen hatte rote Locken, ein weißes Gesicht und trug ein goldbesticktes Kleid aus meergrüner Seide. Der Mohr stellte sie auf den Tisch zwischen die Silberschüsseln, wo sie ihr Kleid raffte, sich zierlich nach allen Seiten verbeugte und Kußhändchen in den Saal warf.

Isabella d'Este Gonzaga, die Markgräfin von Mantua, Ercoles Tante, winkte sie zu sich, und die Kleine trippelte zu ihr hinüber. Von nahem konnte Renée erkennen, daß sie kein Kind mehr war, sondern eine Frau zwischen vierzig und fünfzig Jahren, eine Zwergin.

Renée beugte sich zu ihr hinunter und lobte ihr Spiel und ihren Gesang.

Isabella richtete ihre tief eingesunkenen Augen auf die Braut ihres Neffen.

»Gefällt sie Euch? Wollt Ihr sie haben?«

»Ihr würdet sie verschenken?«

Isabella zuckte die Achseln.

»Wenn man das überhaupt ein Geschenk nennen kann. Blandina kommt aus Ferrara. Sie war Lucrezias Liebling. Nach ihrem Tod hat mein Bruder sie mir überlassen. Es ist nur gerecht, wenn sie nach Ferrara zurückkehrt, jetzt, da Ferrara eine neue Erste Dame hat.«

Renée beugte sich zu der Kleinen hinunter.

»Was haltet Ihr davon, Blandina? Wollt Ihr mit mir kommen?«

Isabella brach in ein perlendes Gelächter aus.

»Ihr fragt sie? Meine Liebe, sie hat nichts zu wollen. Sie ist ein Stück Besitz wie ein Schrank oder eine Kette. Die würdet Ihr auch nicht fragen, ob sie bei Euch sein wollen.«

Renée zog finster die Brauen zusammen. Durch ihre eigene Verkrüppelung war sie empfindlich für die Gefühle anderer, die mißgestaltet waren.

»Sie ist doch ein Mensch«, sagte sie empört.

Isabella strich Blandina kurz mit den beringten Händen durch das dunkelrote Haar.

»Ein Mensch? Aber nein. Sie ist bloß eine Zwergin. Ein Spielzeug. Aber wenn Ihr es nicht haben wollt …?«

Renée sah die Kleine antwortfordernd an, begegnete aber nur einem verständnislosen Blick.

»Sie versteht kein französisch«, murmelte Isabella boshaft. »Wir sind in Italien, wo die meisten Menschen italienisch reden.«

Renée errötete vor Ärger und winkte Laura zu sich.

»Fragt die Zwergin, ob sie mit mir nach Ferrara gehen möchte«, befahl sie.

Laura nickte und näherte ihr Gesicht der Kleinen. Blandinas grüne Augen blickten in Lauras dunkle. Sie zog die Brauen zusammen und grub die winzigen Zähne in die Unterlippe. Laura mußte die Frage zweimal stellen, ehe sie Antwort erhielt.

»Es ist mir eine überaus hohe Ehre«, sagte die Zwergin dann mit kindlich hoher Stimme, die nicht zu dem Alter paßte, das ihr Gesicht verriet.

Isabella wies mit dem Fächer auf den großen dunkelhäutigen Mann.

»Dann müßt Ihr auch Ibrahim mitnehmen. Er ist Blandinas Diener und Leibwache. Ohne ihn geht sie nirgends hin.«

Renée bedankte sich überschwenglich. Eine Zwergin und einen Mohr zu verschenken, verriet eine seltene Großzügigkeit. Beide waren nur schwer zu beschaffen und wurden für teures Geld gehandelt. Wenn Isabella, die in chronischer Geldverlegenheit war, weil sie alle ihre Einkünfte auf den Erwerb von Kunstwerken verschwendete, sich so freigebig zeigte, dann mußte auch ihr die französische Heirat ihres Neffen viel bedeuten. War Ferrara gefährdeter, als sie in Frankreich angenommen hatte? Wenn Ferrara fiel, war natürlich auch Mantua nicht mehr sicher, und Isabella würde wieder ins Exil gehen müssen, wie schon einmal zur Zeit der Borgia.

Isabella machte eine verabschiedende Geste. Blandina knickste, der Mohr hob Blandina auf und trug sie aus dem Saal wie ein Vater sein kleines Kind.

Als Laura und Marguerite im Morgengrauen die Kammer aufsuchten, die sie mit den anderen Hofdamen Renées teilten, fanden sie dort die Zwergin. Sie thronte auf mehreren Kissen, zupfte mit winzigen Händen die Saiten einer kleinen Laute und sang Lieder, deren Text niemand verstand, die aber nach Tonfall und Miene der Sängerin obszön sein mußten.

»Was soll das bedeuten?« fragte Marguerite scharf.

Sie war müde und hatte das Bedürfnis nach Ruhe. Für ihren Geschmack boten der Tag und die Nacht Abwechslung genug. In der Dämmerung wollte sie in Ruhe schlafen.

Madame de Soubise sah sie über die Schulter hinweg an.

»Sie ist ein Geschenk von Madonna Isabella an unsere Herrin. Sie wird jetzt bei uns wohnen, damit sie nicht verlorengeht.«

Der Gesang brach ab. Blandina hob eine Kinderhand zum Mund und markierte ein zierliches Gähnen. Sie sagte etwas, das Laura ihnen übersetzte.

»Sie möchte schlafen.«

»Ich auch«, sagte Marguerite bissig.

»Wo soll sie denn schlafen?«

Es zeigte sich, daß Blandina über dieses Problem schon nachgedacht hatte. Sie sprach rasch und leise auf Laura ein, bis diese nickte.

»Was will sie?« fragte Madame de Soubise.

»Sie möchte auf einem Kissen neben meinem Bett schlafen, weil ich die einzige bin, mit der sie sich verständigen kann«, sagte Laura.

Madame de Soubise nickte.

Eine halbe Stunde später waren alle zur Ruhe gekommen. Regelmäßige Atemzüge füllten den Raum. Aus der Ecke, in der Madame de Soubises Bett stand, kam ein leichtes Schnarchen. Laura drehte sich so leise wie möglich um, denn sie wollte die Kleine an ihrer Seite nicht stören. Im Mondlicht, das schwach durch die Ritzen der Fensterläden schimmerte, sah sie Blandinas rotes Haar ausgebreitet auf dem Kissen. Das Gesicht der Zwergin war ihr zugewandt. Blandinas grüne Augen standen weit offen und musterten Laura mit einer Intensität, mit der ein Forscher ein völlig unbekanntes Insekt betrachtet. Laura fühlte sich unter dem kühl forschenden Blick unbehaglich. Hieß es nicht, daß Zwerge keine Seele hatten?

»Das ist falsch«, sagte Blandina mit ihrer süßen Kinderstimme, als hätte sie Lauras Gedanken gelesen. »Wir sind nicht anders, nur kleiner. Wir lieben und wir leiden wie Ihr. Wir hoffen und wir fürchten uns wie Ihr. Wir sind nicht dümmer und nicht klüger.«

Laura hoffte, daß die Dunkelheit ihr Erröten verbarg.

»Ich weiß«, sagte sie. »Es tut mir leid. Macht es Euch etwas aus, nach Ferrara zu gehen? Die Prinzessin ist freundlich. Sie wird Euch gut behandeln. Sie glaubt ganz sicher, daß Ihr eine Seele habt.«

Blandina kicherte leise. Es klang, als ob Silberglöckchen läuteten.

»Ob ich nach Ferrara möchte? Nichts habe ich mir sehnlicher gewünscht.«

»Welch ein Glück für Euch, daß der Markgräfin der Einfall gekommen ist, Euch meiner Herrin zu schenken.«

Blandina kräuselte flüchtig die Lippen.

»Das war kein Glück. Ich habe es ihr in den Kopf gesetzt. Ich wollte, daß sie mich verschenkt.«

Laura war verwirrt. Das klang, als ob Blandina sagen wollte, sie habe den Einfall Isabellas herbeigerufen. Wieder war es, als erriete Blandina ihren Gedanken.

»So ist es«, bestätigte sie gelassen. »Ich kann Gedanken lesen und Gedanken beeinflussen.«

Laura, die bei der Dame de Lalande aufgewachsen war, lachte nicht darüber.

»Alle Gedanken?« fragte sie.

Blandina schüttelte den Kopf.

»Nur die unwichtigen«, sagte sie betrübt. »Das Wesentliche vollzieht sich im geheimen und bleibt mir verborgen.«

»Was ist das Wesentliche?«

Aus Madame de Soubises Ecke drang ein langer zitternder Laut, zwischen Seufzen und Schnarchen.

»Wir sollten schlafen«, sagte Blandina. »Gute Nacht.«

Die turbulenten Tage von Modena machten es Antonio unmöglich, Laura unter Beobachtung zu halten. Sie war fast beständig in der Nähe der Prinzessin, die ihrer Dienste als Dolmetscherin bedurfte. Einmal bemerkte er, wie Ercole d'Este sich intensiv mit ihr unterhielt, weitaus länger und vertraulicher, als man erwartete, daß der Erbprinz von Ferrara sich mit einer Hofdame seiner Gattin unterhalten würde. Er teilte die Beobachtung umgehend seinem Bruder mit, der ihn mit hochgezogenen Brauen musterte.

»Und?« sagte Alessandro mit mildem Interesse. »Was meinst du kann das bedeuten? Spioniert der Prinz die Geheimnisse ihrer Herrin aus? Oder macht er ihr unehrerbietige

Anträge? Denkst du, sie ist wieder die Unschuld in Nöten, der ich ritterlich zu Hilfe eilen sollte?«

Sie ritten nebeneinander in einem Blumenkorso, den die Einwohnerschaft Modenas zu den Festlichkeiten beigesteuert hatte. Vor und hinter ihnen fuhren blumengeschmückte Wagen. Aus den Fenstern wurden Blüten geworfen, so daß es wie ein duftendes Schneetreiben auf sie niedersank. Am Rande der Straße standen die Bürger, schwenkten die Hüte und schrien Vivat.

Antonio mußte die Stimme heben, um sich im Lärm verständlich zu machen.

»Sie ist gefährlich. Matteo meint das auch. Vielleicht will sie sich für den Tod des armen de Bethois rächen.«

»An Prinz Ercole?« fragte Alessandro überrascht.

Er fing eine Rose auf, die von einem der Wagen geflogen kam, hob sie an die Lippen und verbeugte sich im Sattel zu der Schönen hinauf, die sie geworfen hatte. Die junge Frau wurde bis unter die Haarwurzeln rot und ließ der Blume eine Kußhand folgen.

»Glaube nicht, daß du mich zum Narren halten kannst, Alessandro. Ich weiß, was ich weiß. Du hast selbst zugegeben, daß die Unfälle in Frankreich keine Unfälle waren.«

»Wir sind hier aber nicht in Frankreich. Außerdem hat es seit unserem Aufbruch aus Blois keinen Zwischenfall mehr gegeben. Ich nehme an, daß sich das Problem von selbst gelöst hat. Wer immer meinen Tod wünschte, hat sich offenbar eines anderen besonnen.«

Antonio starrte seinen Bruder an.

»Ist das dein Ernst? Weißt du, wer dahinter steckte?«

»Nein. Ich werde auch nicht weiter nachforschen, denke ich. Alles, was zählt, ist die Tatsache, daß er jetzt die Lust an diesen Anschlägen verloren hat.«

Diesmal traf eine Blume Antonio an der Schulter. Er streifte sie achtlos ab. Sie sank in den Staub, wo sie unter den Hufen der nachfolgenden Pferde zertreten wurde.

»Du solltest niemals ungalant sein«, tadelte sein Bruder. »Du hast das arme Ding, das seinen ganzen Mut zusammengenommen hatte, in aller Öffentlichkeit gedemütigt. War das nötig?«

»Mein Gott, Alessandro, es geht um Wichtigeres. Es geht um dein Leben. Es ist nicht deine Sache allein, wenn du es leichtfertig aufs Spiel setzen willst. Du bist der Chef des Hauses Montefalcone. Was soll aus der Familie werden, wenn du tot bist?«

»Habe ich nicht in dir einen würdigen Nachfolger, mein Lieber? Und meine Witwe wird dir tatkräftig zur Seite stehen. Aber wenn du um mich besorgter sein willst als ich selbst, dann kannst du ja als Schutz und Schirm über mich wachen. So wie Matteo. Es wird mir nichts ausmachen, wenn ich ein Kindermädchen mehr habe.«

»Über dich wachen? Wie soll man das anstellen in diesem Tollhaus, wo sich Tausende herumdrücken, von denen man überhaupt nicht weiß, wer sie sind und was sie hier tun? In diesem Moment bräuchte nur ein Armbrustschütze auf einem der Dächer postiert sein – du bötest ein unfehlbares Ziel. Und des Mannes würde man nie habhaft werden. In diesem Gedränge könnte sogar ein Elefant untertauchen.«

Der Zug geriet ins Stocken. Alessandro hatte Mühe, sein Pferd zu zügeln. Er zwang es mit eisernen Schenkeln nieder.

»Wenn das deine ganze Sorge ist, dann sei beruhigt! Wir verlassen heute abend noch Modena. Matteo hat schon alles gepackt. Nach dem Korso nehmen wir Abschied von der Prinzessin, und dann reiten wir heim nach Ferrara.«

Antonio starrte ihn mit offenem Mund an.

»So plötzlich? Davon war doch bisher nicht die Rede. Wieso willst du die Prinzessin verlassen?«

»Mein Dienst ist überflüssig geworden. Prinz Ercole ist jetzt an meine Stelle getreten. Und es gibt in Ferrara allerlei, was ich regeln muß. Ich breche heute abend noch auf. Wenn du willst, kannst du mich begleiten. Ich dachte aber, du würdest gern hierbleiben und Mademoiselle de Roseval den Hof machen. Wie mir scheint, hast du dich in sie verliebt.«

Die Worte waren in einem neckenden Ton leichthin gesagt, aber Antonio lief dunkelrot an.

»Verliebt? Seit wann laufe ich denn den Unterröcken hinterher? So eine alberne Idee! Ich war in meinem ganzen Leben noch nicht verliebt.«

»Dann wird es Zeit, daß du damit anfängst«, empfahl sein Bruder.

Der Wagen vor ihnen setzte sich wieder in Bewegung, und sie folgten ihm langsam.

Alessandro hob bei den Jubelrufen, die aus einem Haus kamen und unstreitig ihm galten, die Hand und winkte lächelnd. Antonio wartete, bis sie vorbei waren und er sich wieder verständlich machen konnte.

»Ich, verliebt? Und dann wohl noch gar ein Ehemann? Ich muß schon sagen! Reicht es nicht, daß wir seit deiner Heirat zwei Frauen im Haus haben? Wenn es nur Cristina wäre – aber auch noch Elisabetta, der Drache!«

Elisabetta war die zierliche, aber energische Hauswirtschafterin Cristinas, und in Antonios Stimme schwang die ganze Erbitterung eines Mannes mit, dem untersagt worden war, den Salon mit schlammbespritzten Stiefeln zu betreten und sich mit regennassen Kleidern oder ungewaschenen Händen zu Tisch zu setzen.

Alessandro lachte.

»Elisabetta ist das beste, was dir passieren konnte, mein Lieber. Sie vollendet deine Erziehung, und das hast du verdammt nötig.«

Er wollte noch etwas hinzufügen, brach aber plötzlich ab. Antonio folgte seinem Blick. Am Straßenrand stand eine Gruppe von Männern in geistlichem Gewand. Sie waren schlicht, doch mit Eleganz gekleidet und ganz sicher keine Abordnung der hiesigen Pfarreien. Mitten unter ihnen stand ein noch junger Mann, der eine pelzbesetzte Schaube trug und dessen Barett mit einem Smaragd geschmückt war. Er blickte auf Alessandro und hob grüßend die Hand.

Antonio wunderte sich. Etwas in dem schmalen, blassen, hochmütigen Gesicht schien ihm vertraut, aber er kam nicht darauf, wo er den Mann schon einmal gesehen hatte.

»Wer ist das?« fragte er und sah Alessandro an.

Sein Bruder nickte dem Fremden kurz zu und wandte sich dann ab. Er schien die Frage nicht gehört zu haben. Antonio wiederholte sie.

»Wer? Der wohlhabende Mann bei den Priestern? Das ist Giovanni Borgia, der ehemalige Herzog von Nepi, den das

Glück verlassen hat. Er gehört zu der Legation, die die Glückwünsche des Papstes an das Brautpaar übermitteln soll. Er hat
jetzt eine Stellung als Sekretär des Papstes.«

»Woher kennst du ihn? Er kommt mir irgendwie bekannt
vor.«

»Er ist am Hof von Ferrara aufgewachsen und war mit mir
und Strozzi Page bei Lucrezia Borgia.«

»Ihr seid noch auf vertrautem Fuße?«

»Ich traf ihn in Rom wieder«, sagte Alessandro in einem
Ton, der jede weitere Frage ausschloß. Antonio war darüber
nicht überrascht. Jedesmal, wenn die Rede auf seinen Aufenthalt in Rom vor zwei Jahren kam, verfiel Alessandro in ein fin-
steres Schweigen.

Renée saß ganz still, die Hände im Schoß verschränkt, und
lächelte das Lächeln, das sie am besten beherrschte und hinter
dem sie alle ihre Gefühle verbergen konnte, das huldvolle
Lächeln der Fürstin.

Alessandro Montefalcone hatte das Knie vor ihr gebeugt
und sie blickte auf das goldene Haar hinunter. Er nahm seinen
Abschied. Sein Dienst war beendet. Er hatte sie ihrem Gatten
zugeführt. Jetzt zog er sich zurück. Wie dumm sie gewesen
war, damit nicht zu rechnen. Er war kein Untertan der Este,
sondern ein freier Mann. Ihr Herz schmerzte bei dem Gedanken, daß er ging und sie allein zurückließ. Ihr war, als würde
sie verlassen werden. Nein, sie war nicht in ihn verliebt. Aber
er war ihr ein Freund gewesen. Sie dachte daran, wie er in Blois
ihre Interessen wahrgenommen hatte, wie er versucht hatte,
ihr das Autodafé erträglicher zu machen. Ihr fielen hundert
Kleinigkeiten ein, mit denen er auf der Reise für ihre Bequemlichkeit gesorgt hatte, wie er stets darum bemüht war,
daß sie nicht überanstrengt wurde, ohne daß sie sich wie ein
Krüppel fühlte. Mit Alessandro Montefalcone ging der einzige Mann in Ferrara, dem sie vertraute. Sie würde sehr einsam sein. Ihre französischen Hofdamen waren natürlich bei
ihr, aber was konnten sie ihr nützen? Sie waren Fremde in
einem fremden Land wie sie selbst.

»Ich bin außerordentlich betrübt, Monsieur«, sagte sie. »Ihr
wart ein Reisemarschall, wie es keinen zweiten geben kann.

Ich hatte gehofft, Ihr würdet in Ferrara an meiner Seite sein, um mir zu helfen, mich in die neue Heimat einzugewöhnen.«

»Das ist nicht meine Aufgabe, Hoheit, es ist die Eures Gatten«, antwortete er und erhob sich. »Prinz Ercole ist von nun an Euer Schutz und Schirm, und meiner bedürft Ihr nicht länger.«

Renée mußte den Kopf heben, um ihm in die Augen zu schauen. Sie las Verstehen darin und Mitgefühl. Er wußte um die Wüste der Einsamkeit, die vor ihr lag.

»Ihr habt auf dem Weg Verantwortung für mich übernommen. Nun könnt Ihr sie nicht einfach von Euch abstreifen, Monsieur de Montefalcone. Ich bin Euch verpflichtet und Ihr, denke ich, auch mir. Ihr habt mich in dieses Land geführt. Nun zähle ich auf Eure Hilfe, wann immer ich sie brauche.«

Er verneigte sich und legte in höfischer Gebärde die Hand auf sein Herz.

»Wann immer Ihr nach mir schickt, Madame, und es mir möglich ist, zu Euch zu eilen, stehe ich zu Eurer Verfügung.«

Zu Renées Füßen raschelte Seide. Blandina erhob sich zu ihrer winzigen Höhe und ließ ihre helle Stimme wie ein Silberglöckchen klingen. Seit Isabella sie ihr geschenkt hatte, wich die Zwergin nicht mehr von Renées Seite und ließ sich von dem unermüdlichen schweigenden Ibrahim überallhin tragen, wohin auch Renée ging. Nur nachts schlief sie an der Seite Lauras. Sie war eine Kostbarkeit, und sie wußte es. Ihr Selbstbewußtsein hatte Renée anfangs verblüfft. Blandina beanspruchte für sich, als Miniaturausgabe ihrer Herrin zu gelten und fast mit gleichen Ehren behandelt zu werden. Sie besaß eine prachtvolle Garderobe, bewegte sich mit Anmut, sprach mit Würde und tat gerade so, als sei sie selbst die Tochter eines Königs. Dazu nahm sie sich die Freiheit des Hofnarren heraus, zu reden, wenn sie nicht gefragt war, und zu sagen, was kein anderer frei heraus zu sagen gewagt hätte. Sie war ein bezauberndes Spielzeug. Doch manchmal, wenn Renée einen Blick der grünen Augen auffing, schien ihr, Blandina sei alles andere als ein Spielzeug. Hinter der kindlich gewölbten Stirn in dem kleinen, puppenhaft geschminkten Gesicht lebten Gedanken, die sie gern erraten hätte.

Blandina machte einen Knicks.

»Messer Alessandro, um unserer alten Freundschaft willen erwarte ich, daß Ihr Euch auch von mir verabschiedet.«

Er blickte lächelnd auf die Kleine hinunter und ging auf das Spiel ein. Er beugte auch vor ihr das Knie und sprach dieselben blumigen Abschiedsworte, die Renée gegolten hatten. Ihre Gesichter waren auf gleicher Höhe. Blandina lächelte, nachdem er verstummt war, und hauchte so leise und ohne die Lippen zu bewegen, daß nur er sie verstand, ja, nur er überhaupt bemerkte, daß sie sprach.

»In einer Stunde. In der Kapelle.«

Nur mit dem Senken der Lider signalisierte er sein Einverständnis.

Dann trat er beiseite, damit sein Bruder Antonio sich von der Prinzessin verabschieden konnte. Renée war immer wieder verblüfft, wie unähnlich die Brüder einander waren. Der hübsche runde Römerkopf unter den krausen schwarzen Locken war anziehend, aber neben Alessandro wirkte sein Bruder unbedeutend. Renée wirkte zerstreut, als sie ihm antwortete, und auch Blandina verlor jedes Interesse. Sie wandte sich ab und trippelte ein paar Schritte zur Seite, wo Laura inmitten der französischen Hofdamen stand. Sie zupfte sie am Rock, und Laura beugte sich zu ihr hinunter.

»In der Kapelle. In einer Stunde«, flüsterte Blandina.

Laura sah sie fragend an.

»Ihr wolltet ihn doch sprechen«, fuhr Blandina leise fort. »Ich habe ihn hinbestellt. Er wird da sein.«

Laura war zu verblüfft, um zu antworten. Seit Alessandro den Raum betreten hatte, hatte sie sich gewünscht, mit ihm allein zu sein. Blandina mußte ihre Gedanken gelesen haben. Sie hatte eine Verabredung getroffen, der Alessandro folgen würde, weil er nicht wußte, wer ihn in der Kapelle erwarten würde. Konnte sie hingehen? War es nicht Betrug an ihm, der arglos die Zwergin zu treffen glaubte?

Blandina schüttelte ungeduldig den Kopf.

»Das sind unsinnige Skrupel«, sagte sie. »Nutzt diese Gelegenheit. Wer weiß, ob Ihr eine zweite bekommt.«

Laura nickte zögernd. Sie blickte über das gebeugte dunkle Haupt Antonios zu seinem Bruder hinüber.

Seit der Unterredung in Arles war sie ihm aus dem Weg

gegangen. Sie hatten verschiedene Schiffe benutzt, und die Fülle der offiziellen Veranstaltungen hatte es seither leicht gemacht, einander zu vermeiden. Aber Laura fühlte, daß es bei diesem Zustand nicht bleiben konnte. Sie mußte mit ihm sprechen. Und Blandina, die ihre Gedanken lesen konnte, hatte ein Treffen vereinbart, zu dem Alessandro sonst nicht bereit gewesen wäre. Sie würde hingehen. Es war vielleicht ihre letzte Chance.

Blandina nickte befriedigt.

Die Zwergin hatte die Stunde mit Bedacht gewählt. Es war die Zeit, in der alle Höflinge sich zurückzogen, um sich für den Abend umzukleiden. Die Korridore waren leer, und so auch die Kapelle. Vor einem Bild der Muttergottes brannten einige Wachslichter. Durch das Dunkel schimmerte die rote Flamme des Ewigen Lichts am Altar.

Laura kam zu früh. Sie lehnte sich an einen Pfeiler, das Gesicht der Tür zugewandt, und wartete. Die Kerzen, die bei ihrem Eintritt aufgeflackert waren, beruhigten sich wieder und warfen einen gleichmäßigen Lichtkreis auf den Boden und auf das still lächelnde Antlitz der Madonna, die nicht das Kind auf ihrem Arm betrachtete, sondern Laura. Ihr gelassener Blick erinnerte Laura an Adeline de Foix, die in ihrer Hingabe an Gott ebenso gelassen und wunschlos gewesen war.

Sie hörte seine Schritte und war darauf gefaßt, ihn zu sehen. Er war unvorbereitet. Er öffnete die Tür, trat ein und schloß sie hinter sich. Er brauchte einen Augenblick, bis seine Augen sich an das Zwielicht in der Kapelle gewöhnt hatten, dann entdeckte er Laura.

Einen Augenblick war sein Gesicht nackt. Er wich einen Schritt zurück, bis seine Schultern die Tür berührten.

Laura spürte den Schmerz wie einen Peitschenhieb. Sie wünschte, sie wäre nicht gekommen. Nicht um den Preis, den Schorf von den Wunden zu reißen und die Qual zu erneuern.

»Verzeih Blandina«, sagte Laura. »Sie wußte, daß ich dich noch einmal sprechen wollte.«

»Warum, Laura? Es ist alles gesagt.«

Er hatte seine Fassung wiedergewonnen und sich mit Kälte gewappnet.

»Nichts ist gesagt«, widersprach sie. »Du bist mir das

Wesentliche schuldig geblieben. Habe ich kein Anrecht auf die Wahrheit?«

»Welche Wahrheit willst du noch?«

»Du hast mich von dir fortgetrieben, bevor ich die Frage stellen konnte, nicht wahr? Du hast mir nicht gesagt, was dich zwingt, mich abzuweisen. Du bist nicht der, der du zu sein vorgibst. Du bist nicht Alessandro Montefalcone, Sohn von Federigo Montefalcone und Donna Leonora Borgia. Was bedeutet mir das schon? Ich bin auch nicht die, die ich zu sein scheine. Ich bin keine Roseval. Meine Mutter heiratete meinen Vater, als sie mit mir von einem anderen schwanger war. Er hat sie nur genommen, weil ihre Mitgift so hoch war, daß er seine Schulden bezahlen konnte. Was geht das mich an? Die Sünden unserer Eltern sind nicht unsere Sünden. Sie müssen sich dafür vor Gott verantworten, nicht wir. Wer immer du bist, ich liebe dich. Und du liebst mich. Das ist das einzige, worauf es ankommt.«

Sie hatte immer rascher und drängender gesprochen. Flehend streckte sie ihre Hände aus.

»Komm! Ich will nicht länger auf dich verzichten!«

Er kreuzte die Arme vor der Brust, unnachgiebig abweisend.

»Du weißt nicht, was du verlangst.«

»Dann sag es mir! Ich habe ein Recht darauf!«

Im Gegensatz zu ihrem raschen, leidenschaftlichen Flüstern war seine Stimme ruhig, und er sprach langsam, wie zu einem begriffsstutzigen Kind.

»Es ist sinnlos, Laura. Die Vergangenheit läßt uns nie los. Es gibt keine Zukunft, in die wir vor ihr flüchten können. Solange wir leben, schleppen wir sie mit uns herum. Wärest du Rosevals Tochter, ich könnte dich lieben, wie noch keine Frau geliebt worden ist. Was scherte mich meine Stellung in der Welt, was meine Ehe mit Cristina Nogazza? Es gäbe kein Hindernis, das ich nicht überwinden würde, um zu dir zu kommen. Mit dir zu leben und mit dir zu sterben, wäre der einzige Sinn meines Daseins. Aber du bist nicht Rosevals Tochter.«

Laura straffte sich. Hochaufgerichtet war sie genauso groß wie er und begegnete seinem Blick von gleich zu gleich.

»So armselig bist du nicht, daß du mir meine Herkunft vorwirfst. Ja, ich bin ein Bastard. Das ist kein Geheimnis. Alle Welt weiß davon. Und niemand nimmt Anstoß daran. Nicht einmal der arme Yves de Bethois mit seinen vierundzwanzig untadeligen adligen Ahnen hat sich daran gestoßen.«

»Mein Gott, wie sehr ich wünschte, ich wäre niemals nach Blois gekommen. Dann lebte de Bethois noch, du wärest mit ihm verheiratet und glücklich. Warum mußten wir uns begegnen? Nur, um so elend zu werden?«

»Wir könnten so glücklich werden, wie wir jetzt elend sind.«

»Niemals.«

»Dann sag mir, warum!«

Er schwieg. Sie wartete.

Die Madonna lächelte still über sie beide hinweg in die Ewigkeit.

»Hast du jemals etwas von Astorre Manfredis Fluch gehört?« fragte er endlich. Sie schüttelte den Kopf.

»Astorre Manfredi war der Herr von Faenza. Die Bewohner der Stadt liebten ihn und waren bereit, sich für ihn bis zum letzten Mann zu schlagen. Aber er übergab die Stadt freiwillig Cesare Borgia, um Blutvergießen zu verhindern und weil er ihn bewunderte. Das Ziel der Borgia, aus dem zerrissenen Kirchenstaat ein einiges Königreich Italien zu schaffen, war auch Astorres Ziel. Er gab sich in Cesares Hand und wollte mit ihm und für Italien arbeiten. Cesare empfing Faenza aus seiner Hand und nahm ihn mit allen Ehren mit nach Rom. Dort begrub er ihn im tiefsten Kerker der Engelsburg. Monate später trieb Astorres Leiche im Tiber. Cesare duldete keine Götter neben sich. Der junge, beliebte Astorre Manfredi war ihm zu gefährlich. Er brauchte Kreaturen wie Michelotto, die wegen ihrer Grausamkeit beim Volk verhaßt waren. Er wollte der einzige sein, den das Volk liebte, der große Befreier, die strahlende Lichtgestalt, der Engel der Freiheit.«

»Was hat das mit uns zu tun?«

»Bevor Cesares Schergen Astorre Manfredi erdrosselten und seine Leiche in den Fluß warfen, verfluchte er die Borgias bis in alle Ewigkeit. Und sein Fluch wiegt schwer vor den Thronen des Himmels. An seinem Fluch ist Cesare elend zugrunde gegangen. An seinem Fluch scheitern wir, Laura.«

»Ich begreife dich nicht.«

»Nein? Ist es nicht der Fluch, der über den Borgias liegt, daß ich von allen Frauen der Welt ausgerechnet die einzige liebe, die ich nicht lieben darf? Die Götter spielen mit uns ein spöttisches Spiel. Aber wir können uns weigern, weiter ein Stein auf ihrem Spielbrett zu sein. Diese Freiheit haben wir.«

»Was hast du vor?« fragte sie, plötzlich von Furcht gepackt.

»Ich werde meine Angelegenheiten in Ferrara ordnen und dann nach Venedig gehen. Dort treffe ich alle Vorbereitungen. Im Frühjahr wird der Kaiser in Ungarn gegen die Türken zu Felde ziehen. Ich werde ihm eine Söldnertruppe zuführen.«

Sie begriff, was er nicht aussprach.

»So feige willst du entkommen?« fragte sie. »Dem Tod entgegengehen, der dich nicht sucht? Und was soll aus mir werden? Soll ich ein Lebenlang trauern darüber, daß ich einen Schwächling geliebt habe? Der um eines Fluches willen in den Tod flüchtet, statt gegen ihn zu kämpfen?«

Er lachte laut auf. In der Stille der Kapelle durchschnitt der Laut die Luft wie ein Messer, das mit tödlichem Ernst geworfen wird.

»Ja, ich gehe in Ungarn in den Tod! Ich werfe ein Leben weg, das nichts wert ist! Nenne es Feigheit und Schwäche, wenn du willst. Jede menschliche Stärke hat ihre Grenzen, und ich bin an der meinen angekommen. Du weißt es. Du weißt es seit Arles. Damals hast du mich verstanden. Leb wohl, Laura! Wir werden uns nicht wiedersehen. Nicht in dieser Welt! Und geben die Götter, daß in der nächsten andere Spielregeln gelten. Das ist die einzige Hoffnung, die uns bleibt.«

Bevor sie antworten konnte, war er rasch vorgetreten und hatte ihre Hand ergriffen. Sie lag kalt und weiß in seiner. Er schaute einen Augenblick darauf nieder, dann hob er sie hoch, drehte sie um und küßte ihre Innenfläche. Laura spürte die Hitze seines Atems auf ihrer Haut. Sie stand regungslos und schweigend. Sie rührte sich auch nicht, als er ging, rasch und ohne sich noch einmal umzusehen.

Die Kerzen flackerten auf, als er die Tür öffnete und schloß. Ihr Licht warf groteske Schatten über das Gesicht der Madonna. Es schien, als habe sie ihre Gelassenheit verloren und als zucke um ihre Lippen ein Lächeln des Hohnes.

Von Modena aus reisten sie nach Ferrara nicht mehr zu Lande, sondern zu Wasser. In langen, schmalen Booten, über die wegen der beginnenden Herbstregen Segeltuchplanen gespannt waren, fuhren sie den kleinen Fluß hinunter, der Modena mit dem mächtigen Po verband. Es war eine große Flotte, die den Strom hinabglitt, erfüllt von Saitenspiel und Gelächter, ein glänzender Hof, der die Ruhepause genoß, die diese Flußfahrt bedeutete.

Renée war erleichtert über die Erholung, die die Tage auf dem Fluß für sie bedeuteten. Nach Modena waren die Gesandtschaften der Fürsten gekommen. Die Serenissima von Venedig hatte einen Gesandten geschickt, der Papst eine Delegation, der König von Neapel hatte seine Glückwünsche aussprechen lassen. Renée sah die Gruppen an sich heranfluten, sich verneigen, Geschenke überreichen und sich wieder zurückziehen. Allmählich verschwammen die vielen fremden Gesichter vor ihren Augen zu einer einzigen Maske des Heuchelns, hinter deren wohlwollendem Lächeln sich bestenfalls Gleichgültigkeit versteckte, aber auch Berechnung, Zynismus, Belauern und Haß. Sie war froh, daß die Festtage von Modena vorbei waren. Sie fühlte sich müder und erschöpfter als je in ihrem Leben.

Marguerite war vor allem froh, daß die Empfänge beendet waren, denn jeder Empfang bedeutete endlose Stunden des Stehens, so daß sie sich am Schluß völlig verkrampft fühlte und ihr Rücken ebenso wie ihre angeschwollenen Füße schmerzten. Sie reiste nicht im Boot der Prinzessin, sondern teilte eines der folgenden mit dem französischen Botschafter aus Rom, der mit der päpstlichen Gesandtschaft gekommen war.

Der Botschafter, ein alter Mann, von Gicht und Erfahrung gekrümmt, fand hier endlich die Gelegenheit, nach der er seit Tagen gesucht hatte. Er konnte Marguerite in ein heimliches, unbelauschtes Gespräch verwickeln, als das Boot einmal am Ufer festmachte, damit sie im Park eines Landhauses ein Mahl einnehmen konnten.

»Seine Majestät hat mir geschrieben, daß Euch das Wohl der Prinzessin besonders am Herzen liegt«, sagte er.

Marguerite lächelte unverbindlich.

»Wer die Prinzessin kennt, muß sie lieben und sich um sie sorgen«, erwiderte sie

»Gewiß.«

Der Botschafter nickte zustimmend.

»Ihr seid die Person in der Nähe der Prinzessin, der Seine Majestät besonders vertraut«, fuhr er hüstelnd fort. »Er erwartet von Euch, daß Ihr in Ferrara Eure Hemden bei der Weißnäherin Isotta Calabrini anfertigen laßt. Isottas Mann ist Frankreich sehr ergeben, und was in seine Hände gelangt, erreicht unfehlbar den König.«

Marguerite hatte sich schon gefragt, wie sie ihre geheimen Botschaften nach Frankreich schicken sollte. Hier war also die Lösung.

»Ihr müßt vorsichtig sein«, fuhr der Botschafter fort. »Anfangs wird man jede von den französischen Hofdamen in Verdacht haben, für Frankreich zu arbeiten. Man wird Euch überwachen, und man wird die Calabrinis überwachen. Laßt Eure Hemden dort nähen und schickt erste Berichte nicht sofort. Erst muß man sich in Ferrara überzeugt haben, daß Eure Kontakte zu Isotta sich auf ihre Schneiderdienste beschränken. Habt Ihr mich verstanden?«

Marguerite nickte.

»Noch etwas«, fuhr der Botschafter fort und blickte wachsam umher. Diener eilten mit Schüsseln an ihnen vorbei. Die Gesellschaft hatte sich bereits zu Tisch begeben. Ihre Abwesenheit würde gleich bemerkt werden. Er beugte sich kurz zu Marguerites Ohr und raunte ihr zu:

»Wenn Ihr in Schwierigkeiten seid, wenn Ihr ein Problem habt, dann wendet Euch an Annibale Strozzi. Er arbeitet für uns.«

Bevor sie sich von ihrem Erstaunen erholt hatte, war er zwischen den Dienern verschwunden. Marguerite begab sich langsam und nachdenklich zur Tafel. Annibale Strozzi war also ein französischer Spion. Wie interessant. Und wie nützlich. Es sollte ihr gelingen, aus diesem Wissen Vorteile zu ziehen. Es war immer gut, über jemanden etwas zu wissen. Ob

Annibale Strozzi umgekehrt darüber informiert war, welche Rolle sie, Marguerite, in Renées Hofstaat spielte? Sie hielt es für wahrscheinlich.

Sie fand am Tisch schon fast alle Plätze besetzt. Nur am unteren Ende war noch einer frei, gleich neben der Zwergin, hinter der wie immer die riesenhafte Gestalt des schwarzen Ibrahim aufragte. Blandina wandte kurz den Kopf, als Marguerite auf die Bank neben sie glitt, dann beugte sie sich wieder über ihren Teller, der gigantische Ausmaße hatte, verglichen mit dem zierlichen Besteck in den winzigen Händchen.

Marguerite ließ den Blick über die Gesellschaft schweifen.

Am oberen Ende der Tafel saßen der Erbprinz und die Prinzessin, neben ihr der päpstliche Gesandte. An Ercoles Seite hatte der Vertreter Venedigs Platz genommen. Weiter unten entdeckte sie Laura neben einem blassen jungen Mann, der ihr vage bekannt vorkam. Er gehörte zur Delegation des Papstes, daran konnte sie sich erinnern.

Er war Laura als Herzog von Nepi vorgestellt worden, und sie hatte sich flüchtig gewundert, daß seinem hohen Rang kein glänzendes Auftreten entsprach. Er hatte ihren Blick richtig gedeutet. Er kannte diese Blicke inzwischen zur Genüge, und er deutete sie immer richtig.

»Ach, nur ein Titularherzog«, sagte er melancholisch. »Ein Titel, der ungemein schmückt, aber nichts bedeutet. Solche klangvollen Titel habe ich mehrere. Ich könnte mich auch als Herzog von Camerino vorstellen oder als römischer Infant.«

Er sah, daß alle seine Titel Laura nichts sagten, und lachte spöttisch auf.

»Natürlich. Ihr seid Französin. Was wißt Ihr von uns! Ich gehöre zu denen, die in der Rumpelkammer der Geschichte gelandet sind, weil sie ihre Familie überlebt haben.« Und mit beißender Verachtung fügte er hinzu: »Ich bin Giovanni Borgia.«

Laura wandte sich ihm spontan zu und legte ihm eine Hand auf den Arm.

»Endlich!« rief sie aus. »Euch schickt mir der Himmel über den Weg. Ich bin froh, Euch kennenzulernen.«

»Wie originell«, murmelte der junge Mann, und sein blasses

Gesicht rötete sich. »Heutzutage legt niemand mehr Wert darauf, Borgias kennenzulernen. Je weniger man von ihnen spricht, desto besser. Eines Tages werden wir ganz vergessen sein.«

»Wir sind verwandt«, sagte Laura. »In gewissem Sinn kann ich mich auch eine Borgia nennen. Meine Mutter hat den Baron Roseval geheiratet, als sie von Cesare schwanger war. Ich bin 1509 in Viana geboren. Cesare konnte mich nicht anerkennen. Er war schon tot. Aber ich bin seine Tochter. Sagt mir, wie sind wir miteinander verwandt?«

Er winkte einem Diener und hielt ihm den leeren Becher zum Nachschenken hin. Nachdem er den Inhalt in einem Zug hinuntergestürzt hatte, lehnte er sich zurück und musterte Laura mit einem Blick, den sie nicht deuten konnte.

»Ihr seid Cesares Tochter?«

Sie nickte.

»Ihr könnt Euch aussuchen, wer ich sein soll: Euer Bruder oder Euer Onkel. Was ist Euch lieber?«

Laura starrte ihn an. Er schien ihr noch nicht betrunken genug, um solchen Unsinn zu reden. Ihren Blick spöttisch erwidernd, fuhr er fort: »Ich bin fast zehn Jahre älter als Ihr. Wollt Ihr mich lieber zum Onkel? Andererseits fühle ich mich noch nicht väterlich oder onkelhaft. Ich hätte gern eine so hübsche Schwester wie Euch. Die letzte Schwester, die ich hatte, war auch schön. Allerdings nicht dunkel, sondern blond, strahlend blond. Lucrezia nannte mich ihren Bruder. Womit ich, wenn sie recht hatte, der Sohn Alexander VI. und Euer Onkel wäre. Vielleicht bin ich aber auch ein Sohn Cesares. Dann wäre ich Euer Bruder. Manche haben keinen Vater, ich gleich zwei. Glückliches Mädchen, das seinen Vater kennt.«

Er hielt dem Diener wieder den Becher hin. Laura nahm ihn ihm aus der Hand und stellte ihn unsanft auf die Tischplatte.

»Hört auf zu trinken und Euch leid zu tun«, sagte sie energisch. »Wer seid Ihr?«

Er seufzte übertrieben.

»Wenn ich es wüßte, meine Liebe, wäre ich froh. Ich war einmal der Herzog von Nepi und der Herzog von Camerino. Ich war einmal der Prinz von Rom. Jetzt bin ich ein Nichts.

Ich friste meine Tage in den Archiven des Vatikans, habe mich unter den Röcken der Kirche verkrochen, und die Welt hat mich vergessen. Am besten vergeßt Ihr mich auch. Ich bin kein Verwandter, mit dem man Ehre einlegen kann.«

»Ich glaube nicht, daß Ihr überhaupt ein Borgia seid«, sagte sie zornig. »Wie könnt Ihr so jammern! Habt Ihr keinen Stolz?«

Er lachte ihr ins Gesicht.

»Stolz? Worauf? Stolz, ein Borgia zu sein? Ein Bastard aus dieser verfluchten Familie von Meuchelmördern und Blutschändern? Was wißt Ihr davon, was es heißt, ein Borgia zu sein? Ihr seid unter den ehrbaren Fittichen der Rosevals aufgewachsen und habt eine ehrenvolle Laufbahn als Hofdame der Prinzessin vor Euch. Auch ich habe einmal so hoffnungsvoll angefangen. Ich bin damals zum Pagen der Lucrezia Borgia ausersehen worden, zusammen mit Alessandro Montefalcone und Annibale Strozzi. Das war damals eine große Ehre und eine Garantie für eine glänzende Laufbahn am Hof des Herzogs. Meine Zukunft lag strahlend und verheißungsvoll vor mir.«

»Ihr kennt Alessandro Montefalcone?« entfuhr es Laura, und Giovanni sah sie mit einem merkwürdigen Blick an. Sie errötete.

»Wieder eine empfindsame weibliche Seele, die ihr Herz an den großen Montefalcone verloren hat, wie?« sagte er spöttisch, und in seiner Stimme klang Verbitterung mit. »Ja, ich kenne ihn. Ihn hat sein Weg von dort, wo auch ich angefangen habe, ganz nach oben zu Ruhm und Ehre geführt. Aber ich? Mit meinem Glanz war es schnell vorbei. Als Cesare fiel, fiel auch ich. Der Herzog warf mich hinaus. Man wollte keinen Borgia-Bastard mehr am Hof der Este. Nur im Schoß der Kirche ist noch Platz für mich.«

»Aber was ist so schlimm daran, ein Borgia-Bastard zu sein?« fragte Laura neugierig.

Giovanni starrte sie an.

»Was wollt Ihr hören? Eine Geschichte von Hybris und Nemesis? Von brennendem Ehrgeiz und bodenloser Dummheit? Von Klugheit, Tapferkeit und Zufall? Von Grausamkeit und Rachsucht? Von Meucheltat, Vergewaltigung, Blutschande und Brudermord? – Schaut Ercole an, wie er am Kopfende thront neben Eurer Prinzessin! Und ich sitze hier unten. Würdet Ihr glauben, daß ich mit ihm verwandt bin? Und doch ist es so. Wenn Lucrezia recht hatte, bin ich der Bruder seiner Mutter. Aber davon will er nichts wissen. Er würde mich lieber heute als morgen abreisen sehen. Meine Gegenwart ist ihm nichts als peinlich.«

»Warum seid Ihr dann gekommen?« fragte Laura.

»Weil ich ihn hasse«, sagte Giovanni Borgia. »Das kann ich gut. Darin bin ich ein echter Sohn meines Vaters, wer immer er auch war. Soll ich die Gelegenheit vermeiden, bei der ich in seinen Freudenbecher einen Tropfen Galle mischen kann?«

Trompetenstöße verkündeten das Ende des Mahles.

Ercole hatte sich erhoben und half der Prinzessin auf die Füße. Er bot ihr seinen Arm und führte sie hinunter zum Ufer. Die Höflinge ließen Becher und Bestecke fahren, wischten sich eilig den Mund und reihten sich in den Zug ein. Bevor sie im Aufbruch getrennt wurden, fragte Laura noch einmal:

»Wer seid Ihr?«

Giovanni Borgia stand auf.

»Wenn ich es wüßte, würde ich es Euch sagen«, erwiderte er. »Aber laßt Euch von mir einen guten Rat geben. Verratet niemandem, wer Ihr in Wirklichkeit seid. Bleibt eine Roseval, wenn Ihr wünscht, daß es Euch gutgeht. Den Borgias gelten nur Flüche.«

Er wandte sich ab und verschwand in der Menge.

Laura machte sich langsam auf den Weg zum Boot der Prinzessin.

Renée glitt in dem Bucintoro, der fürstlichen Prunkbarke, die vierzig Ruderer antrieben, den Po hinunter auf Ferrara zu. Sie, die im lieblichen Garten Frankreichs aufgewachsen war, sah voll Abscheu auf das Land, das ihr jetzt eine Heimat werden sollte. Schon waren die Süßigkeit und die Wärme des Sommers aus dem Herbst geflohen, und das Land duckte sich furchtsam vor dem Angriff des Winters, der sich mit schweren Tritten näherte. Tief hingen die grauen Wolken über dem flachen Land. Pappeln und Erlen ragten aus den Sümpfen, ihre Blätter trieb der Wind vor sich her, in ihrem kahlen Geäst schaukelten die Krähennester. Hin und wieder ein Eselskarren, ein Ochsengespann, getrieben von dunklen, müden Gestalten. Trauer lag über dem Land, Schmerz und Angst, mehr, als der Jahreszeit angemessen war. Trauer um die vielen Toten, die jedes Dorf, jeder Marktflecken und besonders das vielbevölkerte Ferrara zu beklagen hatte. Denn während sie in Modena getanzt hatten, hatte der Tod reiche Ernte gehalten. Aus den Sümpfen, die im Sommer unter der Hitze gebrodelt hatten, war mit einer Myriade von Mücken das Fieber aufgestiegen, das die Menschen morgens ergriff und bis zum nächsten Abend verbrannte.

Langsam näherte der Bucintoro sich der Stadt Ferrara. Backsteinrot erhob sie sich aus der Ebene, die Häuser umgürtet von einer starken Mauer, überragt von dem Kastell, das mit seinen vier Türmen finster und drohend die Geheimnisse der Este bewahrte. In seinen Kerkern saß immer noch Giulio d'Este, den seine schönen Augen ins Unglück gestürzt hatten, und in seinen Verliesen waren Parisina und Ugo enthauptet worden, die Frau und der Sohn des vorletzten Herzogs, die einander geliebt hatten.

Die Herrschaft der Este war auf Gewalt gebaut. Gewalt nach außen gegen die Feinde, die ihnen das Land nehmen wollten, Gewalt nach innen gegen die Verschwörer und Gewalt auch in der eigenen Familie. Der Glanz blendete Renée nicht, sie sah das Gold tausendfach besudelt mit Blut.

Als sie in Ferrara einritt, säumte das Volk die Straßen, mit festlichen Gewändern angetan, jubelnd wie noch keine Bevölkerung gejubelt hatte auf ihrem langen Weg hierher. Renée wandte sich irritiert an Annibale Strozzi, der die Zügel ihres Pferdes hielt.

»Warum dieser ekstatische Jubel? Ich dächte, die Leute hätten mehr Grund zum Trauern als zum Feiern. Wütet die Seuche nicht immer noch?«

»Erlaß des Herzogs: Wer sich nicht die Seele aus dem Leib schreit, zahlt fünf Skudi Buße«, sagte er trocken.

Renée ritt langsam durch die Straßen der großen Stadt und ersparte es sich nicht, genau hinzusehen. Sie sah hinter der Begeisterung die Lumpen, den Verfall, die Armut. Sie würde sehr einsam sein in Ferrara.

Auch Laura war beklommen zumute, als sie im Gefolge Renées durch die Stadt ritt. Sie hörte den Jubel des Volkes nicht, sah weder das Elend noch die Pracht.

Sie war in Ferrara angelangt. Die Stadt, die ihr von Geburt an bestimmt war. Sie dachte an das Horoskop, das die Dame de Lalande für sie erstellt hatte.

Hüte dich vor dem Tod in Ferrara.

Cristina Nogazza war nicht nur eine Gelehrte von Rang, sondern auch eine tatkräftige und umsichtige Frau. Sobald die ersten Fälle von Sumpffieber in Ferrara bekannt geworden waren, hatte sie den Palazzo Montefalcone in der Stadt geschlossen und war mit ihrer Gesellschafterin Elisabetta, allen Bedienten und Fuhrwerken voller Lebensmittel ins Belvedere, den Sommersitz der Familie, übergesiedelt. Sie ließ das Gerücht verbreiten, es gäbe unter ihren Leuten einige Fieberkranke, versperrte Besuchern die Tür und machte sich in aller Ruhe daran, den vierten Gesang von Vergils Äneis zu übersetzen.

Belvedere mit seinen Gartenterrassen, Wasserspielen, Pavillons und Alleen war im Sommer ein zauberhafter Aufenthalt, im November aber trostlos und öde. Die Gärten waren in einen todesähnlichen Schlaf verfallen, aus dem sie erst der Frühling wieder erwecken würde, das Schloß selbst war klamm und schlecht heizbar.

Zwei Wochen nach der Übersiedlung brachte ein Bote die Nachricht, die französische Braut des Herzogs Ercole sei in Modena eingetroffen. Elisabetta trieb Knechte und Mägde an. Der Palazzo wurde von der untersten Treppenstufe bis zur letzten Kammer unter dem Dach gefegt und gefeudelt. In den Betten wurde frisches Stroh aufgeschüttet, das Laub von den kiesbestreuten Wegen geharkt, und in der Küche scheuerten die Mägde Töpfe und Pfannen. Belvedere machte sich bereit, seinen Herrn zu empfangen.

Er kam eine Woche später, und Cristina erschrak.

Sie kannte die beiden Gesichter Alessandro Montefalcones. Sie erinnerte sich an den strahlenden jungen Mann, der der Herzogin Lucrezia als Page gedient hatte, dem alle Herzen zugeflogen waren und der mit sorglosem Charme in die Welt aufgebrochen war, sein Glück zu machen. Und sie kannte den Mann, der vor zwei Jahren aus Rom zurückgekehrt war und aus dessen grauen Augen die Winterkälte strahlte, die seither sein Wesen erfüllte. Er konnte immer noch charmant, liebenswürdig und verbindlich sein, aber auch ironisch und ätzend scharf, und wenn er die Geduld verlor, war er schneidend und erbarmungslos.

Das Gesicht, das er ihr jetzt zeigte, kannte sie nicht, und sie fror, als sie ihn erblickte. Es war, als sei alles Fleisch von seinen Knochen geschmolzen und alles, was an ihm trotz Rom noch weich gewesen war, hatte sich in Härte verwandelt.

Sie dachte sofort an das Sumpffieber, aber seine Lippen waren kühl, als er sie auf die Wange küßte.

Er kam mit Antonio, Matteo und einigen Dienern am Abend. Er war zunächst in Ferrara gewesen, hatte das große Haus versperrt gefunden und ihre Nachricht erhalten, daß sie ins Belvedere übergesiedelt war. Noch in der gleichen Stunde hatte er sich mit seinen Begleitern aufs Land aufgemacht. Es war schon dunkel, als sie vor der Freitreppe die Pferde zügelten.

Elisabetta ließ das Essen in dem Saal servieren, dessen große, bodentiefe Fenster den Blick über die Terrasse in den Garten freigaben. Im Kamin brannte ein mächtiges Feuer, und sie hatte den Tisch in die Nähe rücken lassen.

Alessandro und Antonio wuschen sich und kleideten sich um, dann betraten sie den Gartensaal, in dem Cristina und Elisabetta bereits auf sie warteten.

Cristinas äußere Erscheinung verriet wenig von der Gelehrten, die sie war. Sie war groß und kräftig, und ihre Haut war von Sonne, Regen und Wind gerötet. Ebenso gern wie sie am Schreibtisch saß, arbeitete sie im Garten. Sie liebte es, die schwarze Erde unter ihren Fingern zu fühlen, und bedachte nie, daß ihre neue Stellung als Contessa Montefalcone von ihr eigentlich verlangte, diese Arbeit ganz den Gärtnern zu überlassen und sich darauf zu beschränken, Anweisungen zu geben. Elisabetta, mit der sie seit Kindertagen befreundet war und die nach ihrer Eheschließung wie selbstverständlich mit in den Palazzo Montefalcone übergesiedelt war, ähnelte Cristina nicht im geringsten. Elisabetta war klein und zart und sprach mit leiser, sanfter Stimme. Niemand, der sie sah, hätte geahnt, daß sie ein ganzes Haus voller Bedienten in Furcht und Schrecken versetzen konnte. Sie war es, die den Haushalt führte und an deren Taille der dicke Schlüsselbund klirrte, der alle Türen, Schränke und Truhen öffnete. Sie hatte nach ihrem Einzug nur eine Woche gebraucht, um die Verhältnisse in dem langsam verwahrlosenden Haushalt, der schon lange keine Herrin mehr gesehen hatte, zu überblicken und für Abhilfe zu sorgen. Antonio, dem die bequeme Wirtschaft sehr behagt hatte, sah sich plötzlich einer Kraft ausgesetzt, die ihn von Kopf bis Fuß umkrempelte und jede schlechte Angewohnheit mit leiser, gnadenloser Zunge so lange geißelte, bis er sie abgelegt hatte.

An diesem Abend bestritt hauptsächlich Antonio die Unterhaltung. Er zeigte eine Neigung, jeden Tag der Reise nach Blois minutiös zu beschreiben. Gelegentlich würgte sein Bruder ihn ab und meinte, einige unwesentliche Einzelheiten könne er getrost überspringen. Cristina bemerkte, daß Antonio rot wurde, etwas entgegnen wollte, sich anders besann und weiterredete, als sei nichts geschehen. Cristina schloß daraus, daß Alessandro ihr einiges verschweigen wollte.

Schließlich unterbrach er Antonio, indem er darauf hinwies, auch andere Leute hätten einen Mund und würden ihn gern benutzen. Er zog Elisabetta ins Gespräch, erkundigte sich nach Ereignissen im Hause und nach Cristinas Arbeit.

»Ich habe Abschriften von zwei Briefen Amerigo de Vespuccis bekommen, in denen er seine Reisen in die Neue Welt beschreibt, die Kolumbus entdeckt hat«, sagte Cristina. »Sehr interessant. Ich denke, du wirst sie gern lesen wollen.«

»Was ist daran schon interessant«, meinte Antonio wegwerfend. »Es wird ein paar merkwürdige Tiere für die Menagerien einbringen. Gold oder Pfeffer gibt es da ja wohl nicht. Der gute Kolumbus hat sich sehr geirrt, als er dachte, Indien entdeckt zu haben.«

»Wer weiß, wie entwicklungsfähig die Sache ist. Die Spanier und Portugiesen nehmen sie jedenfalls ziemlich ernst.«

»Auch die Deutschen interessieren sich dafür. Der Kaiser hat an die Augsburger Ehinger und Welser ganz Venezuela abgetreten. Die werden nicht annehmen, daß sie da nur ein paar wilde Tiere herausholen können.«

»Kaufleute«, sagte Antonio verächtlich, »sie gehen überall hin, wo es nach Geld riecht. Oder Abenteurer wie dieser Cortez, die hier doch nur Abschaum sind.«

Elisabetta, die es während des Essens vermieden hatte, Alessandro anzusehen, besaß genug Taktgefühl, sich gleich nach dem Essen zu entschuldigen. Antonio blieb noch bis Mitternacht, dann stand er auf, reckte und streckte sich, daß alle Gelenke knackten, und erklärte, teuflisch müde zu sein.

Alessandro hatte seinen Lehnstuhl so vor das Feuer geschoben, daß Cristina nur seine ausgestreckten Beine sehen konnte. Er schwieg.

Sie wartete. Sie war eine Frau mit einem unerschöpflichen Vorrat an Geduld. Als er endlich sprach, klang seine Stimme müde und erschöpft, aber bemüht um einen leichten Plauderton.

»Ich bin froh, daß du nach Belvedere übergesiedelt bist.«

»Es hat sich bewährt. Wir hatten bis jetzt noch keinen einzigen Fieberfall im Haus. Ich hatte erst daran gedacht, nach Venedig zu gehen, aber ich wollte deine Rückkehr lieber in der Nähe abwarten.«

Die Montefalcones besaßen außer dem Palazzo in Ferrara und dem Sommersitz Belvedere auch ein Haus in Venedig und eines in Rom. Beide waren vermietet, aber sie hielten sich einige Räume darin frei, so daß sie jederzeit dort wohnen konnten.

»Venedig ist eine gute Idee«, sagte Alessandro, »aber ich muß noch ein oder zwei Wochen hierbleiben. Es könnte sein, daß es noch Fragen wegen der Reise gibt, die der Herzog mit mir besprechen möchte. Oder möchtest du den Winter in Belvedere verbringen?«

Ihr fiel auf, daß er nicht vorgeschlagen hatte, nach Ferrara zurückzukehren.

»Ich kann hier zwar wunderbar in Ruhe arbeiten, aber auf die Dauer wird es unangenehm. Wenn der Winter streng wird, können wir hier sowieso nicht bleiben. Man kann das Haus nicht ausreichend heizen.«

»Venedig also«, sagte er, »sobald wie möglich. Dort sitze ich mitten im Netz. Keine Nachricht von den Kriegsschauplätzen und Hauptstädten, die nicht dort aufgefangen wird. Venedig ist die ideale Ausgangsbasis für mich.«

»Was hast du vor?«

»Ich habe am Hof in Blois die türkischen Gesandten gesehen. Und ich habe allerhand gehört unterwegs. Der Sultan rüstet. Er wird sich nicht mit dem Sieg von Mohacs begnügen. Er drängt weiter vor. Ich denke, Ungarn ist sein Ziel. Frankreich unterstützt ihn, um von der habsburgischen Umklammerung freizukommen. Im nächsten Frühjahr wird der Sultan marschieren, und der Kaiser wird Söldner brauchen. Ich werde bis zum Frühjahr eine Truppe aufgestellt haben und ihm meine Dienste anbieten können.«

»Du wirst in Ungarn kämpfen? Das ist weit.«

»Ja.«

Nur dieses eine Wort. Cristina fragte sich, ob sie das lose Ende des Fadens in der Hand hatte, das sie durch das Labyrinth seiner Rätsel führen konnte. Seine Worte sind wie Trittsteine im tiefen Wasser, dachte sie. Er balanciert vorsichtig auf ihnen, um nicht in die Fluten von Emotionen zu stürzen und zu ertrinken.

Sie wartete. Sie hatte sich einen Stuhl hinter ihm gewählt, dessen Lehne ihrem Rücken den nötigen Halt gab. Sie dachte, daß sie bisher nicht gewußt hatte, wie Angst entsteht. Jetzt begann sie sich in sie einzuschleichen. Ihre Hände wurden kalt, ihre Lippen trocken. In ihrem Magen bildete sich ein Klumpen Eis.

»Hast du mit Matteo gesprochen?« fragte er aus dem Schutz des Lehnstuhls. Sie wünschte, sie könnte sein Gesicht sehen.

»Matteo ist mir ausgewichen.«

Sie hatte versucht, ihn auszufragen, als Alessandro und Antonio sich umzogen. Er stand Alessandro am nächsten. Wenn jemand wußte, was ihn so verändert hatte, dann war es Matteo. Aber er hatte sie mit einer einsilbigen Antwort abgespeist und war seiner Wege gegangen.

Ihr schien, als warte sie eine Ewigkeit. Aber er würde sprechen, das hoffte sie jedenfalls. Zwischen ihnen hatte von Anfang an Vertrauen geherrscht. Es war nicht Liebe, die sie verbunden hatte, sondern Freundschaft. Außer Matteo, dachte Cristina, gab es keinen Menschen, dem Alessandro vertraute, außer ihr. Aber sogar ihr hatte er verheimlicht, was in Rom geschehen war. Und auch Matteo, da war sie sicher, wußte davon nichts.

Als er dann wieder sprach, spürte sie, daß er jetzt zum Eigentlichen kommen würde.

»Als ich dich fragte, ob du mich heiraten willst, hast du mir etwas von Platon erzählt. Erinnerst du dich?«

Sie mußte erst ihre Lippen befeuchten, bevor sie antworten konnte.

»Aus dem Symposion. Ich erinnere mich.«

»Da war jemand, der etwas sehr Sonderbares über die frühere Natur der Menschen sagte. Walzen, die radschlagen.«

»Aristophanes«, antwortete sie und zitierte: »Damals sah der Mensch aus wie eine Walze, rundherum Rücken und Rippen. Vier Arme hatte er und ebenso viele Beine und zwei Gesichter auf einem Schädel. Er marschierte vorwärts und rückwärts, aber wenn er schnell lief, dann schlug er nach Art der Akrobaten ein Rad.«

»Ja«, sagte Alessandro, »aber weil diese bemerkenswerten Geschöpfe die Götter bedrohten, wurden sie geteilt, nicht wahr?«

Ihr Herz klopfte zum Zerspringen. Er hatte ihr den Schlüssel in die Hand gedrückt, sie brauchte nur noch aufzuschließen. Und sie begann zu ahnen, zu welchem Geheimnis sie den Schlüssel in der Hand hielt. Mit zitternder Stimme fuhr sie fort:

»Zeus schnitt sie mittendurch, so daß sie fortan auf zwei Beinen gingen. Jede Hälfte ging sehnsüchtig nach der anderen auf die Suche. Seither ist die Liebe zueinander den Menschen eingepflanzt. Eros führt zum Urwesen zurück. Er will aus zweien eins machen.«

Er mußte den Text genau kennen, denn als sie verstummte, sprach er weiter, so leise, als spreche er nur für sich selbst, aber Cristinas Lippen formten unhörbar die Worte mit:

»Wenn sie einander gefunden hätten und beieinander lägen, und träte dann Hephaistos zu ihnen und fragte: »Wünscht ihr, euch ganz zu vereinigen, so daß ihr euch Tag und Nacht nicht verlaßt? Dann will ich euch in eines schmelzen, so daß ihr aus zweien eines werdet und so euer Leben lang gemeinsam lebt, und wenn ihr gestorben seid, selbst drüben im Hades vereint eines im Tode seid. Kein einziger würde mit Nein antworten.«

Cristinas Knochen waren kalt wie Eis. Aber sie brachte es fertig, ihre Stimme unbewegt klingen zu lassen.

»Du kannst die Ehe annullieren lassen.«

Seine Antwort kam so schnell, daß sie wußte, er hatte schon vorher darüber nachgedacht und seine Entscheidung getroffen.

»Nein.«

»Ist sie verheiratet?« fragte Cristina.

Er stand auf, durchwanderte ruhelos den Raum, die Arme auf dem Rücken verschränkt. Wenn er in ihre Nähe kam, loderte sein Haar golden im Feuerschein; wenn er weiterging, verschmolz er mit der Dunkelheit, die in den Tiefen des Saales herrschte.

Er sprach bedachtsam, und sie hatte den Eindruck, er überlege sehr sorgfältig, was er sie wissen lassen wollte.

»Sie ist eine Hofdame der Prinzessin. Sie wird mich schnell vergessen. Antonio tut schon sein Bestes dabei. Ich kann sie nicht heiraten, Cristina. Ich bin verheiratet. Hältst du mich für einen Schurken, der sein Wort verkauft nach seinem Vorteil? O ja, ich weiß, daß das heutzutage Mode ist. Machen die Fürsten es uns nicht vor, daß Treulosigkeit, Verrat, Meuchelmord keine Verbrechen, sondern Mittel der Politik sind?«

Cristinas Herz klopfte zum Zerspringen. Die Worte drängten auf ihre Zunge, ehe sie darüber nachgedacht hatte, aber als sie sie ausgesprochen hatte, war sie froh darüber.

»Es bist nicht nur du, der die Ehe auflösen lassen kann. Auch ich kann den Antrag stellen.«

Er fuhr herum. Sein Haar sprühte auf im Feuerschein. Seine Stimme war heftig.

»Demütige mich nicht, indem du mir ein Opfer bringst.«

Cristinas Knie zitterten vor Erleichterung. Es war überstanden. Sie war gerettet. Was immer er ihr auch verschwieg – und sie war sicher, daß er ihr nicht alles anvertraut hatte –, es änderte nichts mehr daran, daß sie gerettet war.

Sie war die Tochter eines Arztes, der ihre außerordentliche Begabung früh erkannt und gefördert hatte. Nach seinem Tode war sie mittellos und ohne den Schutz einer Familie gewesen. Ihre einzige Zukunft hatte im Kloster gelegen, und davor graute ihr. Die Kirche stand der Frauenbildung ablehnend gegenüber, hielt gelehrte Frauen sogar für widernatürlich.

Wenn sie das Gelübde des Gehorsams erst einmal abgelegt hatte, konnte es ihr geschehen, daß man ihr verbot, weiter im Briefwechsel zu stehen mit ihren gelehrten Freunden. Man konnte ihr verbieten, griechisch und lateinisch zu schreiben, ja, man konnte ihr sogar ihre Bücher fortnehmen. Denn es gab keine einflußreiche Familie, die sich für sie hätte einsetzen können. Als Alessandro Montefalcone, das Haupt einer der einflußreichsten Familien Ferraras, reich wie der Herzog selbst, ihr einen Heiratsantrag gemacht hatte, war es ihr erst wie ein Wunder des Himmels erschienen.

Nach einigem Nachdenken hatte sie gewußt, daß sie ablehnen mußte. Sie würde die Ehe noch weniger ertragen können als das Kloster. Alessandro hatte eine Erklärung gefordert, und sie fand, daß er das Recht hatte, die Wahrheit zu erfahren. Damals hatte sie ihm von den walzenförmigen Menschen erzählt, die, nachdem die Götter sie gespalten hatten, ihre zweite Hälfte suchten. Manche waren nur männlich, manche nur weiblich, manche männlich und weiblich gewesen, und so suchten jetzt Männer Männer, Frauen Frauen oder auch Männer Frauen und Frauen Männer. Sie selbst war eine weibliche Hälfte, die eine andere weibliche suchte. Sie ekelte sich vor der Berührung eines Mannes. Sie hatte Elisabetta.

Alessandro hatte ihr versprochen, sie nicht anzurühren.

»Aber der Erbe für das Haus Montefalcone«, hatte sie ausgerufen.

»Ich habe einen Erben. Antonio kann den Stamm fortpflanzen. Ich tue, wenn ich Euch heirate, Cristina, mehr für die Unsterblichkeit des Hauses Montefalcone als er, wenn er zwanzig Kinder zeugt. Das Fleisch wird vergehen, aber der Geist ist unsterblich.«

Später hatte Cristina sich überlegt, ob es nicht ein genialer Schachzug von ihm gewesen war, sie zu heiraten. Es war wahr, ihre Feder schmückte das Haus mit Ruhm. Wie die Este sich Dichter, Maler, Bildhauer, Musiker hielten zu ihrem Ruhm, so eben auch das Haus Montefalcone. Außerdem bewahrte es Alessandro vor einer unerwünschten Ehe. Sie wußte, daß jede der großen rivalisierenden Familien ihn gern als Schwiegersohn gesehen hätte. Indem er sie heiratete, blieb er neutral, schloß sich keiner Partei an.

Als sie begriff, daß er sich verliebt hatte, hatte sie Angst gehabt, ihre Zuflucht zu verlieren. Sie hatte ihm gezeigt, daß sie bereit gewesen wäre, den Weg für eine andere Frau freizumachen. Sie hatte sich nichts vorzuwerfen. Es war seine Entscheidung, ihre Ehe bestehen zu lassen. Cristina war immer ehrlich, auch sich selbst gegenüber, und sie gestand sich ein, daß ihr Mitleid mit Alessandro viel geringer war als ihre Erleichterung über seinen Entschluß.

Sie trennten sich kurz darauf, und jeder zog sich in sein eigenes Schlafzimmer zurück.

Elisabetta wartete auf Cristina.

»Er sieht furchtbar aus«, sagte sie und nahm die Bürste vom Frisiertisch. Das Licht der Kerze spiegelte sich in dem Silberrücken. Cristina setzte sich auf den Stuhl, und Elisabetta trat hinter sie. Sie zog mit flinken Fingern die Nadeln aus Cristinas braunem Haar und begann mit dem allabendlichen Ritual des Bürstens.

»Ja«, sagte Cristina, »er leidet. Er liebt.«

»Und wird nicht wiedergeliebt?« fragte Elisabetta mit spöttischem Erstaunen.

»Wer ist die bemerkenswerte Frau, die ihm widerstehen kann?«

»Von ihr weiß ich nichts. Er widersteht.«

»Warum?«

Cristina hob die Schultern.

»Weil er schon verheiratet ist.«

Elisabetta ließ die Bürste sinken. »Glaubst du das?«

Cristina zögerte, dann schüttelte sie den Kopf.

Nachdem die Festlichkeiten zu Ehren der Braut beendet waren und bevor die Feste, mit denen Weihnachten und der Karneval gefeiert wurden, begannen, kehrte etwas wie Alltag in das Schloß in Ferrara ein – ein Alltag, der den Hofstaat der Prinzessin zu vielen Klagen hinriß. Gewöhnt an die neuen Schlösser an der Loire, die die drei letzten Könige gebaut hatten, waren sie nicht darauf gefaßt, in einem Gemäuer zu leben, das fast dreihundert Jahre hinter sich hatte und in dem wenig renoviert worden war. Die prachtvollen Wandteppiche bedeckten Wände mit großen Rissen, und Madame de Soubise schwor, in ihrem Zimmer würde noch vor Ende des Winters die Decke einstürzen. Die Korridore waren eng und niedrig und wurden nach Einbruch der Dunkelheit nicht beleuchtet. Wessen Kerze unterwegs ausging – was in der Zugluft häufig passierte –, mußte sich mit den Händen vorwärts tasten. Aus dem Burggraben, dessen Wasser unter einer dicken, grünen Schicht von Entengrütze nicht auszumachen war, stieg fauliger Geruch hoch und füllte schnell das Zimmer, in dem jemand so unklug gewesen war, das Fenster zu öffnen. Die Tage waren kurz, und ihr graues Licht erreichte nur die Fläche unmittelbar am Fenster. Die Kamine zogen schlecht, und wenn der Wind in sie fuhr, quoll der Rauch in den Raum und erstickte sie fast.

Renée verbrachte ihre Zeit damit, Briefe zu schreiben. Sie hatte einen Sekretär, dem sie diktierte. Wenn er ihre Worte in seiner besten Handschrift zu Papier gebracht hatte, siegelte sie sie, und er brachte sie dem Postmeister, damit sie nach Frankreich abgehen konnten. Der Postmeister brachte sie vorher dem Herzog, der das Siegel aufbrechen ließ, damit er sie lesen konnte, bevor sie Ferrara verließen.

Andere Briefe schrieb Renée eigenhändig. Wenn sie die gesiegelt hatte, gab sie sie weder dem Sekretär noch dem Postmeister, sondern ihrer Hofdame Marguerite de St. Philibert.

Marguerite trug diese Briefe in die Stadt zu der Hemdennäherin Isotta Calabrini, deren Mann mit den Produkten seiner Frau über Land hausieren ging. Ein besonders guter Kunde war ein Bauer, der sein Olivenöl nach Mantua verkaufte, vor allem an den französischen Gesandten in Mantua.

Der Weg der Briefe wurde nicht entdeckt. Marguerite befolgte die Instruktionen, die sie erhalten hatte. Sie hatte die Näherin sechsmal aufgesucht, ohne einen von Renées Briefen mitzunehmen. Das Haus der Näherin war von den Sbirren des Herzogs dreimal vergeblich durchsucht worden. Marguerite, das war die einhellige Meinung der Männer, die sie überwachten, war eine Pest von einer Käuferin. Sie nörgelte, sie schacherte, sie reklamierte, sie ließ ändern, und sie war äußerst schleppend beim Bezahlen. Aber ansonsten war sie harmlos. Als sie sicher war, daß es keine weiteren Durchsuchungen bei der Näherin geben würde, ließ Marguerite den Herzog um eine vertrauliche Unterredung bitten. Sie erhielt die Anweisung, sich am Sonntagmorgen krank zu stellen, so daß sie nicht mit dem übrigen Hofstaat an der Messe teilnehmen konnte. Ein Diener holte sie ab, führte sie durch mehrere Korridore und drei unmöblierte Räume in einen schön ausgestatteten, hinter dessen Wandteppich sich eine Tür verbarg. Er ließ sie durch diese Tür treten und schloß sie dann hinter ihr.

Der Herzog wartete schon.

Er lehnte seine breiten Schultern an die Wand und musterte Marguerite mit kalten Augen.

»Ich bin erfreut, Euch zu sehen, Madonna. Ich hoffe doch, der Anlaß Eures Besuches ist ein erfreulicher?«

Marguerite versank in einem tiefen Knicks.

»Hoheit, ich habe gewagt, um diese Unterredung zu bitten, weil ich weiß, daß Eurer Hoheit das Wohl meiner Herrin am Herzen liegt.«

»Wir könnten die Prinzessin nicht mehr lieben, wenn sie unsere eigene Tochter wäre«, versicherte der Herzog.

»Dann wären Hoheit sicher auch betrübt, zu erfahren, daß die Prinzessin nicht ganz glücklich ist?«

Ein wachsamer Ausdruck trat in die Augen des Herzogs.

»Die Prinzessin beklagt sich?«

Marguerite machte ein erschrockenes Gesicht.

»Niemals, Hoheit, niemals. Die Prinzessin rühmt täglich Eure Güte, die Freundlichkeit ihres Gatten und die überwältigende Aufnahme, die sie in Ferrara gefunden hat. Dennoch …«

Sie machte eine kleine Pause.

»Dennoch?« sagte Alfonso d'Este.

Er war interessiert. Sie sah es an seinem Blick. Sie mußte behutsam vorgehen. Sie ging ein Risiko ein, aber wenn sie nichts wagte, dann würde sie in ihrer Witwenschaft verschimmeln. Wie konnte der König von Frankreich auf ihre Loyalität zählen, wenn er nicht besser zahlte?

»Dennoch, Hoheit, gibt es eine gewisse Melancholie im Wesen der Prinzessin, die darauf schließen läßt, daß sie nicht ganz glücklich ist.«

»Wir werden alles tun, was in Unserer Macht steht, um das zu ändern. Ich nehme an, Madonna, Ihr wißt, welchen Wunsch die Prinzessin hegt. Nennt ihn uns, und wir werden ihn erfüllen.«

Marguerite neigte anmutig den silberblonden Kopf und sagte bedauernd:

»Es tut mir leid, Hoheit. Ich weiß nicht, was die Prinzessin traurig macht. Keine ihrer Damen weiß es. Die Prinzessin schweigt sich uns gegenüber aus. Wenn wir in sie dringen, sich uns oder ihrem Gatten oder Euch zu eröffnen, so seufzt sie nur.«

»Hat die Prinzessin kein Vertrauen zu Uns?« fragte der Herzog stirnrunzelnd.

Marguerites Herz klopfte. Ihre Worte kamen langsam und bedächtig.

»Ich denke, die Prinzessin will Euch nicht betrüben. Ihr habt so viel für sie getan, daß sie es undankbar fände, Euch mit ihrem Kummer zu behelligen.«

»In dem Fall können wir ihr nicht helfen«, sagte der Herzog.

Jetzt war der Moment gekommen. Sie konnte sich noch zurückziehen, sie konnte aber auch ihren Plan durchführen. Und er hatte zwei Möglichkeiten, zu reagieren. Marguerite holte tief Luft.

»Die Prinzessin vertraut ihren Kummer sicher den Briefen an, die sie nach Frankreich schreibt.«

Der Herzog leugnete gar nicht erst, daß er Renées Post aufbrach.

»Davon ist mir nichts bekannt«, sagte er.

»Hoheit kennen nicht alle Briefe, die die Prinzessin schreibt. Ich weiß, wie es möglich wäre, daß Hoheit auch die liest, die meine Prinzessin im geheimen schreibt.«

Er konnte sie verhaften lassen. Er konnte sie verhören, einsperren, foltern, mit dem Tod bedrohen. Er konnte Gewalt anwenden, damit sie ihr Wissen preisgab. Oder er konnte sie dafür bezahlen. Für welchen Weg würde er sich entscheiden?

Marguerite war fast ganz sicher, aber eben nur fast, daß er ihr nichts antun würde. Hinter ihr stand Renée, und hinter Renée stand Frankreich. Er würde keinen Aufruhr in Renées Hofstaat verursachen wollen, wenn er dasselbe Ziel mit subtileren Mitteln erreichen konnte.

»Wenn ich Euch recht verstehe, Madonna, macht Ihr mir den Vorschlag, Eure Herrin zu verraten?«

Er lächelte nicht.

War das ein schlechtes Zeichen? Hatte sie ihn falsch eingeschätzt?

»Ich halte es nicht für Verrat, Euch einen Weg zu zeigen, der es Euch ermöglicht, meine Prinzessin glücklich zu machen.«

Er nickte ernst.

»Das Glück der Prinzessin liegt Uns allen am Herzen. Ihr dient Eurer Herrin auf die rechte Weise. Seid versichert, daß Wir Uns dafür großzügig erkenntlich zeigen werden.«

Marguerite unterdrückte ein erleichtertes Aufatmen. Sie hatte es geschafft.

»Ich möchte vorschlagen, Hoheit, daß wir die Prinzessin nicht beunruhigen. Was geschieht, geschieht zu ihrem Besten, aber sie braucht davon nichts zu erfahren. Laßt die Briefe weiter den Weg gehen, den sie bisher gegangen sind. Bevor sie sich auf die Reise machen, gelangen sie zu Eurer Kenntnis, Hoheit.«

Alfonso begann zu lächeln.

»Ich verlasse mich auf Eure Geschicklichkeit, Madonna.«

Er machte eine verabschiedende Geste, und Marguerite wandte sich nach dem Knicks zur Tür. Bevor sie ging, rief er sie noch einmal zurück.

»Madonna, Ihr teilt das Zimmer mit einer anderen Französin, habe ich gehört.«

»Mit Laura de Roseval, Hoheit.«

»Richtig. So heißt sie. Ich habe gehört, daß dieses Fräulein und der Conte Montefalcone auf der Reise eine Neigung zueinander gefaßt haben.«

Marguerite riß erstaunt die Augen auf. Sie hatte nicht geglaubt, daß außer ihr das noch jemand bemerkt hätte. Wer mochte das gewesen sein? Und warum hatte derjenige geglaubt, eine Liebesaffäre zwischen Montefalcone und einer kleinen Hofdame interessiere den Herzog?

Alfonso d'Este mißverstand ihr Mienenspiel.

»Mir scheint, das überrascht Euch, Madonna? Ich habe angenommen, zwei Damen, die ein Zimmer teilen, teilen auch ihre Herzensgeheimnisse.«

»Laura ist ein stilles und zurückhaltendes Mädchen«, sagte Marguerite vorsichtig.

Ihre Gedanken schlugen Purzelbäume. Ging es um Montefalcone? Oder ging es dem Herzog um Laura? Er war in jenem fortgeschrittenen Alter, in dem manche Männer junge und vor allem jungfräuliche Mädchen besonders reizvoll fanden.

»Wir wären Euch dankbar«, fuhr der Herzog fort, »wenn Ihr Uns über jeden Schritt, den Madonna Laura außerhalb ihres Dienstes bei der Prinzessin tut, informiert. Versteht Uns recht. Montefalcone ist ein verheirateter Mann. Wir wünschen nicht den Hauch eines Skandals im französischen Hofstaat der Prinzessin. Berichtet Uns regelmäßig!«

Damit war sie endgültig entlassen.

Der Haushalt im Belvedere war bereit, nach Venedig überzusiedeln. Aber der Befehl zum Aufbruch kam nicht. Tag für Tag verging, und sie wohnten immer noch in den feuchten Mauern, umgeben von entlaubten Bäumen. Niemand fragte Montefalcone nach dem Grund für den Aufschub. Er war scheinbar der, der er immer gewesen war. Er ritt mit Antonio auf die Jagd, er scherzte mit Elisabetta, er disputierte mit Cristina, er las, er schrieb Briefe. Es war das normale Leben, das sie geführt hatten, bevor er zu der Reise nach Frankreich aufgebrochen war. Aber er war verändert, und sie alle sahen es, ohne darüber zu reden. Es gab eine Schranke zwischen ihm und ihnen und eine deutliche Warnung, diese Schranke nicht zu durchbrechen. Manchmal hatte Cristina den Eindruck, am Tisch sitze ein Schauspieler, der die Rolle des Grafen Montefalcone täuschend echt verkörperte, aber der wahre Alessandro Montefalcone war weit fort, wo ihn niemand erreichen konnte.

Begleitet von Antonio und Matteo, ging er fast täglich auf die Jagd, ungeachtet des Wetters. Sie ritten durch den Wald, der an den Park vom Belvedere angrenzte. Der Tag neigte sich, aber die Holzfäller waren noch an der Arbeit. Die Axtschläge, die sie gegen die Bäume führten, hallten aus der Ferne zu ihnen herüber.

Es war einer der wenigen Tage in dieser Zeit, in denen die

Sonne sich durch die Wolken gequält hatte, eine Sonne, während des Tages blaß wie Buttermilch, die jetzt gegen Abend die Wolken blutig färbte. Sie hatten den Tag am Fluß verbracht und waren auf dem Heimweg. Das Licht würde bald schwinden. Wenn sie nicht bei Dunkelheit reiten wollten, mußten sie sich beeilen.

Antonio, der auf dem schmalen Pfad voranritt, gab seinem Pferd die Sporen und beschleunigte das Tempo. Alessandro folgte ihm, dann Matteo. Ohne daß sie es ausdrücklich verabredet hatten, nahmen sie Alessandro immer in die Mitte. Antonio hörte das dumpfe Trommeln der Hufe auf dem Waldweg hinter sich. Schon standen die Bäume lichter, fiel durch sie der letzte Abendsonnenschein auf die gefällten Stämme, die sorgfältig hoch aufgeschichtet am Wegrand lagen, bereit zum Abtransport.

Antonio wünschte, sie würden endlich abreisen. Belvedere im Winter war entsetzlich langweilig. Venedig dagegen würde wunderbar sein. Er war noch nie zur Karnevalszeit in Venedig gewesen, und wenn er daran dachte, was man ihm alles erzählt hatte, über die Abenteuer, die im Schutz der Masken möglich waren, dann verfluchte er jeden Tag, den sie noch hier verbrachten.

Matteo hingegen betrachtete die Abreise nach Venedig mit großer Abneigung. Selbst wenn Alessandro sich mit einer Leibwache umgeben würde, wann immer er ausging – und Matteo hielt das für unwahrscheinlich –, so konnten ihm doch im Getriebe der Stadt viel mehr Unfälle zustoßen als in dem einsamen Belvedere, in dem jeder Fremde, der herumlungerte, sofort auffiel. Wenn es nach Matteo gegangen wäre, so hätte Alessandro sich aus seinem Sommersitz überhaupt nicht mehr fortgerührt. Genauso kritisch, wie er einen Aufenthalt in Venedig betrachtete, stand Matteo auch dem Plan, im Frühjahr in den Krieg nach Ungarn zu ziehen, gegenüber. Im Getümmel einer Schlacht würde Alessandro nicht zu beschützen sein, und der Tod könnte ihn dort geradesogut von einer befreundeten wie von einer feindlichen Hand erreichen. Immerhin, dachte Matteo, erprobt in vielen Kriegen, wäre das ein Tod, den ein Mann wohl der langsamen, schleichenden Vergiftung vorziehen würde. Das war seine Hauptsorge. Jedes

Essen, das die Küche verließ, wurde von einem Hund vorgekostet. Bis jetzt war nichts weiter passiert, als daß der Hund immer fetter wurde. Aber die Methode der Überwachung funktionierte natürlich nur bei einem rasch wirkenden Gift, nicht bei einem, das in kleinen Dosen über lange Zeit verabreicht wurde. Bis jetzt hatte Matteo noch kein Anzeichen davon bei Alessandro bemerkt, trotzdem blieb er wachsam.

Sie hatten sich heute verspätet. Matteo liebte es nicht, wenn sie in der Dämmerung unterwegs waren, wenn überall Schatten lauerten wie Gespenster oder Meuchelmörder und die Phantasie so nährten, daß man sich immer wieder einreden mußte, da sei nichts, bis man die wirkliche Gefahr übersah. Gott sei Dank näherten sie sich dem Waldsaum. Schon drangen die Strahlen der tiefstehenden Sonne bis in den Wald, vergoldeten die Holzstapel und leuchteten ihnen in dem grauen Dämmer wie eine freundliche Laterne. Antonio hatte das Tempo erhöht, Alessandro war gefolgt. Matteo sah, daß der Abstand sich zwischen ihnen vergrößerte, und trieb sein Pferd an.

Plötzlich strauchelte Alessandros Pferd so jäh und unerwartet und heftig, daß der Reiter über den Kopf des Tieres flog und mit einem dumpfen Krachen auf dem Waldboden aufschlug, wo er bewegungslos liegenblieb.

Bevor er noch einen klaren Gedanken fassen konnte, war Matteo aus dem Sattel und kniete neben Alessandro nieder. Er tastete vorsichtig seinen Schädel ab. Eine klebrige, warme Flüssigkeit kroch ihm auf die Hand. Vorsichtig drehte er Alessandro herum und untersuchte ihn genauer. Antonio war jetzt neben ihm und starrte in das bleiche Gesicht mit den geschlossenen Augen.

»O Gott«, sagte er, das Blut auf Matteos Händen bemerkend. »Was ist? Ist er …?«

Dann sah er es, noch bevor Matteo antworten konnte. Unter dem goldenen Schild des Haares sickerte ein dünnes Rinnsal von Blut aus der rechten Schläfe über die Wange.

»Mein Gott«, sagte Antonio noch einmal und legte seine Hand auf Alessandros Brust. Sie bewegte sich ganz leicht unter seinen Fingern.

»Er atmet noch«, sagte er erleichtert.

Alessandros Wimpern flatterten. Mit geschlossenen Augen sagte er amüsiert:

»Mein Lieber, so leicht bin ich nicht umzubringen.«

Dann öffnete er die Augen, betrachtete die besorgten Gesichter der beiden Männer, die wie Monde über ihm hingen, und grinste.

»Es kommt mir vor, als hätte mir jemand über den Kopf geschlagen. Das war es aber nicht, oder?«

»Nein«, sagte Matteo. »Euer Pferd ist gestolpert und hat Euch abgeworfen.«

»Und das passiert dir, Alessandro, dem Reiter aller Reiter«, sagte Antonio und begann zu lachen. Jetzt, da die Angst fort war, konnte er gar nicht mehr aufhören zu lachen.

Sein Bruder setzte sich langsam auf.

»Was ist mit dem Pferd?«

Matteo warf einen Blick auf das Tier, das gleichmütig am Wegrand stand und, das Maul am Boden, etwas Gras auszupfte.

»Ich glaube, da ist alles in Ordnung. Könnt Ihr nach Hause reiten?«

»Wenn du mir fünf Minuten Zeit gibst, mich zu erholen, damit ich wieder weiß, wo oben und unten ist. Was war es, ein Kaninchenloch?«

Matteo antwortete nicht sofort. Er suchte mit den Augen sorgfältig die letzten Meter des Weges ab, bis er fand, was er suchte. Dann erhob er sich, ging zwei Schritte zurück und bückte sich.

»Das«, sagte er, »war das Kaninchenloch.«

In der Hand hatte er das Ende eines Seiles, das dünn wie ein Kinderfinger auf den Boden fiel und sich auf dem Waldweg ringelte wie eine Schlange. Matteo zog daran, und das Seil straffte sich.

»Es ist festgebunden«, sagte Antonio.

»Ja, auf der einen Seite«, antwortete Matteo. Er zog es ganz straff und ging langsam rückwärts hinter einen der aufgeschichteten Holzstapel.

Antonio sagte begreifend:

»Da hat also einer gehockt und auf Alessandro gewartet, das lose Ende des Seils in der Hand. Und als er kam, hat er es rasch angezogen, so daß es wie eine Leine über dem Weg gespannt war und das Pferd stolpern mußte. Alessandro hätte sich den Hals brechen können.«

»Ich nehme an, das war der Zweck des Ganzen«, erwiderte sein Bruder trocken.

»Der älteste Trick der Welt«, bemerkte Matteo voller Selbstverachtung. »Ich hätte darauf gefaßt sein müssen.«

»Die Zeit war gut gewählt«, sagte Alessandro. »Bei dieser Dämmerung, dazu die blendende Sonne von vorn, niemand hätte dieses unscheinbare kleine Ding bemerkt.«

Antonio sprang auf.

»Schluß mit dem Gerede«, rief er. »Wir verlieren nur unnötig Zeit. Wir müssen ihm nach!«

Er lief zu seinem Pferd und sprang in den Sattel.

Matteo und sein Bruder folgten ihm nicht.

»Zwecklos«, sagte Matteo. »Er ist schon über alle Berge. Ihr könnt wetten, daß er ein Pferd in unmittelbarer Reichweite hatte. Er hatte genügend Vorsprung, weil wir uns erst um den Verletzten gekümmert haben. Jetzt ist es zu spät.«

»Zwecklos«, sagte auch sein Bruder, sich langsam erhebend. »Was würde es nützen, ihn zu fangen? Er handelte doch nicht auf eigene Faust. Die Mordbuben unschädlich zu machen, ist eine Aufgabe für Herkules. War er es nicht, der das Ungeheuer mit den neun Köpfen besiegte?«

»Wieso neun Köpfe?« fragte Antonio irritiert. »Glaubst du, daß es neun Mörder gibt?«

Mit Matteos Hilfe stieg Alessandro auf sein Pferd.

»Mehr«, sagte er, die Zügel aufnehmend, »viel mehr, mein Lieber. Für jeden Kopf, den Herkules dem Untier abschlug, wuchsen zwei neue nach.«

Sie ritten den Rest des Weges schweigend.

Die Sonne war untergegangen, graues Dämmern kroch über die Welt und löschte alles Licht und alles Leben. Nichts durchdrang die Stille als der Hufschlag ihrer Pferde. Die Äxte der Holzfäller waren verstummt. Nach fünf Minuten sahen sie die Fenster des Belvedere, kleine erleuchtete Vierecke, Wärme und Sicherheit versprechend.

Alessandro unterbrach das Schweigen.

»Es war natürlich ein Kaninchenloch. Ein bißchen brüderliche Hänselei bei Tisch könnte nicht schaden, Antonio. Aber ich warne dich: Geh nicht zu weit damit.«

Das Grinsen, das Antonio zustande brachte, war etwas schief und zittrig.

In Ferrara hatte Laura noch mehr zu tun als bisher, denn wann immer die Prinzessin mit einer der Damen des ferraresischen Adels oder einer Bedienten reden wollte, mußte sie dolmetschen. Ihre Tage waren so mit Arbeit angefüllt, daß sie kaum zum Denken kam, und das, fand sie, war ein Glück. Nachts fiel sie todmüde in das Bett in der schmalen Kammer, die sie wieder mit Marguerite teilte. Blandina, die Zwergin, wohnte nun in einem eigenen Zimmer mit einem Vorraum, der Ibrahim beherbergte. Laura gestand sich ein, daß sie froh war, Blandina nicht stets in ihrer Nähe zu haben. Es war anstrengend, mit einem Menschen zusammenzusein, der Gedanken lesen konnte.

In den ersten Tagen in Ferrara hatte Laura jeden Raum, den sie betrat, jede Gruppe von Menschen, denen sie begegnete, nach einem goldenen Haarschopf durchforscht. Wie vergeblich ihr Bemühen war, erfuhr sie erst aus einer beiläufigen Bemerkung von Annibale Strozzi, der auf eine Frage Renées antwortete:

»Nein, Cristina Nogazza hat noch nicht darum gebeten, Euch vorgestellt zu werden. Sie ist gar nicht in der Stadt. Die Montefalcones sind alle auf dem Land in Belvedere. Was sie dort machen, weiß niemand. Das muß ein trostloser Aufenthalt in dieser Zeit sein.«

Es konnte also gar nicht geschehen, daß sie unvermutet Alessandro gegenüberstehen würde. Laura wußte nicht, ob sie eine Begegnung herbeisehnen oder sich davor fürchten sollte. Das Gespräch in der Schloßkapelle in Modena ging ihr wieder und wieder durch den Sinn, aber sooft sie es auch für sich wiederholte, sie verstand es nicht besser. Alessandro wies sie hartnäckig ab, weil sie eine Tochter Cesare Borgias war. Das schien unglaublich. Er hatte ihr nicht alles gesagt. Das Wichtigste hatte er ihr verschwiegen. In Arles hatte er sie zurückgewiesen und gesagt, er sei nicht der, für den sie ihn halte. Das konnte nur bedeuten, daß er nicht der Sohn von Federigo und

Leonora Montefalcone war. Aber er hatte auch nicht die geringste Andeutung gemacht, wer er denn statt dessen sei. Wer war er in Wirklichkeit, daß er sich verbot, eine Tochter Cesare Borgias zu lieben? Aber wer er auch war und wie immer ihre Familien in der Vergangenheit zueinander gestanden hatten, da konnte es kein Verbrechen geben, das ihre Liebe nicht überwinden konnte.

Zuletzt wandte Laura sich in ihrer Ratlosigkeit an Blandina.

Sie saßen in einem der Vorzimmer zu Renées Salon. Prinz Ercole war bei seiner Frau, und die Hofdamen hatten sich diskret zurückgezogen. Laura stand in einer Fensternische, von der der Blick über den Schloßgraben und die Stadtmauer in einen grauen, dunstigen Wintertag ging. Blandina saß auf der Fensterbank, das unvermeidliche Spitzenkissen unter sich. Hinter ihnen war der Raum angefüllt mit Gelächter und Geschwätz, die beste Tarnung für ein Gespräch, die sie sich wünschen konnte.

»Ihr habt gesagt, daß Ihr früher mit Alessandro Montefalcone befreundet wart?«

Blandina legte den Kopf schräg und starrte Laura mit zusammengekniffenen Augen an.

»Was Ihr wissen wollt, kann ich Euch nicht sagen. Ich kannte ihn, als er ein Knabe war und der Herzogin Lucrezia als Page diente. Zusammen mit Annibale Strozzi und Giovanni Borgia. Damals konnte ich in ihm lesen wie in einem offenen Buch. Da gab es kein Geheimnis in ihm. Aber dann war er in Rom, als die Landsknechte es geplündert haben. Als er zurückkam, war er verändert. Seitdem ist sein Geist verschlossen. Ich kann in sein Denken nicht eindringen.«

Laura nickte zufrieden. Vielleicht konnte ihr das weiterhelfen.

»Leben seine Eltern noch, der Graf und die Gräfin Montefalcone?«

»Federigo Montefalcone ist tot«, sagte Blandina. »Seine Mutter, Leonora Montefalcone, hat sich nach dem Tod ihres Gatten nach Sant'Agnese zurückgezogen, einen sehr rigiden Klosterorden in Ferrara. Soviel ich weiß, ist sie noch am Leben.«

»Du kanntest auch Giovanni Borgia? Ich habe ihn auf dem

Weg von Modena kennengelernt. Ein sonderbarer Mensch. Er behauptet, nicht zu wissen, wer er ist.«

Blandina strich einige Falten in ihrem Seidenrock glatt und setzte sich bequemer.

»Giovanni Borgia. Lucrezia sagte, er sei ihr Bruder. Wer weiß? Da gibt es viele Vermutungen und keinerlei Klarheit.«

»Ich verstehe das nicht«, sagte Laura mit einem Anflug von Ungeduld. »Jeder Mensch weiß doch, wer er ist. Er kann sich irren, natürlich, aber jeder hält irgendeinen Menschen für seinen Vater oder seine Mutter.«

»Das Problem für Giovanni besteht darin, daß er zwei Männer für seinen Vater halten kann. Beide mit dem gleichen guten Grund«, sagte Blandina. »Er hat nämlich zwei Geburtszertifikate, ausgestellt an demselben Tag für dasselbe Kind. Die Mutter wird in keinem erwähnt. In der ersten Urkunde ist der Vater Cesare Borgia, in der zweiten der Papst selbst, Alexander VI.«

Wenn Ihr Cesares Tochter seid, bin ich Euer Bruder oder Euer Onkel, erinnerte Laura sich an die spöttische Stimme. *Ihr könnt es Euch aussuchen.*

»Und die Mutter?«

Blandina hob die Schultern.

»Es gibt Gerüchte, natürlich. Giulia Farnese vielleicht. Sie war damals mit dem Papst befreundet. Bösere Zungen sagen, Lucrezia sei die Mutter.«

»Ich dachte, sie war Cesares Schwester?«

»Das eine muß das andere nicht ausschließen.«

Laura brauchte einen Augenblick, bis sie begriff. Entsetzt starrte sie die Zwergin an.

»O nein, das kann niemand geglaubt haben. Nicht einmal von den Borgias!«

»Von den Borgias glaubt man alles«, sagte Blandina gelassen.

»Aber Blutschande. Mit dem eigenen Vater!«

»Oder mit dem eigenen Bruder. Vergeßt nicht, daß eine Urkunde auch Cesare als Vater nennt.«

Unwillkürlich wanderte Lauras Blick in den Raum hinein, wo über dem Kamin ein lebensgroßes Porträt Lucrezia Borgias hing. Es zeigte die verstorbene Herzogin in der Blüte ihrer Jugend, eine anmutige Gestalt mit goldblonden Locken und einem klaren, gelassenen Gesicht, in dem die grauen Augen klug und etwas melancholisch blickten.

Es war unfaßbar, daß eine so unschuldige Schönheit durch so verleumderische Gedanken beschmutzt wurde.

»Jetzt begreife ich, warum der junge Mann so sonderbar ist. Immer dieser Verdacht und niemals die Möglichkeit einer Gewißheit. Das ist schlimm.«

Sie blieb stehen und sah Blandina an.

»Wo ist er überhaupt? Ich habe ihn seit Tagen nicht mehr gesehen.«

»Er ist gestern abgereist. Er hat mir ein Geschenk für Euch gegeben.«

Sie winkte Ibrahim. Der große dunkle Mann trat näher und beugte sich zu ihr hinab.

Blandina trug ihm auf, aus ihrem Zimmer das kleine Päckchen zu holen, das sie gestern auf die Kommode gelegt hatte. Er verbeugte sich und entfernte sich rasch.

»Ihr wundert Euch sicher, daß ich es Euch nicht früher gegeben habe, nicht wahr?«

Blandina sah zu Laura auf.

»Er sagte mir, ich solle es Euch erst geben, wenn Ihr nach ihm fragt. Wenn Ihr ihn vergessen hättet, wollte er sich nicht wieder in Erinnerung bringen.«

»Du weißt, was in dem Päckchen ist?«

»Ja«, sagte Blandina. »Er hat es mir gesagt, als er es mir in die Hand drückte. Es ist sehr wertvoll.«

Ibrahim kam zurück und gab Laura ein kleines Paket. Es war in dickes Pergament gehüllt und trug ein großes rotes Siegel mit dem Bild eines Stiers. Das Siegel der Borgia.

Laura nahm es dankend in Empfang, öffnete es aber nicht.

Blandina winkte Ibrahim zu sich.

»Bring mich fort«, sagte sie. »Laura möchte allein sein.«

Laura nickte nicht einmal. Das war nicht nötig. Blandina hatte ihren Wunsch erkannt, sobald sie den Gedanken gedacht hatte.

Sie starrte auf das Päckchen in ihrer Hand.

Was wollte Giovanni Borgia ihr schenken?

Sie wandte sich so, daß sie dem Raum den Rücken wandte und niemand sehen konnte, was sie tat.

Nach einer Weile brach sie behutsam das Siegel auf und schälte aus dem Papier ein ovales Schmuckstück. Es war kaum so groß wie ihr Daumen, hatte einen goldenen Rand und bestand aus einer Gemme, in die das Bild eines Stiers geschnitzt war. Es dauerte einen Moment, bis Laura begriff, daß sie ein Medaillon in der Hand hatte. Sie drückte vorsichtig an den Rändern, bis sie die Feder fand und der Deckel aufsprang. Im Inneren war eine Miniatur, kunstvoll und genau ausgeführt.

Es war ein Porträt.

Das Bild zeigte das schöne, regelmäßige Gesicht Alessandro Montefalcones.

Lauras Hand zitterte.

Wie kam Giovanni Borgia dazu, ihr ein Porträt Alessandros zu schenken?

Auf den zweiten Blick erst bemerkte sie ihren Irrtum.

Die Augen, die sie lächelnd anblickten, waren nicht grau, sondern braun. Und die Haare des Mannes auf der Miniatur waren nicht blond, sondern kastanienfarben.

Der Mann auf dem Bild trug Alessandros Züge, aber er hatte nicht Alessandros Farben. Er war nicht Alessandro.

Um das Bild lief eine winzige Inschrift. Laura entzifferte sie mühsam.

Semper Caesar.

Es war ein Fehler gewesen, ihrer Neugier sofort nachzugeben. In einem so vollen Raum konnte sie nicht unbeachtet bleiben. Jemand trat neben sie und blickte auf das Medaillon in ihrer Hand.

Sie sah auf.

Es war Annibale Strozzi. Bewundernd sagte er:

»Eine schöne Arbeit. So absolut naturgetreu. Wer hat das gemalt?«

»Ich weiß es nicht. Ich habe es geschenkt bekommen. Wer ist der Mann auf dem Bild? Kennt Ihr ihn?«

»Ich dachte, Ihr kennt ihn«, sagte Annibale und starrte sie an. »Verzeiht, ich wundere mich. Ich habe diese Gerüchte gehört über Eure Herkunft. Eure Geburt in Viana kurz nach dem Tod des Borgia und so weiter. Ich dachte, Ihr wüßtet, wer das ist.«

Laura schüttelte den Kopf.

»Habt Ihr niemals ein Bild Eures Vaters gesehen?«

Sie schüttelte wieder den Kopf.

»Das«, sagte Annibale Strozzi höchst überflüssigerweise, »ist ein lebensgetreues Porträt von Cesare Borgia.«

Später wußte Laura nicht zu sagen, was sie getan oder gesagt hatte, bevor sie den Schutz ihres Zimmers erreichte. Sobald Annibale den Namen ihres Vaters ausgesprochen hatte, begriff sie alles.

Giovanni Borgia hatte ihr ein Bild Cesares geschenkt. Und Alessandro sah Cesare zum Verwechseln ähnlich. Nur war er blond, statt braunhaarig und grauäugig. Alessandro, der sie nicht lieben durfte, weil sie eine Tochter Cesares war. Der selbst ein Sohn Cesares war. Der ihr Bruder war. Cesares Sohn, so blond und grauäugig wie Cesares Schwester. Ich bin Abschaum, Bastard von Bastarden, gezeugt unter dem hohnlachenden Beifall des Teufels.

Er hatte es gewußt. Aber er war zu stolz gewesen, seine Schande vor ihr auszubreiten. Jetzt war es nicht mehr nötig. Jetzt wußte sie so viel wie er.

Sie dachte an Giovanni Borgias bittere Worte:

Stolz darauf, ein Borgia zu sein? Ein Bastard aus dieser verfluchten Familie von Blutschändern und Meuchelmördern?

Und sie hörte wieder seine Stimme:

Was wollt Ihr hören? Eine Geschichte von Hybris und Nemesis? Von brennendem Ehrgeiz und bodenloser Dummheit? Von Klugheit, Tapferkeit und Zufall? Von Grausamkeit und Rachsucht? Von Meucheltat, Vergewaltigung, Blutschande und Brudermord?

Blutschande.

Alessandro war das lebende Abbild Cesares. Und er hatte Lucrezias Farben.

Er war nicht der Sohn Federigo Montefalcones. Er war Cesares und Lucrezias Sohn. Und sie war Cesares Tochter.

Astorre Manfredis Fluch.

Wärest du Rosevals Tochter, ich könnte dich lieben, wie noch keine Frau geliebt worden ist. Und dann: Ist es nicht der Fluch, der über den Borgias liegt, daß ich von allen Frauen der Welt ausgerechnet die einzige liebe, die ich nicht lieben darf?

Ihr Horoskop, das ihr sagte, ihr Schicksal sei der Stier. Der

Stier. Das Wappentier der Borgia. Alessandro ein Borgia. Ihr war bestimmt, ihren Bruder zu lieben. Er hatte recht.

Astorre Manfredis Fluch lag auf den Borgias.

Ihre Liebe war Inzest.

Sie war hoffnungslos. Ein Gespött der Götter.

Die Götter spielen mit uns ein spöttisches Spiel. Aber wir können uns weigern, ein Stein auf ihrem Spielbrett zu sein.

Wir können uns weigern zu sein.

Eine ihrer Damen spielte selbstvergessen auf der Laute ein französisches Liebeslied und sang leise dazu. Renée spürte, wie dieses Gift wieder über sie herfiel, das sie so haßte und gegen das sie wehrlos war. Sie hatte Heimweh. Sie sehnte sich verzweifelt fort aus diesen Mauern, die Jahrhunderte überdauert hatten und in denen sie sich gefangen fühlte. Sie konnte nicht einmal ein Fenster öffnen, sonst stieg der übelriechende Brodem des Schloßgrabens zu ihr hoch. Im Sommer, hatten ihre Hofdamen gesagt, würde das Gequake der Frösche jeden um seinen Schlaf bringen, und Myriaden von Mücken würden aus den Sümpfen aufsteigen.

Jetzt, da die Feste zu Ehren ihrer Ankunft vorbei waren und der Karneval noch nicht angefangen hatte, führten sie ein trostloses Leben. Einzig Laura verstand und sprach italienisch und konnte ihre Befehle an die Dienerschaft weitergeben. Renée ließ den Blick durch den Raum schweifen. Wo war übrigens Laura? Sie hatte sie schon seit zwei Tagen nicht mehr gesehen, wenn sie sich richtig erinnerte. Ach ja, sie hatte sich wegen Kopfschmerzen entschuldigt.

Der Herzog und Prinz Ercole sprachen wenigstens französisch, so konnte sie sich mit ihnen verständigen. Sie hatten vorgeschlagen, daß sie italienisch lernen sollte, aber Renée hatte es abgelehnt. Wozu? Sie war hierher ans Ende der Welt verbannt worden, weil ihre Person nichts zählte, nur der Rang, den sie bekleidete. Wenn sie kein königliches Blut gehabt hätte, so hätte sie in Blois bleiben können für den Rest ihres Lebens, unter Menschen, die sie kannte und denen sie vertraute.

Hier in Ferrara, wo jeder ein Fremder war, wo alles sie belauerte, wo sie kein Wort verstand von dem, was in ihrer Nähe gesagt wurde, mißtraute sie allen. Was würde es nützen, die Sprache zu verstehen? Man würde ihr doch nur Lügen erzählen. Alle Italiener waren verlogen und verschlagen. Hatte sie nicht gerade erfahren, daß der Herzog eine Gesandtschaft zum Kaiser schicken wollte? Der Kaiser war der Feind des Königs von Frankreich. Wie konnte der Herzog, der sich gerade durch die Heirat seines Sohnes mit Frankreich verbündet hatte, jetzt mit Frankreichs Gegner unterhandeln?

Je einsamer Renée sich fühlte, desto mehr klammerte sie sich an ihren französischen Hofstaat. Der Herzog hatte ihr einige Ehrendamen aus den vornehmsten Familien Ferraras zugewiesen. Renée behandelte sie mit beleidigender Gleichgültigkeit und unterhielt sich nur mit ihren Französinnen. Sie wußte, daß ihr Gatte sich deshalb mit seinem Vater gestritten hatte. Ercole hatte verlangt, daß der französische Hofstaat aufgelöst und ihre Franzosen nach Hause geschickt werden sollten. Sein Vater hatte zur Geduld gemahnt und auf den Ehevertrag verwiesen, der es ihr gestattete, ihr französisches Gefolge so lange zu behalten, wie sie wollte. Gott sei Dank gab es diese Bestimmung. Sie dachte mit flüchtiger Wärme an Alessandro Montefalcone, dem sie diese Klausel verdankte. Wenn er hier wäre, würde sie sich wohler fühlen. Er kam ihr wie ein Verbündeter vor, jedenfalls als ein Mann, dem sie vertrauen konnte. Aber er hielt sich bei seiner Frau auf dem Lande auf. Ein Jammer, daß Cristina Nogazza nicht in Ferrara war. Ihr wäre Renée gern begegnet.

Sie überlegte, ob sie einen Brief nach Hause schreiben sollte. Ihr Herz jemandem wie Louise de la Trémouille auszuschütten, bei der sie Mitgefühl finden würde, könnte sie erleichtern. Aber sie hatte erst vor drei Tagen einen Brief geschrieben. Marguerite hatte ihn auf dem üblichen Weg befördert. Sie konnte diesen Weg nicht allzuoft benutzen, ohne daß es auffallen würde. Sie wollte sich zur Zerstreuung etwas vorlesen lassen. Von Laura.

Renée winkte Marguerite zu sich.

»Wißt Ihr, wo sich Laura aufhält?«

»In unserem Zimmer, Hoheit. Sie liegt im Bett.«

»Wann habt Ihr sie zuletzt gesehen?«

»Heute morgen, Hoheit«, sagte Marguerite.

»Das ist lange her«, erwiderte Renée. »Ich bin überzeugt, daß es ihr inzwischen besser geht. Seid so freundlich, geht zu ihr und bittet sie zu kommen. Ich möchte, daß sie mir vorliest.«

Marguerite zog sich mit einem Knicks zurück.

Die Sängerin hatte ein neues Lied angestimmt, eine traurige Ballade von einem Mädchen, das verlassen wird. Renée stützte den Kopf auf den Arm und lauschte. Die wehmütige Melodie paßte so gut zu ihrer Stimmung. Vielleicht konnte sie demnächst Frankreich besuchen. Nicht so bald natürlich. Erst mußte sie Ferrara den Erben schenken. Sie wußte, was die lauernden Blicke bedeuteten. Man tastete sie ab nach den ersten Anzeichen der Schwangerschaft. Ich bin nichts als eine Zuchtstute, dachte sie erbittert.

Marguerite war wieder da. Was sagte sie?

»Laura bedauert außerordentlich, Hoheit«, wiederholte Marguerite, »aber sie fühlt sich nicht wohl. Ich glaube, sie hat Fieber.«

»Habt Ihr schon einen Arzt benachrichtigt?« fragte Renée.

Marguerite schüttelte den Kopf.

Renée überlegte.

»Ich denke, ein Arzt sollte geholt werden«, erklärte sie dann. »Die Ärzte in Ferrara sollen ja recht gut sein.«

Madame de Soubise hatte das gehört.

»Sie sind hier an der Universität ausgebildet«, sagte sie. »Aber was ist das schon im Vergleich mit Ärzten, die in Paris studiert haben.«

Renée beschloß im stillen, sofort an den König zu schreiben und ihn zu bitten, ihr einen französischen Arzt zu schicken. Sie ließ den Sekretär rufen und begann, ihm den Brief zu diktieren – einen offiziellen, den, wie sie wußte, auch der Herzog lesen würde.

Als sie damit fast fertig war, erschien Marguerite mit einem großen dünnen Mann, der in schlichtes Schwarz gekleidet war.

Er verneigte sich tief vor ihr, und Marguerite stellte ihn vor.

»Das ist Doktor Luca Baldoni. Er hat Laura untersucht.«

Baldoni hatte ein häßliches Gesicht mit tief eingegrabenen Falten. Im ersten Moment fühlte die Prinzessin sich von ihm abgestoßen. Aber dann bemerkte sie, daß er schöne Hände hatte, schmal, mit langen, kräftigen Fingern und kurzgeschnittenen Nägeln, und als er sprach, gefiel ihr auch seine ruhige Stimme.

»Hoheit, ich habe eine betrübliche Mitteilung. Madonna Laura ist schwer erkrankt. Sie hat Kopfschmerzen und hohes Fieber. Ich fürchte, sie hat sich mit dem Sumpffieber infiziert.«

Renée blickte alarmiert auf.

»Wie kann das sein? Man hat mir gesagt, die Epidemie sei abgeklungen.«

Er hatte Latein gesprochen, selbstverständlich voraussetzend, daß sie es konnte, und sie antwortete ihm in derselben Sprache, froh, sich ohne Dolmetscherin verständlich machen zu können.

»Das ist richtig, Madonna. Vor sechs Wochen hatten wir den Höhepunkt der Epidemie, als täglich Hunderte erkrankten. Seither ist die Zahl erheblich zurückgegangen. Höchstens noch zehn Fälle pro Woche. Bedauerlicherweise gehört Madonna Laura zu diesen zehn.«

»Es ist ansteckend, nicht wahr?« sagte Renée, und ihre Stimme verriet ihre Besorgnis. Sie war selbst gesundheitlich so labil, daß sie sich vor jedem Kontakt mit Krankheiten fürchtete.

Der Arzt betrachtete sie gelassen.

»Sehr ansteckend, Hoheit. Ich befürchte, daß es nicht damit getan ist, die junge Dame in ihrem Zimmer zu isolieren und von einer Magd pflegen zu lassen. Es wäre das beste, sie würde das Schloß verlassen und an einem anderen Ort gesundgepflegt werden.«

Renée nickte. Das hörte sich sehr vernünftig an. Aber wo sollte Laura außerhalb des Schlosses Pflege finden? Es gab sicher in ganz Ferrara keine Familie, die eine kranke französische Dame der Prinzessin aufnehmen würde. Wieder spürte Renée, wie einsam und verlassen sie war. Sie alle hier lebten wie auf einer Festung in Feindesland.

Der Arzt hatte offensichtlich schon darüber nachgedacht und eine Lösung gefunden.

»Wenn Madama einverstanden sind, würde ich die junge

Dame gern ins Klarissenkloster bringen lassen. Die Nonnen dort verstehen sich vortrefflich auf Krankenpflege und haben viel Erfahrung im Umgang mit dem Sumpffieber. Ich denke, dort wäre Madonna Laura am besten aufgehoben.«

»Eine hervorragende Idee, Doktor«, sagte Renée. »Ich nehme an, Ihr könnt alles in die Wege leiten?«

Er nickte.

»Wenn Ihr gestattet, Madama, möchte ich die Kranke sogleich ins Hospital bringen lassen. Je eher sie dort ist, desto besser.«

Renée nickte.

Als er gegangen war, wandte sie sich an Marguerite.

»Wie fandet Ihr Lauras Zustand?«

Marguerite hob die Schultern.

»Sie hat hohes Fieber und nimmt ihre Umgebung nicht mehr wahr. Das ist alles, was ich weiß. Ich bin kein Arzt. Mir schien, der war äußerst besorgt.«

Renée seufzte.

»Vielleicht ist es gut, daß sie aus diesem Gemäuer herauskommt. Marguerite, die Krankheit ist ansteckend. Ich bitte Euch, wohnt für einige Tage in einem anderen Zimmer, laßt Eures ausräuchern, frisches Bettzeug auflegen und zieht Euch für fünf Tage zurück.«

Marguerite knickste und ging hinaus.

Matteo bestand, nachdem Alessandro sich mehrmals übergeben hatte, darauf, daß sein Herr einige Tage das Bett hütete. Er leistete ihm nahezu Tag und Nacht Gesellschaft und bereitete auch seine Mahlzeiten eigenhändig in der Küche zu, was Elisabetta nicht wenig verdroß. Auch der Koch war darüber verärgert, und unter seinem Ärger litt die Qualität der Mahlzeiten erheblich. Sie sah allerdings nicht, wie sie eingreifen konnte. Matteo als Milchbruder des verstorbenen Grafen, als der Diener, der Alessandro schon auf seinen Knien gewiegt hatte, besaß eine solche Vorzugsstellung im Haushalt, daß sie nicht sicher war, wer von ihnen beiden einen Machtkampf gewinnen würde.

Für Alessandro war ein Lager in ihrem hellen, gut heizbaren Studierzimmer eingerichtet worden, während Cristina mit ihrer Arbeit in den Gartensaal umgezogen war, wo sie hoffte, nur zu den Mahlzeiten gestört zu werden. Aber sie war eigentlich nie völlig ungestört. Alles, was sich in der Eingangshalle und auf der Treppe abspielte, drang zu ihr hinein. So wie die lauten Stimmen jetzt.

Verärgert hob sie den Kopf. Draußen ertönte Antonios Stimme. Es schien, daß er jemanden beschimpfte. Sie lauschte.

»Auf gar keinen Fall!« hörte sie ihn heftig sagen. »Sagt mir, was Ihr zu sagen habt! Meinen Bruder werdet Ihr nicht sehen.«

»Messer Antonio, ich habe ausdrücklichen Befehl, Eurem Bruder selbst die Nachrichten zu übermitteln. Bitte führt mich zu ihm!«

Die drängende Stimme des Mannes, der den Dialekt der Bauern aus der Gegend sprach, war Cristina fremd.

»Nein! Hier dringt Ihr nicht ein! Und wenn ich Euch mit Gewalt hindern muß!«

Cristina erhob sich seufzend. Sie war gerade so im Fluß der Arbeit, daß ihr die Unterbrechung alles andere als gelegen kam. Sie öffnete die Tür und blieb auf der Schwelle stehen.

Antonio stand breitbeinig, die Hände zweckdienlich zu Fäusten geballt, bereit, zuzuschlagen, wenn der Mann ihm gegenüber nur noch einen Schritt vorwärts tun würde. Sein Gegner war mindestens einen Kopf kleiner, doppelt so alt und schmächtig. Er trug den groben braunen Wollumhang der Bauern. Er wirkte verängstigt.

»Antonio«, sagte Cristina scharf und trat in die Halle. Er ließ die Fäuste sinken und grinste reumütig.

»Ich bin wohl ein bißchen laut geworden und habe Euch gestört, wie?«

»In der Tat«, sagte sie. »Darf ich erfahren, worum es geht?«

Der schmächtige Mann wandte sich ihr erleichtert zu.

»Madonna, ich komme aus Ferrara. Ich habe eine Nachricht für den Grafen. Er hat mich ausdrücklich angewiesen, sie ihm persönlich zu überbringen. Messer Antonio verweigert mir den Zutritt.«

Cristina richtete ihre Augen erstaunt auf Antonio.

»Das habe ich gehört. Warum?«

»Alessandro ist zu krank, um Besucher zu empfangen.«

»Unsinn«, sagte Cristina rundheraus. »Er war gestern abend gesund genug, um mit dir Karten zu spielen und zu gewinnen.«

»Ich war gerade bei ihm. Er schläft«, sagte Antonio.

Eine schwache Röte kroch in seine Wangen und vertiefte sich, als Cristina und der Bote wie auf Verabredung schweigend seine schlammbedeckten Stiefel betrachteten.

Antonio hatte noch ein letztes Argument.

»Matteo würde es auch nicht wollen.«

Als sei sein Name sein Stichwort gewesen, erschien Matteo auf dem Korridor, der in die Wirtschaftsräume führte. Der Fremde wandte sich ihm zu und wiederholte seine Geschichte.

»Wir dürfen ihn nicht zu Alessandro lassen«, sagte Antonio, nachdem der Fremde geendet hatte, und sah dabei Matteo an. Es schien, als sei es der Diener, der in dieser Angelegenheit das letzte Wort haben sollte. Cristina fand das unerträglich. Ein alter Diener mochte noch so viele Verdienste haben, seine Autorität stand doch wohl nicht über der der Herrin des Hauses. Bevor Matteo sich äußern konnte, sagte sie mit spröder Stimme:

»Ich schlage vor, daß Alessandro selbst entscheidet, wen oder wann er empfängt. Er braucht weder eine Gouvernante noch einen Leibwächter.«

»Da bin ich anderer Meinung«, sagte Antonio und biß sich dann auf die Lippen.

»Mein Gott, ein solches Theater wegen einer solchen Kleinigkeit! Man könnte glauben, Ihr fürchtet, einen Meuchelmörder vor Euch zu haben. Ich gehe jetzt zu Alessandro und bringe diesen Mann zu ihm. Kommt, Messere!«

Sie raffte ihren Rock mit beiden Händen und stieg rasch die Treppe hinauf. Zu ihrer Überraschung folgte ihr nicht nur der Bote, sondern auch Matteo und Antonio.

Alessandro lag nicht im Bett. Er stand am Fenster und kräuselte spöttisch die Lippen, als sie bei ihm eindrangen.

»Brauche ich tatsächlich drei Schutzengel?«

Dann erkannte er den Boten, der sich zu ihm vordrängen wollte. Antonio legte ihm die Hand auf die Schulter und hielt ihn zurück.

»Ihr könnt auch von hier aus reden.«

Cristina sah die Veränderung in Alessandros Gesicht. Seit Tagen hatte sie das Gefühl gehabt, Alessandro sei weit fort. Jetzt war er zurück.

»Laß ihn los, Antonio«, sagte er scharf. »Das ist mein Mann. Und laßt uns allein!«

Ein Blick brachte Antonio, der aufbegehren wollte, zum Schweigen. Zu dritt zogen sie sich zurück.

»Das gefällt mir nicht«, sagte Antonio auf der Treppe.

Matteo schüttelte den Kopf.

»Er arbeitet für Euren Bruder. Außerdem wäre er Seiner Gnaden niemals gewachsen.«

Cristina bat Antonio in den Gartensaal. Sie brauchte keine fünf Minuten, bis sie die Geschichte der Anschläge aus ihm herausgeholt hatte. Als er fertig war, fragte sie:

»Wer? Warum?«

»Der König von Frankreich«, sagte Antonio und erläuterte seine Theorie. Cristina hörte ihm zu und äußerte sich nicht weiter. Ihm schien, daß er sie nicht überzeugt hatte.

»Wer könnte es sonst sein?« fragte er.

»Ich weiß nicht. Es ergibt keinen Sinn. Der König von Frankreich hat kein Motiv.«

»Wer hätte denn Eurer Meinung nach ein Motiv?« fragte Antonio. Sie schob mechanisch die Zettel auf dem Schreibtisch durcheinander.

»Es sieht nicht nach einer einfachen Vendetta aus«, sagte sie. »Die arbeitet mit weniger subtilen, aber erfolgreicheren Methoden. Ercole Strozzi zum Beispiel fand man mit zwanzig Wunden an einer Straßenecke, und sein Mörder wurde nie entdeckt.«

»Weil er nicht verfolgt wurde«, antwortete Antonio. »Es ist doch ein offenes Geheimnis, daß Alfonso Ercole Strozzi umbringen ließ, weil er der schönen Lucrezia zu nahe stand.«

»Das ist die offizielle Version«, sagte Cristina. »Alle Welt glaubt, daß Lucrezia Borgia ein unerlaubtes Verhältnis zu Ercole Strozzi unterhielt. Aber wer sagt, daß das nicht nur ein Gerücht war, das in Umlauf gesetzt wurde, um von dem wahren Motiv abzulenken?«

Antonio warf den Kopf zurück und sagte ungeduldig:

»Mein Gott, Cristina, warum sonst sollte Strozzi umgebracht worden sein? Aber was geht uns ein Mord an, der vor zwanzig Jahren geschah? Alessandro ist unser Problem, nicht Ercole Strozzi.«

Cristina lächelte dünn.

»Nicht so ungeduldig, Antonio. Auch der Mörder, den wir suchen, ist außerordentlich bedacht, daß sein Motiv niemals bekannt wird. Er möchte, wenn Alessandro einem seiner Anschläge zum Opfer fällt, glauben machen, er sei durch einen Unfall ums Leben gekommen. Dann würde niemand anfangen, Fragen zu stellen und in der Vergangenheit zu graben. Das kann nur eines bedeuten.«

»Was?« fragte er gespannt.

»Alessandro muß etwas über ihn wissen, was ihn bedroht. Etwas, das so schrecklich ist, daß es niemals bekannt werden darf.«

»Was denn?«

»Wenn ich das wüßte, wüßte ich auch, wer hinter den Anschlägen steckt.«

Sie setzte sich, griff nach der Feder und wandte sich ihren Papieren zu. Antonio begriff, daß das Gespräch für sie beendet war.

Oben in Cristinas Studierzimmer starrte Montefalcone den Boten an und sagte zornbebend:

»Warum bist du selbst gekommen? Konntest du niemand anderen schicken? Ich habe dir gesagt, du sollst deinen Posten nicht verlassen.«

Der Mann breitete die Hände aus, die Handflächen nach oben gekehrt.

»Es ist sinnlos, Herr. Wo sie jetzt ist, kann ich nichts ausrichten.«

Alessandro runzelte die Brauen.

»Wo ist sie?«

Der Mann neigte den Kopf.

»Sie liegt krank bei den Klarissinnen.«

Alessandro nahm sich nicht die Zeit für Gefühle. Wie ein Truppenführer vor der Schlacht sammelte er nur die nötigen Informationen.

»Welche Krankheit?«

»Sumpffieber.«

»Wie lange schon?«

»Zwei Tage.«

»Welcher Arzt?«

»Luca Baldoni.«

»Gut.«

»Die Klarissinnen sind erfahren in der Krankenpflege«, bot der Mann Trost an.

»Wann bist du aufgebrochen?«

»Vor sechs Stunden, Euer Gnaden.«

»Vor sechs Stunden lebte sie also noch. Bleib hier, ruhe dich ein oder zwei Tage aus.«

Alessandro durchquerte den Raum und riß die Tür auf.

»Matteo!«

Matteo stand wie aus dem Boden gewachsen vor ihm.

»Euer Gnaden?«

»Pack eine Satteltasche mit dem Nötigsten und komme nach. Ich reite sofort.«

»Allein?« fragte Matteo schockiert.

»Antonio kann mich begleiten, wenn er sofort aufbrechen will. In dem Fall packst du für uns beide.«

»Wohin, Herr?« rief Matteo.

Alessandro war schon halb die Treppe hinunter.

»Nach Ferrara natürlich.«

Obwohl der Höhepunkt der Sumpffieberepidemie überschritten war, war der Krankensaal des Klarissinnenklosters immer noch überfüllt. Deshalb hatten die Nonnen ihre adlige Patientin in Suor Lucias Zelle untergebracht. Suor Lucia war vor vier Wochen an dem Fieber gestorben, nachdem sie die Kranken hingebungsvoll und unermüdlich gepflegt hatte, bis ihr geschwächter Körper dem Fieber keinen Widerstand mehr leisten konnte.

Das Mädchen lag in der weißgetünchten Zelle auf der schmalen Pritsche, den Leib unter einem leichten Laken. Suor Dorotea saß neben ihr auf dem Schemel. Die Perlen des Rosenkranzes glitten durch ihre Finger, und sie bewegte die Lippen lautlos im Gebet. Von Zeit zu Zeit legte sie den Rosenkranz beiseite und wandte sich der Kranken zu. Sie tauchte ein

Tuch in die Wasserschüssel neben ihr, wrang es aus und bestrich mit dem kühlen, nassen Stoff die aufgesprungenen Lippen und die heiße Stirn des Mädchens. Dann kam die Kranke einen Moment zur Ruhe. Aber gleich darauf warf sie wieder den Kopf von einer Seite zur anderen, in einem wilden Fiebertraum gefangen.

Ein Wald. Nacht. Nur schwach schimmert das Mondlicht durch die Baumkronen. Ich kann gerade noch den Pfad vor ihren Füßen sehen, der sich schmal durchs Unterholz windet. Auf allen Seiten ragen die schlanken schwarzen Stämme schwarz in den Himmel. Hinter jedem Baum, hinter jedem Strauch hockt ein kleines Ungeheuer, spitz und weiß die Zähne, glühend die Augen. Die Ungeheuer murmeln, flüstern, zischeln, wenn ich vorübergehe. Je tiefer ich in den Wald eindringe, desto lauter werden die Stimmen, erheben sich zu Rufen, gellen durch die Nacht. Ich gehe schneller, ich laufe, ich renne. Zweige peitschen mir ins Gesicht, greifen gierig nach meinen Haaren und meinen Armen. Je schneller ich laufe, desto lauter werden die Stimmen, übertönen das Blut, das in meinen Ohren rauscht. Geheul wie von Wölfen, vor mir, hinter mir, neben mir, umkreist mich, umzingelt mich, rückt näher und näher.

Die Borgias sind verflucht bis in alle Ewigkeit. Der Tod ist nicht der Zerstörer, sondern der Befreier. Ich bin Abschaum, Bastard von Bastarden. Damit Neues möglich wird, muß das Alte sterben. In Sünde gezeugt, unter dem hohnlachenden Beifall des Teufels. Jedes Ende birgt einen neuen Anfang. Unter dem Stoff das Fleisch, die Knochen, das Blut. Blut tropft in sein goldenes Haar. Ein Borgia. Fleisch von seinem Fleisch. Der Tod ist nicht der Zerstörer. Abschaum, Bastard von Bastarden. Das Alte muß sterben. Gezeugt unter dem hohnlachenden Beifall des Teufels. Das Fleisch, die Knochen, das Blut. Blut in seinem goldenen Haar. Borgia. Fleisch, Tod, Abschaum, Bastard, Sterben, hohnlachend der Teufel. Das Fleisch. Das Blut in seinem Haar. Borgia. Tod. Teufel. Blut. Blutschande. Borgia. Tod. Bastard. Teufel. Blut. Blutschande.

Überall funkeln die Augen, blecken sich mir die spitzen weißen Zähne entgegen, gellen die Schreie. Bis ich nicht mehr weiterkann, stürze und auf dem Boden aufschlage. Darauf ha-

ben sie gewartet. Sie sind über mir, schlagen mir die Zähne ins Fleisch, meine Knochen splittern, und überall ist Blut.

Das Mädchen schlug wild um sich und schrie.

Suor Dorotea kühlte das glühende Gesicht mit dem feuchten Tuch. Die Kranke wurde ruhiger. Ihre blassen Hände zuckten unruhig auf dem Laken. Die Schreie waren verstummt. Nach einer Weile begann sie zu murmeln. Erst unterschied die Nonne einzelne Silben, dann Wörter. Das Mädchen redete die ganze Nacht hindurch. Über die trockenen aufgesprungenen Lippen strömten die Worte.

Du bist mein Brunnen in der Wüste, mein Licht in der Dunkelheit, mein Feuer in der Kälte. Ohne dich verdurste ich. Ohne dich bin ich blind. Ohne dich erfriere ich. Ich kann ohne dich nicht sein.

Stundenlang die Worte, bittend, drängend, flehend flogen sie wie Weihrauch und Gebete zu einer allmächtigen Gottheit. Verstummten, als warteten sie auf eine unerbittliche Antwort. Und begannen von neuem, in einer fiebrigen Litanei in die Dunkelheit zu strömen. Wassertropfen können einen Stein aushöhlen, diese Worte konnten die Gottheit nicht erweichen.

Im Morgengrauen verstummte die Stimme.

Das Mädchen lag still, das schwarze Haar wie ein Fächer auf dem Kissen ausgebreitet, das Gesicht verwüstet vom Fieber und der Niederlage, die sie in diesem nächtlichen Ringen erlitten hatte.

Suor Dorotea hatte schon viele am Sumpffieber sterben sehen. Sie kannte die Anzeichen. Wenn jemand so ausgebrannt war, so erschöpft und resigniert, dann leistete er dem Tod keinen Widerstand mehr.

Suor Dorotea bekreuzigte sich und fing an, den Rosenkranz zur Madonna der Sieben Schmerzen zu beten.

Luca Baldoni war früh zu Bett gegangen und hoffte auf eine Nacht ohne Störung. Während des Höhepunkts der Seuche hatte er selten mehr als zwei Stunden hintereinander geschlafen, und wenn das auch schon einige Wochen zurücklag, fühlte er doch immer noch eine Erschöpfung, von der er sich nicht so bald erholen würde. Sie rührte, dachte er, als er die

Kerze ausblies, vielleicht weniger davon her, daß er sich körperlich überanstrengt hatte, als davon, daß er sich angesichts seiner Machtlosigkeit dem Fieber gegenüber so ohnmächtig fühlte.

Unter den Ärzten, die Ferraras Universiät ausbildete und die überall einen guten Ruf hatten, gehörte Luca Baldoni zu den besten. Für ihn war die Medizin kein Handwerk, sondern eine Kunst. Wie die Maler und Bildhauer versuchte er, in die Geheimnisse des menschlichen Körpers einzudringen, die Sehnen und Muskeln und Adern bloßzulegen, zu sehen, was unter der Haut verborgen war und wie es funktionierte. Er bezahlte einen Zeichner dafür, daß er ihm in genauen Zeichnungen festhielt, was er beim heimlichen Sezieren freilegte. Aber Luca Baldoni war darüber hinaus ein guter Arzt, weil er um den Zusammenhang zwischen dem Körper und der Seele wußte.

Drei Stunden, nachdem er eingeschlafen war, weckte ihn ein Klopfen an der Tür. Der Arzt konnte schon an der Art des Klopfens feststellen, welche Art von Leuten unten vor der Tür stand. Arme Frauen, in Sorge um ihre Kinder, klopften hastig und leise, Bediente wohlhabender Häuser laut und gravitätisch. Das Klopfen in dieser Nacht war ein Hämmern, so herrisch und drohend, daß man befürchten mußte, die Tür würde eingeschlagen werden.

So, dachte Luca Baldoni, bei dem noch nie auf diese Weise geklopft worden war, würden wohl die Sbirren des Herzogs klopfen, wenn sie jemanden verhaften wollten. Er dachte an die Zeichnungen, die im Studierzimmer auf dem Tisch lagen und beredtes Zeugnis ablegten von einer Forschungstätigkeit, die nicht den Beifall der Kirche fand. Die Haare auf seiner Haut richteten sich leicht auf, als er mit bloßen Füßen zum Fenster tappte, den Laden aufriß und den Kopf hinausstreckte.

Es waren nicht die Sbirren des Herzogs. Es war ein Mann, der ein Pferd am Zügel hielt und von dem sonst in der Dunkelheit nichts mehr zu sehen war als die Umrisse seiner schlanken Gestalt.

»He, wer da!« schrie der Arzt. »Hört auf, mir die Tür einzuschlagen!«

Das Hämmern hörte auf. Der Mann unten trat drei Schritte zurück und blickte zu ihm hinauf.

»Doktor Baldoni?«

»Der bin ich.«

»Öffnet! Ich muß Euch sprechen.«

»Ich komme sofort«, sagte der Arzt, zog den Kopf zurück und schloß das Fenster. Er stolperte im Dunkeln zum Bett zurück, fand die Kerze und machte Licht. Er ergriff einen langen Umhang mit pelzverbrämten Ärmeln und warf ihn über sein Nachthemd. Er nahm die Kerze und eilte hinunter. Die alte Magd, die in der Küche schlief, war ihm zuvorgekommen. Sie zog gerade den letzten Riegel zurück. Von draußen wurde die Tür ungeduldig aufgedrückt, der Mann trat ein und schob die Alte brüsk beiseite.

Luca Baldoni stand auf der Treppe, blickte auf den Besucher, der jetzt in den Lichtkreis der Kerze trat, und vergaß zu atmen.

Er erkannte ihn sofort. Es gab niemanden in Ferrara, der dieses schöne, kalte Gesicht unter dem Heiligenschein des Haares nicht erkannt hätte. Vor ihm stand das Haupt des Hauses Montefalcone, der berühmte Heerführer und Diplomat, der hochgebildete Humanist, Gatte der berühmten Cristina Nogazza, Ferraras glänzendster Edelmann. Sein Atem ging stoßweise, sein Gesicht war grau vor Erschöpfung und nackt. Alle Masken, die Alessandro Montefalcone leichthin und überzeugend trug, die des charmanten Kavaliers, des Intellektuellen, des befehlsgewohnten Offiziers, des geschmeidigen Diplomaten, waren von ihm abgefallen, und zurückgeblieben war nichts als Angst, die das Fleisch wegschmolz und die Nerven bloßlegte.

»Lebt sie? Wird sie überleben?« fragte Montefalcone rauh.

»Wer?« fragte der Arzt verblüfft.

Der Mann vor ihm besann sich einen Moment. Er schien irritiert über die Frage, als könne es nicht mehr als einen Menschen auf der Welt geben außer ihr. Und in dieses Gesicht blickend, war der Arzt überzeugt davon, daß für Montefalcone die Welt im Augenblick nur aus einem Menschen bestand.

»Laura de Roseval.«

Luca Baldoni erinnerte sich. Ein dunkelhaariges Mädchen mit großen schwarzen Augen, die ihre Umwelt nicht mehr wahrgenommen hatten, als er an ihr Bett gerufen worden war. Die französische Hofdame der Prinzessin, die er bei den Klarissinnen untergebracht hatte, weil es im Palast für sie keine Pflege gegeben hätte.

»Kommt in mein Studierzimmer«, sagte Baldoni und warf der Magd den Befehl über die Schulter zu, ihnen einen Krug Wein zu bringen. Er ging voran und stieß die Tür auf. Montefalcone folgte ihm auf den Fersen, seine Ungeduld kaum bezähmend. Der Arzt zündete einige Kerzen an und legte die Zeichnungen, die auf dem Tisch ausgebreitet waren, beiseite.

»Also?« sagte Montefalcone heiser.

Luca Baldoni wählte seine Worte sorgfältig.

»Ich habe mich vor fünf Stunden nach ihr erkundigt. Da hat sie noch gelebt.«

Montefalcone interpretierte die Worte richtig.

»Also könnte sie inzwischen tot sein. Wie wahrscheinlich ist das. Lag sie im Sterben?«

Die Alte, einen Schal über das Hemd geworfen, kam herein mit einem Krug Wein und zwei Bechern. Sie setzte beides auf den Tisch und schlurfte hinaus.

Baldoni schenkte den Wein ein und schob Montefalcone einen Becher zu. Der stieß ihn so ungeduldig beiseite, daß der Wein überschwappte.

»Ihr habt meine Frage nicht beantwortet.«

»Ich kann es nicht. Das Sumpffieber ist keine Krankheit, die unausweichlich zum Tode führt. Sie findet die meisten Opfer unter den Armen. Es sind Menschen, die unterernährt sind, erschöpft von harter körperlicher Arbeit, Frauen, die ausgelaugt sind von zu vielen, zu rasch aufeinanderfolgenden Geburten. Ihre Körper sind so schwach, daß sie dem Tod keinen Kampf mehr entgegensetzen können.«

»Das trifft auf Laura nicht zu. Also wird sie das Fieber überstehen?«

Baldoni fuhr langsam fort:

»Es gibt eine zweite Gruppe von Menschen, die den Tod nicht bekämpfen, obwohl sie körperlich dazu imstande sind. Das sind die, die seelisch erschöpft sind. Wer nicht leben will, weil das Leben für ihn nichts mehr wert ist, der stirbt an dem Fieber. Ich weiß nicht, ob das auf Madonna Laura zutrifft.«

Der Arzt sah die Linien um Montefalcones Mund hart werden und deutete das Schweigen auf seine Weise. Er sagte behutsam:

»Ich kann nichts tun, Euer Gnaden. Wir Ärzte sind hilflos. Es gibt keine Medizin gegen das Fieber. Aber Ihr könntet vielleicht etwas tun. Gebt Madonna Laura eine Hoffnung, für die es sich zu leben lohnt.«

Er sah, daß er richtig vermutet hatte. In Montefalcones Gesicht schoß eine jähe Röte, aber welcher Gedanke auch in ihm aufgezuckt war, er wurde sofort unterdrückt.

»Nein«, sagte Montefalcone hart. »Es gibt keine Hoffnung. Ich kann nicht lügen. Auch nicht um diesen Preis.«

Er setzte sich an den Tisch, stützte die Arme auf und vergrub das Gesicht in den Händen.

Es gibt immer Hoffnung, solange wir leben, hätte Baldoni ihm gern gesagt. Aber für billigen Trost war der Mann vor ihm nicht zu haben. Er hatte eine Entscheidung getroffen, vor der dem Arzt graute. Wo eine barmherzige Lüge das Leben des Mädchens hätte retten können, nahm er um der Wahrheit willen lieber ihren Tod in Kauf.

Endlich bewegte sich der Mann am Tisch. Sein Haar glänzte auf, als er den Kopf hob.

»Warum seid Ihr nicht an Lauras Bett? Geht zu ihr, kümmert Euch Tag und Nacht um sie. Wenn Ihr sie rettet, wiege ich Euch in Gold auf.«

»Ich kann nicht zu ihr gehen«, antwortete Baldoni. »Sie ist bei den Klarissinnen. Sie haben sie in der Zelle einer Nonne untergebracht. In der Klausur.«

Sie wußten beide, was das bedeutete. Die Klausur war der Bereich des Klosters, den niemand außer den Nonnen betreten durfte.

»Aber ich kann Euch versichern«, fuhr der Arzt fort, »daß sie bei den Klarissinnen in der besten Obhut ist. Auch ich könnte nicht mehr für sie tun als die Nonnen. Ich sagte Euch ja, es gibt keine Medizin gegen das Fieber.«

»Ihr seid der beste Arzt in Ferrara«, sagte Montefalcone,

und seine Stimme klang scharf. »Ihr müßt zu ihr. Ich werde beim Bischof um Dispens ersuchen.«

»Mitten in der Nacht?« fragte der Arzt.

»Ich muß wissen, wie es ihr geht.«

Montefalcone stand auf.

Baldonis Stimme hielt ihn zurück.

»Ihr könnt nicht mitten in der Nacht an die Pforte der Klarissinnen klopfen. Ihr würdet der Schwester Pförtnerin eine Todesangst einjagen. Ich schicke meine Magd, damit sie sich erkundigt.«

Montefalcone nickte und kehrte zu seinem Stuhl zurück.

Baldoni ging hinaus und gab die nötigen Anweisungen. Als er zurückkehrte, schob er Montefalcone den Becher Wein zu.

»Nehmt! Ihr braucht Stärkung. Niemand ist damit gedient, wenn Ihr in Ohnmacht fallt.«

»Eine ärztliche Diagnose?« fragte Montefalcone spöttisch. Er leerte den Becher auf einen Zug bis zum letzten Tropfen.

Von draußen drangen gedämpft die Geräusche herein, die verrieten, daß die Magd sich auf den Weg machte. Schuhe klapperten, die Tür quietschte in den Angeln, dann schlug sie dumpf zu, und Schritte entfernten sich auf dem Pflaster draußen. Schweigen zog in das Haus vom Keller bis zum Dach.

Baldoni schenkte Wein nach.

Gut eine halbe Stunde später ertönte Hufklappern, kam näher, hielt vor dem Haus. Baldoni, der fast ein wenig eingenickt war, fuhr auf, als der Türklopfer ertönte.

»Wer kann das sein?« murmelte er und streckte die Hand nach einem Leuchter aus.

»Mein Bruder«, sagte Montefalcone. »Wir sind zusammen aufgebrochen, aber er ritt wie eine Schnecke. Bleibt sitzen, ich öffne.«

Er ging hinaus, und Baldoni hörte einen Wortwechsel, ohne etwas verstehen zu können. Gleich darauf kehrte Montefalcone zurück. Erneutes Hufgeklapper von draußen verriet, daß der Reiter sich wieder entfernte.

Erneut warteten sie schweigend. Quälend langsam krochen die Minuten, bis die Magd zurückkehrte. Montefalcone stürzte ihr entgegen.

»Sie lebt«, sagte die Alte und nahm das Tuch von ihrem Kopf. »Sie hat hohes Fieber, sagt die Schwester, aber sie lebt.«

Auf Montefalcones Gesicht malte sich Erleichterung.

Baldoni schwieg. Wozu sollte er Montefalcone sagen, daß der Patient desto gefährdeter war, je länger das Fieber anhielt? Kein Organismus hielt über mehrere Tage diese Temperaturen aus. Und die kritische Stunde, in der sich das Geschick des Kranken entschied, war das Morgengrauen, das noch lange nicht heraufdämmerte.

Agrippa von Nettesheim ging ruhelos in der Kammer auf und ab. Sein Schatten, riesengroß auf der getünchten Wand, folgte ihm unermüdlich. Meister Guillaume versuchte, wach zu bleiben, aber immer wieder ertappte er sich dabei, daß ihm die Augen zufielen. Wenn er aus einem kurzen Nickerchen erwachte, sah er seinen Freund immer noch umherwandern, als ließe seine innere Unruhe ihm nicht die Möglichkeit, einmal auszuruhen und sich zu setzen.

Plötzlich blieb er stehen und starrte Meister Guillaume an.

»Fühlst du es auch?«

Meister Guillaume schüttelte den Kopf.

»Es ist der Moment der Entscheidung«, flüsterte Agrippa von Nettesheim. »Ich habe es kommen gefühlt. Die Dunkelheit ist gewachsen, von Stunde zu Stunde. Sie ist riesengroß, eine Wolke, die alles Helle verdeckt. Und sie gaukelt die Lösung vor, den Fall ins bodenlose Nichts der Verzweiflung, die ewige Auslöschung.«

Meister Guillaume befeuchtete seine Lippen.

»Wird Laura dagegen kämpfen, wird sie sich behaupten können?«

»Ich weiß es nicht.«

Agrippa nahm seine Wanderung wieder auf.

In ihrer Kammer saß die Zwergin Blandina und zitterte.

Ibrahim hatte ein Becken mit glühenden Holzkohlen aufgestellt, aber Blandina fror trotzdem.

Sie lauschte in das nächtliche Dunkel hinein, aber sie hörte nichts. Es war die Stunde vor der Morgendämmerung. Die Bewohner des Kastells von Ferrara lagen in tiefem Schlaf, und in ihre Träume konnte Blandina nicht eindringen. Sie wollte es auch nicht. Was interessierte sie der Hofstaat?

In dieser Nacht fiel die Entscheidung. Sie sandte ihre Gedanken aus zum Kloster der Klarissinnen, aber sie wußte, wie vergeblich ihr Bemühen war. Diesen Kampf mußte Laura alleine austragen, niemand konnte ihr beistehen.

Ibrahim regte sich im Schlaf und murmelte Worte in einer fremden Zunge, die niemand in Ferrara verstand. Blandina verkrampfte die winzigen Händchen und wünschte sich, daß sie beten könnte. Aber zu welcher Gottheit? Kein Gott würde eingreifen. Laura mußte ihre Entscheidung in aller Freiheit treffen. Würde sie stark genug sein, sich gegen die Verlockung der Finsternis zu wehren?

Die Magd war mit der Dame de Lalande aus Spanien gekommen. Sie war ihre Amme gewesen, hatte ihr ein Leben lang gedient und kannte alle ihre Geheimnisse.

So etwas wie in dieser Nacht hatte sie aber noch nie erlebt. Die Furcht hielt sie wach auf dem Strohsack beim Herdfeuer und nicht der Sturm, der um das Haus tobte, an den Balken rüttelte, daß das Dach ächzte, und der jaulend in den Kamin fuhr.

Die Magd hatte am Abend darin ein großes Feuer angezündet. Jetzt war es längst zu Asche geworden, die noch gloste, aber nicht mehr wärmte. Es war eiskalt in dem riesigen Raum. Sogar unter den beiden Decken aus Schafswolle, die sie selbst gesponnen und gewebt hatte, fror die alte Frau. Ihre Herrin im Lehnstuhl vor dem Kamin hatte keine Decke, die sie warmhielt. Die Magd wäre gern zu ihr geschlichen und hätte eine über sie gebreitet. Doch hatte die Dame ihr mit einem solchen Ernst eingeschärft, sie diese Nacht nicht zu stören, was immer auch geschähe, daß sie sich nicht zu rühren traute.

Seltsames ging vor in dieser Nacht im Haus, während draußen der Sturm tobte und die Wolken vor sich hertrieb wie ein erzürnter Schäfer seine Schafe. Hin und wieder gaffte der Mond durch ein Wolkenloch, und in seinem kalten Licht erspähte die Magd ihre Herrin.

Die Dame de Lalande saß regungslos in ihrem Stuhl, den

Kopf zurückgelehnt, die Augen geschlossen, die Hände lagen auf den Armlehnen, mit den geöffneten Handflächen nach oben. Stunde um Stunde saß sie so, bewegungslos. Die Magd fragte sich, ob ihre Herrin überhaupt noch atmete, je weiter die Nacht fortschritt, desto banger. Soweit sie sehen konnte, hob kein Atemzug die Brust der Dame, und in den Pausen, die der Sturm einlegte, hörte sie auch keinen Hauch. Die Dame schlief vielleicht sehr tief. Vielleicht war sie auch tot.

Gelegentlich fiel die Magd in ein schlafähnliches Dämmern, aus dem der Sturm sie wieder hochriß. Einmal schien der Mond voll in das Gesicht ihrer Herrin und meißelte mit kaltem Licht gnadenlos jeden Knochen heraus. Die Magd war sicher, daß ihre Herrin tot war. Trotzdem traute sie sich nicht, entgegen ihrer Anweisung zu ihr zu gehen und sich zu überzeugen.

Die Nächte im Dezember waren lang, keine aber länger als diese. Endlich sickerte die Morgendämmerung grau in den Raum. Der Sturm hatte sich heiser gebrüllt, fuhr noch einmal stöhnend in den Kamin, rüttelte an den Balken, hob dann die nächtliche Belagerung auf und zog ab.

Es wurde still.

Vor dem Kamin regte sich etwas.

Die Magd richtete sich halb auf und spähte hinüber.

Die Dame de Lalande hatte sich bewegt. Die Hände lagen nun in ihrem Schoß. Ihre Brust hob und senkte sich unter heftigen Atemzügen, als sei sie einen langen Weg sehr schnell gelaufen. Sie wandte den Kopf zu der Alten auf dem Strohsack. Ihre Lippen zitterten, als sie versuchte zu lächeln. Auch ihre Stimme zitterte und war so leise, daß die Magd sie kaum verstehen konnte.

»Sie wird leben«, flüsterte die Dame de Lalande.

Dann wurde sie ohnmächtig.

Renée spürte einen leichten Anflug von Kopfschmerzen und fragte sich flüchtig, ob das das erste Anzeichen des Sumpffiebers sein konnte. Hatte sie sich vielleicht bei Laura angesteckt? Überhaupt, wie es Laura wohl ging? Sie hatte von ihrer Hofdame nichts mehr gehört, seit sie zu den Klarissinnen gebracht worden war. Sie empfand ein vages Schuldgefühl gegenüber Laura. Das Mädchen wäre nicht in Ferrara, wenn sie sie nicht darum gebeten hätte. Sie ließ Luca Baldoni rufen.

Madame de Soubise führte den Arzt herein. Er sah müde aus.

»Ich möchte wissen, wie es Mademoiselle de Roseval geht«, sagte sie nach der Begrüßung.

Ein Lächeln machte die scharfen, asketischen Züge des Arztes weicher und jünger.

»Ich habe gute Neuigkeiten, Madama. Madonna Laura wird gesund werden. Letzte Nacht war die Krisis, wie mir Suor Dorotea, die sie pflegt, berichtet hat. Madonna Laura hatte so hohes Fieber, daß sie ihre Umgebung nicht mehr wahrnahm und stundenlang im Delirium war. Plötzlich im Morgengrauen – das ist die kritische Zeit, in der die Entscheidung über Tod oder Leben fällt – veränderte sich das Befinden der Kranken dramatisch. Das Fieber sank rapide, und sie gewann das Bewußtsein zurück. Sie wird wieder gesund werden. Suor Dorotea meint, es sei ein Wunder.«

»Was meint Ihr?« fragte die Prinzessin.

»Ich glaube«, sagte der Arzt »daß die Natur eines jungen, ansonsten gesunden Mädchens kräftig genug ist, eine Krankheit zu besiegen, ohne daß Gott dazu eingreifen muß.«

»Ganz meine Meinung«, erwiderte die Prinzessin.

Sie lächelten einander zu, und Renée dachte, daß dieser Arzt ein Mann war, dem sie trauen würde.

»Dann ist Laura also wieder gesund«, sagte die Prinzessin befriedigt.

Er korrigierte sie leicht.

»Sie wird wieder gesund. Wer eine solche Fieberattacke überstanden hat, braucht eine Weile, um sich wieder zu erholen. Es wird noch zwei oder drei Wochen dauern, bis sie ihren Dienst wieder aufnehmen kann. Einstweilen ist sie bei den Klarissinnen in bester Obhut.«

»Sie hat doch hoffentlich einen Raum für sich allein und liegt nicht in einem Gemeinschaftsraum.«

»Keine Sorge, Madama. Angesichts ihres Ranges hat man Madonna Laura eine leerstehende Nonnenzelle gegeben, die sie für sich allein hat.«

Renée erfaßte den kritischen Punkt sofort.

»Aber in diesem Fall ist sie der Klausur unterworfen, und Ihr könnt sie nicht besuchen. Ich denke, ich werde den Bischof sofort bitten, Euch eine Dispens zu erteilen.«

Luca Baldoni verbeugte sich.

»Sehr gütig, Madama. Ihr braucht Euch nicht mehr zu bemühen. Graf Montefalcone hat mir heute morgen schon diese Dispens verschafft.«

Er hörte, wie die Neuigkeit durch den Raum lief. Seide raschelte, Unterhaltungen brachen ab und wurden nach einer winzigen Pause leiser fortgesetzt.

»Ich wußte gar nicht, daß Monsieur de Montefalcone wieder in der Stadt ist«, bemerkte die Prinzessin.

Luca Baldoni war auf der Hut. Er dachte an die Qual, die er in der Nacht in Montefalcones Gesicht gesehen hatte. Er dachte nicht daran, diesen Mann den Lästerzungen auszuliefern.

»Soweit ich weiß, ist der Graf gestern in die Stadt zurückgekehrt. Wir sprachen miteinander. Als er erfuhr, daß ich eine Patientin habe, die in der Klausur liegt, bot er mir an, mir den Dispens zu verschaffen. Ich denke, Madama, daß er an Euren Hofdamen besonderen Anteil nimmt, da er Euch doch aus Frankreich hierher eskortiert hat.«

Jedes Wort, das er gesagt hatte, war wahr, und doch hatte er nichts preisgegeben.

Die Prinzessin sandte einen Boten in den Palazzo Montefalcone und ließ den Grafen zu sich bitten.

Sie war froh, als er kam. Sie bat ihn, in einer Fensternische bei ihr Platz zu nehmen, wo sie von allen Damen gesehen werden konnten, aber niemand ein leises Gespräch belauschen konnte. Es dauerte nicht lange, da brach ihr ganzes Elend aus ihr heraus. Er hörte ihr zu, ohne sie einmal zu unterbrechen.

»Ich verstehe, Hoheit«, sagte er. »Ihr verlangt nach Ernsthaftigkeit und Aufrichtigkeit. Euch liegt am Herzen, in der Wahrheit zu leben. Ihr grübelt über den Sinn des Lebens, das Wesen Gottes und den rechten Weg, ihm zu dienen. In Frankreich habt ihr viele Menschen um Euch gehabt, die sich dieselben Fragen stellen. Jetzt aber lebt ihr an einem Hof, der nicht nach Gott fragt, sondern nach Macht. Der Besitz der Macht ist hier das einzige, was zählt, und nicht Gott steht im

Mittelpunkt aller Spekulationen, sondern der Herzog. Luxus, Förderung der Dichter, Sammlung von Gemälden, prachtvolle Bauten – alles dient nur der Schaustellung, alles soll nur demonstrieren, daß der Herrscher mächtig und bedeutend ist. Die zwei Lebensweisen sind nicht miteinander zu vereinbaren, Hoheit. Ihr müßt wählen. Ihr könnt Eure Ideale aufgeben und Euch anpassen. Dann werdet Ihr akzeptiert und lebt in Ruhe und Frieden. Oder aber Ihr könnt Euch selbst treu bleiben, dann werdet Ihr hier einsam sein und in beständigem Kampf.«

»Wie auch immer ich mich entscheide«, sagte die Prinzessin, »glücklich werden kann ich nicht.«

Montefalcone sah sie mit einem Blick an, den sie nicht deuten konnte.

»Sind wir auf der Welt, um glücklich zu sein?« fragte er. »Sind nicht Integrität und Selbstachtung wichtiger als Glück?«

»Ja«, sagte Renée. »Aber manchmal muß man dafür einen hohen Preis bezahlen.«

Er schwieg. Sein Gesicht hatte sich verschattet.

»Dann ratet Ihr mir also, mich nicht anzupassen, Monsieur?«

Er schüttelte den Kopf.

»Nein, Madama, ich rate Euch gar nichts. Die Entscheidung müßt Ihr allein treffen. Denn Ihr müßt sie auch allein tragen.«

»Das Leben wird für mich nicht leicht werden«, sagte Renée nachdenklich.

»Das Leben ist für niemanden leicht, Madama.«

Sie forderte ihn heraus.

»Auch für Euch nicht, Monsieur? Habt Ihr nicht alles, was einen Menschen glücklich macht: Rang, Reichtum, Ruhm?«

»Alles das brauche ich nicht, um glücklich zu sein«, antwortete er. »Und was ich brauche, habe ich nicht.«

Renée betrachtete ihn. Das schöne Gesicht, das magerer war, als sie es in Erinnerung gehabt hatte, war verschlossen, und seine Augen warnten sie, nicht weiter zu fragen.

Sie verabschiedete ihn mit einem Gefühl der Bitterkeit, daß sie ihm alles anvertraut hatte und er ihr nichts.

Die Fieberattacke hatte Laura erschöpft. Ihr Körper und ihre Seele hatten die letzten Kräfte verbraucht. Matt und still lag sie in Suor Lucias Bett und ließ den Redestrom der Nonne neben ihr an sich vorüberplätschern.

»Es wird ein harter Winter dieses Jahr«, sagte Suor Dorotea. »Er hat früh eingesetzt. Gestern hat es sogar geschneit. Wir haben oft Schnee im Winter, aber eigentlich nie vor dem Karneval. Schnee noch vor Weihnachten ist ganz selten. Ich habe es noch nie erlebt. Meine Mutter – wir sprachen darüber, sie hat mich gestern besucht –, meine Mutter sagte …«

Laura hörte kaum zu. Sie starrte mit offenen Augen an die Decke, wo einsickernde Feuchtigkeit graue Flecken in bizarren Formen auf der weißen Tünche hinterlassen hatte.

Sie war müde, aber ihre Gedanken waren ganz klar. Sie erinnerte sich an die Nacht, in der sie nach Schwester Doroteas Meinung beinahe gestorben wäre. Sie erinnerte sich deutlich an die Alpträume dieser Nacht. Wie sie durch den Wald gerannt war, die Wölfe auf den Fersen, wie sie von ihrem Gegeifer verfolgt wurde, wie sie ihr die Ohren vollgeheult hatten mit der Schande der Borgia, mit der Blutschande Lucrezias und Cesares, mit dem Fluch, der auf allen lag, die aus dieser Familie kamen. Sie hatte nach Alessandro gerufen, und er war gekommen. Sie hatte die Hände nach ihm ausgestreckt und ihn angefleht, sich zu ergeben, aber bei jedem Wort, das sie sagte, glitt er ein Stück weiter von ihr fort, bis er nur noch ganz fern und ganz klein war, kaum noch wahrzunehmen. Sie wollte ihm folgen, aber zwischen ihm und ihr lag ein tiefer Abgrund, gefüllt mit Dunkelheit. Wenn sie einen Schritt vorwärts machte, würde sie hinabstürzen. Sie hatte in das undurchdringliche Dunkel gestarrt. Es war so verlockend, sich fallenzulassen. Da unten war das Nichts, die Erlösung von allen Schmerzen, der ewige Schlaf des Vergessens. Es war die Hoffnungslosigkeit, die Verzweiflung, die ihr riet, den Schritt zu tun. Was sollte sie noch länger in diesem Leben, in dem der Mann, den sie liebte, ihr Bruder war? Es war der Schritt, den Alessandro tun wollte, auf dem Schlachtfeld in Ungarn, getrieben von derselben Verzweiflung, die sie fühlte. Ihr war, als stiege die Finsternis aus dem Abgrund empor und wölbe sich ihr weich und verführend entgegen. Aber sie hatte auch Alessandro in ihren Alpträumen gesehen, immer wieder blutüberströmt, von einer Wölfin zerfleischt. Es war dasselbe Traumbild gewesen, das sie im Haus ihrer Großmutter gehabt hatte. Der Tod in Ferrara ... Sie wußte jetzt, daß Schreckliches auf Alessandro wartete, wenn sie ihn nicht warnte. Sie mußte ihn vor der Wölfin bewahren. Und dann vernahm sie plötzlich die Stimme ihrer Großmutter. Sie sah sich mit ihr im Mas de Lalande vor dem Kamin sitzen, und die Tarotkarten glitten durch die alten Hände.

Der Mond ist im Vergangenen gefangen. Sein Weg geht in die Dunkelheit. Die Sonne findet ihre Kraft in sich selbst und überwindet alles Dunkel. Das Licht überwindet das Dunkel. Aber wo war Licht? Nirgends. Um sie herum nur die Schwärze der Verzweiflung.

Und dann hatte sie plötzlich begriffen.

Das Licht konnte nur in ihr selbst liegen. Es gab keine Hilfe von außen. Sie mußte der Finsternis widerstehen. Sie selbst mußte das Licht sein. Wie groß auch immer ihr Leid war, es hatte einen Sinn. Wenn sie sich in den Abgrund stürzte, würde sie ihr Leben sinnlos machen. Solange sie lebte, war Hoffnung.

Und Laura war langsam, Schritt für Schritt, von dem Abgrund zurückgewichen. Als sie in die Ferne blickte, war Alessandros Gestalt verschwunden.

Am Morgen war sie aufgewacht, das Fieber war verschwunden, und Suor Doroteas plappernde Stimme begleitete ihre Gedanken.

Es gab doch noch Hoffnung. Vielleicht hatte sie vorschnelle Schlüsse gezogen. Auf Grund einer Ähnlichkeit konnte sie keine Beweise aufbauen. Sie hatte nur vermutet, wo sie Gewißheit erlangen mußte. Aber wie? Von Alessandro würde sie nichts erfahren. Wenn er sich ihr bisher nicht anvertraut hatte, würde er es auch in Zukunft nicht tun. Wenn jemand das Geheimnis um Alessandros Geburt enthüllen konnte, dann war das seine angebliche Mutter, die Gräfin Leonora Montefalcone. Was hatte Blandina gesagt? – Sie hatte sich nach dem Tod ihres Gatten ins Kloster Sant'Agnese zurückgezogen.

Suor Doroteas Rede strömte ungehemmt weiter. Sie verbreitete sich über verschiedene Kräuterabsude, die sich bei Entzündungen bewährt hätten und deren Rezepte die Schwester Apothekerin in einer alten Handschrift entdeckt hatte. Zwischen Thymian und Borretsch unterbrach sie sich:

»Hier kommt Doktor Baldoni.«

Laura sah dem Arzt ohne Lächeln entgegen. Baldoni zog den Schemel, von dem Suor Dorotea sich erhoben hatte, näher an das Bett heran, setzte sich und blickte seine Patientin prüfend an.

Ohne Zweifel ging es ihr besser. Das Fieber war gänzlich geschwunden, aber ihre Wangen hatten noch keine Farbe, und unter den dunklen Augen lagen tiefe Schatten. Luca Baldoni ergriff eine von Lauras mageren, kalten Händen und wärmte sie zwischen seinen. Munter sagte er:

»Prächtig, prächtig. Das geht voran. An der nächsten Schneeballschlacht werdet Ihr Euch schon beteiligen können.«

Was er in ihren Augen las, gefiel ihm nicht. Darin war zuviel Traurigkeit.

»Wie steht es mit dem Essen, Madonna?«

Suor Dorotea antwortete an Lauras Stelle.

»Sie nimmt nur Wasser zu sich, Doktor. Sie will nicht einmal Fleischbrühe. Ich habe die größte Mühe, sie zu überreden, wenigstens ein paar Löffel davon herunterzuschlucken.«

Der Arzt wandte sich der Nonne zu.

»Das geht nicht. Die Patientin muß wieder zu Kräften kommen. Suor Dorotea, geht bitte in die Küche und besorgt eine Schale mit Hühnerbrühe und einem verquirlten Ei darin.«

Suor Dorotea zögerte einen Moment, dann ging sie hinaus, ließ aber die Tür offenstehen.

Der Arzt beugte sich vor und sagte mit gedämpfter Stimme:

»Daß ich Euch hier aufsuchen darf, ist das Werk des Grafen Montefalcone. Er hat beim Bischof die Dispens erwirkt.«

Er wußte, daß er den richtigen Weg eingeschlagen hatte. Zum ersten Mal zeigte sich in Lauras Augen ein Funke von Interesse. Er fuhr fort:

»Sobald er von Eurer Krankheit erfuhr, kam er in die Stadt. Der Mann war wahnsinnig vor Angst um Euch. Er liebt Euch, Madonna Laura.«

»Ich weiß«, sagte sie leise.

Er las keine Warnung in ihren Augen und tastete sich weiter vor.

»Ihr liebt ihn auch, Madonna?«

Bevor sie etwas sagen konnte, hatten schon ihre Augen alles verraten.

Suor Dorotea kam zurück, rasch atmend. Sie war offensichtlich beide Wege gelaufen, um die Kranke nicht zu lange mit dem Arzt allein zu lassen. Er schärfte den beiden noch einmal ein, wie wichtig das Essen sei.

»Man gewinnt den Krieg nicht mit einer einzigen Schlacht, Madonna. Ihr habt das Fieber besiegt, jetzt müßt Ihr die Schwäche bekämpfen. Eßt!«

Er erhob sich und schaute auf sie herab. Das blauschwarze Haar auf dem Kissen ließ das Gesicht des jungen Mädchens noch blasser wirken.

»Gebt die Hoffnung nicht auf«, flüsterte er, sich zu ihr hinabbeugend. »Solange Ihr lebt, gibt es Hoffnung. Gott steht auf der Seite der Liebenden.«

Er ging.

Laura schluckte gehorsam die Suppe, die Suor Dorotea ihr Löffel für Löffel verabreichte und die sie mit ihrem endlosen Geschwätz begleitete. Laura wußte inzwischen alles über Suor Doroteas Familie, über ihre Kindheit und Jugend und über die Gespräche, die sie mit ihrer Mutter über Gott und die Welt führte, wenn die alte Dame sie im Kloster besuchte.

Als die Schüssel leer war, bat sie die Nonne zu gehen, weil sie schlafen wollte. Suor Dorotea gehorchte. In einer Stunde würde die Vesper beginnen. Bis dahin konnte sie in der Küche noch ein kleines Schwätzchen halten. Laura legte sich aufatmend in ihre Kissen zurück. Endlich war sie mit ihren Gedanken allein.

Die Gräfin Montefalcone war hier in Ferrara, im Kloster Sant'Agnese. Suor Dorotea hatte erwähnt, daß ihre Schwester dort eingetreten sei. In Sant'Agnese, so hatte sie erzählt, legten die Schwestern, anders als bei den Klarissinnen, ein absolutes Schweigegelübde ab. Nun gut, Leonora Montefalcone hatte sich in das ewige Schweigen zurückgezogen. Aber immerhin war sie nicht aus der Welt. Irgendwie würde sie es bewerkstelligen, die Gräfin zu sprechen. Aber dazu mußte sie erst einmal gesund werden.

Von jetzt an machte ihre Genesung rasche Fortschritte. Luca Baldoni war sehr zufrieden. Was ihn wunderte, war ihre Reaktion, als er ihr sagte, sie könne das Kloster verlassen.

»Es geht Euch wirklich gut genug, Madonna Laura. Ihr könnt in den Palast zurückkehren. Ich kenne eine Witwe, die sich um Euch kümmern würde. Im Schloß könntet Ihr Besuche empfangen. Ihr hättet Zerstreuung und Unterhaltung.«

Laura schüttelte ablehnend den Kopf.

»Es geht mir nur gut, solange ich den Frieden dieses Klosters genießen kann und Suor Doroteas aufopfernde Pflege. Ich fühle mich den Zerstreuungen, von denen Ihr sprecht, noch nicht gewachsen.«

Luca Baldoni konnte der dringenden Bitte in den dunklen Augen nicht widerstehen. So blieb Laura noch eine Woche bei den Klarissinnen.

Sie war vorsichtig und ließ sich Zeit. Suor Dorotea durfte keinen Verdacht schöpfen, daß sie ausgehorcht wurde. Sie ließ die Gedanken der Nonne durch alle möglichen Themen wandern und brachte nur gelegentlich die Rede auf die Nonnen von Sant'Agnese. Ein kleiner Hinweis genügte. Suor Dorotea, so erschien es ihr, war voller Ressentiments gegen Sant'Agnese. Offensichtlich stand ihre Schwester, die in den strengen Orden eingetreten war, in ihrer Familie im Ruf größerer Heiligkeit.

»Ha! Wir beten auch, und wir sind kein bißchen weniger fromm und Gott wohlgefällig!« ereiferte sie sich. »Wozu hat Gott uns denn die Sprache gegeben, wenn wir sie nicht benutzen sollen, sage ich immer. Es hat meiner Mutter das Herz gebrochen. Die Nonnen von Sant'Agnese sind lebendig tot. Sie dürfen keinen Besuch empfangen, keine Briefe schreiben, ihre Angehörigen werden nicht benachrichtigt, wenn sie sterben. Vor zwei Jahren haben sie sogar eine lebendig eingemauert!«

Laura schauderte und fragte nach Einzelheiten. Suor Dorotea ließ sich von ihrer eigenen Beredsamkeit hinreißen und erzählte ausführlich von der armen Fabrizia Atelli, die insgeheim die Besuche eines Verwandten empfangen hatte. Nachdem die Sache aufgeflogen war, war Fabrizia, den Regeln des Ordens gemäß, in eine kleine Zelle eingemauert worden. Man ließ in der Wand nur einen Spalt, durch den man ihr Essen reichen konnte.

»Jaja«, seufzte Suor Dorotea. »Der eine ist im Kloster eingemauert, der andere in den Kerkern des Herzogs. Was macht es schon aus? Wenn ich an den armen Don Guilio denke, der schon seit fast 20 Jahren im Verlies seines eigenen Bruders schmachtet … man hat ihm die schönen dunklen Augen herausgerissen!« Sie schauderte wollüstig. »Und das nur wegen eines Weibsbilds. Angela Borgia …«

Laura lenkte das Thema behutsam auf das Kloster zurück und erfuhr, eine Besonderheit von Sant'Agnese sei es, daß die Nonnen einander nur in der Kirche begegneten. Sonst lebe jede einzeln für sich in einer Zelle, der ein kleiner ummauerter Garten vorgelagert sei.

Was, dachte Laura ironisch, die Lösung des Rätsels für sie ganz einfach machte. Sie mußte nur herausfinden, ob die Gräfin noch lebte, und wenn ja, in welcher Zelle, und als Gärtnerin in Sant'Agnese anheuern.

Zur Erleichterung der Dienstboten schloß Cristina Nogazza Belvedere, bevor sich der Sommersitz endgültig in einen Eispalast verwandelte, und kehrte nach Ferrara zurück. Sie fand dort zwei Nachrichten aus Venedig vor. Die eine kam von einem Notar und war eine Kopie von Alessandros Testament. Darin vermachte er seinen gesamten Besitz Antonio, mit Ausnahme des Hauses in Venedig und eines Landgutes bei Modena. Diese sollten Cristina zu ihren Lebzeiten mit allen Einkünften zur Verfügung stehen und nach ihrer Wiederverheiratung oder ihrem Tod verkauft werden. Der Erlös sollte dann dem Kloster Sant'Agnese zufließen. Das Testament sagte ihr zweierlei. Einmal hatte er für sie auf eine sehr überlegte Weise gesorgt. Sie war nach seinem Tod materiell abgesichert und vor einer zweiten Heirat geschützt. Kein Montefalcone konnte ein Interesse haben, sie zu einer Wiederverheiratung zu nötigen, und kein Mann konnte ein Interesse daran haben, sie zu heiraten, weil das Vermögen dann unwiederbringlich Klostergut wurde. Zum anderen zeigte es ihr, daß er mit seinem Tod rechnete.

Die andere Mitteilung aus Venedig war ein Zettel von Matteo, der nur einen Satz enthielt: Der Hund ist tot. Cristina überlief es kalt. Daß der Hund, der die Speisen vorkosten mußte, vergiftet worden war, zeigte, wie nahe die Mörder ihrem Mann auf der Spur waren. Venedig war ein gefährlicher Ort für Alessandro. Außer Rom gab es keine Stadt, wo man so leicht ein paar zu allem entschlossene Bravi dingen konnte, um jemanden aus dem Weg zu räumen.

Sobald Cristinas Ankunft sich in Ferrara herumgesprochen hatte, erhielt sie eine Einladung der Prinzessin Renée. Sie fuhr die achthundert Meter zum Kastell vierspännig und trug über ihrem juwelenbestickten Kleid einen Mantel, der mit Luchsfellen gefüttert war. An jedem Finger außer den Daumen glitzerten Ringe, und in ihr kastanienfarbenes Haar waren zwei Schnüre aus erbsengroßen Perlen geflochten. Sie erschien vor Renée vom Scheitel bis zur Sohle als die reiche Gräfin Montefalcone und nicht als die Arzttochter Cristina Nogazza.

Diese Wappnung erwies sich zu ihrer angenehmen Überraschung als überflüssig. Sie hatte gehört, die Prinzessin sei kalt und hochmütig und lasse stets alle Leute fühlen, daß sie die Tochter eines großen Königs ist. Cristina erfaßte bald, daß sich hinter dieser Fassade eine einsame, kluge Frau versteckte, die nach Nahrung für ihren Intellekt hungerte. Nach einer Stunde fand sie sich mit Renée in einem Gespräch über Seneca, das die Prinzessin außerordentlich anregend fand und das Cristina genug Muße ließ, Renées Hofstaat mit Blicken abzuschätzen.

Sie hatte noch Alessandros Stimme im Ohr: »Sie ist eine Hofdame der Prinzessin.«

Cristina ließ ihre Augen vorsichtig umherschweifen. Da war die Vorsteherin des Hofstaates, Madame de Soubise. Sie war etwa fünfzig und machte den Eindruck einer wachsamen Eule, der nichts entging und die alles mißbilligte. Außerdem saßen im Raum noch drei weitere ältliche Frauen in grauer Wolle, sie erinnerten Cristina an Tauben, sanft gurrend und etwas dümmlich. Die jüngste in diesem Kreis war eine atemberaubende Schönheit.

In der Pracht ihres silbernen Haares glänzte Marguerite de St. Philibert wie eine Kostbarkeit aus der Werkstatt eines großen Meisters. Cristina hörte sie lachen, sprechen, sah sie sich bewegen, lächeln, den Kopf zurückwerfen, registrierte ihre Kleidung und ihre Schminke und war entsetzt.

Marguerite war durch und durch ein Kunstgeschöpf. Jede ihrer Bewegungen, ihrer Worte, ihr Lächeln war einstudiert. Sie war anmutig und geistvoll, elegant und schön. Sie war wie ein Garten im Mondlicht, in dem die Rosen dufteten und die Springbrunnen plätscherten. Und in diesem Garten wohnten die Schlange Eigennutz und der Geier Habgier. Wie hatte Alessandro sich in eine solche Frau verlieben können?

Er konnte sich nicht über ihr wahres Wesen täuschen. Er war kein Jüngling mehr wie Antonio, der gerade bei Hofe eingeführt worden war und sich von diesem schönen Glanz blenden ließ. Er hatte genug Erfahrung und Menschenkenntnis, um Marguerite de St. Philibert als das Kunstwerk zu durchschauen, das sie aus sich gemacht hatte. Und er hatte auch den Blick für die Eigenschaften, die hinter der schönen Fassade lagen. War das der Grund, weshalb er die Ehe nicht auflösen wollte, weshalb er so elend ausgesehen hatte? Verachtete er sich selbst, weil seine Liebe auf eine solche Frau gefallen war?

Cristina nahm ein Argument auf, das Renée formuliert hatte, entfaltete es in alle Richtungen, prüfte es nach den Gesetzen der Logik und der historischen Erfahrung und gab es Renée mit einem Kompliment für ihren Scharfsinn zurück.

Sie erinnerte sich daran, wie Alessandro ihr seine Liebe zu der Hofdame gestanden hatte. Er hatte das Bild benutzt, das Aristophanes in Platons Gastmahl gemalt hatte. Das war mehr als ein Rückgriff auf Bildungsgut gewesen. Er hatte jedes Wort ernst gemeint. Die Frau, die er liebte, war die andere Hälfte seiner selbst. Das konnte sich unmöglich auf Marguerite beziehen. Eine Frau, in die er sich verlieben würde, mußte Schönheit, Intelligenz und Mut besitzen. Das alles mochte auf Marguerite zutreffen. Aber außerdem mußte eine solche Frau unfähig zur Selbsttäuschung sein, und sie mußte lieben können auf die einzige Weise, auf die Liebe gelebt werden konnte. Sie mußte fähig sein, sich vollständig hinzugeben, ohne sich zu verlieren.

Renée brach ihre Antwort auf Cristinas Ausführungen mitten im Satz ab und erhob sich. Der Herzog war eingetreten.

Jovial nach allen Seiten lächelnd wie ein Göttervater, schritt er durch das Spalier knicksender Damen zu seiner Schwiegertochter und begrüßte sie. Dann fiel sein Blick auf Cristinas gesenkten Scheitel.

»Madonna Cristina«, sagte er herzlich und winkte ihr, sich aufzurichten. »Welch eine Freude, Euch wieder in der Stadt zu wissen. Und Euch nun wieder recht oft in Unserem Hause zu finden, wollen Wir hoffen. Wir waren sehr betrübt, daß Ihr Uns so lange Eure Gegenwart vorenthalten habt. Wie Unser Vater einst zum höheren Ruhme Ferraras die heilige Lucia aus Viterbo entführen ließ, erwogen Wir bereits, Euch aus Belvedere zu entführen. Denn was nützen Uns an Unserem Hof Luxus und Musik und Poesie, wenn der Geist fehlt?«

»Eure Hoheit sind sehr gütig«, sagte Cristina. »Ich habe jeden Tag, den ich fern von Eurem Hof verbringen mußte, als einen Tag betrachtet, den ich im Exil lebte.«

»Euer Gatte ist mit Euch gekommen?« fragte der Herzog.

»Mein Mann ist in Venedig, Hoheit. Er trifft alle Vorkehrungen für den Frühjahrsfeldzug gegen die Türken.«

»Das ist gut und schön, aber er sollte einige Tage hier verbringen. Wir können nicht dulden, daß eine Frau wie Ihr ihre Wochen einsam ohne Gatten verbringen muß.«

»Ich habe die Absicht, ihn demnächst in Venedig zu besuchen«, sagte sie.

Der Herzog schüttelte den Kopf.

»Madonna, das wollen Wir überhört haben. Gerade haben Wir Euch gesagt, daß Wir froh sind, Euch wieder in Unserer Mitte zu haben. Wir lassen Euch nicht schon wieder gehen. Wir haben eine viel bessere Idee. Wir laden Euren Gatten über Weihnachten und den Jahreswechsel nach Ferrara ein. Unterrichtet ihn von Unserem Wunsch! Und macht ihm klar, daß Wir keine Ausrede akzeptieren werden!«

Er lächelte, sein Ton war überaus gnädig, und allen, die in der Nähe standen und es hören konnten, war klar, daß Alessandro Montefalcone in der Gunst des Herzogs einen der ersten Plätze einnahm.

Nur Cristina sah die Härte in seinen Augen. Als er weiterging, folgte ihr Blick ihm ausdruckslos. Nach Weihnachten, ging ihr plötzlich durch den Sinn, feierte man das Fest der

Unschuldigen Kinder und gedachte derer, die Herodes aus Angst um seinen Thron hatte abschlachten lassen.

Luca Baldoni starrte das Mädchen an und sagte voller Überzeugung:

»Ihr seid verrückt.«

Laura erwiderte sein Starren, ohne mit der Wimper zu zucken.

»Gott steht den Liebenden bei«, erinnerte sie ihn.

»Bin ich Gott?« fragte der Arzt.

Laura richtete sich auf und legte ihm eine Hand auf den Arm. Sie hatten nicht viel Zeit. Laura hatte Suor Dorotea unter einem Vorwand weggeschickt. Sie würde nicht lange fortbleiben.

»Ich verlange nicht viel von Euch, Doktor. Besorgt mir ein schlichtes Kleid, wie arme Mädchen es tragen, und bringt mich in Euer Haus, damit ich dort die Kleider wechseln kann. Und sagt niemandem, wo ich bin. Im Schloß werden sie denken, ich sei im Kloster, und im Kloster, ich sei im Schloß. Mit Eurer Hilfe kann ich einige Tage untertauchen, und niemand wird mich vermissen.«

Vom Ende des Ganges her erklang Suor Doroteas Stimme.

»Sagt mir, was Ihr vorhabt«, verlangte Baldoni. »Ich helfe Euch nicht, wenn Ihr mir nicht sagt, wobei!«

»Ich erzähle Euch alles, wenn ich in Eurem Hause bin«, flüsterte Laura. »Wenn Ihr mir nicht helft, wird sich vielleicht die Inquisition für Euch interessieren.«

Er wurde blaß.

Ihr Blick war fest. Baldoni war sich nicht sicher, ob sie es nicht ernst meinte.

Suor Dorotea trat ein.

»Kleiderwechseln in meinem Haus, aber mehr nicht«, zischte er.

Laura wandte sich strahlend Suor Dorotea zu.

»Ist es nicht wunderbar, Schwester? Doktor Baldoni holt mich morgen mittag ab und bringt mich ins Schloß. Ich bin rundherum gesund. Ich freue mich so sehr. Ich habe meine Prinzessin vermißt.«

»Und ich werde Euch vermissen«, sagte Suor Dorotea, hin- und hergerissen zwischen der Freude, eine Kranke gesundgepflegt zu haben, und der Trauer, eine dankbare Zuhörerin zu verlieren.

Am folgenden Mittag war Laura bereit. Sie trug das kostbare Kleid, in dem sie ins Hospital gebracht worden war, und hatte ihr Haar sorgfältig frisiert. Ihre Wangen waren leicht gerötet, und ihre Augen funkelten. Suor Dorotea fand, daß sie sehr hübsch aussah, und erlaubte sich einen kleinen Scherz über all die jungen Männer, die krank vor Liebe werden würden, wenn sie gesund bei Hofe erschien.

Doktor Baldoni kam erst am späten Nachmittag, als der trübe Wintertag bereits sein ganzes Licht eingebüßt hatte. Er hatte einen schwarzen Wollmantel mitgebracht, in dem er Laura von Kopf bis Fuß verhüllte, so daß von der ganzen Pracht der Hofdame nichts mehr zu erkennen war. Vor dem Hospital wartete eine Sänfte. Suor Dorotea vergoß beim Abschied ein paar Tränen und sah der Sänfte nach, die in Richtung Piazza getragen wurde, wo der Dom gegenüber dem Schloß stand. Sie sah nicht mehr, daß die Träger kurz vor der Piazza abbogen und in dem Gassengewirr des Borgo verschwanden, wo sie vor einer kleinen Tür in einer Mauer haltmachten. Sie wurden von dem Arzt weder zu kärglich noch zu großzügig entlohnt.

Baldoni half Laura aus der Sänfte und schloß mit einem rostigen Schlüssel die Hintertür zu seinem Küchengarten auf. Die Tür bewegte sich lautlos in den Angeln.

»Ich dachte, sie würde quietschen«, murmelte Laura.

»Ich habe sie gestern eigens geölt«, gab Baldoni zurück.

Sie lachte.

»Ihr wäret ein guter Verschwörer.«

»Nicht in Ferrara«, sagte er grimmig. »Ich weiß, wie die Este Verschwörer behandeln.«

Er führte sie durch den schmalen Garten zwischen Kohl und Obststräuchern hindurch zur Küchentür. In der Küche hockte eine alte Frau an einem blankgescheuerten Eichentisch vor Brot und Wein und blickte nicht auf, als sie den Raum durchquerten.

»Was habt Ihr ihr gesagt?« fragte Laura in der Eingangshalle.

»Ich brauche ihr nichts zu sagen. Sie ist daran gewöhnt, nichts zu sehen und nichts zu hören.«

Er öffnete die Tür zu seinem Studierzimmer. Die Fensterläden waren vorgelegt, und im Kamin brannte ein Feuer. Er warf seinen Mantel ab und zündete die Kerzen an. Laura ließ ihren Mantel zu Boden gleiten und setzte sich in einen hochlehnigen Stuhl nahe an den Kamin.

Baldoni schenkte Wein ein und schob ihr einen Becher über den Tisch. Dann sagte er kurz:

»Erzählt mir alles! Ich will wissen, wofür ich meinen Kopf hinhalte.«

»Darauf habt Ihr sicher ein Recht«, sagte Laura, die weit entfernt davon war, ihm alles zu erzählen. »Alessandro Montefalcone und ich sind füreinander bestimmt. Ich weiß es, und er weiß es auch. Aber er will es nicht akzeptieren. Er glaubt, daß es ein Hindernis gibt zwischen uns. Ich bin nicht sicher. Um mir Gewißheit zu verschaffen, brauche ich Eure Hilfe. Ich werde morgen nach Sant'Agnese gehen und dort eintreten. Den Beweis, den ich suche, finde ich nur dort.«

»Sie nehmen Euch nicht. Es sollen immer zwölf Nonnen in Sant'Agnese sein. Die Zahl ist voll. Ihr müßt warten, bis eine Nonne stirbt.«

Laura stellte den Becher zurück.

»Ich habe nicht die geringste Absicht, eine Braut Christi zu werden, die sich schon zu Lebzeiten begräbt. Aber die zwölf Nonnen, Doktor, waschen ihre Wäsche nicht, sie kochen ihr Essen nicht, sie säubern ihre Zellen nicht, und sie zupfen nicht das Unkraut in ihren Gärten. Sie haben dienende Schwestern, die alles das für sie tun. Ich werde morgen an die Klosterpforte klopfen und bitten, als eine solche aufgenommen zu werden. Sobald ich erfahren habe, was ich erfahren will, werde ich Sant'Agnese wieder verlassen.«

»Was tut Ihr, wenn sie keine dienenden Schwestern brauchen?« fragte er.

»Sie brauchen sie«, sagte Laura. »Sie brauchen sie dringend. Wegen der Seuche. Sie haben mehrere Dienerinnen durch das Fieber verloren, und sie finden keinen Ersatz. Kein Mädchen, das sonstwo unterkommen kann, geht nach Sant'Agnese, weil die Bedingungen dort so hart sind. Sie werden begeistert sein, daß ich komme.«

»Woher wißt Ihr das alles?«

»Es fällt in Ferrara kein Spatz vom Dach, ohne daß Gott und Suor Dorotea davon wissen.«

Er lachte wider Willen.

»Gut. Das klingt überzeugend und ungefährlich. Vorausgesetzt, Ihr bleibt nicht zu lange in Sant'Agnese. Länger als drei Tage dürfte Euer Verschwinden nicht zu verheimlichen sein. Jemand könnte sich nach Euch erkundigen, und alles würde auffliegen.«

Der Arzt hatte eine Kammer, in der für unvorhergesehene Besucher ein Strohsack bereitlag. Sie verstauten Lauras Hofkleidung sorgfältig in einer verstaubten Truhe auf dem Speicher, und der Arzt gab ihr mehrere Decken, denn die Kammer war unbeheizt.

Am nächsten Morgen probierte Laura das Kleid an, das er für sie gekauft hatte. Es paßte wie angegossen. Es war aus grauer Wolle, hatte einige Flecken und gestopfte Löcher.

Baldoni musterte sie kritisch.

»Niemand würde Euch für eine Magd halten, Kleid hin, Kleid her«, sagte er.

»Warum nicht?«

»Schaut Eure Hände an! Das sind keine Hände, die Geschirr gespült und Gemüse geputzt und Teig geknetet haben. Eure Haut ist weiß und zart. Ihr habt nie bei schlechtem Wetter draußen gearbeitet. Ihr haltet Euch gerade, als hättet Ihr Grund, stolz zu sein. Ihr seht aus wie das, was Ihr seid, Madonna. Eine große Dame, die sich verkleidet hat.«

Laura bedachte sich einen Moment.

»Gut, daß Ihr mich warnt. Ich bin also weder die Tochter eines Bauern noch eines Handwerkers. Mein Vater war, bevor er und meine ganze Familie an der Seuche starben, wohlhabend. Ich habe es! Mein Vater war einer der Musiker des Herzogs, gut bezahlt, aber verschwenderisch. Er hat nichts als Schulden hinterlassen.«

Sie nahm den Wollmantel, schlug ihn um sich und ging mit einem Lächeln zur Tür.

»Vielen Dank für Eure Hilfe, Doktor. Ich hoffe, ich brauche nicht länger als drei Tage.«

Als Laura auf die Straße trat, dämmerte es schon. Sie schlug den Weg zur Porta Romana ein, in deren Nähe, mit einer Wand an die Stadtmauer gelehnt, das Kloster von Sant'Agnese lag. Von der Straße aus sah man nichts als eine übermannshohe Backsteinmauer, in die eine schmale Pforte eingelassen war. Laura hob den Türklopfer.

Ihre Wangen waren gerötet, ihr Herz klopfte stark. Endlich hörte sie schlurfende Schritte auf der anderen Seite. In der Pforte öffnete sich eine Klappe, und eine heisere Stimme fragte nach ihrem Begehr. Das Gesicht zu der Stimme zeigte sich nicht.

Laura erläuterte ihr Anliegen. Sie bemühte sich, das leichte Zittern in ihrer Stimme unter Kontrolle zu halten. Die Klappe wurde wortlos geschlossen, die Schritte schlurften davon.

Die Kälte durchdrang ihren Wollmantel. Sie schlug die Arme um sich und stampfte mit den Füßen auf. Nach einer Viertelstunde näherten sich die Schritte wieder, ein Riegel kreischte, als er zurückgeschoben wurde. Die Tür öffnete sich einen Spalt, und die unsichtbare Gestalt sagte: »Tretet ein.«

Laura verschwand durch den Türspalt, die Tür schloß sich und die Schritte entfernten sich auf der anderen Seite der Mauer.

Marguerite de St. Philibert verließ die Werkstatt der Näherin. Ihre Zofe trug ein Paket mit drei Leinenhemden, die Marguerite im Austausch für einen Brief der Prinzessin empfangen hatte. Die Straßen waren leer. Wer nicht unterwegs sein mußte, blieb bei dieser Kälte zu Hause. Es war trocken, der Himmel von einem ausgebleichten Blau. Der Wind fegte in Böen um die Ecken und überfiel die Fußgänger. Er rötete Marguerites Nase, trieb ihr Tränen in die Augen und riß an ihrem pelzbesetzten Barett, bis er es schließlich erbeutete und vor sich her trieb.

Die Zofe ließ das Paket fallen und rannte hinter dem Hut her. Das war ein Spiel, das dem Wind gefiel. Er wartete, bis das Mädchen ganz in seiner Nähe war und die Hand nach ihm ausstreckte, dann blies er von neuem die Backen auf und trieb das Barett um die nächste Ecke. Die Zofe geriet außer Atem. Am Ende dieser Gasse war der Kanal, und das Barett trieb unaufhaltsam auf ihn zu. Es würde hineingeweht werden, bevor die

Zofe es retten konnte. Der Wind hätte sein Spiel gewonnen, wäre nicht ein Mann aus einem Haus getreten und hätte die Situation mit einem Blick erfaßt.

Er stellte sich dem dahinsegelnden Hut in den Weg und überreichte ihn mit einer Verbeugung und einem Kompliment der Zofe. Das Mädchen war blutrot, teils von dem schnellen Lauf, teils von dem abschätzenden Blick in den Augen des Mannes, und stammelte einen Dank. Unbehaglich war sie sich ihres schmutzigen Rocksaumes und der schiefsitzenden Haube bewußt.

Marguerite kam heran. Sie riß dem Mädchen den Hut aus der Hand.

»Ungeschickte, tölpelhafte Person! Wie konntest du die Hemden einfach in die Gosse werfen! Und dann noch zu unbeholfen, um einen Hut zu fangen! Du machst mich vor allen Leuten zum Gespött.«

Die Zofe duckte sich vor dem Schlag, der jetzt, wie sie wußte, folgen würde.

Der Retter des Pelzhutes bewahrte sie davor, denn er zog mit einer schwungvollen Verbeugung die Aufmerksamkeit ihrer Herrin auf sich.

»In diesem Punkt kann ich Euch beruhigen, Madonna mia. Alle Leute bestehen im Augenblick nur aus meiner Person. Und ich bin nicht voller Spott, sondern voller Bewunderung. Wenn Euer Gesicht vor Zorn und Kälte glüht, seid Ihr noch schöner als sonst.«

Es war Annibale Strozzi.

Marguerite versteckte ihren Zorn augenblicklich hinter einem bezaubernden Lächeln und bedankte sich für die Rettung des Baretts.

Strozzi erbot sich, sie zum Palast zu begleiten, falls sie dorthin wolle.

»Oder wollt Ihr gerade Eure Freundin, Madonna Laura, besuchen?«

»Wie kommt Ihr darauf?« fragte Marguerite erstaunt.

Er wies mit der Hand über seine Schulter auf die andere Straßenseite.

»Dort ist der Konvent der Klarissinnen.«

»Ach ja«, sagte Marguerite, der Krankenbesuche nicht behagten, »aber man kann Laura nicht besuchen. Unglücklicherweise liegt sie in der Klausur.«

»Das ist kein Problem«, meinte Strozzi, »es geht ihr, wie man hört, doch schon wieder viel besser. Sie ist sicher imstande, in das Besuchszimmer zu gehen, wo Ihr sie treffen könnt. Ein bißchen Klatsch trägt viel zur Genesung bei, meint Ihr nicht?«

Marguerite fiel so schnell keine Ausrede ein, mit der sie den Besuch hätte vermeiden können, und so brachte Strozzi sie zur Klosterpforte, hob für sie den Türklopfer und wartete, bis sich das Fenster neben der Tür öffnete. Dann verbeugte er sich zum Abschied noch einmal schwungvoll, warf der Zofe einen feurigen Blick zu, der sie in Verwirrung stürzte, und entfernte sich.

»Ich möchte Laura de Roseval sprechen«, sagte Marguerite zu der Schwester Pförtnerin am Fenster.

»Sie ist nicht hier«, sagte die Nonne.

»Natürlich ist sie hier. Das ist doch das Kloster der Klarissinnen, oder?« sagte Marguerite.

»Madonna Laura ist nicht mehr hier«, wiederholte die Pförtnerin.

»Ihr irrt Euch, Schwester.« Marguerite rang um Geduld. Man konnte eine Nonne nicht behandeln wie eine Dienerin.

»Ich weiß ganz bestimmt, daß sie hier ist. Würdet Ihr bitte gehen und Euch erkundigen?«

»Ich schicke Euch Suor Dorotea«, sagte die Pförtnerin und schloß das Fenster wieder.

Die Kälte biß ihr ins Gesicht. Marguerite ging zornig vor dem geschlossenen Fenster auf und ab. Das hatte sie nun von dieser Barmherzigkeit. Erfrieren ließ man sie hier mitten auf der Straße.

Das Fenster öffnete sich wieder, und eine andere Nonne, rund und rosig, beugte sich heraus.

»Seid Ihr die Dame, die Madonna Laura sprechen möchte?«

»Ja«, sagte Marguerite und trat näher.

»Ihr kommt zu spät«, sagte Suor Dorotea. »Sie hat gestern nachmittag das Hospital verlassen und ist ins Schloß zurückgekehrt. Wenn Ihr sie sprechen wollt, müßt Ihr ins Schloß gehen. Und grüßt sie von mir, ich bitte Euch.«

Marguerite machte sich gedankenvoll auf den Heimweg, ohne die Kälte zu spüren.

Laura hatte gestern das Kloster verlassen. Aber im Schloß war sie nicht angekommen. Niemand wußte das besser als Marguerite, die mit ihr eine Kammer und ein Bett teilte.

Was konnte mit ihr passiert sein? War sie auf dem Weg ins Schloß verunglückt? Aber hätte Laura die Absicht gehabt, ins Schloß zurückzukehren, so hätte sie sicherlich eine kleine Eskorte von königlichen Bedienten angefordert, die sie in einer Sänfte vom Kloster abholten und sicher zurückgeleiteten. Also blieb nur ein Schluß: Sie war heimlich irgendwo untergetaucht. Aber warum? – Sicherlich steckte Montefalcone hinter diesem mysteriösen Verhalten. Laura konnte ihre Romanze mit ihm nicht in Ferrara unter den Augen der Prinzessin und unter den Augen der Ehefrau führen. Aber in Venedig konnte sie es. Es gab keine Stadt, in der man besser untertauchen konnte als Venedig. Und Montefalcone hielt sich zur Zeit dort auf. Wenn herauskam, daß eine Hofdame der Prinzessin mit einem verheirateten Adligen in Venedig im Konkubinat lebte, wäre das ein Riesenskandal, der Renées französischen Hofstaat diskreditieren, den Herzog gegen Montefalcone aufbringen und Lauras Ruf für den Rest ihres Lebens ruinieren würde.

Marguerite überlegte. Sie konnte alles dem Herzog melden. Damit erfüllte sie seinen Auftrag und erwies sich als nützlich. Sie konnte aber auch Montefalcone unterrichten, daß sie alles wußte, und ihm den Preis nennen, zu dem sie alles vergessen würde. Je länger sie nachdachte, desto besser gefiel ihr diese Idee. Wer am meisten zu verlieren hatte, zahlte am besten.

Die Küche und die Korridore in Sant'Agnese hatten Steinfußboden. Das brachte in den Sommermonaten angenehme Kühle, trug aber zur Kälte im Winter bei. In der Küche war es erträglich, weil das Feuer in dem großen Kamin den ganzen Tag in Gang gehalten wurde und man wenigstens in seiner Nähe die Glieder auftauen konnte. Auf den Korridoren aber war es eisig, und Zugluft strich durch die Gänge.

Laura war, wie sie vorausgesehen hatte, sofort in Sant'Agnese aufgenommen worden. Die Äbtissin, die einzige Nonne, die

Erlaubnis hatte, das Schweigen zu brechen, hatte sie von Kopf bis Fuß gemustert und unzufrieden gesagt:

»Kräftig siehst du nicht aus. Nun gut, wir können Hilfe gebrauchen. Wir stellen dir keine Fragen, solange du dich an die Regeln hältst: Sie sind einfach: Bete und arbeite. Rede mit deinen Mitschwestern nur das Nötigste und sprich niemals, unter keinen Umständen, jemals eine der Nonnen an.«

Sie hatte dann die oberste der dienenden Schwestern, Suor Orsola, gerufen und ihr Laura übergeben. Die alte Frau hatte Laura in einen Raum geführt, in dem zehn Strohsäcke lagen, und auf einen gezeigt.

»Da ist dein Schlafplatz. Komm!«

Sie hatten sie sofort an die Arbeit geschickt. Laura mußte die Fußböden schrubben. Sie kniete auf dem Boden, neben sich einen Holzeimer mit eiskaltem Wasser. War es schwarz geworden, mußte sie hinaus in die Kälte – die tatsächlich kaum kälter war als die innerhalb der Mauern von Sant'Agnese – und am Brunnen einen Eimer mit frischem Wasser hochziehen. Sie fragte sich, warum das Wasser im Brunnen noch nicht gefroren war. Als sie mit der Küche fertig war, wies man ihr die Korridore zu. Nach einem halben Tag dachte Laura, sie könne es nicht länger durchhalten. Ihre Knie schmerzten, Schultern und Arme rebellierten gegen jede Bewegung, ihre roten Hände brannten wie Feuer, und wenn sie sich aufrichtete, glaubte sie, ihr Rückgrat würde zerbrechen.

Zur Vesperzeit gab es in der Küche einen Kanten Brot und einen Becher Wasser. Die Nonnen nahmen ihre Mahlzeiten getrennt von den dienenden Schwestern ein. Sechs dienende Schwestern versammelten sich um den Tisch in der Nähe des Feuers und musterten Laura, während sie geräuschvoll kauten und schluckten. Gesprochen wurde nichts. Aber die Mienen der Frauen machten klar, was sie von Laura hielten. Die jüngste, eine stämmige Frau in den Vierzigern, mit flinken, wachen Augen, zeigte Mitleid, während die mittleren Frauen, zwischen Fünfzig und Sechzig, deren Rücken krumm und deren Hände von der harten Arbeit zu Klauen gebogen waren, Lauras weiße Haut mit Verachtung musterten. Die älteste der dienenden Schwestern mochte achtzig Jahre zählen. In ihr Gesicht hatten sich tausend Runzeln eingegraben, und sie hatte keine Zähne mehr. Sie brockte das Brot ins Wasser, verknetete es zu einem Brei und stopfte ihn sich mit den Fingern in den Mund. In ihren Augen lag offener Hohn.

Am Ende der Vesper begann eine dünne Glocke zu jammern. Die Schwestern standen auf. Laura schloß sich ihnen an und folgte ihnen über den Innenhof in die Kirche.

Das war ein kleiner alter Raum mit niedrig gewölbter Decke, winzigen Fenstern, hoch angebracht, durch die kaum Licht fiel. Die Wände waren über und über mit Fresken bedeckt, die das Martyrium der Heiligen darstellten. Über dem Altar hing ein riesiges Gemälde, auf dem der Henker gerade das Beil schwang, während die heilige Agnes ihren schwanenweißen Hals auf den Richtblock gelegt hatte.

Im Chor hatten die zwölf Nonnen schon Platz genommen, als die dienenden Schwestern eintraten. Laura suchte sich einen Platz neben einem Pfeiler, an den sie sich leicht anlehnen konnte. Sie wollte die zwölf Frauen im Chor mustern, aber die Gestalten verschwammen vor ihren Augen, und bevor sie es sich versah, war sie zu Boden und in erschöpften Schlaf gefallen.

Sie erwachte davon, daß die jüngste der Schwestern sie an der Schulter rüttelte. Sie öffnete die Augen und brauchte einen Augenblick, ehe sie sich zurechtfand. Die Kirche war leer. Am Altar brannte nur das Ewige Licht, und ein schwacher Dämmerschein fiel durch die kleinen Fenster.

»Komm«, sagte die Schwester, » am Anfang ist es hart. Aber man gewöhnt sich. Und es ist ein Ort der Sicherheit.«

Laura lächelte ihr dankbar zu. Offenbar hielt wenigstens eine der Schwestern auch Mitmenschlichkeit für nötig.

Den Rest des Tages brauchte Laura keine Böden mehr zu schrubben, weil es zu dunkel dafür war. Die Korridore wurden nicht beleuchtet. Statt dessen stellte man sie an das Spülbecken und ließ sie Töpfe und Pfannen scheuern, während die anderen fünf am Tisch saßen und Wäsche ausbesserten. Als sie endlich zu Bett gehen durfte, war sie so müde und zerschlagen, daß sie auf den Strohsack mit dem gleichen Behagen sank wie der Herzog in sein Prunkbett. Sie schlief fest und traumlos durch.

Am nächsten Morgen begann Lauras Tagewerk von neuem

mit Putzen. Diesmal mußte sie den Boden in der Kirche aufwischen.

Zu Mittag gab es dünne Hafergrütze und das Angebot der stämmigen, freundlichen Frau mit dem wachen Blick, ihr bei der Arbeit in der Kirche zu helfen.

»Deine Arbeit macht sich auch nicht von allein«, sagte Suor Orsola griesgrämig.

»Wir helfen uns gegenseitig«, antwortete die andere. Streit wurde offensichtlich als unnötig betrachtetet. Niemand sagte mehr etwas.

Laura ärgerte sich zunächst. Sie hatte den Vormittag so angenehm mit Nichtstun verbracht. Eine Aufpasserin jetzt würde wieder harte Arbeit bedeuten. Es stellte sich aber heraus, daß ihre Helferin weniger am Arbeiten als am unerlaubten Schwatzen interessiert war. Sie stellten ihre Eimer nebeneinander, wischten mit mäßigem Eifer über die Bodenplatten und flüsterten miteinander.

»Ich bin Teresa«, sagte die Frau.

»Ich heiße Maria«, flüsterte Laura vorsichtig zurück.

»Warum bist du hier?«

»Ich brauche ein Dach über dem Kopf. Meine Familie ist bei der Seuche umgekommen. Und du?«

»Ich bin mit meiner Mutter gekommen. Sie ist eine der vier älteren Nonnen. Ich lasse sie nicht allein. Wegen ihr bin ich als dienende Schwester hier eingetreten.«

»Aber ist das Leben hier nicht sehr hart?« fragte Laura.

Teresa zuckte die Schultern.

»Es ist für unsereins nicht schlechter als anderswo. Und man wird weder geschlagen noch vergewaltigt. Für die Nonnen ist es natürlich etwas anderes. Sie heiraten Jesus. Sie glauben wirklich daran. Sie beten und beten. Hast du nicht gesehen, wie sie aussehen? Sie sind glücklich.«

»Weißt du, wer sie sind?« fragte Laura.

Teresa schüttelte den Kopf.

»Das ist egal. Hier brauchen sie keine Namen. Gott kennt sie. Das ist genug.«

»Glaubst du, daß sie alle freiwillig hier sind?«

»Ja«, sagte Teresa überzeugt. »Sie sind sechs Jahre lang Novizinnen, bevor sie die Gelübde ablegen dürfen. Sie werden streng überprüft, und nicht jede wird genommen. Es ist eine große Ehre für die Nonne und ihre Familie, wenn sie in Sant'Agnese eintreten darf. Bist du nicht aus Ferrara, daß du das nicht weißt?«

»Ich komme aus dem Norden«, sagte Laura, sich lieber nicht genauer festlegend, und lenkte von gefährlichen, persönlichen Fragen ab.

»Wohin führt denn die Tür dort?«

»Auf den Friedhof. Willst du ihn sehen?«

Laura nickte und unterdrückte jeden Anschein von Eifer. Teresa durfte nicht mehr als milde Neugier in ihr vermuten. Vielleicht fand sie auf dem Friedhof einen Grabstein, der den Namen Montefalcone trug. Dann hatte sie eine Antwort gefunden. Sie hoffte, daß es nicht so sein möge. Denn wo sollte sie dann weitersuchen?

Teresa schob einen Riegel zurück und öffnete die Tür. Ein Windstoß fuhr in die Kirche hinein. Laura trat neben Teresa auf die Schwelle und blickte in einen kleinen Hof. Er lag zwischen Kirche und Stadtmauer und enthielt nichts als zwei Trauerweiden und mit Efeu bedeckten Boden. Kein Grab, kein Grabstein.

»Ein anonymes Massengrab«, flüsterte Teresa. »Sie bleiben demütig über den Tod hinaus.«

Ihre Stimme klang bewundernd. Laura rang einen Moment nach Fassung. Die Enttäuschung schnitt scharf wie ein Messer durch ihren Kopf.

Teresa warf ihr einen sonderbaren Blick zu. Um sie abzulenken, fragte Laura:

»Ist die arme Fabrizia auch hier begraben?«

»Du weißt davon? Natürlich, es war das Stadtgespräch damals. Nein, Fabrizia lebt. Ich bringe ihr jeden Tag das Essen. Sie hat eine Zelle hinter dem Altar, so daß sie von ihr aus die Messe hören kann. Eigentlich unterscheidet sich ihr Leben gar nicht so sehr von dem der anderen. Nur daß sie die Kirche nicht betreten darf und keinen Garten hat. Ich bringe auch den anderen das Essen. Du mußt mir nachher dabei helfen.«

Sie kehrten in die Kirche zurück und knieten sich wieder zu den Eimern.

Laura begann, Strategien zu entwickeln, wie sie die Chance,

die sich ihr nachher bot, nutzen konnte. Sie würde die Zellen betreten, sie würde den Nonnen Auge in Auge gegenüberstehen. Sie würde mit ihnen sprechen können … Sie arbeitete mechanisch weiter, und die Aufregung in ihr war so groß, daß sie kaum noch die Schmerzen in ihren Händen spürte.

Zur Vesper aßen die dienenden Schwestern, die Nonnen aber nichts. Für sie wurde erst abends eine Mahlzeit zusammengestellt. Für jede der zwölf Frauen gab es ein Tablett, auf dem sich eine Schale mit Suppe, ein Stück Brot, ein Stück Käse, ein Glas Wein und ein Krug Wasser befanden. Teresa und Laura trugen Tablett für Tablett in den Korridor, auf dem die Zellen der Nonnen lagen.

»Wir teilen uns die Arbeit«, sagte Teresa, »du nimmst die auf der rechten Seite, ich die auf der linken.«

Zu Lauras Enttäuschung betraten sie die Zellen nicht. In jede Tür war eine Klappe eingelassen, die sie herunterkippen mußte. Darauf wurde dann das Tablett gestellt. Nach einer halben Stunde holte sie es wieder ab. Weder beim Hinstellen noch beim Abholen bekam sie eine der Zellenbewohnerinnen zu Gesicht.

Nach der Vesper versammelten sich die Schwestern und Nonnen wieder zur Messe in der kleinen Kirche. Diesmal betrachtete Laura die Nonnen so eingehend und so unauffällig wie möglich. Sie trugen weite schwarze Gewänder, die in der Taille mit einem Strick gegürtet waren, hatten die Köpfe mit einem weißen Tuch umwunden und darüber einen schwarzen Schleier gelegt, der bis zur Taille fiel. Nur die Gesichter und die Hände waren unverhüllt.

Vier der Nonnen waren uralt. Ihre Augen waren tief eingesunken, die Nasen ragten spitz hervor und die Gesichter waren zerknittert wie altes Pergament. Keine von ihnen konnte die Gräfin Montefalcone sein. Zwei waren zu jung, um einen Sohn von dreißig zu haben. Die eine war Mitte Zwanzig, eine blasse Schönheit mit großen dunklen Augen, die andere fast noch ein Kind. Es blieben sechs Frauen übrig.

Laura musterte sie alle gründlich. Sie hatte gehört, Antonio ähnle ganz seiner Mutter, beide hätten die dunklen Augen und die gebogene Nase der Borgia. Sie ließ den Blick über die Gesichter gleiten, deren Ohren, Haare, Hals verborgen waren. Sie ähnelten einander alle. Sie waren blaß und hager und hatten einen Ausdruck, der Laura erschreckte. Was sie in ihren Zügen las, war das gleiche Gefühl, das sie für Alessandro Montefalcone empfand. Diese Frauen, entrückt und ekstatisch, gaben sich der Liebe zu einem unirdischen Liebhaber hin. In ihrer Stille und ihrer Einsamkeit feierten sie eine Hochzeit, an der das Fleisch keinen Anteil hatte. Selbst das ganz junge Mädchen, bemerkte Laura, hatte diesen Ausdruck der Ferne. Ihre Augen blieben plötzlich an einem Profil hängen, das sich ein wenig von den anderen abhob. Die Nonne saß ganz rechts am Rand. Die Farbe ihrer Augen konnte Laura nicht erkennen, da sie auf ihre gefalteten Hände niederschaute. Aber ihre Nase war unverkennbar nicht das, was man zierlich genannt hätte. Laura holte tief Luft. Das mußte sie sein. Das mußte Alessandros angebliche Mutter sein. Sie atmete auf. Gut, diese Hürde hatte sie genommen. Aber jetzt lag das Schwierigste noch vor ihr: Wie sollte sie an die Gräfin herankommen, und wie sollte sie mit ihr sprechen? Zunächst mußte sie herausfinden, welches ihre Zelle war.

Auch an diesem Abend fiel sie todmüde und völlig zerschlagen auf den Strohsack. Das ganze Unternehmen erschien ihr zum Scheitern verurteilt zu sein. Weder konnte sie endgültig herausfinden, wer von den Nonnen die Gräfin Montefalcone war, noch, selbst wenn sie es gekonnt hätte, bestand eine Möglichkeit, sich ihr verstohlen zu nähern und mit ihr zu sprechen. Wie es jetzt aussah, konnte sie in Sant'Agnese jahrelang die Böden wischen, ohne irgend etwas herauszufinden.

Als sie am nächsten Morgen aufwachte, überfiel der Schmerz sie so heftig, daß sie nur mit äußerster Willenskraft ihrem geschundenen Körper abverlangen konnte aufzustehen. Die harte Arbeit, die Kälte und die Enttäuschung hatten gleichermaßen einen Körper erschöpft, der sich von dem Sumpffieber gerade erst zu erholen begonnen hatte. Es würde selbstmörderisch sein, wenn sie sich länger den Strapazen aussetzen würde. Laura beschloß, an diesem Tag alles auf eine Karte zu setzen.

Während der Messe tastete ihr Blick wieder die Gesichter der Nonnen ab und blieb wieder am Gesicht der Gräfin Montefalcone hängen. Sie mochte einmal auf eine strenge, ernste Art schön gewesen sein. Ob sie darunter gelitten hatte, immer im Schatten ihrer strahlenden, umschwärmten Cousine zu stehen? – Als der Priester den Segen erteilte und alle sich bekreuzigten und hinausgingen, hielt Laura den Atem an.

Sie hoffte, daß niemand hören konnte, wie laut und heftig ihr Herz klopfte. Sie richtete etwas an ihrem Schuh und schlüpfte dann schnell durch die Tür, die zum Korridor der Nonnen führte. Die wahrscheinliche Gräfin Montefalcone verschwand in der letzten Zelle rechts.

Den ganzen Vormittag arbeitete Lauras Gehirn fieberhaft, um herauszufinden, wie sie am besten mit Antonios Mutter Kontakt aufnehmen konnte. Es war ganz klar, daß sie nicht imstande sein würde, sie anzusprechen. Sie mußte ihr mit dem Essen eine Nachricht in die Zelle schmuggeln. Das Problem war erstens, wie sie eine Nachricht abfassen konnte, wenn sie nie allein war, und zweitens, womit sie eine Nachricht schreiben konnte, wenn es hier weder Feder, Tinte noch Papier gab. Sie brauchte eine Stunde, um eine Lösung zu finden, und kam auch nur darauf, weil sie angewiesen wurde, die verglühte Asche aus dem Kamin zu fegen.

Zur Vesperandacht simulierte sie einen Schwächeanfall. Viel, dachte sie, war dabei allerdings nicht zu schauspielern, denn sie fühlte ihre Knie zittern und ihr Herz bis zum Halse schlagen. Die anderen gingen in die Kirche und ließen sie allein.

Sie riß ein Stück Stoff aus ihrem Leinenhemd, kniete sich in der Küche vor den Kamin und rührte aus Asche und Wasser einen Brei, in den sie den Finger tauchte. Dann malte sie eine kurze Botschaft auf den Stoffetzen. *Es geht um Alessandros Leben. Wer sind seine Eltern?* Für mehr Erklärungen war auf dem Stoffstreifen kein Platz. Sie rollte ihn zusammen und verbarg ihn unter ihrem Kleid.

Als die Schwestern von der Vesper zurückkamen, lag Laura dösend auf dem Strohsack. Schwester Orsola rüttelte sie und befahl ihr, in die Küche zu gehen und Teresa zu helfen.

Zum Abendessen erhielten die Nonnen das gleiche wie am Abend zuvor. Brot, Käse und Suppe. Gestern war es eine dickflüssige, bunte Gemüsesuppe gewesen, heute eine grüne Kräutersuppe.

Laura praktizierte den Stoffetzen unter das Brot, bevor sie das Tablett auf die Klappe der letzten Zelle rechts stellte. Dann verbrachte sie die längste halbe Stunde ihres Lebens. Was war, wenn sie sich geirrt hatte? Wenn die Nonne doch nicht die Gräfin war?

Und wenn sie es war, konnte sie dann sicher sein, daß sie die Nachricht las? Und selbst wenn sie sie las, konnte sie damit rechnen, daß sie antwortete? Vielleicht war sie inzwischen allen weltlichen Dingen so entrückt, daß sie sich dafür einfach nicht mehr interessierte. Und selbst wenn sie antworten wollte, wie sollte sie es tun?

Endlich war die halbe Stunde vorbei. Laura zwang sich, nicht zu der letzten Zelle zu rennen. Sie ging langsam und gemessen, wie es sich gehörte, und holte, wie am Abend vorher und wie auch Teresa es tat, die Tabletts der Reihe nach ab. Das der letzten Zelle kam zuletzt an die Reihe.

Die Nonne war die Gräfin Montefalcone. Sie hatte die Botschaft gelesen, und sie hatte geantwortet.

Sie hatte mit dem Finger mit grüner Schrift aus Kräutersuppe auf das Tablett geschrieben: Don Giulio weiß.

Don Giulio, der Bruder des Herzogs, den die Affäre mit Angela Borgia um seine schönen Augen und in ein feuchtes Verlies gebracht hatte! Was hatte er mit Alessandro zu tun?

Alessandro Montefalcone kehrte, nachdem seine Frau ihn im Auftrag des Herzogs dazu aufgefordert hatte, wenige Tage vor Weihnachten nach Ferrara zurück. Er wurde nur von Matteo begleitet, Antonio war in Venedig geblieben.

»Er muß die Truppenanwerbung weiterbetreiben«, sagte Montefalcone. »Wir stecken mitten in der Arbeit. Die Unterbrechung hätte zu keinem ungünstigeren Zeitpunkt kommen können. Außerdem gibt es eine Venezianerin, deren dunkle Augen hinter der Seidenmaske es Antonio angetan haben.«

Den dritten Grund, weshalb er Antonio zurückgelassen hatte, nannte er nicht. Cristina konnte ihn erraten. Der Mörder sollte bei einem Anschlag nicht zugleich Alessandro und Antonio treffen und damit das Haus Montefalcone auslöschen.

»Du hast die Kopie des Testaments bekommen?« fragte Alessandro geschäftsmäßig.

Cristina nickte.

Sie saßen bei Tisch. Er war spät am Abend eingetroffen, und Elisabetta hatte einen kalten Imbiß angeordnet. Platten mit Käse, geräuchertem Schinken und gedörrtem Fisch standen vor Alessandro, der sich mit gesundem Appetit bediente. Er sah besser aus als vor seiner Abreise nach Venedig. Über der Arbeit schien er seinen Kummer vergessen zu haben.

Cristina legte die Ellenbogen auf den Tisch und stützte das Kinn auf die Hände.

»Es wird ein neuer Geist in Ferrara wehen, wenn Renée Fürstin wird«, sagte sie nachdenklich. »Kunst, Theater und Feste bedeuten ihr wenig. Sie wird nicht Maler und Dichter um sich versammeln, sondern Philosophen und Theologen. Die Ehe ist nicht glücklich. Ihre intellektuellen Ansprüche, verbunden mit ihrer erotischen Reizlosigkeit, treiben den Prinzen in andere Betten. Je mehr er sie vernachlässigt, desto mehr wird sie sich der Religion zuwenden.«

»Sie ist die erste nicht«, sagte Alessandro, »die sich in die Arme der Kirche flüchtet, weil sie die Umarmung des Mannes nicht glücklich macht.«

»Ich fürchte«, antwortete Cristina, »es ist nicht die Umarmung der Kirche von Rom, die sie sucht. Sie sympathisiert mit den Lutheranern und Calvinisten. Sie importiert ihre Gesinnungsgenossen aus Frankreich. Clemens Marot soll ihr Sekretär werden. Er korrespondiert mit Calvin.«

Alessandro ließ den Bissen, den er zum Munde führen wollte, auf halbem Wege schweben.

»Das heißt weit gehen, in der Tat. Sie hat Mut. Aber die Inquisition wird sich an sie nicht herantrauen.«

»Nicht, solange der Herzog und vor allem der König von Frankreich hinter ihr stehen. Aber sie wird auf jeden Fall Ärger bekommen. Sie ist recht ungeschickt und macht sich keine Freunde. Sie weigert sich, ihren ferraresischen Hofstaat zu akzeptieren, und umgibt sich nur mit ihren französischen Damen.«

»Wenn die Prinzessin allzu offen für die Protestanten eintritt, Cristina, mußt du vorsichtig sein«, sagte Alessandro. »Die Inquisition wird sich zwar nicht an die Prinzessin heranwagen, aber an alle, die ihr nahestehen. Frauen wie du erwecken das Mißtrauen der Kirche. Rechne niemals mit dem Schutz der Prinzessin. Sie wird nicht in der Lage sein, die Ihren zu schützen.«

»Da wir von Schutz und Vorsicht reden«, sagte Cristina, »welche Vorsichtsmaßnahmen triffst du denn?«

»Matteo begleitet mich auf Schritt und Tritt.«

»Du solltest dir eine stärkere Leibwache zulegen. Was kann ein Mann schon ausrichten? Du solltest dich ständig mit zehn Bewaffneten umgeben, wenn du das Haus verläßt.«

Er lächelte dünn.

»Eine kleine Streitmacht mitten im friedlichen Ferrara? Vielleicht sollte ich gewappnet zur herzoglichen Tafel erscheinen und einen Vorkoster mitbringen. Genausogut könnte ich ihn auf offenem Markt des Mordversuchs beschuldigen.«

Elisabetta verschluckte sich vor Schreck und hustete.

Cristina sah ihn ruhig an.

»Du glaubst also auch, daß der Herzog von Ferrara dahintersteckt?«

Alessandro lehnte sich zurück und streckte die Beine aus. Er hatte den Weinbecher in der Hand, ließ den Wein darin kreisen und beobachtete den tanzenden Widerschein der Kerzenflammen darin.

»Es ist die einzige Vermutung, die einen Sinn ergeben könnte. Die Montefalcone haben mit niemandem eine Vendetta.«

»Aber was kann den Herzog dazu bringen? Ihr habt ihm immer loyal gedient«, sagte Elisabetta. »Jedenfalls, soviel ich weiß«, setzte sie vorsichtshalber hinzu.

»Das ist keine Frage der Loyalität«, antwortete er.

»Dann wißt Ihr also den Grund?«

»Ich vermute ihn«, sagte er knapp und fügte nichts mehr hinzu.

Nach einer Weile des Schweigens sagte Cristina anklagend:

»Es gab eine Zeit, da hattest du mehr Vertrauen zu mir.«

»Ich habe nur eine Vermutung«, sagte er, »aber wenn sie richtig ist, dann ist es besser, wenn so wenig Leute wie möglich darüber Bescheid wissen. Schon Mitwisserschaft wäre tödlich.«

Der nächste Tag war ein Sonntag. Montefalcone gesellte

sich während der Messe im Dom zum Hofstaat. So sehr er aber auch den Blick über die betende Menge schweifen ließ, der Kopf mit üppigem, blauschwarzem Haar, nach dem er suchte, war nicht auszumachen.

Er wunderte sich. Der Mann, der ihn über alle Schritte Lauras informierte, hatte ihm geschrieben, daß Laura gesund das Kloster verlassen habe und wieder am Hofe sei. Es war merkwürdig, daß sie nicht an der Messe teilnahm.

Seine Verwunderung wuchs, als nach dem Gottesdienst sich Marguerite de St. Philibert auf der Piazza zu ihm drängte und beiläufig bemerkte:

»Wir vermissen Laura sehr.«

»Mademoiselle de Roseval ist abwesend?« fragte er und vermied sorgsam jede Gefühlsregung.

Marguerite sah ihn spöttisch an.

»Wer wüßte das besser als Ihr?« antwortete sie.

»Madame, ich weiß ganz gewiß nichts. Ich bin erst gestern abend aus Venedig gekommen.«

»Gerade weil Ihr aus Venedig kommt, dachte ich, daß Ihr etwas wißt«, sagte Marguerite, »denn wir in Ferrara wissen gar nichts über Laura, seit sie aus dem Kloster verschwunden ist. Ich dachte, sie hätte sich vielleicht nach Venedig gewandt.«

Sie sah die Betroffenheit in seinem Gesicht, die er hinter Gleichgültigkeit zu verbergen suchte, und fuhr mit steigender Sicherheit fort:

»Sie ist mit ihrer Zustimmung aus dem Kloster entführt worden. Eine Liebesgeschichte natürlich. Wenn sie herauskommt, verursacht sie einen Skandal und bringt Schande über den französischen Hofstaat der Prinzessin. Ich will Laura ja nicht schaden, aber ich halte es für meine Pflicht, die Prinzessin darüber aufzuklären. Man glaubt sie noch im Klarissinnenkloster. Bis jetzt habe ich geschwiegen, aber ich kann es nicht länger mit meinem Gewissen vereinbaren. Und ich muß natürlich auch an mich denken. Wenn man entdeckt, daß ich Laura schütze, kann ich wegen Pflichtverletzung entlassen werden. Das kann ich mir nicht leisten. Ich würde dann vor dem Nichts stehen.«

Er begriff sehr gut. Sie sah, wie Zorn und Verachtung über

sein Gesicht glitten, bevor er sich wieder die Maske der Gleichgültigkeit aufsetzte.

»Das ist eine große Verlegenheit, in der Ihr seid, Madame. Ich würde gern in Ruhe mit Euch sprechen, nicht hier in der Öffentlichkeit. Gestattet mir, Euch morgen vormittag aufzusuchen.«

Er verneigte sich und schlenderte davon. Marguerite blickte ihm mit einem triumphierenden Lächeln hinterher. Sie hatte recht gehabt. Er hatte mit Lauras Verschwinden zu tun. Morgen würden sie den Preis für ihr Schweigen aushandeln. Er würde nicht gering sein.

Sobald Montefalcone von der Piazza in eine kleine Gasse abgebogen war, beschleunigte er seine Schritte. Er war in drei Minuten beim Palazzo Montefalcone und schickte einen Diener aus, der den Mann holen sollte, den er mit der Beobachtung Lauras beauftragt hatte. Während er wartete, wanderte er in der Eingangshalle hin und her wie ein Tiger im Käfig. Endlich erschien der Mann.

»Wo ist Madonna Laura?« herrschte er ihn an.

Der Mann schluckte und drehte nervös seine Kappe in den Händen.

»Bei Hofe, Euer Gnaden, bei Hofe. Madonna Laura ist wieder gesund. Sie ist nicht mehr bei den Klarissinnen.«

Alessandro blieb vor ihm stehen, die Hände auf den Rücken gelegt, und fragte mit gefährlicher Sanftheit:

»War sie heute morgen bei der Messe im Dom?«

Der Mann war nicht dumm. Er brauchte nur eine Sekunde, um die richtige Antwort zu geben, aber es war eine Sekunde zuviel. Alessandro ohrfeigte ihn, daß er taumelte.

»Madonna Laura ist verschwunden. Du solltest sie Tag und Nacht überwachen. Ich bezahle dich nicht dafür, daß du dich in der Taverne besäufst und Lügengeschichten erzählst.«

Der Mann rieb sich die schmerzende Wange.

»Verzeihung, Euer Gnaden, Verzeihung. Mein Sohn hat geheiratet. Mein einziger Sohn. Wir haben die Hochzeit bei den Eltern der Braut gefeiert. Die wohnen in der Gegend von Mantua. Ich war ein paar Tage abwesend, Euer Gnaden, das gebe ich zu. Aber ich schwöre, daß Madonna Laura von den Klarissinnen fort ist. Die Schwester sagte mir, Doktor Baldoni habe sie mit einer Sänfte abgeholt und ins Schloß zurückgebracht. Euer Gnaden müssen mir verzeihen, aber die Hochzeit meines Sohnes, meines einzigen Sohnes ...«

Er redete mit der Luft.

Montefalcone hatte bereits, eilig gefolgt von Matteo, den Palast verlassen. Sie trafen Luca Baldoni bei einem ausgiebigen Frühstück in Gesellschaft von zwei Kollegen. Ein Blick in das Gesicht seines Besuchers ließ Baldoni aufspringen und Montefalcone in das Studierzimmer drängen.

»Wo ist sie?« fragte Montefalcone.

Der Arzt gab nicht vor, nicht zu wissen, worum es ging. Er kam kurz und bündig zur Sache.

»In Sant'Agnese.«

Montefalcone tastete nach einem Stuhl. Baldoni zog sich unter dem mörderischen Blick seines Gegenübers geflissentlich hinter den schweren Eichentisch zurück.

»Ihr lügt«, sagte Montefalcone. »In Sant'Agnese nehmen sie zur Zeit keine Nonnen auf. Sie sind vollzählig.«

»Madonna Laura«, sagte Baldoni und behielt Montefalcone scharf im Auge, »ist keine Nonne in Sant'Agnese, sondern dienende Schwester. Sie selbst bestand darauf.«

Zu seiner Erleichterung benutzte Montefalcone den Stuhl, um sich zu setzen.

»Ihr seid alt genug, Baldoni, um es besser zu wissen als ein junges Mädchen. Ihr hättet ihr dieses Unternehmen ausreden müssen.«

Baldoni zuckte die Achseln.

»Ich weiß nicht, wie gut Ihr Madonna Laura kennt. Ich kann nur sagen, daß sie ein recht ungewöhnliches Mädchen ist. Sie ist von einer Entschlossenheit, die vor nichts zurückschreckt, wenn es darum geht, ihr Ziel zu erreichen. Die reinste Virago. Glaubt nicht, daß ich ihr applaudiert habe. Sie hat mich erpreßt.«

Zu seinem Erstaunen war Montefalcones Erregung einer klaren, kalten Konzentration gewichen.

»Wann ist Laura in Sant'Agnese eingetreten?«

»Vor fünf Tagen. Ich mache mir allmählich Sorgen. Ich hatte ihr gesagt, sie dürfe nicht länger als drei Tage dort bleiben. Im Kloster glauben sie sie im Palast, und im Palast vermuten sie sie im Kloster. So ein Versteckspiel kann man nicht lange aufrechterhalten. Irgendwann kommt alles heraus.«

»Das ist bereits geschehen.«

Baldoni erschrak.

»Was sagt der Herzog dazu?«

»Der Herzog weiß es noch nicht. Die Dame, die es herausgefunden hat, findet es einträglicher, mich damit zu erpressen. Das ist eine Sache, die ich später klären kann. Jetzt müssen wir erst einmal sehen, daß Laura aus Sant'Agnese herauskommt.«

»Es war kein Problem für sie, hineinzukommen. Sie sagte, sie würden sie sofort nehmen, weil sie einen Mangel an dienenden Schwestern hätten. So war es auch.«

»Ich bin überzeugt, daß es leicht war, hineinzukommen. Aber man spaziert nicht genauso leicht wieder heraus. Das seht Ihr daran, daß sie die Zeit überschritten hat, die Ihr ihr gesetzt habt. Wir müssen sie herausholen.«

Baldoni starrte ihn entsetzt an.

»Das könnt Ihr nicht. Niemand darf nach Sant'Agnese eindringen. Das ist ein unerhörter Frevel. Er wird womöglich mit dem Tod bestraft.«

»Ganz sicher«, sagte Montefalcone gelassen. »Ich weiß, daß wir nicht hineinkönnen. Also müssen die Nonnen herauskommen. Matteo?«

Matteo hob den linken Mundwinkel leicht an, was Baldoni richtig als Lächeln deutete.

»Wie in San Gimignano?« fragte er.

»Wie in San Gimignano«, bestätigte sein Herr und erhob sich. »Heute nacht noch. Doktor, Ihr wartet mit einer Sänfte um zehn Uhr vor dem Portal von San Alberto. Wenn Laura kommt, bringt Ihr sie in Euer Haus. Ich komme später nach.«

Er ging mit Matteo, und Baldoni kehrte zu seinen Gästen zurück. Sie fanden ihn während der nächsten Stunde sehr einsilbig.

Laura wälzte sich im Halbschlaf auf dem Strohsack. Jeder Muskel in ihrem Leib schmerzte vor Überanstrengung und Kälte. Sie war hungrig und zu Tode erschöpft. Seit Tagen versuchte sie, Sant'Agnese zu verlassen, aber vergeblich. Eine Bitte an die Äbtissin war ungnädig abschlägig beschieden worden.

»Sant'Agnese ist kein Gasthof«, hatte die Äbtissin gesagt. »Du kannst nicht kommen und gehen, wie es dir paßt. Ob du berufen bist oder nicht, kann nach drei Tagen niemand entscheiden, weder du noch wir. In zwei Monaten werden wir darüber reden.«

Laura konnte ihr schlecht antworten, daß sie keine zwei Monate Zeit hatte.

Einfach aus der Pforte herauszuspazieren, war auch nicht möglich, denn die wurde streng bewacht. Laura betrachtete nachdenklich die Mauern, die den Klosterhof umgaben. Sie waren mindestens drei Mann hoch und oben mit langen Lanzen bestückt. Jeder Fluchtweg schien aussichtslos. Also verlegte Laura sich auf die letzte Möglichkeit, die ihr offenstand. Sie wurde faul und widerspenstig und schwatzhaft. Suor Orsola warf ihr böse Blicke zu und machte ihr Vorwürfe, aber von einer Entlassung war nicht die Rede. Die Langmut der Schwestern war groß. Laura konnte nur hoffen, daß ihre Geduld nicht unerschöpflich war.

In der Nacht schlief sie unruhig und träumte davon, daß sie einen Berg bestieg. Der Berg war glatt, und die Felswand ragte senkrecht auf. Sie hatte statt der Hände und Füße scharfkrallige Klauen, mit denen sie sich in den Stein bohren konnte, und schob sich so Meter um Meter in die Höhe. Plötzlich tauchte rechts von ihr eine Höhle auf, aus der ein Drache sein schuppiges Haupt schob und ihr seinen Feueratem ins Gesicht blies. Laura keuchte und hustete.

Davon wachte sie auf.

Ein beißender Geruch drang in ihre Nase. Sie atmete ein und hustete sofort wieder. Sie setzte sich auf. Das war nicht mehr das Feuer aus dem Drachenmaul. Irgendwo hier im Kloster gab es ein wirkliches Feuer, und Rauch und Qualm waren in den Schlafsaal gedrungen. Es war stockfinster, sie konnte die Hand vor Augen nicht sehen, aber der Geruch war so unverkennbar, daß sie sicher war, sich nicht zu täuschen.

Sie schrie.

Um sie herum erwachten die anderen Schwestern. Sie hörte sie ächzen, stöhnen und husten.

»Es brennt«, rief Laura, »wir müssen hier raus!«

Mehrere Stimmen erhoben sich gleichzeitig, schrill und jammernd. Suor Orsola übertönte sie spielend.

»Teresa, Margerita, ihr beide weckt die Nonnen. Die anderen gehen alle in die Kirche. Dorthin wird das Feuer nicht kommen.«

»Wir müssen löschen«, sagte Teresa.

Von draußen gellten die Sturmglocken Ferraras auf.

»Sie haben es schon bemerkt«, sagte Suor Orsola und hustete. »Sie kommen schon zu unserer Rettung. Ich hole den Schlüssel bei der Mutter Oberin und schließe die Pforte auf, damit die Leute hereinkönnen. Ihr geht in die Kirche.«

Sie hatte inzwischen ein Talglicht entzündet, das einen schwachen Schein auf die Frauen warf, die sich zitternd um sie drängten. Als sie jetzt die Tür öffnete, wälzte sich eine dicke schwarze Qualmwolke herein. In ihrem Schutz schlüpfte Laura hinaus und tastete sich, so schnell es ging, durch die Gänge auf den Hof. Sie mußte einen Vorsprung vor Suor Orsola haben, damit sie in der Nähe der Pforte sein konnte, wenn sie aufgeschlossen wurde. Gott sei Dank war die Nacht dunkel, die Schwester würde sie nicht bemerken, wenn sie sich an die Mauer preßte.

Laura fand die Tür und öffnete sie vorsichtig nur einen Spaltbreit, dann war sie draußen auf dem Hof. Hier war es unerwünschterweise etwas heller, weil ein Viertelmond und ein paar Sterne leuchteten. Laura rannte über den Hof, damit sie im Schatten der Mauer war, bevor die Schwester mit dem Schlüssel erschien. Von jenseits der Mauer hörte sie die Rufe der Bürger, die forderten, man solle sie zum Löschen einlassen.

Irgendwer hatte nicht mehr die Geduld, darauf zu warten. Axthiebe wurden gegen das dicke Holz geführt. Laura kauerte sich auf den Boden und zog die Kapuze des Umhangs über ihr Gesicht. Über dem Wirtschaftsgebäude von Sant'Agnese stand eine schwarze rußige Wolke. Flammen waren nirgendwo zu sehen. Die Pforte splitterte unter der Axt, und die Menge strömte herein. Laura wartete einen Moment, bis die meisten den Hof überquert hatten und nur noch wenige in das Kloster hineinliefen.

Sie stand auf und schlich zur Pforte. Niemand achtete auf

sie, weil alle zum Brandherd eilten. Bis auf einen Mann, der, mitten in der Menge, sich umsah, und dann, als alle anderen schon im Haus verschwunden waren, auf sie zulief. Laura blieb mit ihrem Rock am Holz hängen, und bevor sie den Stoff gelöst hatte, war er schon bei ihr. Er trug den Kittel der einfachen Leute, sein Gesicht war rußgeschwärzt und sein Haar sorgfältig unter einer Kappe verborgen. Sie erkannte ihn nur an seinen Augen.

»Kommt«, sagte er hastig und mit leiser, unterdrückter Stimme, ergriff ihr Handgelenk und zog sie über die Schwelle auf die Straße. Seine Finger brannten wie Feuer auf ihrer Haut. »Biegt in die erste Straße links. Am Ende ist eine Kirche! Dort wartet Baldoni mit einer Sänfte. Ich komme nach. Beeilt Euch!«

Eine neue Gruppe von löschwilligen Bürgern kam die Straße entlanggeeilt. Alessandro stieß sie vorwärts und eilte ins Kloster zurück.

Einen Augenblick stand Laura wie benommen. Dann nahm sie ihren Rock hoch und rannte, so schnell sie konnte. Zum Nachdenken war später Zeit. Jetzt mußte sie versuchen, so schnell wie möglich die rettende Sänfte zu erreichen. Sie begegnete auf dem Weg einer Gruppe Betrunkener, die grölten und von denen einer sie um die Taille faßte und einen Kuß verlangte. Sie schlug ihm mit aller Kraft ins Gesicht. Seine Freunde brachen in röhrendes Gelächter aus, und der Wütende war zu betrunken, um ihr folgen zu können. Dann war sie an der Querstraße. Sie rannte dicht an den Hauswänden entlang bis zu den Stufen der Kirche. Eine Sänfte sah sie nicht.

Als sie keuchend vor dem Portal haltmachte, trat aus dem Schatten eines Pfeilers ein verhüllter Mann auf sie zu. Er ergriff sie bei der Hand und führte sie durch einen schmalen Gang auf einen kleinen Platz hinter dem Chor der Kirche. Dort stand die Sänfte. Er half ihr hinein, ließ sich neben ihr in die Polster fallen und schob den Vorhang vor. Die Träger hoben die Sänfte an.

»Endlich«, sagte Luca Baldoni. »Ihr habt mich lange warten lassen.«

Laura antwortete mit einem Laut, der irgendwo zwischen Lachen und Schluchzen angesiedelt war. Sprechen konnte sie noch nicht. Baldoni zog irgend etwas aus seiner Tasche und drückte es ihr in die Hand.

»Trinkt das«, sagte er.

Es war eine kleine Flasche. Laura setzte sie gehorsam an die Lippen und nahm einen großen Schluck. Die Flüssigkeit brannte in ihrem Mund und in ihrem Hals und erwärmte ihren ganzen Körper. Sie hustete. Tränen traten ihr in die Augen.

»Besser nur ein Schluck«, sagte Baldoni und nahm ihr die Flasche wieder ab, »sonst singt Ihr gleich die Kirchenlieder, die sie Euch in Sant'Agnese beigebracht haben.«

Dann sagte er nichts mehr, und sie war ihm dankbar dafür. In ihrem Kopf bewahrte sie noch die Erinnerung an die paar Sekunden eben an der Pforte des Klosters. Sie war Alessandro nicht so nahe gewesen, seit sie einander in der Kapelle in Modena gegenübergestanden hatten. Sie fühlte noch seine Berührung auf ihrer Haut, sie sah noch den Blick der grauen Augen, eigentümlich gemischt zwischen Erleichterung und Zorn, sie hörte noch seine Stimme. Er war wieder in Ferrara, er hatte sie gerettet, er würde gleich dort hinkommen, wohin Baldoni sie brachte. Das allein war die Qualen der letzten Wochen wert. Und sie hatte ihm etwas zu geben. Sie hatte etwas herausgefunden, was vielleicht seine Skrupel besiegen würde.

In Luca Baldonis Studierzimmer, am großen Eichentisch vor dem Kaminfeuer, kam sie langsam in die Wirklichkeit zurück.

Der Arzt hatte einen Imbiß bereitgestellt und einen Krug mit gewürztem Wein, den er am Kaminfeuer warm hielt.

»Danke«, sagte Laura inbrünstig und machte sich über die eingelegten Oliven und den Pecorinokäse her. Sie aß mit dem Appetit einer ausgehungerten Wölfin. Er beobachtete sie lächelnd.

»In Sant'Agnese scheint das Essen nicht reichlich zu sein.«

»Es gibt da mehr Arbeit als Brot«, bestätigte Laura. »Ich bin froh, wieder draußen zu sein.«

»In Schwierigkeiten seid Ihr trotzdem noch. Jemand hat herausgefunden, daß Ihr nicht mehr bei den Klarissinnen seid, und erpreßt Montefalcone damit.«

»Wieso Montefalcone? Wer weiß es?« fragte Laura und hörte auf zu essen.

Er zuckte die Achseln.

»Ich habe nicht das Vertrauen des großen Herrn. Ich weiß auch nicht, wie er es geschafft hat, Euch aus dem Kloster zu holen.«

»Er hat Feuer gelegt«, sagte Laura und prüfte das Angebot an kandierten Feigen.

»Er hat was?« schnappte Baldoni.

»Er hat Feuer gelegt«, wiederholte Laura und nahm mit spitzen Fingern eine besonders große Feige aus dem Korb. »Die Leute haben das Tor aufgebrochen, um den Brand zu löschen. So konnte ich in aller Ruhe hinausspazieren.«

»Ihr hättet alle verbrennen können. Oder die Stadt hätte in Flammen aufgehen können. Der Mann ist wahnsinnig«, sagte Baldoni entsetzt.

Laura schüttelte den Kopf.

»Ich glaube nicht, daß wirklich eine Gefahr bestand. Es gab überhaupt kein loderndes Feuer, nur Rauch. Ich halte das Ganze für eine ausgezeichnete Idee.«

Er schüttelte den Kopf.

»Wie könnt Ihr nur so gelassen darüber sprechen! – Wo bleibt Montefalcone eigentlich? Er sollte schon längst hier sein.«

»Oh«, sagte Laura erschreckt und reagierte für sein Empfinden zum ersten Mal natürlich. »Könnte ich mich irgendwo waschen? Und ich möchte mein Kleid anziehen, das bei Euch in der Truhe liegt.«

Er führte sie in sein Schlafzimmer und brachte ihr das Kleid vom Speicher herunter. Dann wartete er im Studierzimmer auf Montefalcone.

Eine Viertelstunde später traf der Graf mit Matteo ein.

»Wo ist Laura?« fragte er sofort.

»Oben. Sie macht sich schön, nachdem sie sich sattgegessen hat«, sagte Baldoni. »Das Mädchen hat überhaupt keine Nerven. Sie hat mir erzählt, daß Ihr das Kloster in Brand gesteckt habt.«

Montefalcone nahm die Kappe ab und setzte sich.

»Das ist übertrieben. Wir haben für Rauch gesorgt, Matteo und ich. Wir haben nasses Stroh von der Stadtmauer aus auf den Friedhof geworfen und trockenes Heu dazu und dann

Brandpfeile hineingeschossen. Es gab eine tüchtige Rauchentwicklung, die ihren Zweck erfüllt hat. Ganz Ferrara war auf den Beinen, um Sant'Agnese zu löschen.«

»Morgen früh wird man die Pfeile finden und nach den Brandstiftern suchen«, sagte Baldoni.

Matteo zog den linken Mundwinkel hoch. »Bloß daß da keine Pfeile da sein werden, und auch kein Stroh und kein Heu«, sagte er. »Wir haben noch ein bißchen gearbeitet, nachdem Ihr mit Madonna Laura in Euer Haus zurückgekehrt seid.«

»Ihr vergeßt nichts, wie?« fragte Baldoni, gegen seinen Willen beeindruckt.

Montefalcone zuckte die Achseln.

»Vergeßlichkeiten können tödlich sein, mein Lieber.«

Die Tür öffnete sich, und Laura trat ein. Sie hatte sich in einer halben Stunde so gut zurechtgemacht, wie sie es mit den begrenzten Hilfsmitteln des Arztes geschafft hatte. Das Kleid war verdrückt, aber es strömte noch einen leichten Hauch von Parfüm aus, der sich mit dem Rauchgeruch ihrer Haare vermischte. Sie hatte sich gewaschen und so geschrubbt, daß die Haut einen leicht rosigen Schimmer zeigte. Die Haare hatte sie in zwei Zöpfe geflochten, die wie bei einem braven Bauernmädchen einfach über den Rücken hingen. Sie sah sehr jung und sehr erschöpft aus.

Montefalcone erhob sich bei ihrem Eintritt, blieb aber unbeweglich am Tisch stehen. Matteo verbeugte sich.

Laura schien weder Baldoni noch den Diener wahrzunehmen. Ihre Augen waren auf Montefalcone allein gerichtet, mit einem Ausdruck, der alle sonstige Welt ausschloß. Baldoni bewegte sich zur Tür und bemerkte, daß Matteo das gleiche tat. Unwillkürlich trat Laura beiseite und ließ sie vorbei. Baldoni schloß von außen die Tür.

Nur das Knistern des Feuers im Kamin unterbrach die Stille.

Alessandro legte die Hände auf den Tisch, um ihr Zittern zu unterdrücken. Schließlich unterbrach Laura die Stille mit einem kleinen Lachen.

»Da bin ich«, sagte sie. »Ich danke Euch für die Brandstiftung. Ich war des Klosters schon ein wenig überdrüssig, muß ich gestehen.«

Seine Augen verloren den anbetenden Blick, und der Zorn,

den sie schon an der Klosterpforte gesehen hatte, kehrte zurück.

»Ihr seid verrückt gewesen«, sagte er heftig. »Wer hat Euch in den Kopf gesetzt, Euch auf ein solches Abenteuer einzulassen? Ihr habt Euch selbst in den Mittelpunkt eines Skandals gebracht, der nicht nur Euch, sondern den ganzen französischen Hofstaat der Prinzessin diskreditiert hätte. Und wofür das alles? Um einer Chimäre nachzulaufen! Hat Euch niemand gesagt, daß die Nonnen von Sant'Agnese ein absolutes Schweigegelöbnis ablegen? Und wie konntet Ihr, gerade von einer schweren Krankheit genesen, Eure Gesundheit, ja Euer Leben aufs Spiel setzen? Ihr seid jung, aber ich hätte nicht gedacht, daß Ihr unbesonnen, töricht und leichtfertig seid! Und glaubt Ihr, was immer Ihr auch herausgefunden hättet, es hätte irgend etwas zwischen uns geändert?«

Er sprach laut und heftig. Laura streckte abwehrend die Hände aus.

Er sagte barsch: »Überlegt in Zukunft, bevor Ihr handelt. Und wenn Ihr in meinen Angelegenheiten noch einen einzigen Schritt ...«

Er brach plötzlich ab. Sein Ton veränderte sich von Zorn zu Entsetzen.

»Mein Gott, Laura! Was habt Ihr mit Euren Händen gemacht?«

Mit zwei Schritten war er bei ihr. Er drehte ihre Hände um und hielt den Atem an. Er sah die Frostbeulen, die Schwielen, die Blasen und das rohe Fleisch, wo die Haut über den Blasen aufgeplatzt war.

»Mein Gott«, sagte er.

Lauras Herz schlug so schnell und hart, daß sie es bis in ihre Kehle hinein klopfen fühlte. Sie atmete rascher. Röte stieg unter der Haut in ihr Gesicht. Sie brauchte nur eine kleine Bewegung zu machen, und sie würde in seinen Armen liegen und seine Küsse trinken. Sie rührte sich nicht.

Er ließ ihre Hände sinken, ohne sie freizugeben und schaute sie an. Auch sein Atem ging schneller, und sie las in seinen Augen dasselbe Verlangen. Einen Augenblick standen sie einander gegenüber, und ihr Atem vermischte sich. Sie öffnete die Lippen. Im Kamin krachte ein Scheit zusammen, und ein Funkenregen sprühte auf.

Er ließ ihre Hände fallen, als hätte er sich verbrannt, und kehrte zum Tisch zurück. Er warf sich auf den Stuhl und vergrub die Stirn in den Händen.

»Nicht Licht noch Land ringsum«, sagte er aufstöhnend, »nur Finsternis und Abgrund. Kein Schritt, der nicht in die Verzweiflung führt.«

Laura zitterten die Knie. Sie sank auf den nächsten Stuhl und holte tief Atem. Als sie glaubte, ihre Stimme wieder in der Gewalt zu haben, sagte sie:

»Es muß Hoffnung geben.«

»Sie wäre nichts als Lüge. Wir würden aus dem Schlummer des Selbstbetrugs aufwachen und uns wieder den Tatsachen gegenübersehen. Aus dem Kerker unserer Leiden führt nur ein Weg heraus, Laura.«

»Ja«, rief Laura, »nur ein Weg: der endlosen Vermutungen ein Ende zu machen und zu prüfen, was wir wirklich wissen.«

»Vermutungen«, sagte er, »wenn es nur Vermutungen wären! Aber ich habe Gewißheit. Ihr hättet nicht nach Sant'Agnese gehen müssen. Ich weiß seit Rom, wer ich bin. Ich war vor zwei Jahren beim Sacco di Roma* dabei. Ich unterstützte mit meiner Truppe im Auftrag des Herzogs die kaiserlichen Landsknechte. Es war entsetzlich. Der Papst hatte sich mit einigen Getreuen in die Engelsburg flüchten können, alle, die dort keine Zuflucht fanden, waren der Soldateska hilflos preisgegeben. Eine Woche herrschte der Antichrist in der Stadt. Plünderung, Brandstiftung, Folter, Vergewaltigung, Mord – es gab keine Scheußlichkeit, die der Mensch sich ersinnen kann, von der die Römer verschont blieben. Wir Offiziere versuchten, dem Toben der Männer ein Ende zu bereiten. Sie waren wie trunken vom Bösen. Schließlich bot mir der Herzog von Nepi ein Haus an, das als Stützpunkt geeignet sei, von dem aus ich Hilfsmaßnahmen und Schutztruppen organisieren könne.«

»Giovanni Borgia?«

»Du kennst ihn?«

* Bezeichnung für die Eroberung und Plünderung Roms am 6. 5. 1527 durch deutsche Landsknechte; bez. das Ende der Renaissance in Rom und den Anfang der Erneuerung der Kurie.

»Er war bei der Gesandtschaft des Papstes in Modena und ist der Prinzessin vorgestellt worden. Er hat uns auf dem Schiff nach Ferrara begleitet. Dort habe ich mit ihm gesprochen. Ein sonderbarer junger Mann. Er grübelte darüber nach, ob er nun mein Bruder oder mein Onkel ist.«

Alessandro lächelte nicht.

»Er führte mich nach Trastevere in das frühere Haus von Vannozza Cattanei, der Mutter Lucrezia und Cesare Borgias. Ich wünschte, ich hätte es nie betreten. Es war ein gutes Haus für solche Zeiten. Es war aus Stein, hatte eine feste Tür und einen Brunnen im Hof. Viele Nachbarn hatten sich hineingeflüchtet, hauptsächlich Frauen, Kinder und Greise. Mit Giovanni und ein paar anderen Männern organisierte ich die Verteidigung. Wir verbarrikadierten die Tür und stellten Wachen an die vergitterten Fenster. Wasser hatten wir genug, um Brandfackeln zu löschen und uns wochenlang mit Trinken zu versorgen. Lebensmittel waren natürlich knapp. Dennoch gelang es uns, das Haus während des ganzen Terrors zu halten. Alle haben überlebt, bis auf eine alte Frau, die sowieso schon im Sterben lag.«

Laura lauschte konzentriert. Er hatte das Wesentliche noch nicht gesagt. Ihr war, als schildere er alles nur, um das Wichtigste aufzuschieben.

»Diese Alte«, fuhr er fort, »war, so sagte mir Giovanni Borgia, Vannozza Cattaneis Amme gewesen. Sie war nahezu achtzig Jahre alt, runzlig und vertrocknet wie eine Mumie. Aber ihr Geist war noch ganz klar. Sie erkannte mich sofort.«

Diesmal lächelte er. Laura fror unter diesem Lächeln.

»Wie auch nicht. Ich sehe meiner Mutter sehr ähnlich. Das gleiche blonde Haar, die gleichen grauen Augen. Ich bin ein illegitimer Sohn Lucrezia Borgias.«

Er schwieg und sah auf seine Hände hinab, als wolle er ihrem Blick nicht begegnen.

Laura wartete. Als er nicht weitersprach, fragte sie:

»Und?«

»Zwischen ihrer ersten und ihrer zweiten Ehe brachte Lucrezia ein Kind zur Welt. Die Schwangerschaft blieb wohlverborgen. Man hielt sie die ganze Zeit in einem Kloster versteckt. Später wurde das Kind zu einem am Hofe lebenden

Ehepaar gegeben, so daß es in der Nähe seiner leiblichen Mutter aufwachsen konnte. Ich bin der Sohn Lucrezia Borgias.«

Er ließ die Hände auf die Tischplatte sinken und sah sie nicht an. Leise fuhr er fort:

»Aber das ist nicht das Schlimmste. Als ich die Alte fragte, wer mein Vater gewesen sei, schwieg sie. Es war, als müsse sie ein furchtbares Geheimnis bewahren. Kurz darauf starb sie. Aber sie hatte es Giovanni erzählt. Die Bürde dieser schrecklichen Wahrheit lastete im Angesicht des Todes wohl zu schwer auf ihr. Er hat es mir dann auf mein Drängen hin endlich gesagt. Er hat mir gesagt, daß mein Vater Cesare ist. Lucrezia ist bei meiner Geburt kaum 15 Jahre alt gewesen. Ich bin der Sohn Lucrezias und Cesares, der Sohn der Blutschande.«

Ihr Gesicht blieb unverändert.

»Du weißt es?«

»Ich habe es erraten. Giovanni schenkte mir ein Bild von Cesare. Ich sah deine Ähnlichkeit mit ihm. Und daß du Lucrezias Farben hast. Ich dachte an das, was du in Arles sagtest und in Modena. Über die Schande deiner Geburt, und daß du mich lieben könntest, wenn ich Rosevals Tochter wäre. Es paßte alles zusammen. Aber was ich nicht begreife – warum hat es niemand vorher herausgefunden? Deine Ähnlichkeit mit Cesare und Lucrezia ist so frappierend.«

»Sie haben an alles gedacht, als sie mich verschwinden ließen. Federigo Montefalcone hat eine Borgia geheiratet. Wenn ich meinen Eltern ähnlich sehen würde, wen würde das wundern? Sie und ich stammten ja aus einer Familie.«

Er schaute sie an, und sein Blick war hart und verzweifelt.

»Laura, wir sind Halbgeschwister. Auf uns liegt der Fluch der Borgia. Unsere Liebe ist Inzest.«

Laura schüttelte heftig den Kopf.

»Ich glaube es nicht. Sosehr können die Götter uns nicht verhöhnen. Und ich sehe keine Beweise. Das Gerede einer alten Frau, die fast hundert ist und im Sterben liegt. Und eine Familienähnlichkeit! Wenn das die Beweise sein sollen!«

»Andere gibt es nicht. Und wir können sie nicht einfach vom Tisch wischen, weil sie uns nicht passen.«

»Wer sagt, daß es keine anderen gibt? Ich habe mit der Gräfin Montefalcone Kontakt aufgenommen. Ich habe sie gefragt, wer deine Eltern sind, und sie hat geantwortet, daß Don Giulio die Wahrheit weiß.«

»Don Giulio?« wiederholte er verblüfft. »Der Bruder des Herzogs, der vor über 20 Jahren eingekerkert worden ist?«

Laura nickte.

»Mehr konnte sie mir nicht mitteilen. Aber das beweist, daß es ein Geheimnis um deine Herkunft gibt. Mehr allerdings nicht. Der nächste Schritt muß es sein, Don Giulio aufzusuchen und ihn zu befragen.«

Ihre Stimme war eifrig wie die eines Kindes, das zu einem Spiel drängt. Er schüttelte den Kopf.

»Sollte ich mich als Kerkermeister verdingen«, sagte Alessandro spöttisch, »wie du als dienende Schwester? Laura, es ist unmöglich, den Gefangenen zu sprechen. Wer auch nur in die Nähe des Turmes kommt, macht sich verdächtig. Es hat noch nie einen Gefangenen gegeben, der seit Jahrzehnten so scharf bewacht und so sorgfältig isoliert ist. Es ist aussichtslos.«

»So schnell willst du aufgeben? Bin ich dir nicht mehr Anstrengungen wert?«

Er fuhr auf.

»Du weißt, daß du mir mehr als mein Leben bedeutest. Trotzdem ist es unmöglich, zu Don Giulio vorzudringen. Niemand darf ihn sehen, nicht einmal seine Wärter. Sie reichen ihm die Nahrung durch eine Luke in der Decke.«

»Niemand darf ihn sehen«, wiederholte Laura. In ihrem Kopf gab es eine schwache Erinnerung. Sie dachte nach und dann fiel es ihr ein. Luca Baldoni hatte über Verschwörungen gesprochen.

»Ich glaube, Don Giulio darf einen Arzt empfangen«, sagte sie langsam, »nämlich Doktor Baldoni. Ich bin ganz sicher, daß Baldoni so etwas angedeutet hat.«

»Laura, versprich mir, daß du nichts unternehmen wirst! Ich will tun, was ich kann, um zu Don Giulio vorzudringen, aber du hältst dich heraus. Habe ich dein Wort?«

Laura zögerte.

»Dein Wort!« forderte er. Sie sah die Unbeugsamkeit in seinen Augen und gab nach.

»Ich verspreche es.«

»Danke. Es wird gleich hell. Wir müssen dich in das Kloster der Klarissinnen zurückschmuggeln, bevor es hell ist.« Sie sah ihn erschrocken an.

»Baldoni hat gesagt, jemand habe mein Verschwinden bemerkt und dich damit erpreßt.«

»Marguerite de St. Philibert«, sagte er. »Trau ihr nicht! Sie hat nichts im Kopf als ihren eigenen Vorteil. Aber wir können sie schlagen. Ich habe bereits alles in die Wege geleitet. Baldoni bringt dich zu den Klarissinnen zurück. Heute nachmittag wird die Prinzessin mit einigen Damen dich dort aufsuchen und gleich mit zurück in den Palast nehmen. Wenn Marguerite Fragen stellt, wird sie erfahren, daß alles ein Mißverständnis war.«

Er schaute besorgt auf ihre Hände. »Du mußt in den nächsten Wochen deine Hände verbergen.«

»Ich habe Ausschlag und muß deshalb Handschuhe tragen.«

»Gut.« Er nickte befriedigt, »ich denke, das ist alles.«

Laura zögerte. Dann atmete sie tief ein.

»Ich habe Furchtbares geträumt. Eine Wölfin verfolgte dich und riß dich zu Boden und zerfleischte dich …«

»Genauso habe ich mich gefühlt, als Louise mir erzählte, daß du Cesares Tochter bist.«

»Ich glaube nicht, daß der Traum davon handelte. Du bist in Gefahr. Versprich mir, daß du nie zur Wolfsjagd gehst«, sagte sie drängend.

»Keine Sorge, Matteo und Antonio weichen mir nicht von der Seite«, sagte er leichthin, »kein Untier würde uns dreien standhalten.«

Einen Augenblick hüllte er sie in ein so zärtliches Lächeln, daß ihr schwindlig wurde. Dann drehte er sich abrupt um und verließ den Raum so schnell, daß es einer Flucht gleichkam.

Das Leben am Hof erschien Laura nach ihrer Rückkehr seltsam. Die Wochen, die sie bei den Klarissinnen und in Sant'Agnese verbracht hatte, ließen sie die Welt des Hofes mit anderen Augen betrachten. Die Eigensucht, die kleinlichen Intrigen, die Vergnügungen, die die Langeweile besiegen sollten, erschienen ihr lächerlich im Vergleich zu dem tätigen Leben der Klarissinnen oder zu dem Schweigen der Nonnen von Sant'Agnese, das wie Weihrauch zu Gott aufstieg. Laura fühlte sich wie ein Vogel im Käfig, gefangen, bewundert, unterhaltend und unnütz. Aus diesem Empfinden heraus sagte sie zu Cristina Nogazza:

»Wie haltet Ihr dieses Leben nur aus?«

Es war drei Tage nach ihrer Rückkehr aus dem Hospital. Die Prinzessin hatte Laura einen Ausschnitt aus Aristoteles Werk über die Politik vorlesen lassen und anschließend Cristina gebeten, den Text zu kommentieren. Ihre Damen langweilten sich dabei tödlich und waren froh, als Prinz Ercoles Erscheinen das Gespräch unterbrach.

Zu ihrem Erstaunen bemerkte Laura, daß Cristina Nogazza sie in eine Fensternische manövrierte und offensichtlich allein und unbeobachtet mit ihr sprechen wollte. Cristina machte ihr ein Kompliment über ihre Kunst des Vortragens und sagte, sie sei sicher im Griechischen und Lateinischen unterrichtet worden und habe auch Philosophie betrieben.

»Ich habe Unterricht gehabt«, bekannte Laura, schränkte aber gleich ein, »ich bin keine Gelehrte wie Ihr. Grundsatzfragen sind mir nicht so wichtig. Ich löse lieber praktische Probleme. Aber«, fügte sie hinzu, »wie haltet Ihr dieses Leben als Dame der höfischen Gesellschaft nur aus?«

Cristina betrachtete Laura nachdenklich. Sie hatte, sobald sie das Mädchen erblickt hatte, keinen Zweifel daran, daß sie sich geirrt hatte, Alessandro war nicht in die schöne silberblonde Marguerite verliebt, sondern in dieses Mädchen mit den ernsten Augen und dem entschlossenen Kinn. Sie verstand ihn vollkommen. Sie fühlte sich vom ersten Augenblick an zu Laura hingezogen, weil sie anders war als die oberflächlichen, zwitschernden Damen des Hofes. Wäre sie nicht in Elisabetta verliebt, dachte sie, hätte sie sich ebenso wie Alessandro in Laura verlieben können. Sie wußte nicht, wie Lauras Empfindungen für ihn waren, und sie hatte die Absicht, es herauszufinden. Deshalb hatte sie Laura in die Nische gezogen. Lauras Frage überraschte sie.

»Was findet Ihr an diesem Leben unerträglich?« fragte sie zurück.

»Dieses müßige Geschwätz! Diese eitle Nichtstuerei! Ich begreife nicht, daß Ihr Eure Zeit so verschwendet! Ihr korrespondiert mit den größten Geistern unserer Zeit. Ihr übersetzt Vergil. Wie lächerlich muß Euch dagegen diese Gesellschaft vorkommen«, sagte Laura leidenschaftlich.

»Als Cristina Nogazza, ja. Aber ich bin auch die Gräfin Montefalcone und als solche ein Teil dieser Welt. Wie Ihr es doch auch seid. Könnt Ihr Euch ein anderes Leben vorstellen?«

Laura nickte heftig.

»Sofort. Ein tätiges Leben, ein Leben, in dem ich etwas bewirken kann für mich und für andere, in dem es nicht egal ist, ob ich lebe oder nicht. Hier bin ich völlig unwichtig. Ich habe drei Wochen bei den Klarissinnen gelegen, und es hat keinen Unterschied gemacht, ob ich hier war oder nicht.«

Cristina setzte ihre nächsten Worte mit Bedacht.

»Mir scheint, Ihr fordert weniger, nützlich zu sein, als geliebt zu werden. Wichtig sind wir doch nur den Menschen, die uns lieben.«

»Das glaube ich nicht«, antwortete Laura. »Der Arzt ist uns wichtig, der Dichter, der Priester – alle Menschen, die tätig sein dürfen. Ich hasse dieses Leben, in dem ich nicht viel mehr bin als eine Anziehpuppe.«

»Dann solltet Ihr heiraten«, schlug Cristina vor. »Eine Hausfrau und Mutter hat doch einen Zweck und Sinn im Leben.«

Laura begegnete ihrem verstohlen forschenden Blick mit Freimut.

»Wie kann ich heiraten?« sagte sie offen. »Der einzige Mann, den ich lieben kann, ist Euer Gatte.«

Cristina trat unwillkürlich einen Schritt zurück. Solche Direktheit hatte sie nicht erwartet. Sie hatte das Terrain sondieren wollen und sich vorsichtig angeschlichen. Jetzt fühlte sie sich ertappt und aus ihrem Versteck ins helle Licht gezerrt. Zu ihrem Unbehagen gesellte sich eine unwillkürliche Bewunderung für Lauras Mut.

»Und Alessandro liebt Euch auch«, sagte sie.

»Ich weiß«, antwortete Laura.

Zu ihrem Erstaunen hörte Cristina sich sagen:

»Ich habe ihm angeboten, unsere Ehe auflösen zu lassen, aber er wollte es nicht.«

»Würde ein Antrag auf Anullierung vom Papst angenommen werden?« fragte Laura.

Cristina nickte, erklärte aber nichts.

»Ihr seid großzügig«, sagte Laura, »aber es hilft dennoch nichts. Es gibt ein Hindernis zwischen Alessandro und mir, das nichts mit dieser Ehe zu tun hat. Er würde mich auch dann nicht heiraten, wenn er frei wäre.«

Cristina warf einen kurzen Blick über die Schulter. Sie sah, daß niemand in Hörweite war, senkte aber trotzdem die Stimme.

»Natürlich nicht. Seine Frau hat die besten Aussichten, bald Witwe zu werden.«

Sie sah an Lauras Gesicht, daß das Mädchen sie nicht verstand, und fügte knapp hinzu:

»Jemand will ihn ermorden. Über kurz oder lang wird es ihm wahrscheinlich gelingen.«

Laura wurde blaß.

»Wer?« flüsterte sie.

Cristina zuckte die Achseln.

»Ich habe einen Verdacht, obwohl ich das Motiv hinter der Tat nicht verstehe. Ich glaube, es ist der Herzog selbst.«

»Das ist sehr wahrscheinlich«, stimmte Laura zu ihrer Verblüffung zu.

Cristina zog die Brauen zusammen und starrte sie an.

»Heißt das, Ihr wißt etwas darüber?«

»Ich habe auch nur eine Vermutung«, antwortete Laura vorsichtig.

»Alessandro auch. Aber er sagt mir nichts. Er sagt, schon bloßes Wissen kann tödlich sein. Habt Ihr Vertrauen zu mir, Laura? Wir wollen das Beste für denselben Mann. Laßt uns zusammen nachdenken und an seiner Rettung arbeiten.«

»Ich schätze Homer ganz außerordentlich«, sagte Laura laut. »Meines Erachtens hat er mehr Kraft und Männlichkeit als Vergil. Aber Euer Ariost, den ich gerade lese …«

Ein Schatten fiel über sie, und ein melodisches Lachen ertönte hinter Cristina.

»Mon dieu, die Literaturkritikerinnen in voller Aktion?

Laßt nur die Männer nicht merken, mit welch unweiblichen Themen Ihr Euch beschäftigt. Sonst habt Ihr keinen Wert mehr auf dem Heiratsmarkt.«

Marguerite de St. Philibert trat zu ihnen.

Cristina verfluchte sie innerlich und zwang sich zu einem Lächeln.

»Meinen Wert brauche ich nicht mehr zu bedenken. Ich bin schon gekauft worden. Und ich werde tun, was ich kann, um einen Gatten für Mademoiselle de Roseval zu finden, der gerade das Außergewöhnliche an ihr schätzt. Hübsche Mondkälber gehen zwölf auf ein Dutzend. Wer das sucht, verdient keine Frau mit Geist und Bildung.«

»Wohlgesprochen«, sagte Marguerite und applaudierte. »Die Aufgabe, die Ihr Euch stellt, wird nicht leicht sein. Nicht alle Männer, die Geist und Bildung bei einer Frau schätzen, sind noch frei.«

Cristina überlegte, ob das eine Anspielung sein sollte oder ob sie überempfindlich war. Ahnte Marguerite etwas von der Liebe zwischen Alessandro und Laura? War sie vielleicht sogar Lauras Vertraute? Sie sah eine Wolke von Ärger auf Lauras Stirn und verwarf den Gedanken. Bevor Laura etwas Unbedachtes sagen konnte, kam Cristina ihr zuvor.

»Ich kenne eine Menge Männer in Ferrara, Mantua, Urbino oder Venedig, die sich glücklich schätzen würden, Mademoiselle de Roseval heimzuführen.«

Marguerite lächelte.

»Es würde mich freuen, wenn Ihr für Laura eine Ehe stiften könntet. Es wäre eigentlich auch nur gerecht, nicht wahr? Schließlich hat Laura durch Euren Mann einen Gatten eingebüßt. Monsieur Montefalcone hat Lauras Verlobten getötet.«

Cristina, die davon nichts wußte, hoffte, daß ihr Ausdruck ihre Überraschung nicht verriet. Zu Laura gewandt, fuhr Marguerite mit demselben freundlichen Lächeln fort:

»Damit die Gräfin Montefalcone Erfolg hat, solltet Ihr Euren Ausschlag loswerden. Und ein neues Parfüm verwenden. Das, mit dem Ihr aus dem Kloster gekommen seid, roch nach Rauch und ließ Euch wie ein Kaminkehrer duften.«

Sie schloß die beiden Frauen in ein herzliches Lächeln ein und zog sich zurück.

»Eine Viper«, bemerkte Cristina voller Abscheu.

Laura nickte.

»Sie ist auch eine scharfe Beobachterin. Man muß sich vor ihr in acht nehmen.«

Cristina legte Laura eine Hand auf den Arm.

»Wir haben viel zu besprechen, glaube ich. Aber nicht hier. Dieser Ort eignet sich nicht für vertrauliche Unterhaltungen. Besucht mich übermorgen im Palazzo Montefalcone.«

»Ich weiß nicht, ob mich die Prinzessin dann braucht«, sagte Laura zögernd.

»Ganz gewiß nicht«, sagte Cristina. »Ihr braucht nur zu sagen – und es wird sogar wahr sein, denke ich –, daß Ihr von der Krankheit noch zu geschwächt seid, um ausreiten zu können. Übermorgen wird der ganze Hof auf die Jagd gehen. Die ersten Wölfe sind im Tal gesehen worden.«

Erstaunt nahm sie wahr, wie blaß Laura de Roseval geworden war.

»Woher wißt Ihr …?« begann Luca Baldoni und brach dann ab. Es war zu spät. Eine heiße Röte des Ärgers stieg in sein hageres Gesicht. Jetzt konnte er nichts mehr leugnen und kaute verdrossen an der Unterlippe.

Der Mann im Lehnstuhl ihm gegenüber lächelte verbindlich. Er war vom blonden Haar bis zu den silbernen Schnallen seiner Schuhe makellos. Ein reichgekleideter Edelmann mit der Grandezza des großen Herrn. Nichts erinnerte mehr an den verrußten Arbeiter der vergangenen Nacht.

»Woher ich es weiß? Von Madonna Laura natürlich«, sagte Montefalcone. »Ihr habt ihr gegenüber eine Andeutung fallenlassen.«

»Der Moment, in dem ich sie gesehen habe, war der schwärzeste meines Lebens«, behauptete der Arzt.

Er schenkte sich aus einer kleinen Flasche eine stärkende Medizin ein und schluckte sie auf einmal hinunter. Dann hustete er und wischte sich die Tränen aus den Augenwinkeln.

»Scheint außerordentlich stark zu sein, Eure Medizin«, bemerkte Montefalcone trocken.

Der Arzt sah ihn fragend an, aber er schüttelte den Kopf.

»Danke, aber ich brauche einen ungetrübten Verstand. Ich will einige Auskünfte über Don Giulio.«

Der Arzt betrachtete ihn verbittert. Da saß er in seinem besten Lehnstuhl, die Beine lässig ausgestreckt, die Augen freundlich und aufmerksam, als wolle er über nichts als eine interessante medizinische Frage reden, und nichts deutete darauf hin, daß er den Arzt gerade zum Hochverrat veranlassen wollte. Wie ein Kater vor dem Mauseloch, dachte Baldoni. Er wirkt entspannt, aber er lauert doch. Und die arme Maus hat keine Chance zu entkommen.

»Ich denke, Ihr solltet aufhören, Euch zu sträuben«, sagte Montefalcone freundlich. »Wir verschwenden nur Zeit. Am Ende sagt Ihr mir doch, was ich wissen will.«

»Ich habe dem Herzog Stillschweigen geschworen. Wenn ich das Schweigen breche, ende ich auf dem Schafott«, wandte der Arzt ein.

»Nur wenn der Herzog es herausfindet. Sonst nicht«, sagte Montefalcone ermutigend.

Baldoni rutschte auf dem Stuhl hin und her.

»Ich bin kein Held. Ich bin nicht mutig. Ich bin feige.«

Montefalcone zog eine Braue hoch.

»Wirklich? Da habe ich aber ganz anderes über Euch gehört. Es geht das Gerücht, daß Ihr heimlich Leichen seziert. Angesichts der Inquisition finde ich das sehr mutig.«

Baldoni spürte hinter der Ironie die Drohung und resignierte.

»Also gut. Fragt, was Ihr wollt!« sagte er.

»Seit zwanzig Jahren lebt Don Giulio unter unmenschlichen Haftbedingungen. Wie ist sein Zustand? Ist er noch ein Mensch oder nur noch eine Kreatur?«

»Er ist wieder ein Mensch«, sagte Baldoni und begann auf den fragenden Blick seines Gegenübers mit der Erklärung. »Im April ließ der Herzog mich rufen. Er sagte mir, daß Don Giulio sehr krank sei und daß ich sein Leben um jeden Preis retten müsse. Wenn mir das gelänge, würde er mich reich machen. Die Wachen führten mich in den Kerker hinunter. Es war entsetzlich.«

Er schauderte.

»Dieser Gestank! Die Zelle war feucht und modrig. Es

wimmelte von Ratten und stank nach Exkrementen. Don Giulio lag auf dem Strohsack inmitten seines Unrats. Niemand hatte ihn gewaschen, rasiert oder die Nägel geschnitten. Er hatte hohes Fieber, seine Haut war mit Geschwüren bedeckt, Bart und Haare waren verfilzt. Er war zum Skelett abgemagert. Sein Geist hatte sich auf die Flucht aus dieser Hölle begeben. Er gaukelte ihm vor, er sei in seinem Palast. Er hielt sich für den König der Ratten. Wenig an ihm erinnerte an einen Menschen, und ich glaubte nicht, daß ich sein Leben würde retten können. Ich stellte dem Herzog eine Reihe von Bedingungen, unter denen es vielleicht möglich sein würde. Ich sagte, der Gefangene brauche eine saubere, trockene und warme Zelle, in der er Tageslicht habe. Er brauche die beste Pflege und Nahrung, sowohl für seinen Geist wie für seinen Körper. Der Herzog gestand mir alles zu, unter der Bedingung, daß Don Giulio weiterhin völlig isoliert bliebe. Er muß um ein schreckliches Geheimnis wissen, daß der Herzog bewahren will. Ich verstehe nur nicht, warum er sich dann überhaupt solche Mühe macht, ihn am Leben zu erhalten.«

»Das ist in der Tat mysteriös«, sagte Montefalcone. »Wie haben sich also die Lebensbedingungen des Häftlings verändert?«

»Er bekam eine neue Zelle. Nicht mehr unten in den Fundamenten des Turms, wo es immer feucht vom Burggraben ist, sondern im obersten Stockwerk des Turms. Die Zelle ist geräumig und hat ein Fenster und einen Kamin. Sie erhielt auch anständige Möbel. Ich stellte dem Herzog vor, daß Don Giulio frische Luft brauche, Gesellschaft, Anregung für seinen Geist und körperliche Betätigung. Daraufhin ließ der Herzog in Körben Erde auf die Plattform des Turms schaffen und dort oben einen kleinen Garten anlegen, in dem Don Giulio arbeitet. So hat er körperliche Beschäftigung an der frischen Luft. Zur Gesellschaft hat er zwei Vögel und zur Anregung Bücher.«

»Bücher?« unterbrach Montefalcone ihn verblüfft. »Ich dachte, er sei blind.«

»Die Leute haben übertrieben. Er ist auf einem Auge blind, auf dem zweiten hat er Sehkraft zurückgewonnen. Es ist erstaunlich, welche Veränderung in diesem halben Jahr mit ihm vorgegangen ist. Er ist wieder – wie Ihr das vorhin ausgedrückt habt – ein Mensch, nicht mehr bloß eine Kreatur.«

»Beschreibt mir den Zugang zu dem Gefangenen!«

Baldoni breitete die Hände aus.

»Bei den Göttern, wenn Ihr daran denkt, Don Giulio einen Besuch abzustatten, dann laßt die Idee lieber gleich wieder fallen. Es ist unmöglich. Es gibt eine Treppe in den Turm hinauf. Sie beginnt in der Wachstube. Dort sitzen immer zehn Wachmänner. Wer von ihnen dem Gefangenen Nahrungsmittel, oder was er sonst braucht, hochträgt, wird vorher gründlich durchsucht, ob er nicht etwa eine Botschaft einschmuggeln will. Kommt er wieder herunter, wird er durchsucht, ob er keine Nachricht hinausschmuggeln will. Das System ist absolut sicher. Nicht einmal eine Maus könnte Don Giulio ohne Erlaubnis des Herzogs besuchen.«

»Unter wessen Kommando stehen die Soldaten?«

»Sie sind alle Veteranen und werden sehr gut besoldet. Sie sind Bestechungen völlig unzugänglich, und ihr Kommandeur hat den Ruf, der ehrlichste Mann in ganz Ferrara zu sein. Es ist Cristoforo Ottaviani. Mit Geld könnt Ihr nichts erreichen, und auch nicht mit Gewalt.«

Montefalcone erhob sich.

»Ich glaube Euch aufs Wort«, sagte er. »Aber Geld und Gewalt sind nicht die einzigen Methoden, um ein Ziel zu erreichen.«

»Nein, es gibt auch noch Erpressung«, sagte der Arzt grollend.

Montefalcone lächelte leicht.

»Laßt es gut sein, Doktor. Ich werde Euch nicht mehr behelligen. Für Euch ist diese Angelegenheit damit beendet.«

»Das will ich hoffen«, antwortete Baldoni und begleitete seinen Besucher zur Tür.

Eine Stunde später verließ Montefalcone seinen Palazzo durch den Hinterausgang. Er hatte das Samtgewand des Edelmannes gegen die Lederweste des einfachen Soldaten vertauscht. Matteo begleitete ihn. Sie schlugen den Weg in die schmalen Gassen des Borgo ein, wo, wie Matteo wußte, Cristoforo Ottaviani ein kleines Haus bewohnte.

»Er lebt allein«, sagte Matteo. »Er versorgt sich selbst. Nur eine Nachbarin macht gelegentlich sauber und hält seine Wäsche instand. Der Alte hat so viele Jahre im Felde verbracht, daß ihm die Seßhaftigkeit nicht schmeckt. Er lebt in seinem Haus nicht anders als in einem Zelt. Hier ist es.«

Sie standen vor einem schmalen zweistöckigen Haus. Matteo klopfe. Aus dem Fenster des Nachbarhauses streckte eine Frau den grauhaarigen Kopf heraus.

»Ottaviani ist nicht da«, erklärte sie. »Er ist auf dem Markt und kauft ein. Das macht er immer selbst. Denkt, ich würde ihn übers Ohr hauen. Ha!«

Damit wollte sie sich zurückziehen.

»Wir wollen auf ihn warten«, sagte Matteo rasch. »Wir sind alte Kameraden von früher. Könnt Ihr uns das Haus öffnen?«

»Damit ich Diebe einlasse, was? Für wie blöd haltet Ihr mich? Nicht, daß es bei dem Alten etwas zu stehlen gäbe, bewahre! Was er hat, stopft er seinem Sohn in den Rachen. Der hängt mit einer solchen Affenliebe an diesem Jüngelchen! Wenn Ihr warten wollt, dann wartet auf der Gasse! Wird nicht allzu lange dauern.«

Montefalcone klimperte mit der Geldkatze in seiner Hand.

»Wir warten lieber drinnen«, sagte er freundlich. »Ottaviani wird nicht erfreut sein, wenn er hört, daß Ihr seine besten Freunde auf der Straße habt stehen lassen. Wenn Ihr uns aufschließt, wird Ottaviani zufrieden sein, und Ihr werdet es auch sein.«

»Nun, wenn Ihr gute Freunde von ihm seid …«, sagte die Alte zögernd.

Der Klang der Silbermünzen hatte offenbar eine eigene Überzeugungskraft. Kurz darauf erschien sie auf der Gasse und schloß die Tür auf. Sie erhielt drei Münzen, was deutlich mehr war, als sie erwartet hatte. Sie wünschte noch den Segen des Himmels auf die Freunde des Signore Ottaviani herab, ehe sie ging.

Ottavianis Haus erwies sich als spartanisch eingerichtet. Es gab im Zimmer neben der Küche nur einen Tisch mit ein paar Stühlen und eine Kommode, auf deren Platte einige Krüge und Becher standen.

»Das sieht nicht danach aus, als ob der Herzog den Wachsoldaten viel zahlt«, bemerkte Montefalcone, sich umsehend.

Matteo schüttelte den Kopf.

»Ich kenne den Alten. Die Nachbarin hat recht. Er spart sich alles vom Munde ab und gibt es seinem Sohn. Er selbst ist anspruchslos. Hat sein Leben im Feldlager verbracht und würde es noch tun, wenn er jetzt nicht zu alt wäre und seine Kniescheibe zertrümmert.«

Sie mußten etwa eine halbe Stunde warten, bis der Hausherr erschien. Sie hörten ihn bereits, bevor sie ihn sahen, denn er hinkte mit unregelmäßigem Schritt die Gasse herunter. Er trug einen Korb mit Fleisch und Gemüse.

Als er der Besucher ansichtig wurde, fiel ihm das Kinn herunter. Rasch setzte er den Korb ab und verneigte sich.

»Euer Gnaden! Welche Freude! Was verschafft mir die Ehre?«

»Weder Gnade noch Ehre«, sagte Montefalcone. »Ich bin gekommen, um eine Schuld einzufordern, Ottaviani, ein Leben um ein Leben. Ich habe Euren Sohn einmal gerettet. Jetzt fordere ich den Gegendienst.«

»Ja, ja, ja, mit Freuden«, sagte der ältere Mann.

Sein Gesicht war vom Hals bis zum Ansatz des grauen Haares heftig gerötet.

»Ihr braucht mich nicht erst daran zu erinnern. Glaubt Ihr, ich habe vergessen, was ich Euch verdanke? Wenn Ihr nicht gewesen wäret, wäre mein Niccolo elendiglich verbrannt. Ihr habt Euer eigenes Leben riskiert, um ihn zu retten. Sagt mir, was ich tun kann, um Eure Tat zu vergelten! Wenn Ihr mein Leben wollt …«

»Ich will Don Giulio sprechen«, sagte Montefalcone ohne Umschweife.

Der alte Mann warf die Arme hoch.

»Unmöglich, Euer Gnaden, unmöglich! Fordert meine Seele von mir! Ihr sollt sie haben. Aber das ist unmöglich.«

»Nichts ist unmöglich. Euren Niccolo zu retten, war eigentlich auch unmöglich, und dennoch ist es geschehen. Sagt mir, warum Ihr glaubt, daß es nicht geht!«

Ottaviani war lange genug Soldat gewesen, um auf die Stimme kühler Autorität hin alle Gefühle beiseite zu lassen und sich auf das Problem zu konzentrieren.

»Es ist wirklich unmöglich, Herr. Der einzige Zugang zur

Zelle Don Giulios führt durch die Wachstube. Dort sitzen immer zehn Männer. Ihr Dienst wird durch das Los bestimmt. Sie bewachen nicht nur die Treppe, sie bewachen sich auch gegenseitig. Niemand kann sich an ihnen vorbeischleichen. Alles, was ich für Euch tun kann, ist, eine Botschaft zu Don Giulio hinaufzuschmuggeln. Schon das ist gefährlich genug, denn es gibt Leibesvisitationen.«

»Wie erhält Don Giulio Nahrungsmittel?«

Ottaviani kratzte sich am Kopf.

»Das ist eine vertrackte Sache. Einer von uns trägt den Korb mit den Sachen für den Gefangenen hoch in den vierten Stock. Dort ist eine Tür, die er aufschließt. Dann geht er ins nächste Stockwerk und stellt den Korb vor Don Giulios Tür. Er klopft, damit Don Giulio weiß, daß er den Korb abgestellt hat. Dann geht er zurück und schließt die Tür im vierten Stock wieder hinter sich ab. Erst dann kann Don Giulio seine Zellentür öffnen und den Korb hereinholen. So sieht der Soldat Don Giulio nicht und kann nicht mit ihm sprechen. Es ist ein Mechanismus, den ein Ingenieur ersonnen hat. Er funktioniert irgendwie mit Rädern. Mehr weiß ich nicht.«

»Wenn Ihr, wie Ihr eben sagtet, Don Giulio eine Nachricht von mir zuschmuggeln könnt, dann doch gewiß auch ein Seil dazu?«

Ottaviani sah seinen Besucher lange an. Dann stieß er einen schweren Seufzer aus.

»Ich wünschte, Euer Gnaden, Ihr würdet etwas anderes von mir verlangen. Ihr bringt Euch und mich selbst in die größte Gefahr. Aber ich schwöre bei meiner Ehre, daß ich mein Bestes tun werde. Wenn es keine verschärften Kontrollen gibt – und man weiß nie, wann es sie gibt –, wird Don Giulio heute abend das Seil und die Nachricht haben. Das ist alles, was ich für Euch tun kann.«

Montefalcone stand auf.

»Das ist alles, was ich verlange.«

Auf dem Rückweg von Ottavianis Haus brütete Matteo finster vor sich hin. Ihr Weg führte am Kastell vorbei. Auf dem Wasser des Grabens hatte sich eine Eisschicht gebildet, auf der die Kinder mit lautem Geschrei entlangschlitterten. Ohne stehenzubleiben, maßen die beiden Männer den Südturm mit den Augen. Er ragte senkrecht aus dem Graben empor, steil und unzugänglich. Die Backsteine waren glatt gesetzt, kein Zierat, an dem ein Fuß hätte Halt finden können, unterbrach die geraden Flächen. Zinnen bekrönten ihn in einer Höhe von etwa zwanzig Mann.

»Es ist bei dieser Kälte unmöglich«, sagte Matteo mit zusammengebissenen Zähnen. »Bevor Ihr oben seid, werden Eure Hände so kalt sein, daß Ihr das Seil nicht mehr halten könnt. Gebt es auf, Euer Gnaden.«

»Ich habe mein Wort verpfändet«, erwiderte Montefalcone knapp.

Matteo blieb stehen.

»Herr«, sagte er, und es gelang ihm nicht mehr, die Erregung in seiner Stimme zu unterdrücken, »ich habe Euch auf den Armen gewiegt, ich habe Euch reiten und fechten gelehrt. Ich habe Eurer Mutter bei meinem Leben geschworen, auf Euch achtzugeben und Euch zu schützen. Wenn jemand heute abend den Turm hinaufklettert, dann laßt mich es sein.«

Montefalcone schüttelte nur den Kopf.

Sie gingen schweigend weiter. Matteo nagte an der Unterlippe, seine Brauen waren finster zusammengezogen. Etwas arbeitete schwer in ihm. Montefalcone bemerkte es, sagte aber nichts.

Als sie im Palazzo Montefalcone angekommen waren, gab Matteo sich einen Ruck.

»Herr, ich möchte Euch in Ruhe und ungestört sprechen. Ich glaube, ich muß Euch etwas mitteilen.«

Alessandro nickte schweigend und ging ihm voraus in sein Schlafzimmer im ersten Stock.

»Hier sind wir ungestört«, sagte er. »Was willst du mir sagen, Matteo?«

Eine Weile war es still. Dann holte Matteo tief Luft.

»Was immer ich jetzt tue, ich werde einen Eid brechen«, sagte er schwer. »Ich habe Eurer Mutter geschworen, das Geheimnis Eurer Geburt zu hüten und niemals preiszugeben. Und ich habe ihr geschworen, Euch zu schützen. Heute muß ich mich entscheiden. Ich denke, sie würde wollen, daß ich ihr Geheimnis verrate, damit Euer Leben geschützt sei. Ich kann

Euch sagen, was Ihr wissen wollt. Dazu müßt Ihr nicht zu Don Giulio auf den Turm klettern. Eure Mutter ist …« Er zögerte.

»Lucrezia Borgia«, sagte Alessandro ruhig. »Vannozza Cattaneis Amme hat es mir gesagt, bevor sie starb.«

Matteo riß die Augen auf.

»Ihr wißt es?«

Alessandro nickte.

»Und warum wollt Ihr dann noch das Wagnis eingehen, zu Don Giulio vorzudringen?«

»Weil ich endlich sicher wissen muß, wer mein Vater ist.«

Matteo antwortete prompt, aber seine Stimme klang nicht so sicher wie zuvor:

»Ein Kammerherr des Papstes. Perotto. Ein schöner junger Mann. Er hatte um Lucrezia geworben, und sie hatte ihm nachgegeben. Später fand man ihn tot im Tiber treibend. Cesare Borgia rächte sich so an dem Mann, der seine Schwester entehrt hatte.«

Montefalcone wies auf einen Stuhl.

»Setz dich und erzähl mir alles, was du weißt. Wieso bin ich als der älteste Sohn der Montefalcones aufgezogen worden, wenn ich der Bastard der Papsttochter und eines Dieners bin?«

Matteo biß sich auf die Lippen.

»Ihr solltet nicht schlecht von Eurer Mutter denken. Sie war das schönste Mädchen in Rom, immer heiter und zum Lachen aufgelegt. Alles, was sie wollte, war, geliebt zu werden. Und sie wurde geliebt. Es gab keinen Mann, der sie kannte und der ihr nicht zu Füßen lag. Aber sie war einsam. Für ihren Vater und ihren Bruder war sie in erster Linie ein Pfand im politischen Spiel. Man hatte sie ihrem ersten Gatten, Giovanni Sforza von Pesaro, fortgenommen und ihn gezwungen, öffentlich seine Impotenz einzugestehen, damit der Papst die Ehe annullieren konnte. Lucrezia sollte mit einem Prinzen aus dem Königshaus von Neapel verheiratet werden, um das neapolitanische Bündnis des Papstes abzusichern. Zwischen den beiden Ehen wurde Lucrezia schwanger. Um das geheimzuhalten, ging sie in Rom in das Kloster San Sisto. Federigo Montefalcone erklärte sich bereit, das Kind Lucrezias und Perottos als das seine aufzuziehen.«

»Hat er sie geliebt?« fragte Alessandro.

Matteo zuckte die Achseln.

»Natürlich. Jeder hat sie geliebt. Sie war eine Zauberin. Sie hat es sogar fertiggebracht, daß der Herzog von Ferrara sie liebte, was niemand jemals für möglich gehalten hätte. Aber für Federigo Montefalcone ging es noch um mehr. Er stand bedingungslos auf der Seite der Borgia, weil er glaubte, daß sich mit ihrer Hilfe sein Traum verwirklichen ließe. Er wollte Italien als ein einziges Königreich sehen, befreit von der Herrschaft der Deutschen, der Spanier und der Franzosen und befreit von der Tyrannei der unzähligen kleinen Fürsten. Papst Alexander begann, gestützt auf das Geld der Kirche, mit Hilfe seines Sohnes Cesare und für ihn, die kleinen Herren der Romagna zu vertreiben und einen modernen, gerechten Staat zu begründen. Um diese Politik zu unterstützen, nahm Federigo Lucrezias Sohn als den seinen an. Ihre Schande sollte der Öffentlichkeit verborgen bleiben.«

»Und deshalb heiratete er eine Cousine Lucrezias?« fragte Alessandro.

Matteo nickte.

»Sie haben damals an alles gedacht. Es mußte eine Erklärung dafür geben, falls das Kind eindeutig die Züge der Borgia trug. Ihr wißt selbst, wie gut es war, daß sie daran gedacht haben, denn Ihr gleicht Eurem Onkel Cesare und habt das blonde Haar Eurer Mutter. Sie ließen Leonora Borgia aus Spanien kommen und verheirateten sie mit Federigo, noch bevor Lucrezia entbunden hatte. So konnte Leonora Euch als ihr Kind ausgeben. In Wahrheit seit Ihr vier Monate älter, als Ihr glaubt.«

»Das also«, sagte Matteo abschließend, »ist die Geschichte Eurer Herkunft. Ihr könnt Euch die Kletterei auf den Turm ersparen.«

Montefalcone sah ihn nachdenklich an.

»Ich danke dir, Matteo. Ich weiß, daß es dir schwer gefallen ist, deinen Eid zu brechen. Ich denke, du hast das Richtige getan. Dennoch – oder jetzt gerade – will ich wissen, was Don Giulio noch weiß. Denn deine Geschichte – für so wahr du sie auch hältst – hat einiges, was mich stutzig macht. Aber wir wollen darüber jetzt nicht diskutieren.«

Matteo war entlassen und ging mit dem nagenden Gefühl, versagt zu haben.

Alessandro blieb allein zurück. Er blickte aus dem Fenster in den dunklen Winterhimmel, der bald kein Licht mehr haben würde. Jetzt wurde es schon nachmittags um vier dunkel. In wenigen Stunden konnte er sich aufmachen und den Turm besteigen. Was würde Don Giulio ihm enthüllen?

Was Matteo ihm gesagt hatte, ließ ihn unbefriedigt. Nichts an Matteos Geschichte rechtfertigte die jahrzehntelange Isolationshaft Don Giulios oder die Mordanschläge auf ihn selbst. Er war überzeugt davon, daß Lucrezia Borgia seine Mutter war, aber an Perotto als seinen Vater glaubte er nicht einen Augenblick. Vielleicht, dachte er spöttisch, war er nur zu hochmütig, um einen Diener als Vater akzeptieren zu wollen. Aber die Geschichte machte keinen Sinn.

Wenn Lucrezia sich vor dreißig Jahren von einem Lakaien hatte schwängern lassen, dann war das damals ein saftiger Skandal, den man vertuschen mußte. Nachdem alle Borgias von der politischen Bühne abgetreten waren und Lucrezia schon fast zehn Jahre im Grabe ruhte, war die Geschichte nur noch Schnee von gestern, der niemanden mehr interessierte. Selbst der Herzog, Lucrezias Witwer, oder Prinz Ercole – mein Halbbruder dann, dachte Alessandro und lachte unwillkürlich auf – konnten darauf keine Mordpläne aufbauen.

Es mußte noch ein Geheimnis geben um den Mann, der Lucrezia ein Kind gemacht hatte. War es doch ihr Bruder gewesen? Lucrezia als blutschänderische Papsttochter – das wäre allerdings ein Flecken auf der Ehre der Este, der propagandistisch gegen die Estes und vor allem gegen Prinz Ercole genutzt werden konnte. War es dieses Verbrechen, für dessen Mitwisserschaft Don Giulio so lange büßen mußte? War es dieses Geheimnis, das Leonora Montefalcone in die Existenz als Schweigenonne getrieben hatte? Wollte man ihn deshalb umbringen, damit die letzte Spur des Verbrechens ausgetilgt wurde?

Wenn Cesare mit seiner Schwester ein Kind gezeugt hatte und es Gerüchte gegeben hatte, daß Lucrezia schwanger war, dann war es das beste, man warf der öffentlichen Meinung einen Geliebten Lucrezias zum Fraß vor, der von dem eigentlichen, nämlich ihrem Bruder, ablenkte. War der unglückliche Perotto nur im Tiber ertränkt worden, um von der richtigen Spur abzulenken?

Montefalcone stand auf und streckte sich seufzend.

Heute abend würde er von Don Giulio die Lösung des Rätsels erfahren.

Laura war zerstreut. Sie folgte den Gesprächen kaum, und wenn sie direkt gefragt wurde, gab sie unpassende Antworten. Sie dachte an die Wolfsjagd, die morgen stattfinden sollte. Sie hatte Alessandro gewarnt, aber seine Antwort war von der Art gewesen, daß sie daran zweifelte, ob er ihre Warnung beherzigen würde. Ihr war heiß und kalt zugleich. Sie wünschte, sie könnte sich aus der Gesellschaft zurückziehen, aber ihr Versuch, sich von der Prinzessin beurlauben zu lassen, war fehlgeschlagen.

»Es tut mir leid, wenn Ihr Euch nicht wohlfühlt, Laura«, sagte die Prinzessin, »aber ich habe Eure Gesellschaft so lange entbehrt, daß ich ungern darauf verzichte. Außerdem hat Madame de St. Philibert einen freien Tag verdient. Sie hat während Eurer Abwesenheit auch Euren Dienst versehen.«

Sie sah Laura nicht an, während sie mit ihr sprach, sondern hielt den Blick auf ihren Schoß gesenkt, wo sie ihre Hände liegen hatte, die sie nicht stillhielt. Sie drehte ununterbrochen an ihren Ringen. Laura fand das ungewöhnlich, denn sonst war die Prinzessin außerordentlich selbstbeherrscht und ließ niemals ein Zeichen von Unruhe oder Nervosität erkennen.

Dieser Abend dehnte sich für Lauras Gefühl so lange wie sonst keiner. Als die Prinzessin endlich aufstand, hörte Laura zu ihrer Verwunderung eine der Hofdamen sagen:

»So früh, Hoheit? Geht es Euch nicht gut?«

»Ich habe Kopfschmerzen. Ich möchte ruhen«, sagte die Prinzessin. »Außerdem ist morgen der Aufbruch zur Jagd sehr früh. Wir tun alle gut daran, jetzt ins Bett zu gehen, wenn wir morgen nicht übermüdet vom Pferd fallen wollen.«

Die Damen verneigten sich vor Renée und gingen. Als Laura an der Reihe war, sagte Renée plötzlich halblaut:

»Laura?«

Laura blickte sie fragend an.

Renée hatte die Brauen zusammengezogen und nagte an der Unterlippe. Ihre Augen flackerten. Es schien, als sei sie unschlüssig, ob sie noch etwas sagen wollte oder lieber schweigen sollte. Schließlich entschied sie sich und sagte mit flacher Stimme:

»Nichts weiter. Werdet Ihr morgen an der Jagd teilnehmen?«

»Der Arzt hat mir abgeraten«, sagte Laura. »Er meint, die Kälte sei noch zu anstrengend für mich.«

»Gute Nacht«, sagte Renée brüsk.

Laura knickste und wandte sich zur Tür.

Was war mit Renée los? Sie mußte große Probleme haben. Aber Renées Probleme waren im Augenblick unwichtig, verglichen mit der Gefahr, in der Alessandro schwebte. Wie konnte sie erreichen, daß er nicht an der Wolfsjagd teilnahm? Konnte sie es überhaupt erreichen? Du wirst einen Blick in die Zukunft tun, hatte ihre Großmutter gesagt. Das hieß, daß die Zukunft schon festgelegt war. Sie konnte wissen, aber nicht mehr verändern. Sie hatte Alessandros Tod vorausgesehen, und sie konnte ihn nicht verhindern. Deshalb hatte ihre Großmutter sie vor den Tropfen gewarnt. Ihrem tätigen Naturell war nichts so fremd wie Fatalismus, wie stille Ergebung in ein vorbestimmtes Schicksal. Sie wollte handelnd eingreifen, Dinge bewirken und verändern. Aber sie konnte es nicht.

Wirklich nicht? Hatte ihre Großmutter nicht gesagt, daß sie nur einen Ausschnitt zu sehen bekäme, den sie vielleicht falsch deuten würde? Vielleicht hatte sie nur gesehen, wie Alessandro von dem Wolf angefallen, aber nicht mehr, wie er gerettet wurde. War nicht Matteo immer bei ihm? Das hatte Cristina jedenfalls gesagt. Von Matteo aber war in ihrem Traum nichts zu sehen gewesen. Sie konnte also gar nicht die ganze Wahrheit geträumt haben.

In dem dunklen Gang trat ihr eine riesenhafte, finstere Gestalt entgegen. Laura erschrak, bis sie erkannte, daß es der Mohr Ibrahim war, der ihr den Weg vertrat. Auf seinem Arm saß Blandina. Ihr Gesicht war auf gleicher Höhe mit dem Lauras. Selbst in diesem dämmrigen Licht konnte Laura erkennen, daß die Zwergin blaß und erregt war.

»Gefahr«, wisperte Blandina so leise, daß Laura sich anstrengen mußte, um sie zu verstehen. »Geht nicht weiter! Kehrt um! Geht fort, weit fort!«

Bevor Laura etwas fragen konnte, war sie auf Ibrahims Arm in einem unbeleuchteten Korridor verschwunden. Laura setzte ihren Weg fort. Was hatte Blandina gemeint? Welche Gefahr? Warum sollte sie fortgehen?

Sie stieg die Treppe hinauf, die zu ihrem und Marguerites Zimmer führte. Am Anfang des Ganges lehnte Annibale Strozzi mit den Schultern an der Wand und reinigte sich gelangweilt die Fingernägel. Als er Laura bemerkte, stieß er sich von der Mauer und verneigte sich.

»Madonna Laura, der Herzog erwartet Euch! Darf ich Euch zu ihm führen?«

Laura stand still.

»Der Herzog? Erwartet mich?« wiederholte sie töricht. »Darf ich fragen, warum?«

»Man hat mich nicht ins Vertrauen gezogen«, sagte Strozzi bedauernd. »Ich weiß es nicht. Kommt!«

Er legte seine Hand leicht unter ihren Ellbogen und führte sie den Weg zurück, den sie gekommen war.

Laura versuchte, ihre Gedanken zu ordnen. War es das, was Blandina gemeint hatte? Wieso wurde sie zum Herzog befohlen? Zu dieser Stunde? Und auf diese verstohlene Weise? Hatte Renée davon gewußt? War sie deshalb so sonderbar gewesen?

Annibale Strozzi führte sie über Treppen und Gänge, die Laura noch nicht kannte, bis er endlich vor einer Tür hielt und klopfte. Dann öffnete er und schob Laura über die Schwelle.

Einen Augenblick blendete die Helligkeit aus mehreren Kerzenleuchtern sie nach der Dämmerung in den Korridoren. Dann sah Laura, daß sie sich in einem kleinen Gemach befand, dessen Wände holzvertäfelt waren. In der Mitte befand sich ein langer Tisch, auf dem mehrere Leuchter standen. Hinter dem Tisch saß der Herzog, rechts und links von ihm saßen sein Sohn und seine Schwiegertochter. Renée sah Laura nicht an, sondern spielte mit ihren Ringen. Prinz Ercole starrte Laura mit harten, glitzernden Augen an. Wenn er über mich zu Gericht säße, dachte sie, würde er das Todesurteil aussprechen. Der Herzog trug eine undeutbare Miene zur Schau. Er wartete, bis Strozzi die Tür geschlossen hatte, und sagte dann, ohne den Blick von Laura zu nehmen:

»Ist dies die Person, Suor Orsola?«

Jetzt erst nahm Laura wahr, daß sich noch jemand im Raum befand. Klein und krumm, wie eine Krähe in ihrem schwarzen Gewand und dem schwarzen Schleier, erhob Suor Orsola sich von einem Hocker und trat vor Laura. Sie starrte sie mit blanken Knopfaugen feindselig an.

»Das ist die Person, Eure Hoheit«, sagte sie, »die sich als Suor Maria bei uns eingeschlichen hat und die in der Nacht des Brandes verschwunden ist.«

»Wir danken Euch für Eure Mühe, Suor«, sagte der Herzog. »Besser, Strozzi wird Euch nach Sant'Agnese zurückbringen.«

Lauras erster Gedanke war: Marguerite! Ihre Bemerkung, sie sei mit einem merkwürdigen Räucherduft als Parfüm aus dem Kloster zurückgekehrt, hätte sie stutzig machen müssen. Sie schob den Gedanken rasch beiseite. Jetzt war es zu spät. Sie mußte sich auf die Anklage konzentrieren. Was würde der Herzog ihr vorwerfen? Wie sollte sie sich verteidigen? Auf jeden Fall durfte nicht herauskommen, daß ihr Aufenthalt in Sant'Agnese irgend etwas mit den Montefalcones zu tun hatte. Was konnte sie dann als Grund angeben? Eine momentane geistige Verwirrung? Eine mißverstandene Berufung zu Demut und Armut im Geiste der Heiligen Franziskus und Elisabeth?

Strozzi hatte Suor Orsola aus dem Raum geführt, und der Herzog ergriff wieder das Wort.

»Madonna Laura, Ihr habt für eine Weile das Kloster der Klarissinnen verlassen und Euch in Sant'Agnese eingeschlichen, ohne die Erlaubnis der Prinzessin, Eurer Herrin, und unter einem falschen Namen. Ihr seid durch das Zeugnis von Suor Orsola überführt und könnt Euch jegliches Leugnen sparen. Wir klagen Euch an, der unerlaubten Entfernung aus Eurem Dienst, des Betrugs an den Nonnen von Sant'Agnese und der Brandstiftung im Kloster. Wir sind nicht an den Lügen interessiert, die Ihr uns auftischen könntet, um Euer beispielloses Tun zu rechtfertigen. Niemand, der ehrbare und rechte Absichten hat, hätte sich so verhalten. Nichts könnte uns überzeugen, daß andere als niedrige persönliche Motive

Euch geleitet haben, die Gastfreundschaft Ferraras zu beleidigen, die Reputation des französischen Hofstaates der Prinzessin aufs Spiel zu setzen und das Vertrauen Eurer Herrin gröblich zu mißbrauchen.«

Er machte einen Moment Pause, um Atem zu schöpfen und den nachfolgenden Worten mehr Gewicht zu verleihen.

Er will nicht, daß zur Sprache kommt, warum ich in Sant'Agnese war, dachte Laura. Er will es nicht, damit die anderen es nicht erfahren. Vielleicht ist Ercole eingeweiht, aber Renée ahnt nichts. Natürlich. Marguerite hat ihm von der Verbindung zwischen Alessandro und mir erzählt, und er kann sich denken, daß ich nach Sant'Agnese gegangen bin, weil ich die Gräfin Montefalcone sprechen wollte. Er kann nicht wissen, daß sie mir nichts gesagt hat. Er muß vermuten, daß ich alles wissen könnte. Er denkt, daß ich ein gefährliches Geheimnis kenne. Er will mich nichts fragen, weil er das Schlimmste annimmt. Danach wird er jetzt seine Maßnahmen treffen. Was geschieht mit Leuten, die gefährliche Geheimnisse der Este kennen?

»Wir waren geneigt, Euch der unnachsichtigen Strafe des Gesetzes zu unterwerfen«, fuhr der Herzog fort, »doch hat Madama, Unsere geliebte Tochter, der wir keinen Wunsch abschlagen können, Uns gebeten, das Urteil zu mildern. Ihr werdet wegen ungebührlichen Betragens aus dem Hofstaat der Prinzessin entlassen und aus Ferrara auf Lebenszeit verbannt. Setzt Ihr noch einmal den Fuß auf unser Gebiet, so ist Euer Leben verwirkt. Übermorgen verläßt ein Kurier mit Briefen an den König von Frankreich Unseren Hof. Ihr werdet ihn begleiten. Bis zu Eurem Aufbruch werdet Ihr auf Eurem Zimmer bleiben. Wir lassen Euch bewachen, damit Ihr weder fliehen noch Besucher empfangen könnt. Es ist Euch auch nicht gestattet, schriftlich Kontakt mit irgendwem aufzunehmen. Dieses Verbot gilt, solange Ihr unter Bedeckung mit dem Kurier reist. Erst in Frankreich seid Ihr wieder frei.«

Er hob eine Glocke auf, die auf dem Tisch vor ihm stand, und läutete.

Eine Tür in der Täfelung, die Laura bisher nicht aufgefallen war, öffnete sich. Zwei Soldaten traten ins Zimmer.

»Eure Gefangene«, sagte der Herzog, mit dem Kinn auf

Laura deutend. »Sie bleibt bis zu ihrer Abreise auf ihrem Zimmer, ohne jeden Kontakt zur Außenwelt. Ihr haftet mit Eurem Kopf dafür.«

Die Soldaten traten neben sie. Laura machte einen Knicks. Ihr Blick traf die Prinzessin, und sie war überrascht über deren Ausdruck. Neben dem Vorwurf, sie in eine unerfreuliche Affäre verwickelt zu haben, stand darin offener Neid. Noch bevor sie den Raum verließen, wußte Laura, daß es die Rückkehr nach Frankreich war, um die Renée sie beneidete.

Dabei war sie gar nicht so sicher, daß sie tatsächlich nach Frankreich zurückkehren würde. Der Herzog hatte sie auf eine elegante Weise aus Ferrara entfernt, die nicht viel Aufsehen erregen würde. Konnte er es aber verantworten, sie, die ja seiner Meinung nach Lucrezias Schande kannte, in ihre Heimat zurückkehren zu lassen, um dort ihre Geschichte zu erzählen? Würde sie Frankreich überhaupt lebend erreichen?

Matteo hatte darauf bestanden, seinen Herrn zum Löwenturm zu begleiten. Sie bewegten sich behutsam und leise durch die Gassen der schlafenden Stadt. Alessandro war auch im Mondlicht kaum auszumachen. Er trug schwarze Strumpfhosen, eine schwarze Lederweste und hatte Gesicht und Hände mit Ruß gefärbt. Das verräterische helle Haar war wie in der Nacht des Brandes von Sant'Agnese unter einer Kappe verborgen. Immer wieder huschten die beiden in einen Hauseingang und lauschten. Sie hörten keine Schritte, die sie verfolgten. Einmal schlug in unmittelbarer Nähe ein Hund an, aber er verstummte bald wieder. Kurz vor dem Kastell hörten sie dröhnende Schritte auf dem Pflaster. Die Stadtwache machte ihre Runde.

Sie zogen sich in eine Toreinfahrt zurück und preßten sich an die Wand. Die Wächter marschierten vorbei, ohne ihrem Versteck auch nur einen Blick zuzuwerfen.

Dann lag das Kastell vor ihnen. Die Nacht war nicht völlig dunkel. Ein halber Mond weidete am wolkenlosen, klaren Himmel seine Herde gleichgültig funkelnder Sterne. Alessandro glitt die Böschung hinunter auf das Eis. Kein Schnee lag darauf, und die schwarze Fläche verschluckte seine Gestalt. Matteo zog sich auf die andere Straßenseite zurück in den Schatten eines Hauses, lehnte sich an die Mauer und starrte auf den Turm. Alessandro mußte jetzt den Graben überquert haben. Wenn Don Giulio das Seil wirklich erhalten und es tatsächlich an den Zinnen befestigt hatte, dann mußte Alessandro es jetzt gefunden haben. Matteo erstarrte. Er sah, daß der Plan geklappt hatte. Im Mondlicht machte er deutlich eine schlanke dunkle Gestalt aus, die katzengleich am Turm emporkletterte. Er bewegte sich schnell, denn die Kälte war sein Feind, den er nur durch Schnelligkeit besiegen konnte. Matteo hoffte, Don Giulio habe das Seil so fest verankert, daß es halten würde. Er wußte, daß Alessandro jetzt, die Füße gegen die Mauer gestemmt und Hand über Hand greifend, genauso arbeitete, wie er es ihm beigebracht hatte. So erstieg man die Mauer einer feindlichen Stadt und so erstieg Alessandro jetzt den Löwenturm, nur, daß der Turm eine Stadtmauer um das Doppelte überragte und daß der Frost ihm bald alle Beweglichkeit aus den Händen gebissen haben würde.

Die Hälfte der Strecke hatte er zurückgelegt. Er war schnell. In Matteos Sorge um ihn mischte sich die Freude über seine Geschicklichkeit. Dann hörte er die Tritte auf dem Pflaster. Die Stadtwache kam zurück, und im Mondlicht war die schwarze Gestalt Alessandros vor dem rötlichen Backstein der Mauer deutlich auszumachen.

Matteo öffnete den Beutel, der an seinem Gürtel hing, und entnahm ihm drei faustgroße Steine, die er vorsorglich eingesteckt hatte. Er warf sie rasch nacheinander in die Gasse hinter ihm. Sie polterten über das Pflaster, laut genug, um die Aufmerksamkeit jeder Wache auf sich zu ziehen. Er hörte, wie die Soldaten hinter ihm ihr Gespräch unterbrachen, ein Befehl wurde gebellt, Schritte eilten in alle Richtungen. Sie durchsuchten die Gasse. Nach fünf Minuten gaben sie auf, formierten sich neu und marschierten zum Kastell. Da war das Seil bereits leer, und von seiner Last befreit, pendelte es nahezu unsichtbar an der Mauer.

Alessandro schwang sich über die Plattform der Brücke in den kleinen Garten, von dem der Arzt ihm berichtet hatte. Aus dem Dunkel erklang ein leises Kichern.

»Guten Abend«, sagte eine Stimme. »Seid mir willkommen in meiner Einsiedelei, wer immer Ihr auch sein mögt.« Alessandro folgte der Richtung, aus der die Stimme gekommen war und fand eine Falltür, die offenstand. Von unten drang schwacher Lichtschein herauf.

»Steigt herunter«, ertönte die Stimme wieder von unten. »Ich wäre Euch verbunden, wenn Ihr die Tür hinter Euch schließen würdet.«

Alessandro sah eine schmale Wendeltreppe in der Öffnung und stieg sie hinunter, wobei er, dem Wunsch seines Gastgebers folgend, die Falltür wieder verschloß. Am Fuß der Treppe sah er sich um. Er befand sich in einem Raum, der so groß war wie die Grundfläche des Turmes. Drei Öffnungen waren hoch in der Wand angebracht. Der Raum war spärlich möbliert mit einem Bett, einem Tisch und einem Stuhl. Auf dem Tisch flackerte ein Talglicht und verbreitete in einer eng begrenzten Zone Licht. Außerhalb des Lichtkreises, vom Bett her, ertönte Don Giulios Stimme von neuem.

»Es mag Euch nicht besonders luxuriös erscheinen, aber verglichen mit meiner letzten Behausung ist es ein deutlicher Fortschritt. Mein Bruder ist sehr besorgt um mein Wohlergehen.«

Alessandro konnte ihn jetzt deutlicher sehen. Er war ein großer dicker Mann, der ein langes dunkles Gewand trug. Seinen Kopf hielt er so, daß das Licht nicht auf ihn fiel. Seine Stimme war hell und ironisch.

»Nehmt bitte Platz, mein Herr! Ich brauche mich wohl nicht vorzustellen, nehme ich an. Aber habt die Güte, mir Euren Namen zu verraten.«

Alessandro griff nach der Kappe und nahm sie ab. Selbst in diesem schwachen Licht leuchtete sein Haar auf. Don Giulio atmete rascher, sagte aber nichts.

»Wer ich bin?« sagte Alessandro und blieb stehen. »Ich bin zu Euch gekommen, damit Ihr mir diese Frage beantwortet. Man hat mir gesagt, daß Ihr es wißt.«

»Wer ist ›man‹?« fragte Don Giulio.

»Leonora Montefalcone.«

»Leonora Montefalcone«, wiederholte Don Giulio. »Sie lebt also noch. Wenn sie mit Euch gesprochen hat, warum kommt Ihr dann zu mir?«

»Sie spricht nicht. Sie hat das Gelübde ewigen Schweigens

abgelegt. Sie hat nur einen Hinweis gegeben, daß ich von Euch die Wahrheit erfahren kann.«

»Leonora und ich ...«, sagte Don Giulio. »Wenn Leonora noch lebt, dann sind es nur noch wir beide, von denen Ihr die Wahrheit erfahren könnt. Lucrezia, Cesare und Angela sind tot. Mein geliebter Bruder Alfonso, der so rührend für mich sorgt, kennt sie natürlich auch. Aber von ihm werdet Ihr sie nie erfahren. Natürlich ist er sicher, daß Ihr sie nie erfahren werdet, denn gleich nach dem Grab sichert nichts so sehr ein Geheimnis wie der Kerker oder das Schweigen von Sant'Agnese. Wenn Ihr hier seid, so seid Euch klar darüber, daß der Herzog Euch töten wird, wenn er davon erfährt.«

Alessandro zog sich den Stuhl heran und setzte sich.

»Das versucht er bereits seit einigen Monaten«, sagte er gelassen.

Don Giulio nickte.

»Seit April? Das habe ich mir gedacht.«

»Woher wißt Ihr das? Ich dachte, Doktor Baldoni sei Euer einziger Kontakt zur Außenwelt«, sagte Alessandro verblüfft.

Der alte dicke Mann auf dem Bett kicherte.

»Ist er auch, ist er auch. Aber außerdem habe ich einen Verstand, und den benutze ich bisweilen. Das alles hier« – er machte eine weitgreifende Geste, die die ganze Zelle einschloß –, »dieses ganze komfortable Gefängnis verdanke ich Euch.«

»Mir?«

Alessandros Erstaunen stieg. Für einen Mann mit getrübtem Verstand redete Don Giulio erstaunlich vernünftig. Aber was er sagte, machte trotzdem wenig Sinn.

»Ihr werdet es schon noch verstehen«, sagte Don Giulio. »Stellt mir einstweilen die Frage, die ich Euch beantworten soll.«

»Wer ist mein Vater?« fragte Alessandro.

»Ah, eine Frage wie ein Pfeil, gerade auf das Ziel zugeschossen«, sagte Don Giulio. »Kann ich daraus schließen, daß Ihr bereits wißt, wer Eure Mutter ist?«

»Lucrezia Borgia«, sagte Alessandro.

Der alte Mann kicherte wieder.

»Natürlich. Das ist auch nicht schwer zu erraten. Nicht bei

Eurem Haar. Lucrezias Haar war genauso golden. Sie war die schönste Frau ihrer Zeit, ganz ohne Frage, mit ihrem goldenen Haar, ihren hellen Augen und ihrer schwanenweißen Haut. Aber ich habe Angela vorgezogen, ihre Cousine. Ah, Angela!« Er seufzte erinnerungsvoll.

»Ihr kennt die Geschichte vermutlich? Wie mein Bruder Ippolito, der Kardinal, um Angela warb und sie ihn abfertigte, daß sie alle seine Schätze nicht so schön finden könnte wie meine Augen? Und wie Ippolito mich dann überfallen und mir die Augen ausreißen ließ? Ah, Angela war mein Unglück. Aber, bei Aphrodite, ein Weib, das es wert war, eines Mannes Unglück zu sein. Nie zuvor habe ich so glutvolle leidenschaftliche Umarmungen erlebt. Hinterher auch nicht mehr«, fügte er mit trockener Ironie hinzu. »Ihr seid sonderbar gekleidet«, sagte er in verändertem Ton, als wolle er jetzt eine belanglose Salonunterhaltung beginnen. »Ist das jetzt die neue Mode?«

»Nur für Fassadenkletterer«, sagte Alessandro kurz. »Ihr stimmt also zu, daß meine Mutter Lucrezia Borgia ist?«

»Ach, Ihr seid so direkt«, beschwerte Don Giulio sich, »wie Ihr wißt, empfange ich selten Besuch. Ich genieße es zu plaudern. Und ein bißchen zu klatschen, Ihr braucht nicht zu befürchten, daß ich Euch nach allen meinen Verwandten und Bekannten aushorche. Baldoni versorgt mich mit den Neuigkeiten, die ich wissen will. Aber wenn ich Euch so umstandslos mit dem Namen Eures Vaters ausstatte, verschwindet Ihr und ich bin wieder allein. Ihr versteht mich wohl.«

»Die Nacht ist nicht allzu lang«, sagte Alessandro. »Gegen vier werden die ersten Leute wieder auf sein. Bis dahin muß ich Euch verlassen haben.«

»Ich weiß, ich weiß. Glaubt nicht, daß ich riskieren will, daß Ihr entdeckt werdet. Denn dann ist es mit mir vielleicht auch aus. Ihr seid meine Lebensversicherung. Das verdanke ich Angela. Ein Teufelsweib. Sie hat mich ins Unglück gestürzt und sie hat mir das Leben gerettet. ›Giulio, Liebster‹, hat sie gesagt, ›ich bin an allem schuld. Ich habe Euch vernichtet, ich werde Euch retten.‹ Und so kam es auch. Ich glaube, ich bin ihr sogar dankbar dafür. Obwohl es natürlich viele Augenblicke in den letzten Jahren gegeben hat, in denen ich sie verflucht habe, in denen mir der Tod barmherziger erschien als dieses Vegetieren im Kerker. Wenn ich eine Möglichkeit gehabt hätte, meinem Leben ein Ende zu machen, ich hätte es getan. Aber mein Bruder hat immer gut aufpassen lassen, daß ich mir nichts antun konnte. Mein Leben ist ihm fast soviel wert wie das seine. Und mehr als Euer Tod, würde ich meinen. Der ist überflüssig, denn er löst sein Problem nicht. Aber das ist typisch für Alfonso. Er will kein Risiko eingehen.«

Don Giulio betrachtete Alessandro erheitert.

»Ihr seht aus, als wäret Ihr etwas ungeduldig. Nun ja, ich will Euch nicht zu lange auf die Folter spannen. Ihr fragt nach Eurem Vater. Sicher habt Ihr Euch schon Gedanken darüber gemacht. Wer ist Euch denn da eingefallen?«

»Soviel ich weiß, gibt es mehrere Kandidaten«, sagte Alessandro trocken.

Don Giulio kicherte wieder.

»Ach ja, der Ruf unserer Schönen! So schön, unsere blonde Lucrezia. Und so geliebt. Es gab kaum einen Mann, der sie kannte und nicht in sie verliebt war. Sie genoß es, sie brauchte sie wie die Luft zum Atmen, diese Anbetung der Männer. Aber das war auch alles. Sie war nicht sinnlich wie Angela, sie hatte kein Interesse an der Liebe selbst, wenn Ihr mich versteht, nur an der Bewunderung. Keiner ihrer Anbeter hat jemals eine größere Gunst genossen, als einen Kuß auf ihre weiße Hand drücken zu dürfen. Geschmachtet haben alle, aber befriedigt hat sie niemanden.«

»Wie war das mit Perotto?«

»Der arme schöne Junge, der im Tiber trieb? Der hatte überhaupt nichts mit Lucrezia zu tun. Angela hat es mir gesagt. Er hatte hinter der Tür im Vatikan etwas belauscht, was Cesare nicht belauscht wissen wollte. Er zahlte für seine Neugier mit dem Leben, nicht für seine Begierde.«

Don Giulio verstummte. Alessandro stand auf und durchmaß ruhelos das Zimmer.

»Dann ist es also wahr«, sagte er, von Don Giulio abgewandt, »daß Lucrezia das Kind in Blutschande empfing?«

»Das glaubt Ihr also«, sagte Don Giulio. »Nun, es ist eine große Sünde, aber immer noch besser, als der Bastard eines Lakaien zu sein, nicht wahr?«

Alessandro blieb direkt vor ihm stehen. Zum ersten Mal sah er das Gesicht Don Giulios deutlich. Wo das rechte Auge sein sollte, war eine Höhle, überwuchert von wildem Fleisch. Das linke Auge war unversehrt, aber eine breite Narbe zog sich vom linken Augenwinkel bis zum Mund. Don Giulio bemerkte sein Erschrecken und sagte höhnisch:

»Schaut es Euch doch genau an! Das ist es, was von dem schönen Giulio übriggeblieben ist. So hat mein Bruder Ippolito mich zurichten lassen. Mir und allen anderen zum Schrecken. Und Alfonso fand es nicht der Mühe wert, Ippolito zur Rechenschaft zu ziehen. In seinen Augen war ich, der Bastard, nichts wert.«

Und plötzlich fing er auf eine grauenhafte Weise zu lachen an. Das war nicht das dünne ironische Kichern, das Alessandro schon kannte. Es war ein Höllengelächter, das ihn schüttelte und den ganzen fetten Körper wie ein Beben durchlief. Endlich hörte er auf und sagte, sich eine Träne aus dem gesunden Auge wischend:

»Ihr werdet mich gleich verstehen. Nein, Ihr seid nicht der Sohn von Lucrezia und Cesare. Das gehört zu dem Dreck, mit denen ihre politischen Gegner die Borgias beworfen haben. Lucrezia war keusch. Sie hat in ihrem ganzen Leben nur mit den Männern geschlafen, mit denen sie verheiratet war.«

Er beobachtete Alessandro und sah, wie er allmählich begriff.

»Ganz recht«, sagte er freundlich, »Ihr seid der Sohn von Lucrezia und Giovanni Sforza, ihrem ersten Ehemann. Ihr seid ein legitimer Sprößling, ja, Ihr seid das einzige legitime Kind, das Lucrezia je zur Welt gebracht hat. Alle anderen Kinder von ihr, alle Kinder, die ihr mein Bruder Alfonso gemacht hat, sind Bastarde.«

Er lachte wieder.

Alessandro setzte sich.

»Laßt mich das verstehen«, sagte er. »Lucrezia war in erster Ehe mit Giovanni Sforza von Pesaro verheiratet. Die Ehe wurde für ungültig erklärt, weil Giovanni Sforza öffentlich und schriftlich erklärt hat, er sei impotent und habe niemals mit Lucrezia geschlafen.«

»Und das«, sagte Don Giulio, »war eine faustdicke Lüge

und alle wußten es. Es war die einzige Möglichkeit für ihn, seinen Kopf zu retten. Sonst wäre es ihm schon so ergangen, wie Lucrezias zweitem Ehemann, den Cesare erwürgen ließ, weil man die Ehe nicht annullieren konnte. Schließlich gab es da schon Lucrezias Sohn, den sie dem armen Alfonso Bisceglie geboren hatte.«

»Aber wieso wußte niemand von dem Kind, das Lucrezia dem Sforza geboren hatte?« fragte Alessandro verwirrt.

»Er hat sie zum falschen Zeitpunkt geschwängert«, sagte Don Giulio. »Sie waren schon drei Jahre verheiratet. Lucrezia war zwölf, als sie vermählt wurden, und im Ehevertrag gab es eine Klausel, die ihm untersagte, ihr Bett zu besteigen, bevor sie vierzehn war. So mußte er zwei Jahre warten, und es waren zwei lange Jahre für ihn. Aber dann machte er von seinen ehelichen Rechten Gebrauch. Zu seinem Unglück betrieben die Borgias jetzt eine neapelfreundliche Politik und wollten die Verbindung lösen, damit Lucrezia für einen Prinzen aus Neapel frei war. Da sie noch kein Kind hatte, schien die Sache einfach. Und gerade, als alles von ihrem Vater und ihrem Bruder öffentlich gemacht worden war, stellte sich heraus, daß Lucrezia im vierten Monat schwanger war. Sie sperrten sie ins Kloster und verheimlichten die Schwangerschaft und ließen das Kind verschwinden. Außer den engsten Angehörigen der Borgia und der Amme, die Lucrezia ins Kloster begleitet hat, wußte nur Federigo Montefalcone davon, der Euch aufgezogen hat. Natürlich bedeutete das, daß Lucrezias Ehe mit Sforza nicht rechtmäßig annulliert worden ist. Ihre zweite und ihre dritte Ehe waren ungültig. Sie hat mit meinem Bruder in Bigamie gelebt, und der Thronerbe von Ferrara ist unehelich. Ihr begreift, daß Alfonso die Geschichte nicht bekanntwerden lassen will? Schließlich geht es um den Fortbestand der Dynastie der Este.«

»Wie habt Ihr davon erfahren?« fragte Alessandro.

»Ihr wollt wissen, ob ich die Wahrheit spreche, wie? Nun, das war ganz einfach. Es war Angelas Werk. Mein Bruder hat mich wegen der Verschwörung gegen ihn zum Tode verurteilt. Das Schafott war schon aufgeschlagen, der Hof hatte schon rundherum Platz genommen, um zuzuschauen, wie der schöne Giulio enthauptet wird, ich betrat schon die Stufen des

Blutgerüsts, als Alfonso sich plötzlich erhob und die Todesstrafe in lebenslange Haft umwandelte. Angela hatte ihn unter Druck gesetzt. Sie war in Lucrezias Geheimnis eingeweiht. Sie hatte Lucrezia erpreßt, damit sie einen Brief schreibt, in dem sie alles enthüllt. Diesen Brief gibt es zweimal. Den einen besitzt der Herzog, den anderen ich. Angela hat ihn bei einem Bankier hinterlegt, dessen Identität Alfonso trotz aller Nachforschungen nie herausfinden konnte. Sobald ich sterbe, wird er an den Papst geschickt, der ihn mit Freuden lesen wird, gibt er ihm doch das Recht, Ercole die Nachfolge seines Vaters in Ferrara zu verweigern.«

Alessandro gestattete sich noch keine Gefühle. Er wollte die Sache zunächst bis zum letzten Rest aufklären.

»Laßt mich alles richtig verstehen«, sagte er. »Lucrezia bekam also gerade zu der Zeit ein Kind von ihrem Mann, als der Papst die Ehe auflösen wollte. Sie brachte das Kind heimlich im Kloster zur Welt und gab es einer entfernten Verwandten und deren Mann, die es als ihren eigenen Sohn aufzogen, weil sie den Borgias verbunden waren. Richtig?«

»Richtig«, sagte Don Giulio.

»Wußte Giovanni Sforza von seiner Vaterschaft?«

»Nein. Lucrezia selbst bemerkte sie erst, als Giovanni schon aus Rom geflohen war. Hätte er davon gewußt, dann hätte er nie die Impotenzerklärung abgegeben. Er brauchte ja nur Lucrezias Schwangerschaft öffentlich zu machen, und die Borgias mußten an der Ehe festhalten. Nein, Giovanni Sforza erfuhr bis zu seinem Ende nichts davon.«

»Gut. Lucrezias Kind – also ich – wuchs bei den Montefalcones auf. Außer Federigo und den Borgias wußte niemand von meiner wahren Herkunft, bis Angela Borgia ihr Wissen einsetzte, um Euer Leben zu retten. Dann wußten die Este alles. Richtig?«

»Nicht präzise genug«, sagte Don Giulio. »Sie wußten nicht alles. Lucrezia war klug. Sie war keusch, aber doch eine Borgia. Die Verschlagenheit ihrer Familie besaß auch sie. Sie ließ in dem Brief den Herzog glauben, daß ihr von Sforza empfangener Sohn ein halbes Jahr nach der Geburt gestorben sei. Sie wollte Euer Leben nicht gefährden. Ich wußte von Angela die Wahrheit, aber ich mußte schwören, sie niemals zu verraten. Ich habe mich an meinen Schwur gehalten. Bis zum April dieses Jahres. Da habe ich meinem Bruder Eure wahre Identität enthüllt, im Tausch gegen diese Zelle.«

»Warum?« fragte Alessandro.

Don Giulio kicherte.

»Baldoni – erinnert Ihr Euch – Baldoni, der mich behandelte, erzählte mir, daß Lucrezia und Angela tot sind. Es gab niemanden mehr, auf den ich Rücksicht nehmen mußte.«

»Das macht Sinn«, sagte Alessandro nachdenklich. »Seit April versucht er, mich umbringen zu lassen. Und immer soll es als Unfall geschehen, damit es kein Gerede in der Öffentlichkeit gibt.«

»Was werdet Ihr jetzt tun?« fragte Don Giulio, und eine gewisse Sprödigkeit seines Tones verriet Alessandro seine Furcht.

»Keine Sorge, ich werde darüber schweigen«, sagte er. »Es ist für mich keine Angelegenheit der Politik. Ich mußte die Frage für mich selbst klären. Was ich jetzt tun werde? Am Leben bleiben und«, fügte er hinzu und stand auf, »endlich mit der Frau zusammensein, die ich liebe.«

»Baldoni sagte mir, Ihr seid verheiratet«, sagte Don Giulio.

»Das stimmt«, erwiderte Alessandro, »aber das kann man ändern. Vergeßt nicht, daß ich ein Enkel des Papstes und ein Neffe Cesares bin. Wenn sie eine Ehe annullieren lassen konnten, kann ich es auch.« Er lächelte und aus dem Ruß, mit dem er sein Gesicht dunkel gefärbt hatte, leuchteten triumphierend die weißen Zähne. »Ich bin Euch zu großem Dank verpflichtet, Don Giulio.«

»Ladet mich zu Eurer Hochzeit ein«, sagte Don Giulio trocken. »Es wäre mir eine Ehre, die Braut zu küssen.«

Die Kälte fraß sich unerbittlich in Matteos Körper, während er bewegungslos an der Hauswand lehnte und den Löwenturm nicht aus den Augen ließ. Der Mond war weitergewandert, die Backsteinwand, an der das Seil hing, schwarz. Zweimal hatte die Stadtwache ihre Runde gemacht. Die Zeit drängte. Bald würden die ersten Knechte und Mägde aufstehen und ihr Tagewerk beginnen. Matteo, dessen Augen sich während der Nachtwache an die Finsternis gewöhnt hatten, nahm eine leichte Bewegung an dem Seil wahr und sah, daß eine dunkle Gestalt sich über den Rand des Turmes schwang. Dann verschmolz sie mit der Schwärze der Mauer und war nicht mehr zu sehen. Alessandro machte sich auf den Rückweg.

Matteo fragte sich, ob er bei Don Giulio erfahren hatte, was er wissen wollte. Für ihn war er immer nur Lucrezias Sohn gewesen, über seinen Vater hatte er nie nachgedacht. Ob Perotto oder Cesare ihn gezeugt hatten, in jedem Fall war Lucrezia das zarte, hilflose Opfer gewesen, dem er beistehen durfte. Als er ihrem Sohn die Treue geschworen hatte, hatte er Tränen der Dankbarkeit in ihren Augen glänzen sehen. Das war der glücklichste Moment seines Lebens gewesen. Nie hatte er gedacht, daß er ihr so nahe kommen konnte. Ihretwegen und ihres Sohnes wegen hatte er auf sein eigenes Leben verzichtet, hatte nicht geheiratet und keine Kinder – jedenfalls keine, von denen er wußte – in die Welt gesetzt. Sein Leben war ganz Lucrezias Sohn geweiht, und bis heute hatte er sein Versprechen, ihn zu schützen, gehalten. Aber wie lange konnte er das noch? Eines Tages würden die Anschläge des Herzogs ihr Ziel treffen. Er würde es auf Dauer nicht verhindern können.

Matteo wußte, daß das Herablassen am Seil für Alessandros Hände mörderisch war. Das rauhe Tau, das er rasch durch die Hände gleiten lassen mußte, riß ihm die Haut von den Handflächen. Er hörte einen leichten Aufprall und wußte, daß er es geschafft hatte.

Und dann hörte Matteo die Stadtwache. Ein Befehl wurde gebellt, Füße setzten sich schneller in Gang und ein Trupp Soldaten rannte die Gasse hinter ihm entlang, auf ihn, auf den Graben, auf Alessandro zu.

Matteo trat aus dem Schatten des Hauseingangs heraus, holte tief Luft und rannte mit aller Kraft, die er aufbringen konnte, in die Gasse hinein. Er prallte gegen einen Soldaten, der an der Spitze des Trupps lief, brachte ihn zu Fall und riß im Sturz noch zwei weitere mit. Der Trupp geriet in Unordnung, die Männer stockten im Lauf und halfen den Gestürzten auf. Matteo rappelte sich auf und rieb sich das schmerzende Knie. Dann brach er in laute Verwünschungen aus.

»Halt das Maul«, sagte eine barsche Stimme. »Polleoni, Lentullo, Ihr bringt den Mann in die Wachstube! Die anderen zum Graben.«

Zwei Soldaten traten an Matteos Seite und packten ihn jeder an einem Arm. Der Trupp formierte sich wieder und rannte in Richtung Löwenturm. Matteo hoffte, daß er Alessandro den nötigen Vorsprung verschafft hatte.

»Was machst du hier?« fragte einer der Wächter. Sie zerrten ihn vorwärts.

»Ich bin aus dem Fenster gesprungen«, sagte Matteo. »Der Ehemann ist zur Unzeit aufgewacht, wenn Ihr versteht, was ich meine. Was macht Ihr jetzt mit mir?«

»Wir nehmen dich mit und überprüfen deine Geschichte«, sagte der Wächter.

»Was?«

Matteo blieb stehen und horchte angestrengt. Die Wachen waren am Graben angelangt. Er hörte ihre Füße über das Eis kratzen.

In diesem Augenblick ertönte ein unmenschlicher Schrei. Die Soldaten lockerten unwillkürlich ihren Griff um Matteos Arm. Mehr brauchte er nicht, um sich loszureißen und davonzurennen. Sie folgten ihm nach einer Schrecksekunde. Sie waren jünger und schneller als er, aber durch ihre Waffen behindert. Matteo schätzte deshalb, daß er eine reelle Chance hatte. Er horchte angestrengt. Ein Hund begann zu bellen und riß die anderen Köter aus dem Schlaf, die in das Gezeter einstimmten. Es war, als halle ganz Ferrara vom Gebell wider. Hinter sich hörte Matteo die Schritte der Wächter, und plötzlich links über sich ein kurzes Kommando.

»Rechts um die Ecke, auf den Balkon!«

Er bog um die rechte Ecke und sah, daß das zweite Haus eine Loggia hatte, die auf hölzernen Säulen ruhte. Er kletterte eine Säule hoch, schwang sich auf den Balkon und hörte wieder das Flüstern von oben.

»Die Regenrinne! Aufs Dach!«

Am Ende der Loggia verlief das Regenrohr. Matteo umschlang es mit Armen und Beinen. Das Metall unter seinen Fingern war eisig. Er biß die Zähne zusammen und zog sich hoch. Als er den Dachüberstand umklammerte, halfen

Hände ihm und zogen ihn endgültig auf das Dach. Er wurde zu Boden geworfen und blieb keuchend liegen.

»Du läufst nicht schlecht für dein Alter«, sagte Alessandro neben ihm und lachte. »Ruh dich einen Moment aus. Ich schaue, was sie machen.«

Er rutschte zum Dachende und spähte vorsichtig in die Tiefe.

In der Straße unter ihm standen die beiden Soldaten ratlos. Sie schauten die Gasse hinauf und hinunter und sahen den Flüchtling nicht mehr. Dann entdeckte einer den Balkon.

Er spuckte in die Hände, drückte seinem Kameraden den Spieß in die Hand und begann, den Balkon zu erklimmen.

»Komm, wir müssen weiter«, sagte Alessandro und kroch zu Matteo zurück.

Sie krochen das schräggeneigte Dach hinauf bis zum First und ließen sich auf der anderen Seite vorsichtig hinab. Am Rand des Daches angekommen, sprangen sie, landeten weich in einem Gebüsch und schauten sich kurz um. Sie standen in einer kleinen Gasse, die blind vor einer Mauer endete.

Alessandro half erst Matteo hinauf und erklomm sie dann. Auf der Mauer sitzend, schauten sie auf einen Friedhof hinunter. Sie ließen sich herab und standen einen Augenblick atemlos im Schatten der Mauer, den Blick auf die Kreuze gerichtet, die streng im Mondlicht glänzten.

An der rechten Seite wurde der Friedhof durch einen Turm begrenzt. Alessandro bog den Kopf in den Nacken und betrachtete ihn. Plötzlich lachte er.

»Das ist der Turm von San Francesco«, sagte er. »Wir sind gerettet. Komm!«

Er rannte im Schatten der Mauer auf den Turm zu und kletterte, gewandt jeden Vorsprung im Mauerwerk nutzend, in das offene Bogenfenster des ersten Stockwerks. Matteo folgte ihm, flüsterte aber in der Dunkelheit, auf der Treppe neben ihm stehend:

»Wir sind in der Falle. Hier können wir nicht wieder hinaus.«

Er wies durch das Fenster. Der erste Wachsoldat schwang sich über die Friedhofsmauer.

»Komm«, sagte Alessandro nur und wandte sich abwärts.

Sie eilten, so schnell es im Dunkeln ging, die Wendeltreppe hinunter, bis sie vor einer kleinen Tür standen.

»Jetzt kommt es darauf an«, sagte Alessandro und drehte an dem Türknauf. »Ja, es funktioniert noch.«

Die Tür öffnete sich. Sie huschten hindurch, und Alessandro drückte die Tür vorsichtig wieder ins Schloß. Der Raum, in dem sie sich befanden, war undurchdringlich finster, kälter als irgendein Ort in dieser Nacht und roch feucht und modrig.

»Wo sind wir?« flüsterte Matteo.

»Im Reich des Todes«, sagte Alessandro, »in der Gruft der Herzöge. Es gibt hier eine kleine Kammer mit dem Sarkophag, in dem Ugo und Parisina liegen. Er füllt die Kammer fast ganz aus. Hinter ihm können wir uns verbergen.«

Er streckte die Hand aus und tastete nach Matteo.

»Nimm meinen Arm. Ich führe dich.« An seinen Ärmel geklammert, schob Matteo sich vorsichtig durch die Dunkelheit. Zweimal stieß er mit dem Schienbein gegen etwas scharfkantig Hartes. Er nahm an, daß es ein Sarg war.

»Hier«, sagte Alessandro endlich, »zwänge dich zwischen den Sarg und die Wand.«

Matteo tat es, keine Minute zu früh. Vor dem Eingang zur Gruft wurden Stimmen laut, dann rüttelte jemand vergeblich an der Tür, trat dann dagegen, bis sie endlich aufsprang.

Roter Feuerschein zuckte über die Wände. Sie hatten Fackeln mitgebracht.

»Hier können sie nicht sein«, sagte jemand. »Die Tür war verschlossen.«

Der Feuerschein wurde heller, jemand kam ganz in ihre Nähe.

»Gräßlich hier«, bemerkte einer. »Es soll hier spuken, habe ich gehört. Ugo geht hier um, den Kopf unter dem Arm, und wimmert nach Parisina.«

»Hier sind sie jedenfalls nicht«, sagte eine dritte Stimme. »Wir können gehen.«

Das Fackellicht verschwand und bald verstummten auch die Geräusche im Turm. Alessandro erhob sich und streckte sich.

»Wir sollten noch einen Moment warten«, sagte er, »bevor wir uns auf den Heimweg machen.«

»Woher kanntet Ihr das Versteck?« fragte Matteo.

Wieder hörte er Alessandro lachen.

»Wenn du und meine Eltern glaubtet, daß ich in meinem Bett schlief, bin ich oft aus dem Fenster geklettert und habe mich einer Bande von Straßenjungen hier im Borgo angeschlossen. Das hier war unser heimlicher Treffpunkt. Es gab einen Trick, mit dem man die Tür öffnen konnte.«

Sie krochen hinter dem Sarkophag heraus und lauschten. Die Soldaten der Stadtwache waren fort, kein Fußtritt war mehr zu hören. Dennoch blieben vorsichtshalber noch sie in der Gruft, um sich auszuruhen, wie Alessandro vorgeschlagen hatte.

Er war Lucrezias Sohn.

Cesare war nur sein Onkel.

Wie hatte er, da er doch Lucrezia gekannt hatte, jemals etwas anderes annehmen können? Wieso war es Giovanni gelungen, mit dieser Lüge sein Leben zu vergiften?

Das war nicht schwer gewesen, dachte er. Es gab kein Verbrechen, keine Ausschweifung, die den Borgias nicht zugetraut worden waren. Niemand war so dämonisiert worden wie Cesare.

Aber warum hatte Giovanni dieses Gerücht weitergegeben? Haßte er ihn, weil er nicht in den Sturz des Hauses Borgia hineingezogen worden war, sondern als Conte Montefalcone weiterhin ein glänzendes Leben führen konnte?

Oder hatte Giovanni dieses Gerücht auch geglaubt?

Er hatte sich auf Vannozzas Amme berufen. Vielleicht – sehr wahrscheinlich sogar – hatte sie Giovanni auch nur Andeutungen gemacht. Warum hätte sie ihm etwas sagen sollen, was sie Alessandro verschwieg? Ihr Entsetzen hatte Giovanni auf seine Weise gedeutet. Denn welch schrecklicheres Geheimnis konnte es zu bewahren geben? Warum sollte Giovanni es nicht geglaubt haben?

Er selbst hatte es ja getan. Sofort. Ohne es nachzuprüfen.

Und wenn Laura nicht gewesen wäre, Laura mit ihrer nüchternen Haltung, die Beweise forderte, statt Gerede zu glauben, und die sich resolut auf die Suche nach den Tatsachen gemacht hatte, dann würde er immer noch annehmen, in Blutschande gezeugt worden zu sein und seine Schwester zu lieben.

Dann hätte er im Frühjahr sein Leben auf einem Schlacht-feld in Ungarn weggeworfen. Der Fluch der Borgia?

Matteo fiel plötzlich auf, daß er etwas gehört hatte, was seit zwei Jahren verstummt war.

»Ihr könnt wieder lachen«, sagte er.

»Ja«, sagte Alessandro in der Dunkelheit neben ihm und at-mete tief. »Don Giulio hat mir das Lachen und das Glück zurückgeschenkt. Gehen wir! Die Wachen werden schon am anderen Ende der Stadt suchen.«

Während sie die Treppe hinaufstiegen, fragte Matteo:

»Wie konntet Ihr sicher sein, daß der Trick mit der Tür noch immer funktionierte? Sie hätten die Tür längst austau-schen können.«

»Oh, ich war mir sicher«, sagte Alessandro sorglos. »Schließlich gehen hier unten Ugo und Parisina um, wie du gehört hast. Liebende helfen Liebenden, meinst du nicht?«

Cristina schlief in dieser Nacht unruhig. Lauras Warnung we-gen der Wolfsjagd beunruhigte sie. Sie glaubte an Träume und Vorzeichen. Ihr Verstand bestätigte ihr, daß ihre Ängste be-rechtigt waren. Denn wozu hätte der Herzog so nachdrück-lich auf Alessandros Heimkehr bestanden, wenn er nicht einen neuen Anschlag plante? Und bei welcher Gelegenheit ließ sich ein tödlicher Unfall besser arrangieren als auf einer Jagd? Nachdem sie sich stundenlang im Bett gewälzt hatte, beschloß sie, daß sie ihre Zeit sinnvoller im Studierzimmer verbringen konnte. Die Arbeit würde sie ablenken. Sie zog ei-nen brokatenen, pelzverbrämten Umhang über ihr Hemd, schlüpfte in ihre Pantoffeln und machte sich auf den Weg ins Erdgeschoß.

Sie war auf halber Höhe der Treppe, als sie aus einem der zum Hof gelegenen Räume ein eigenartiges kratzendes Geräusch vernahm, kurz darauf Flüstern und unterdrücktes Gelächter. Ihr erster Gedanke galt Einbrechern. Sie überlegte, ob sie die Hausbewohner durch Schreien alarmieren sollte oder ob sie besser nach oben eilen und die Männer in der Be-dientenkammer wachrütteln sollte.

Bevor sie sich entschieden hatte, wurde schon die Tür zur Halle aufgestoßen, und zwei Männer in schwarzen Wämsern und Strumpfhosen, die Gesichter geschwärzt, erschienen in der Halle. Cristina öffnete den Mund zum gellenden Schrei, aber sie hatte noch keinen Ton herausgebracht, als der größere und schlankere Mann schon neben ihr stand und ihr seine Hand auf den Mund preßte.

Der andere Mann blieb stehen, wo er war, in einer sonderbar schiefen Haltung, mit der linken Hand den rechten Ellbogen umklammernd.

»Ruhig, Cristina«, flüsterte eine Stimme an ihrem Ohr.

Sie seufzte vor Erleichterung tief auf. Die Kerze in ihrer Hand zitterte, und das heiße Wachs tropfte ihr auf die Haut. Alessandro zog seine Finger von ihrem Mund zurück und nahm ihr die Kerze aus der Hand.

»Was soll das bedeuten?« fragte sie.

»Wir haben jemandem einen Besuch abgestattet«, sagte er leichthin, und sein Ton warnte sie, weitere Fragen zu stellen. »Leider war der Rückweg etwas unbequem. Matteo ist eine Treppe hinuntergestürzt und hat sich den Arm gebrochen. Sobald es tagt, solltest du Doktor Baldoni benachrichtigen. Am besten gehen wir jetzt alle zu Bett.«

Er legte Cristina die Hand unter den Arm und führte sie, mit der Kerze leuchtend, die Treppe hinauf vor ihre Schlafzimmertür. Matteo folgte ihnen langsam und versuchte, sein Stöhnen zu unterdrücken. Cristina bemerkte, daß er auch humpelte.

»Gute Nacht, Cristina«, sagte Alessandro.

Er drückte ihr die Kerze wieder in die Hand.

»Vergiß nicht, morgen Baldoni rufen zu lassen. Ich bin schon bei Tagesgrauen mit der Jagdgesellschaft des Herzogs unterwegs.«

Cristina fiel die Wolfsjagd wieder ein. Laura hatte ihr von ihrem Traum erzählt.

»Du solltest morgen nicht auf die Jagd reiten«, sagte sie alarmiert. »Matteo kann dich nicht begleiten und über dich wachen.«

»Es gibt andere Möglichkeiten, mich zu schützen«, sagte er ruhig. »Ich werde auf mich aufpassen.«

Er ging weiter in den Gang hinein. Matteo folgte ihm humpelnd. Cristina wartete, bis die beiden in Alessandros Schlafzimmer verschwunden waren, dann öffnete sie die Tür zu ihrem eigenen Zimmer.

Sie war keineswegs beruhigt.

Im Gegenteil. Das Geheimnis der heutigen Nacht machte sie nur noch besorgter. Hinter ihrem Rücken geschahen merkwürdige Dinge. Wen konnte Alessandro in dieser Aufmachung mitten in der Nacht besucht haben?

Plötzlich wurde ihr klar, was sie die ganze Zeit irritiert hatte. Nicht Alessandros Kleidung. Nicht der Ruß in seinem Gesicht. Er war irgendwie verändert. Der Mann, dem sie eben gegenübergestanden hatte, war nicht mehr der Mann, der vor zwei Jahren aus Rom zurückgekommen war. Er vibrierte vor Vitalität. Die lähmende Verzweiflung der letzten Wochen, die klirrende Kälte der letzten Jahre waren von ihm abgefallen.

Auf die kalte Nacht folgte ein sonniger, frostiger Tag. Dampf quoll aus den Nüstern der Pferde und den Mündern der Menschen. Sie waren bei Anbruch der Dämmerung aufgebrochen, hatten den küstennahen Sümpfen den Rücken gewandt und erreichten gegen Mittag die waldreiche Ebene, die den Bergen vorgelagert war. Aus den Dörfern, die wie ockerfarbene Inseln in dem schwarzen, kahlen Baummeer lagen, waren die ersten Meldungen über die Wölfe gekommen. Bis hierhin begleiteten die Damen die Jäger. Hier wurde das Lager aufgeschlagen, in dem sie auf die Rückkehr der Männer warteten, die sich in einer langgezogenen Reihe, immer zu zweit und immer in Hörweite voneinander, auf den Weg ins Gebirge machten.

Alessandro Montefalcone machte keine Anstalten, sich einen Gefährten zu suchen. Er wartete ab, wer sich zu ihm gesellen würde. Es war Annibale Strozzi.

Er lachte, und seine Zähne blitzten in dem braunen Piratengesicht.

»Das ist wenigstens eine richtige Jagd«, sagte er, sein Pferd neben Alessandros lenkend. »Die Chancen sind gleich verteilt. Ich hasse Treibjagden, bei denen der Ausgang schon von vornherein feststeht. Was ist eine Jagd ohne Gefahr?«

»Tödliche Gefahr?«

Strozzi zuckte die Schultern.

»Das Leben führt auf jeden Fall zum Tod. Wen die Götter lieben, den lassen sie jung, im Vollbesitz seiner Kräfte und auf der Höhe seines Glücks abtreten.«

»Ich«, sagte Alessandro gelassen, »würde nichtsdestotrotz weder heute noch in den nächsten Jahren gern sterben.«

»So spricht jemand, der glaubt, das Glück vor sich zu haben«, sagte Strozzi und warf ihm einen scharfen Blick zu.

Das Leuchten, das er in Montefalcones Augen sah, verschlug ihm einen Augenblick den Atem.

Das Unterholz wurde dichter, und sie mußten hintereinander reiten. Von rechts und links hörten sie den Lärm ihrer Jagdgefährten. Strozzi betrachtete gedankenvoll den schlanken Rücken des Reiters vor ihm. Er trieb sein Pferd, sobald es der Pfad erlaubte, vorwärts an Alessandros Seite.

»Ich gehe morgen als Kurier nach Blois«, sagte er beiläufig, »mit zwanzig Mann. Über Mantua und Mailand. Wir werden langsam vorankommen, weil wir außer Briefe auch noch eine Hofdame der Prinzessin nach Frankreich zu befördern haben. Die junge Dunkelhaarige. Wie heißt sie noch gleich? Laura de Roseval. Sie ist aus irgendeinem Grund in Ungnade gefallen und wird nach Hause geschickt.«

Er erwartete keine Antwort, und er bekam keine. Aber zu seiner Befriedigung sah er, daß das Leuchten aus Alessandros Gesicht verschwunden war und eine steile Falte zwischen seinen Brauen stand. Annibale Strozzi ließ sein Pferd leicht zurückfallen und pfiff vor sich hin.

Die Sonne hatte den Zenit überschritten, als er vorschlug, eine Pause zu machen und einen Imbiß einzunehmen. Sie banden die Pferde an einen Baum, nahmen Proviant aus den Satteltaschen und ließen sich auf einem umgestürzten Baumstamm nieder.

Die Reihe der Jäger hatte sich in den letzten Stunden auseinandergezogen. Sie hörten aus weiter Ferne Rufen und einmal ein Hifthorn. In ihrer Nähe war es still. Bald verstummte auch der entfernte Lärm.

»Man könnte meinen, wir seien die einzigen Menschen auf der Welt«, bemerkte Strozzi und spülte einen Bissen Käse mit einem Schluck Rotwein hinunter. Er hörte es zuerst, weil er aufmerksamer gelauscht hatte. Er hatte darauf gewartet. Ein dürrer Zweig knackte irgendwo in ihrem Rücken. Er warf Montefalcone einen raschen, verstohlenen Blick zu. Der wischte sich gerade den Mund ab. Er saß locker und entspannt, die Beine ausgestreckt, und sah ihn lächelnd an. Annibale Strozzi zwang sich, ganz still zu sitzen.

Dann wurden die Pferde unruhig. Montefalcones Pferd warf den Kopf hoch und wieherte. Strozzis Pferd stampfte mit den Hufen und zerrte an dem Strick, an dem es festgebunden war. Strozzi unterdrückte einen Fluch.

Im gleichen Moment kamen sie. Sie brachen aus dem Unterholz hervor und nahmen keine Rücksicht mehr. Es waren zehn Mann mit Speeren und Pfeil und Bogen. Sie hatten zwei Bluthunde dabei.

Alessandro war auf den Füßen, bevor Strozzi sich bewegen konnte. Er sprang zu den Pferden und schnitt sie mit dem Dolch los. Mit der flachen Klinge schlug er Strozzis Hengst auf die Kruppe, so daß das Pferd sich aufbäumte und in das Dickicht davongaloppierte. Dann saß er im Sattel seines Pferdes.

Strozzi brüllte einen Befehl und sah, daß er überflüssig war. Die Männer hatten die Situation schnell erfaßt. Sie hatten die Lichtung besetzt und versperrten jeden Ausgang in den Wald. Ihre Speere streckten sich mit tödlicher Drohung dem Reiter entgegen.

Montefalcone beugte sich über den Hals seines Pferdes. Tief bohrte er ihm die Sporen in die Flanken, und mit eisernen Schenkeln und harter Faust zwang er es unter seinen Willen. Bevor jemand den Speer schleudern konnte, hatte er das Tier auf zwei Männer zugelenkt. Der Rappen bäumte sich hoch auf und übersprang die Männer, die sich unwillkürlich duckten. Dann verschwand er im Wald.

Strozzi brüllte. Neun Männer folgten dem Reiter. Sie ließen die Hunde von der Koppel. Der zehnte setzte Strozzis Pferd hinterher und brachte es zurück.

Alessandro tauchte aus dem hellen Sonnenschein in die Dunkelheit des Waldes ein. Er hörte, wie die Hunde hinter ihm durchs Unterholz brachen. Es war für sie ein Kinderspiel, in diesem Gelände ein Pferd einzuholen. Er riß sein Schwert aus der Scheide und drehte sich um.

Der erste Hund setzte gerade zum Sprung auf die Flanke des Pferdes an, das messerscharfe Gebiß entblößt, Speichel aus dem offenen Maul tropfend. Alessandro beugte sich vor und stieß ihm die Klinge tief in die Brust. Der Hund brach mit einem gellenden Jammerheulen zusammen. Schon kam der zweite heran und stürmte über den zusammengebrochenen Körper hinweg. Alessandro konnte sein Schwert noch aus der Brust des toten Hundes ziehen, aber er hatte keine Zeit mehr, zu einem tödlichen Stich auszuholen. Er hob die Klinge an und hieb mit ihrer flachen Seite so gewaltig dem Hund über den Kopf, daß er die Schädelknochen bersten hörte.

Der erste der Speerträger tauchte am Waldsaum auf. Er hob die Waffe, zielte und schleuderte. Alessandro ließ das Schwert fahren, ergriff die Zügel und trieb das Pferd vorwärts. Der Speerwerfer hatte gut gezielt. Die Spitze bohrte sich durch den Mantel und das Wams zwischen Alessandros Schulterblätter. Er brach über dem Hals des Pferdes nieder, das ins Wanken kam, wieder Tritt faßte und mit seiner Last vorwärts trabte.

Der Speerschleuderer wischte sich die schweißigen Hände an seiner Hose ab und sagte, sich grinsend zu Strozzi drehend, der jetzt auf seinem Pferd hinter ihm erschienen war:

»Das hat gesessen. Der ist hin.«

»Gut, bergen wir die Leiche«, sagte Strozzi kurz.

Sie wollten sich gerade in Bewegung setzen, als die Jagd über sie hereinbrach.

Aus dem Unterholz sprangen die Wölfe, ihnen dicht auf den Fersen die Jäger des Herzogs, und Strozzi und seine Männer wurden in das Getümmel gerissen.

Sie erlegten die Wölfe in der nächsten Viertelstunde. Aber sie hatten nicht alle ausgerottet. Eine alte, erfahrene Wölfin hatte sich schon früher von dem Rudel abgesetzt. Sie streifte einsam und ziellos durch den Wald, bis sie die Spur eines einzelnen Pferdes witterte. Dann nahm sie bedachtsam und vorsichtig die Fährte auf.

Als Luca Baldoni am Morgen durch einen Diener zum Palazzo Montefalcone beordert wurde, durchfuhr ihn kalter Schrekken. Er hatte die Nacht schlaflos in seinem Studierzimmer verbracht und sich ausgemalt, was geschehen würde, wenn Alessandro Montefalcone bei dem Versuch, zu Don Giulio vorzudringen, gefaßt werden würde. Natürlich stand der Tod darauf, und die Este waren bekannt dafür, daß sie Todesstrafen rasch vollstrecken ließen. Aber sicher würde dem Tod die Folter vorangehen. Würde der Graf auf der Folter nichts von Luca Baldonis Anteil an diesem Abenteuer verraten?

Auf dem Weg zum Palazzo, als die Morgenfrische seine heiße Stirn kühlte, begann Baldoni, seiner Furcht zu spotten. Wenn eingetroffen wäre, was er die ganze Nacht befürchtet hatte, so würde man ihn jetzt nicht zu den Montefalcones rufen.

Cristina empfing den Arzt in der Halle. Sie wirkte zerstreut, als sie ihn begrüßte und nach oben führte, wo sie eine Zimmertür öffnete und nur knapp sagte: »Doktor Baldoni.«

Baldoni trat über die Schwelle und sah sich in einem schlichten Schlafzimmer, das außer einem einfachen Bett nur eine Kommode und zwei Truhen enthielt. Auf dem Bett lag, schwarz gekleidet und in einem zerrissenen und schmutzigen Wams, Matteo. Die Blässe seine Gesichts wurde durch Rußflecke noch betont, die nur flüchtig von seiner Haut abgewischt worden waren.

Baldoni untersuchte ihn eingehend. Die rechte Schulter war ausgerenkt und der Unterarm gebrochen. Der linke Fuß war verstaucht, und am ganzen Körper hatte er Prellungen, die sich bereits gelb und grün verfärbten.

Auf Baldonis fragend erhobene Augenbrauen hin sagte Matteo voller Selbstverachtung:

»Ich bin die Treppe hinuntergefallen. Ich habe die oberste Stufe verfehlt.«

Baldoni hatte das Gefühl, es sei besser, nicht nach Einzelheiten zu fragen. Er renkte die Schulter ein, schiente den Arm und gab Anweisungen für eine Salbe, mit der der Fuß eingerieben werden sollte.

»Innere Verletzungen kann ich nicht feststellen«, sagte er. »Ich glaube nicht, daß Ihr Fieber bekommen werdet. Ein paar Wochen Ruhe werden Euch wieder völlig herstellen.«

»Unmöglich«, sagte Matteo zornig, »ich muß morgen schon wieder zu Pferde sitzen.«

Baldoni schloß seine Tasche.

»Euretwillen, mein Freund, wird die Natur keine Ausnahme machen. Knochenbrüche brauchen ihre Zeit. Ihr müßt Euch in Geduld üben.«

Auf der Treppe traf er Cristina. Er setzte ihr Matteos Zustand auseinander und betonte, sie müsse dafür sorgen, daß er sich schone und ruhig halte. In seinem Alter gehe es mit der Heilung der Knochen nicht mehr so schnell wie bei jungen Menschen.

Ihm fiel auf, daß sie sehr blaß war und auf ihrer Stirn feine Schweißperlen standen. Besorgt fragte er, ob sie sich wohlfühle.

»Wie bitte?« fragte sie.

Er wiederholte seine Frage.

»Danke, es geht mir gut«, erwiderte sie. »Ich bin nur etwas nervös, glaube ich.«

Ihm schien, als lausche sie angestrengt auf die Straße hinaus und wünsche ihn weit fort. Er verabschiedete sich und kündigte an, er werde am Abend noch einmal vorbeischauen, um nach dem Rechten zu sehen.

Auf der Straße stehend, beschloß er, aus einer dunklen Vorahnung heraus, nach Laura zu sehen. Irgend etwas stimmte nicht. Vielleicht würde er von ihr mehr erfahren. Das Kastell war ungewöhnlich leer. Nach einigem Nachdenken fiel Baldoni ein, daß fast der ganze Hof heute zur Wolfsjagd ausgeritten war. Er fragte einen Lakaien nach dem Weg zu Madonna Laura.

»Madonna Laura ist nicht zu sprechen«, sagte er. »Sie bereitet ihre Abreise vor.«

»Ihre Abreise?« wiederholte Baldoni verblüfft.

Der Lakai lächelte glatt und ausdruckslos.

»Madonna Laura hat Heimweh nach Frankreich. Da morgen ein Kurier des Herzogs unter Bedeckung nach Blois geht, bietet sich für Madonna Laura eine ideale Möglichkeit heimzukehren.«

»Ich weiß nicht, ob ich als Arzt dem zustimmen kann«, wandte Baldoni ein. »Die Dame ist gerade von schwerer Krankheit genesen. Eine Reise mitten im Winter ist viel zu strapaziös für sie. Ich möchte sie sehen.«

Der Lakai blieb unverändert lächelnd und höflich, aber Baldoni spürte die Härte hinter der Höflichkeit.

»Madonna Laura hat dem Herzog versichert, daß sie kräftig genug für die Reise ist, Dottore«, sagte er. »Es besteht für Euch kein Grund, sie jetzt zu stören.«

Baldoni erkannte die Zeit für den Rückzug. Als er langsam und nachdenklich die Treppe hinunterschritt, fühlte er, wie jemand an seinem Ärmel zupfte. Er blickte hinunter und sah die Zwergin Lucrezias, aus deren weißgeschminktem Gesichtchen unter dem roten Haar ihn große glänzende Affenaugen anfunkelten.

»Zwei Soldaten«, wisperte sie, »zwei Soldaten vor Madonna Lauras Tür.« Dann kreischte sie schrill auf und rief kichernd: »Was ist ein Arzt? Ein Bruder des Totengräbers.«

Immer noch grell kichernd und grotesk hüpfend, verschwand sie um die Ecke in einem Gang.

Baldoni setzte stirnrunzelnd seinen Weg fort. Zwei Soldaten vor Madonna Lauras Tür? Laura war also eine Gefangene. Sie kehrte nicht freiwillig heim, sondern wurde gegen ihren Willen fortgeschickt. Das war eine Nachricht, für die Alessandro Montefalcone sich bestimmt interessieren würde.

Die Dunkelheit war hereingebrochen. Der Arzt winkte einem der Fackelträger, die vor dem Palast herumlungerten, und ließ sich von ihm zu dem Palazzo Montefalcone begleiten.

Er fand Cristina, die in der Halle auf und ab ging, als wäre es immer noch Morgen und er nicht seit sechs Stunden fort gewesen. Bei seinem Eintritt huschte ein Schatten der Enttäuschung über ihr Gesicht. Baldoni erkundigte sich nach ihrem Gatten.

»Er ist noch nicht zurück«, sagte sie. »Er ist heute morgen auf die Wolfsjagd geritten.«

»Dann kann er auch noch nicht zurück sein«, sagte Baldoni beruhigend. »Ich wette, die Jagdgesellschaft übernachtet im Gebirge und kommt erst morgen zurück. An Eurer Stelle würde ich heute nicht auf ihn warten.«

Cristina sagte nichts, und Baldoni stieg die Treppe hinauf.

Matteo lag nicht mehr im Bett. Er saß am Fenster und blickte auf die Straße. Er wirkte ebenso unruhig und erwartungsvoll wie Cristina.

Baldoni räusperte sich, und Matteo wandte den Kopf.

»Ach, Ihr seid es«, sagte er enttäuscht. »Es ist alles in Ordnung. Ich habe kein Fieber bekommen.«

Er richtete den Blick wieder auf die Straße, als gäbe es dort ein Schauspiel, das er nicht versäumen wollte.

»Ich werde dann morgen im Laufe des Tages noch einmal nach Euch schauen«, sagte Baldoni. »Kann ich jetzt noch etwas für Euch tun?«

Matteo schüttelte den Kopf und hielt dann jäh inne. Seine ganze Haltung änderte sich. Er fuhr halb in die Höhe und beugte sich weiter zum Fenster. Baldoni, neugierig geworden, trat neben ihn. Jetzt vernahm auch er die Geräusche, die Matteos Aufmerksamkeit erweckt hatten. Es war das Hufgetrappel von mehreren Pferden, die im Schritt gingen. Das Geräusch wurde lauter, die Reiter kamen näher und in Sicht.

Matteo sprang auf, ohne auf seinen verstauchten Fuß zu achten. Baldoni sah, daß er zitterte. Das Klappern der Hufe verstummte direkt vor dem Tor des Palazzos.

»Geht hinunter«, sagte Matteo heiser.

Die Reiter saßen ab und hoben eine Bahre zwischen zwei Pferden herab, auf der ein Mann lag, dessen Gestalt und Gesicht unter einer schweren Pelzdecke verborgen waren. Vier Männer brachten die Bahre ins Haus.

Baldoni ergriff seine Tasche und rannte die Treppe hinunter.

Der Bahre folgte ein Mann, der die Kapuze seines Umhangs zurückschlug. Baldoni erkannte das Piratengesicht Annibale Strozzis.

»Er ist nicht tot«, sagte er. »Wir sind gerade noch im letzten Moment gekommen. Während des Kampfes gegen die Wölfe war er ins Abseits geraten. Eine Wölfin hat seine Fährte aufgenommen. Als wir mit den anderen fertig geworden waren, nahmen wir seine Verfolgung auf. Wir fanden ihn, da lag er schon am Boden, die Bestie über ihm. Sie war dabei, ihn zu zerfleischen. Wir konnten nichts mehr tun, als ihn heimzubringen. Ich hoffe, es ist noch nicht zu spät.«

Cristina wies die Träger mit einer herrischen Bewegung in das nächste Zimmer, dessen Tür schon offen stand. Im Kamin prasselte ein Feuer. Es war warm. Die Männer trugen ihre Last hinein und setzten sie auf dem langen Eßtisch ab. Cristina machte eine Geste, und sie gingen hinaus. Als Strozzi eintreten wollte, schloß sie vor ihm die Tür.

Baldoni ging zur Bahre und schlug die Pelzdecke zurück. Er unterdrückte einen Aufschrei. Cristina, die hart hinter ihm stand, stöhnte auf. Alessandro Montefalcones Wams war blutdurchtränkt. Das goldene Haar war schwarz von geronnenem Blut, das Gesicht nicht zu erkennen unter einer Kruste von Dreck, Schweiß und Schorf. Sein Atem ging schwach und unregelmäßig.

»Ich weiß nicht, ob er es schaffen wird«, sagte Baldoni leise. »Der Blutverlust kann tödlich sein. Ich kann ihm kein neues Blut zuführen. Kein Arzt der Welt kann das.«

Cristina starrte auf den blutüberströmten Mann auf der Bahre, dessen Atem nicht mehr als ein schwacher Hauch war.

Die Frau legte sorgsam die schwere Pelzdecke um Laura herum. Dann zog sie den Vorhang der Sänfte zu und gab damit das Zeichen, daß sie aufbrechen konnten. Die Sänfte wurde aufgehoben und setzte sich langsam und schwankend in Bewegung.

Der Vorhang und das Dach schützten nur wenig vor der klirrenden Kälte. Wenn die Frau ausatmete, sah sie ihren Atem als ein hellgraues Wölkchen zur Decke aufsteigen. Sie kuschelte sich tief in ihre eigenen Decken aus Schafwolle und zog das Kopftuch über die Stirn hinunter.

Sie war sechzig Jahre alt und hatte die letzten Jahrzehnte als Bediente im Kastell von Ferrara verbracht. Ursprünglich stammte sie aus den Savoyen, und dorthin wollte sie auch schon längst zurückkehren, nachdem ihr Mann und ihre Tochter gestorben waren. Aber nie hatte sich eine Gelegenheit geboten. Bis vor drei Tagen eine Frau zur Begleitung der französischen Hofdame gesucht wurde, die in Unehren entlassen worden war und mit dem Kurier heimreisen sollte. Niemand bewarb sich um einen Posten, der eine wochenlange Reise mitten im Winter einschloß. Vereiste Straßen, gesperrte Pässe, Schneewehen, Wölfe – das alles erhöhte die Gefahren. Nur gegen Räuberbanden waren sie gut gesichert, denn Annibale Strozzi, der den Konvoi anführte, befehligte eine Kompanie von zwanzig Bewaffneten.

Die Frau seufzte.

Es würde eine harte, strapaziöse Reise werden.

Sie warf einen verstohlenen Blick auf die junge Frau neben sich.

Laura de Roseval war ihr unheimlich.

Sie hatte, seit sie ihr vorgestellt worden war, noch kein Wort gesagt. Sie hatte sie wohl angesehen, aber die Frau war überzeugt, daß sie sie nicht wahrgenommen hatte. Sie bewegte sich wie eine Marionette, an der ein Puppenspieler die Drähte zog. Ihr Gesicht war starr, als wäre es aus Holz geschnitzt. Wenn nicht regelmäßige Atemzüge leicht ihre Brust gehoben und Atemwölkchen sich vor ihrem Mund gekräuselt hätten, hätte man sie für einen künstlichen Menschen halten können, eine Puppe mit Gelenken, die ein genialer Mechaniker angefertigt hatte.

Es ist, als ob sie keine Seele hätte, dachte die Alte und zog schaudernd, ob vor Kälte oder vor Grauen, die Decke enger um sich.

Laura lehnte neben ihr und starrte blicklos vor sich.

Nachdem der Herzog sie zu Arrest auf ihrem Zimmer verurteilt hatte, war sie nur von dem einen Gedanken beherrscht gewesen, wie sie Alessandro eine Nachricht zukommen lassen konnte. Sie wagte nicht, einen der Wächter vor ihrer Tür zu bestechen. Der Herzog hatte ihnen den Tod angedroht, wenn sie sich auch nur das Geringste zuschulden kommen ließen, und sie würden die Nachricht sicher ihrem Herrn ausliefern. Sie mußte auf ihr Glück vertrauen. Vielleicht fand sich, wenn sie die Treppe hinunter in den Hof geführt wurde, eine Gelegenheit, jemandem einen Zettel zuzustecken.

Sie schrieb eine Nachricht, faltete sie sehr klein, so daß sie auch in die Handfläche eines Kindes passen würde, setzte sich dann auf die Fensterbank und dachte mit aller Kraft an Blandina. Vielleicht konnte die Zwergin auch über diese Entfernung ihre Gedanken auffangen.

Die ganze Zeit war ihr bewußt, daß am nächsten Morgen die Wolfsjagd stattfinden würde.

Laura schlief in dieser Nacht nicht, und am folgenden Tag war sie zu erregt, um essen zu können. Die Soldaten brachten ihr etwas Brot und Milch zum Frühstück und eine Scheibe kalten Braten und einen Krug Wein zum Mittag, aber sie rührte nichts an. Den ganzen Tag verbrachte sie damit, wie ein gefangenes Tier im Käfig ruhelos auf und ab zu schreiten. Hitze- und Kälteschauer schüttelten sie abwechselnd. Gegen Abend fiel sie in ihrem Kleid auf das Bett und schlief einen unruhigen, von Alpträumen geschüttelten Schlaf der bleiernen Erschöpfung.

Als sie am nächsten Morgen erwachte, fühlte sie sich wie zerschlagen.

Eine Frau wurde zu ihr geführt, und man sagte ihr, das sei ihre Zofe für die Reise. Sie würde ihr jetzt helfen, ihre Sachen zusammenzupacken. In einer Stunde müßte sie aufbrechen.

Laura ergriff das kleine Zettelchen, verbarg es in ihrer Handfläche und zeigte der Frau gleichgültig, was sie zu einem Bündel zusammenschnüren sollte. Es war ihr egal, ob sie ihre gesamten Habseligkeiten zusammensuchte. Sollte Marguerite doch behalten, was sie hier vergaß. Sie spürte, daß Alessandro ihrer Bitte, der Wolfsjagd fernzubleiben, nicht gefolgt war. Es war nicht wichtig. Nichts war nun wichtig als die Frage, ob er sie überlebt hatte.

Die Frau brauchte keine Stunde, um alles zusammenzupacken. Als man sie durch die Korridore führte, dachte Laura wieder dringlich an Blandina.

Sie traf sie und Ibrahim weder auf den Fluren noch auf den Treppen, und als sie den Hof betrat, wo die Soldaten sich zum Abmarsch bereitmachten und die Sänfte auf sie wartete, hatte sie die Hoffnung schon aufgegeben.

Plötzlich trat Ibrahim ihr dunkel und schweigend in den Weg. Auf seinem Arm saß Blandina. An keinem Tag hatte sie so alt gewirkt wie an diesem. Ihre Haut war fahl, und die Linien in ihrem Gesicht waren tiefe Furchen. Ihr Mund war grellrot geschminkt wie bei einem Clown, und hatte sich wie zu dem Lachen eines Clowns verzogen.

Die Soldaten drängten Ibrahim zur Seite, bevor Laura ihre Hand nach Blandina ausstrecken konnte.

Ibrahim wich zurück, und Laura ging an Blandina vorüber. Die Zwergin begann zu singen.

Pour oublier mon malheur
il faut que je chante
mon chant calme la douleur
qui tant me tourmente
cent soupirs pour chaque jour
c'est ma triste rente
le seul bien que j'ai d'amour
c'est une mort lente …

Laura blieb wie angewurzelt stehen. Sie erinnerte sich. Philippe hatte dieses Lied gesungen an dem Abend in Arles. Er hatte damit eine Bresche in Alessandros Schutzwehr geschlagen, durch die sie hatte eindringen können. Der Abend in Arles, als Alessandro ihr gesagt hatte, daß er sie liebte.

Ich liebe Euch mit meinem Körper, meinem Geist und meiner Seele, auf alle Arten, auf die ein Mann eine Frau lieben kann.

Woher kannte Blandina das Lied? Warum sang sie es jetzt?

Blandina begann die nächste Strophe, aber ihr silberhelles Stimmchen ging unter in den rauhen, heiseren Stimmen der Soldaten, die an Laura vorbei zur anderen Seite des Hofes drängten.

»Schon gehört? Eine Wölfin hat ihn erwischt.«

»Den doch nicht. Der nimmt es mit zehn Wölfen auf, wenn's darauf ankommt.«

»Nein, es stimmt. Ich war gestern dabei, als sie ihn gebracht haben. Soll schlecht um ihn bestellt sein, habe ich gehört.«

»Was heißt hier schlecht? Er hat heute nacht das Zeitliche gesegnet. Hab einen Vetter, der da in der Küche arbeitet. Er hat einen Blick auf ihn werfen können. Alles Blut. Keine Stelle an seinem Körper, die nicht voll Blut war.«

»Ja, das Vieh hat ihn völlig zerfleischt. Ein Wunder, daß er überhaupt noch lebte, als man ihn in den Palazzo brachte.«

Die Männer waren vorüber, nur von dem letzten hörte Laura noch drei, vier Worte:

»Schade um ihn. Bei Pavia habe ich …«

Sie wußte nicht, wie sie in die Sänfte gekommen war, sie wußte nicht einmal, daß sie sich in der Sänfte befand.

Sie wußte nur, daß Alessandro tot war.

Gestorben in der Nacht, als sie geschlafen hatte.

Und sie hatte es nicht gespürt. Sie hatte ihn in Gefahr gewußt, aber kein Hauch einer Ahnung war in ihr aufgestiegen, als er starb.

Als ihre Mutter starb, Dutzende Meilen von ihr entfernt, hatte sie in derselben Stunde einen scharfen Schmerz gefühlt, als ginge ein Schwert durch sie hindurch. Als Alessandro starb, wenige hundert Meter von ihr entfernt, hatte sie geschlafen und nichts gefühlt.

Er war tot.

Verloren auf ewig.

Jetzt war alles aus.

Nicht Licht noch Land ringsum. Nur Finsternis und gähnender Abgrund. Ein Weg nur, der aus dem Kerker der Leiden führt.

Wozu sollte sie noch leben? Es gab keinen Sinn mehr in ihrer Existenz. Alessandro und sie waren zwei Hälften, die nur zusammen ein Ganzes ergeben konnten. Wenn er tot war, dann würde auch sie sterben. Sie würde den Tod freudig begrüßen.

Laura ließ den Zettel in ihrer Hand zu Boden fallen. Sie saß neben der alten Frau in der Sänfte und regte sich nicht und wartete mit offenen Augen auf den willkommenen Besucher.

Cristina Nogazza hatte in den nächsten Tagen viel zu tun. Sie schickte einen Boten nach Venedig, benachrichtigte Antonio vom Tod seines Bruders und bat ihn, zu kommen, damit er am Begräbnis teilnehmen und seine Position als Haupt des Hauses Montefalcone antreten konnte. Dann organisierte sie mit Elisabettas Hilfe die Beisetzung.

Der Tote wurde in einem Katafalk in der Halle des Palazzos aufgebahrt. Da seine Wunden ihn gräßlich entstellt hatten, hatte man barmherzig ein Tuch über das zerstörte Gesicht gebreitet. Jeder, sagte Cristina, sollte ihn als den strahlenden jungen Kriegsgott in Erinnerung behalten, der er gewesen war. Sechs Diener hielten abwechselnd Wache, nur Matteo blieb die ganze Zeit am Kopfende und wich nicht von seiner Seite, bis er in der Gruft der Montefalcones beigesetzt war.

Der Trauerzug, der sich vier Tage nach Alessandros Ableben durch die Straßen wälzte, übertraf an Pracht und Pomp sogar das Begräbnis des letzten Herzogs. Zwanzig Fackelträger begleiteten ihn, und fünf Trompeter schritten dem Sarg voraus. Acht schwarze Pferde mit schwarzen Satteldecken und schwarzen Federbüschen zogen die Lafette, auf der der Tote aufgebahrt war. In der ersten Reihe der Trauernden folgten der Herzog und sein Sohn, dann alles, was in Ferrara Rang und Namen hatte, und die Bevölkerung der Stadt schloß sich an.

Nach der Beisetzung gab es im Palazzo Montefalcone für alle adligen Trauergäste ein Mahl mit achtzig Schüsseln verschiedener Gerichte und den edelsten Weinen. Ein Orchester spielte getragene Weisen. Für die Bürger Ferraras gab es kostenloses Essen und Trinken in allen Gasthöfen der Stadt. Am Ende des Totenmahles verkündete Antonio, daß er zum immerwährenden Gedächtnis seines Bruders eine Stiftung ins Leben rufen würde, eine Unterkunft für invalide Soldaten, die sich nicht selbst unterhalten konnten.

Am nächsten Tag wurde der Palazzo Montefalcone geschlossen. Der neue Graf, die Witwe und ihre Freundin Elisabetta reisten nach Venedig.

Es war der Tag, an dem die Weihnachtsfeste begannen. Im Taumel der Vergnügungen vergaß man den Tod Alessandro Montefalcones rasch.

Manchmal dachte Renée, wenn sie mißgelaunt dem fröhlichen Treiben um sich herum zuschaute, daß sie die einzige war, die sich noch an ihn erinnerte. An ihn und Laura de Roseval.

Weihnachten wurde am Hof von Mantua im großen Stil begangen. Isabella d'Este Gonzaga entfaltete alle ihre Begabungen, um die Tage zu einem ununterbrochenen Feuerwerk der Unterhaltung zu machen, von dem die Gesandten Briefe voller Bewunderung an ihre Fürsten schreiben und so ihren Ruf als Erste Dame Italiens befestigen würden. Lauras Eskorte hatte inzwischen Mantua erreicht, und Annibale Strozzi hatte beschlossen, daß man über die Festtage dort Station machen würde. In dem allgemeinen Getümmel fiel Lauras Verlorenheit niemandem auf als ihrer Zofe.

Der alten Frau wurde es langsam unheimlich. Soweit sie es

sehen konnte, und sie war fast ununterbrochen in Lauras Nähe, schlief ihre Herrin nie und aß nichts. Sie war völlig geistesabwesend, schien auf etwas zu warten.

Laura war in einer stummen Verzweiflung gefangen. Noch stand Alessandros Gesicht ganz klar vor ihr. Noch hörte sie seine Stimme, noch erinnerte sie sich an jedes Wort, das er gesprochen hat. Wie lange noch? Jeder Tag würde ihr seinen Stempel aufdrücken mit all den kleinen Ereignissen, und sie würden sich wie ein Schleier über ihr Gedächtnis legen. Er würde ihr ferner und ferner werden und schließlich nicht mehr sein als ein Name. Laura ertrug den Gedanken nicht. Sie wollte sterben, solange sie noch ganz erfüllt war von ihm. Alessandro ersehnte ihren Tod sicher ebenso inbrünstig wie sie. Wie anders könnten sie zusammenkommen als in der nächsten Welt?

Anna war für die Nacht im Hause des Verwalters untergebracht worden. Sie hatte die Dame de Lalande noch mit allem Nötigen versorgt und sie dann mit ihrem Besucher allein gelassen. Recht war ihr das nicht. Sie wünschte, der Fremde wäre schon vor Stunden wieder gegangen. Ihre Herrin war viel zu schwach, um stunden- und nun gar nächtelangen Besuch zu verkraften.

Die Dame sah ungeduldig zu, wie Anna umständlich herumkramte, und seufzte erleichtert, als sie endlich das Mas verließ. Dennoch brach sie das Schweigen nicht, das zwischen ihr und dem bärtigen Mann lag, der ihr gegenüber am Feuer saß.

Der König von Frankreich hatte in diesem Winter seine geliebten Schlösser an der Loire verlassen und war mit seinem Hofstaat nach Süden gezogen, um Weihnachten in Lyon zu verbringen. Dort würde er die Nachrichten aus Italien früher erhalten. Der Besucher hatte die Gelegenheit benutzt, die Dame de Lalande aufzusuchen.

Es war viele Jahr her, daß er sie zuletzt gesehen hatte, und sie schien ihm unverhältnismäßig gealtert. Anna hatte ihr eine Pelzdecke über den Schoß gebreitet. Auf dem Fell lagen ihre Hände nebeneinander, Hände mit langen schlanken Fingern, auf deren Handrücken sich dick die Adern abzeichneten und die übersät waren mit braunen Flecken. Agrippa hob die Augen von den Händen zu ihrem Gesicht. Die dunklen Augen waren tief eingesunken, und die Nase ragte spitz zwischen den pergamentenen Wangen hervor. Agrippa brauchte sie nicht zu berühren, um zu wissen, daß der Todesengel nah war.

Sie verzog den Mund spöttisch, während sie sich seiner Prüfung ausgesetzt sah.

»Gebt Euch keine Mühe, Agrippa von Nettesheim«, sagte sie. »Es ist nichts mehr übrig von der Frau, die ich einmal war. Bald nicht einmal mehr dieser Körper.«

»Der Tod wird als Erlösung kommen«, sagte er sanft.

Sie schloß die Augen und sah so noch müder und gebrechlicher aus.

»Endlich«, sagte sie. »Ich sehne ihn seit mehr als dreißig Jahren herbei. Wenn es nicht wegen Esther gewesen wäre und wegen Laura, ich hätte nicht so lange auf ihn gewartet.«

Sie hatte den Namen der Frau ausgesprochen, um deretwillen Agrippa gekommen war. Sein Besuch galt nicht ihr und der alten Freundschaft, die sie verband. Er war einzig und allein um Lauras willen hier. Sie hatte es von Anfang an gewußt, und sie hatte nun bewußt ihren Namen genannt, damit er sprechen konnte. Aber Agrippa sprach nicht.

Ein Buchenscheit knackte im Kamin, ein Sprühregen von Funken stob auf und verglühte zu ihren Füßen.

»Es ist nicht ausgestanden«, sagte sie. »Ihr wißt es so gut wie ich. Die eigentliche Prüfung hat jetzt begonnen. Laura zerbricht an ihr.«

»Noch ist nichts entschieden«, sagte er nach einer Weile und starrte in das Feuer. Der rote Schein spiegelte sich in seinen Augen wider.

»Ihr könnt ihren Geist erreichen. Ihr habt es schon einmal gekonnt.«

Ihr Kopfschütteln war so leicht, daß er es kaum wahrnehmen konnte.

»Ich bin zu schwach dazu. Meine Kraft reicht nicht mehr aus. Ich bin zu Tode erschöpft. Ich kann nur hier sitzen und warten, daß es geschieht.«

»Wenn es Kraft ist, die Ihr braucht, ich könnte sie Euch verschaffen.«

Wieder das winzige Kopfschütteln.

»Ihr wißt, daß es vergeblich wäre, Agrippa. Dies ist ein

Kampf, den Laura allein bestehen muß. Wir können nur hoffen, daß sie die Kraft dazu aufbringt.«

Er wußte, daß sie recht hatte. Die beiden Spieler, die sich über das Spielbrett neigten, waren bei den letzten und entscheidenden Zügen. Der Herr der Finsternis hatte den goldenen König schachmatt gesetzt, und der Herr des Lichts hatte ihn vom Spielfeld nehmen müssen. Jetzt hing alles davon ab, welchen Schritt die Schwarze Dame nun tun würde. Auf diesen Schritt hin war das Spiel aufgebaut worden. Entschied sie sich dafür, dem König zu folgen, dann ging sie den Weg der Verzweiflung, und der Sieg gehörte dem Herrn der Finsternis. Überwand sie den Schmerz um den Verlust ihres Geliebten, begriff sie das wahre Wesen der Liebe, dann war es ein Sieg des Lichts.

»Sie hat es schon einmal geschafft. Vielleicht schafft sie es das zweite Mal aus eigener Kraft.«

»Aber sie ist damals nur deshalb aus dem Abgrund der Verzweiflung zurückgekehrt, weil sie hoffte, Alessandro vor seinem Schicksal bewahren und doch noch besitzen zu können. Jetzt ist es anders. Jetzt muß sie sich bewähren. Jetzt steht ihr die eigentliche Prüfung bevor. Er ist tot. Jetzt muß sich zeigen, ob ihre Liebe loslassen kann, ob sie tiefer ist als das Verlangen nach Besitz und Vereinigung.«

»Esther konnte loslassen«, sagte Agrippa ermutigend.

Die Dame schüttelte den Kopf.

»Das zählt nicht, Agrippa, und das wißt Ihr. Esther hat Cesare nicht geliebt. Sie hatte Mitleid mit ihm. Sie gab diesem stolzen Mann, der aus so großer Höhe so tief gefallen war, den Trost, den die Wärme ihres Leibes ihm schenken konnte. Sie gab ihm für Augenblicke die Gnade des Vergessens. Aber sie hat ihn nicht geliebt, wie Laura Alessandro liebt oder wie ich Diego geliebt habe.«

Die braunfleckigen Hände auf der Pelzdecke verkrampften sich, und ihre leise Stimme wurde fast unhörbar.

Gierig leckten die Flammen an einem Buchenklotz. Das Knacken und Knistern des Feuers war das einzige Geräusch. Agrippa starrte in den Kamin, um nicht dem Blick der Dame de Lalande zu begegnen. Er kannte die Geschichte ihrer Liebe zu Diego Mendoza nicht. Er wußte nur, daß sie, damals auf die Probe gestellt wie Laura jetzt, versagt hatte. Er wußte nicht, ob sie darüber reden wollte, und so schwieg er und betrachtete den Tanz der Flammen um die Holzscheite.

Endlich sprach sie weiter, viel eher zu sich selbst als zu ihm.

»Ihr wißt, daß ich in Granada aufgewachsen bin, bevor die Christen es erobert haben. Granada war eine Welt für sich. Seit Jahrhunderten lebten Moslem, Juden und Christen friedlich miteinander und tauschten ihr Wissen aus. Wir waren reich in Granada. Reich an duftenden Rosen und plätscherndem Wasser, an kühlen Brunnen und dunklen Myrten, reich an Liedern und Büchern, reich an uraltem Wissen, das älter war als die älteste der drei Religionen. Wir wußten um den ewigen Kampf des Guten gegen das Böse. Wir kannten die Versuchungen, die das Böse für uns bereithält: die Gier nach Besitz statt nach Wissen, nach Lust statt nach Erkenntnis, nach Dauer im Sterblichen statt der Sehnsucht nach dem Ewigen. Und wir wußten, was die größte Sünde ist: die Verzweiflung, die ins Nichts führt, wenn Besitz verlorengeht, die Lust schwindet und der Tod droht. Ich wußte um das alles. Meine Eltern waren Wissende und gaben ihr Wissen an mich weiter. Aber als ich geprüft wurde, habe ich versagt.«

Sie machte eine Pause. Agrippa bewegte sich nicht. Er gab mit keiner Miene zu verstehen, daß er sie überhaupt gehört hatte.

Sie klärte ihre Stimme mit einem Hüsteln und fuhr dann fort:

»Ich lebte damals in einem geräumigen Haus mit Esther, meiner kleinen Tochter. Ich war Witwe. Mein Mann hatte mich wohlversorgt zurückgelassen, und meine Tage verflossen gleichförmig und gelassen, überschattet nur von der Melancholie, die alle spürten, die das Ende Granada vorausahnten. Als es kam, war ich darauf vorbereitet. Ich hatte meine Seele gestählt. Ich fürchtete mich nicht vor dem Verlust meiner Habe und meines Hauses und nicht vor dem Tod, weder vor meinem noch vor dem Esthers. Es gab nichts, was mich an diesem Leben so festhielt, daß ich nicht bereit gewesen wäre, es aufzugeben. Wir wurden verschont. Ich hielt es für eine Gnade. Aber in Wahrheit war es der Beginn der Prüfung.

Meine Bereitschaft, alles hinzugeben, war nicht aus Demut geboren, sondern aus Hochmut. Jetzt sollte ich beweisen, wie ernst es mir mit dem Entsagen war, und ich scheiterte kläglich. Nach der Eroberung legten die Spanier Besatzung in die Häuser, die unversehrt geblieben waren. In mein Haus wurde ein junger Offizier einquartiert, Don Diego de Mendoza. Er war jung, jünger als ich, viel zu jung für das blutige Handwerk, das er ausüben mußte. Seine Seele war voll Mitleid mit den Opfern und noch nicht vom Schlachten abgestumpft. Ich liebte ihn um der Tränen willen, die er um Granada vergoß. Er fühlte, daß nicht nur eine Stadt untergegangen war, sondern eine Kultur. Fortan würde man in Spanien und in Europa das Andersartige nicht mehr achten, sondern ausrotten. Diego war einsam, und ich tröstete ihn, wie Esther später Cesare Borgia tröstete. Mein Mitleid verwandelte sich in Liebe zu dem schönen Jungen mit den traurigen Augen. Dann kam der Tag, an dem Königin Isabella ihn zu sich lud und sich dankbar erzeigte für die Tapferkeit, die er bei der Belagerung der Stadt an den Tag gelegt hatte. Sie verlobte ihn mit einem ihrer Mündel, einer reichen Erbin. Diego weigerte sich nicht, diese Ehe einzugehen. Er kam aus einem alten berühmten Geschlecht, aber er war arm. Diese Ehe vermehrte Macht, Reichtum und Ansehen seiner Familie. Er weinte, als er mir sagte, daß er mich verlassen müsse.«

Diesmal machte sie keine Pause. Sie holte nur tief Atem und fuhr rascher fort:

»Er packte seine Sachen zusammen und verabschiedete sich von mir. Ich war wie von Sinnen. Ich wollte ihn nicht verlieren. Ich konnte ihn nicht gehen lassen. Er sollte mir gehören, für immer. Keine andere sollte ihn besitzen dürfen. Rascher als ein Gedanke, den ich fassen konnte, war die Tat. Seine Streitaxt lag auf dem Tisch. Ich erfaßte sie und spaltete seinen Schädel, bevor er erkannte, was ich vorhatte, ja, bevor ich selbst es erkannt hatte.«

Sie brach ab.

Agrippa griff nach dem Wasserkrug, den Anna bereitgestellt hatte, füllte einen Becher und reichte ihn ihr. Sie nahm ihn mit zitternder Hand und verschüttete etwas davon, als sie ihn zum Mund führte.

»Ich hätte mich selbst getötet, wenn Esther nicht gewesen wäre. Um ihretwillen blieb ich am Leben. Ich begrub Diego im Garten meines Hauses, nahm meinen Schmuck und floh mit dem Kind nach Frankreich. Dort heiratete ich zum zweiten Mal. Mein Mann nahm Esther als sein Kind an. Seitdem ist kein Augenblick vergangen, in dem ich nicht bereut habe, aber es ist zu spät. Ich kann nichts mehr daran ändern. Ich hing mit allen Fasern meines Herzens an dem Besitz des Körpers meines Geliebten und wußte doch, daß Liebe bestehen muß ohne die Schlacken der Materie, wenn sie nicht in Tod und Vernichtung, wenn sie nicht ins Reich des Bösen führen soll. Jetzt steht Laura in der Prüfung. Wenn sie Alessandro nachstirbt, hat auch sie das Geheimnis der Liebe nicht begriffen.«

»Wir müssen in Geduld abwarten«, sagte Agrippa. »Vielleicht wird es Laura gelingen. Vielleicht wird sie erkennen, daß Liebe nicht bedeutet, das sterbliche Fleisch zu besitzen, sondern daß Liebe ewig und unvergänglich nur um ihrer selbst willen da ist.«

Annibale Strozzi ließ den Blick durch den Raum schweifen. Isabella d'Este Gonzaga und einige ihrer Gäste, fast nur Damen, hatten sich im Musiksaal versammelt. Heute sollte ein ganz besonderer Leckerbissen geboten werden. Die Barberina war gekommen, um ihre Wahrsagekünste vorzuführen. Natürlich war Annibale ihr Name seit langem ein Begriff. Die Barberina war in ihrer Profession weit über die Grenzen von Mantua hinaus eine Berühmtheit. Es gab viele, die behaupteten, sie habe sich noch niemals geirrt. Soldaten gingen zu ihr, und verliebte Mädchen, Herzoginnen bestellten sie zu sich, und es hieß, sie habe schon mehr als einem Kardinal die Zukunft vorausgesagt. Annibale glaubte nicht an dergleichen prophetische Gaben. Sein Schicksal stand weder in den Sternen noch lag es in den Linien seiner Hand, sondern allein in ihm selbst, in seinem Mut, seinem Ehrgeiz, seiner Zielstrebigkeit, seiner Klugheit. Die Barberina hätte von ihm nicht eine Kupfermünze erhalten.

Mit Frauen war das natürlich etwas anderes. Sie waren für dergleichen mystisch sich gebärdenden Unsinn empfänglich. Er brauchte ja nur zuzuhören, wenn Isabella d'Este Gonzaga und ihre Hofdamen die Barberina rühmten. Trotz ihrer Bildung und Intelligenz waren sie leicht zu beeindrucken.

Die Barberina war eine ungeheuerlich dicke alte Frau, deren Augen unter Fettwülsten und Tränensäcken fast begraben waren. Sie war weiß geschminkt, und Fettcreme und Puder bildeten dicke Rinnsale in den Falten ihres Gesichts. Ihre Haare verbarg sie unter einem dunkelroten Turban und ihren unförmigen Leib in einem blauen Gewand, das mehr einem Zelt als einem Kleid ähnelte. Neben ihr saß ein etwa zwölfjähriger Knabe mit einer Laute. Aus der Art, wie er den Kopf hielt, erkannte Strozzi, daß er blind war.

Sein Blick blieb an Laura de Roseval hängen. Er erschrak, wie mager sie geworden war. In dem blassen, eingefallenen Gesicht waren nur die Augen groß und glichen dunklen, unergründlichen Brunnen. Sie saß dort auf ihrem Stuhl wie eine schöne Gliederpuppe, als würde sie nicht recht wahrnehmen, was um sie herum vorging. Montefalcones Tod mußte ihr nahegehen, aber sie würde schon darüber hinwegkommen. Er dachte an die Ereignisse der letzten Zeit und konnte ein leises Unbehagen nicht unterdrücken. Auf der Wolfsjagd war nicht alles nach Plan verlaufen und Montefalcone nicht tot im Wald geblieben. Er hatte, umringt von vielen Zeugen, den Schwerverletzten nach Ferrara zurückgeschafft. Er hatte unterwegs nicht die Gelegenheit gefunden, mit einem heimlichen Stich in den zerfetzten Körper der Sache ein Ende zu machen, aber er hatte geahnt, daß Montefalcone seine Verletzungen auch so nicht überleben würde. Am Morgen war dann die Nachricht vom Tod Montefalcones gekommen. Das war, gerade als er sich auf den Weg nach Frankreich machen wollte. Mit einem Gefühl tiefer Befriedigung, sich den Herzog geneigt gemacht zu haben und auf dem Weg nach oben nun wohl ein gutes Stück weiterzukommen, hatte er den Schloßhof betreten, wo die Kavalkade, die er anführen sollte, schon bereitstand. Das Mädchen hatte gerade den Hof betreten. Er erinnerte sich an die Szene noch genau. Laura war hochgewachsen, aber neben dem riesigen Mohr an ihrer Seite hatte sie zart wie ein Kind gewirkt. Auf dem Arm des Mohren hatte die Zwergin gesessen und gesungen. Er wußte noch, wie lächerlich ihm das vorgekommen war. Er hatte der kleinen Person einen verächtlichen Blick zugeworfen. Sie hatte seine Augen einen Moment lang festgehalten und sich dann mit einem Lächeln abgewandt. Der Mohr hatte sie fortgetragen. Laura war in die Sänfte gestiegen. Er hatte sie dabei beobachtet. Einen Augenblick lang hatte er sogar fast Mitleid mit ihr empfunden. Armes Mädchen. Sie würde nie lebend in Frankreich ankommen.

Inzwischen war das aufgeregte, erwartungsvolle Geflüster abgeklungen, und die Barberina lehnte sich zurück. Sie pochte mit dem Ring an ihrem Mittelfinger auf den Tisch und sagte zu dem blinden Jungen:

»Singe!«

Der Knabe stimmte die Saiten und schlug dann Akkorde an, die Annibale Strozzi vage vertraut vorkamen.

> Pour oublier mon malheur
> il faut que je chante
> mon chant calme la douleur
> qui tant me tourmente
> cent soupirs pour chaque jour
> c'est ma triste rente
> le seul bien que j'ai d'amour
> c'est une mort lente
> chacun dit que je suis fou
> je le sais bien mieux que vous.

Annibale Strozzi achtete auf die Hände des blinden Jungen auf der Laute. Die Barberina hatte sich mit halbgeschlossenen Augen zurückgelehnt. Die Stimme des Jungen hob sich hell und gespannt und erfüllte den Raum.

> Mon cœur a bien raison et droit
> d'adorer la belle
> car tout homme qui la voit
> s'enamoure d'elle
> nul ne dit bien qui ne soit
> ni mal qu'il ne mente
> heureux celui qu'elle reçoit
> dessous sa douce tente

chacun dit que je suis fou
je le sais bien mieux que vous.

Das Lied verklang. Der letzte Ton der Laute verebbte.

Annibale beobachte, daß Isabella und ihre Damen ergriffen waren. Und dann sah er plötzlich, daß Laura weinte. Lautlos strömten die Tränen über ihre Wangen. Es war das erste Mal, seit sie das Kastell der Este in Ferrara verlassen hatte, daß sie eine Gefühlsregung zeigte.

Auch die Barberina hatte offenbar ihre Tränen bemerkt. Sie wandte sich Laura zu. Annibale hatte das Gefühl, als gäbe es eine intensive Spannung zwischen Laura und der Barberina, die alle anderen Zuschauer ausschloß.

»Es ist nur Musik«, sagte die Barberina und beobachtete Laura. »Schwingungen der Luft, hervorgerufen durch das Zupfen einiger Darmsaiten. Weiter nichts.«

Laura schüttelte langsam den Kopf.

»Es ist mehr, viel mehr«, sagte sie leise, fast unhörbar für Strozzi und die anderen im Raum, aber die Barberina schien sie mühelos verstehen zu können.

»Es ist nicht die Luft, die die Seele ergreift, die Erinnerung heraufbeschwört, die Vergangenheit gegenwärtig macht. Es ist die Liebe, die zu Tönen gerinnt.«

»Doch ohne dieses hölzerne Instrument, ohne die Hände und die Zunge des Kindes wäre das alles nichts«, sagte die Barberina.

Wieder schüttelte Laura den Kopf.

»Das Lied existiert«, sagte sie, »auch ohne daß es gespielt und gesungen wird. Es ist da, auch wenn ich es nicht höre.«

Annibale Strozzi unterdrückte eine leichte Gereiztheit. Was sollte das bedeuten? Wollte sie jetzt stundenlang über Musik diskutieren? Zu seiner Erleichterung stand die Barberina auf.

Laura erhob sich. Strozzi starrte sie an. Ebenso unbegreiflich wie ihre bisherige Teilnahmslosigkeit erschien ihm jetzt das Leuchten in ihren Augen. Er erinnerte sich, daß er es schon einmal gesehen hatte.

In den Augen von Alessandro Montefalcone. Als er mit ihm auf die tödliche Wolfsjagd geritten war.

Am nächsten Morgen verließen sie Mantua. Der klirrende Frost der vergangenen Tage hatte sich abgeschwächt. Es begann zu schneien. Zuerst tanzten nur einzelne zarte Flöckchen im Wind, dann wurde der Schneefall dichter, und schließlich hüllten die dicken Flocken sie so ein, daß sie Mühe hatten, die Straße im Auge zu behalten. Laura kuschelte sich unter ihre Pelzdecke und schloß die Augen. Sie fühlte sich erschöpft wie nach einer langen, schweren Krankheit. Vielleicht konnte sie trotz der Kälte ein wenig schlafen.

Sie schreckte hoch, als das sanfte Schaukeln der Sänfte abrupt unterbrochen und sie mit einem Ruck auf dem Boden abgestellt wurde. Vorsichtig spähte sie durch den Vorhang.

Drei bewaffnete Reiter sperrten die Straße. Sie trugen Mäntel aus grober grauer Wolle, hatten die Kapuzen tief ins Gesicht gezogen, und Schnee lag ihnen wie Zuckerguß auf Kopf und Schultern. Zwei der Männer hatten Musketen im Anschlag. Der mittlere, offenbar der Anführer, hielt die Zügel locker und hob die Hand, Halt gebietend.

Annibale Strozzi zügelte sein Pferd, richtete sich in den Steigbügeln auf und brachte seinen Zug mit einer Armbewegung und einem Ruf zum Stehen. Laura sah, wie er dem Mann entgegenritt. Ein Blick genügte ihr, um zu wissen, mit wem sie es zu tun hatten.

Zwar war sie Giacomo dem Teufel noch nie begegnet, aber die Beschreibung, die in lebhaften Farben landauf, landab über diesen Anführer einer berüchtigten Räuberbande umlief, konnte keinen Zweifel zulassen. Dieser Mann trug einen kurzgeschorenen grauen Vollbart, der jetzt mit dem Weiß der Schneeflocken gesprenkelt war. Neben der kühnen Raubvogelnase fiel in seinem Gesicht vor allem eine tiefe blutrote Narbe auf, gezackt wie ein Blitz, die an seiner rechten Braue begann und unter dem Haaransatz verschwand. Giacomo der Teufel war berüchtigt dafür, daß er die Reisenden nicht nur ausraubte, sondern gefangennahm, um ein hohes Lösegeld zu erpressen.

Giacomo verbeugte sich höflich.

»Wir wünschen keinen Kampf, Messer Strozzi«, sagte er mit der Stimme eines kultivierten Mannes, »aber wir werden ihm nicht ausweichen, falls Ihr ihn uns aufzwingt. Ihr wäret allerdings besser beraten, darauf zu verzichten.«

Giacomo hob den Arm, und aus dem Schneevorhang lösten sich schattenhafte Gestalten, die Musketen und Armbrüste in Anschlag gebracht hatten. Die Zahl der Banditen war bei diesen schlechten Sichtverhältnissen nicht auszumachen, doch versicherten glaubwürdige Gerüchte, daß Giacomo der Teufel mehr als fünfzig Mann befehligte. Laura schauderte. Sie hatten keine Chance.

Giacomo verbeugte sich höflich. »Wir haben Befehl, Euch und Eure Männer ungeschoren ziehen zu lassen. Fern sei es uns, den Zorn des Herzogs auf uns zu ziehen, indem wir seinen Kurier aufhalten. Wir wünschen nur, daß Ihr uns die junge Dame übergebt, die Ihr mit Euch führt.«

Laura erstarrte. Was konnten sie von ihr erwarten? Sie war nicht reich, stammte aus keiner bedeutenden Familie und war in Ungnaden entlassen worden. Es gab niemanden, aus dem Giacomo ein Lösegeld für sie herauspressen konnte.

Laura sah, wie Strozzi nickte und an die Sänfte herangeritten kam.

Sie hatte den Vorhang jetzt ganz zurückgeschlagen. Er unterrichtete sie in dürren Worten und betonte die Ausweglosigkeit seiner Situation.

Laura blieb äußerlich unbewegt.

»Ich begreife Eure Lage, Messere. Ich sehe, daß mir nichts übrig bleibt, als mich zu fügen.«

Die Alte an ihrer Seite begriff erst jetzt, was vor sich ging und brach in lautes Geschrei aus, das niemand beachtete.

Giacomo sprang vom Pferd und verneigte sich höflich vor Laura.

»Wenn Ihr bitte aussteigen würdet, Madonna?«

Er half Laura aus der Sänfte und stieß einen durchdringenden Pfiff aus. Aus dem Schneetreiben tauchten zwei Reiter auf, die ein lediges Pferd mit sich führten. Giacomo hob Laura in den Sattel, schwang sich auf sein eigenes Pferd, und die vier verschwanden in Sekundenschnelle hinter dem weißen Vorhang. Die Straße lag leer und verlassen, als sei ihnen nur ein Spuk begegnet.

Zu ihrem Erstaunen stellte Laura fest, daß sie den scharfen Ritt genoß. Die Kälte der schmelzenden Schneeflocken auf ihrer

Haut, das Stechen des eisigen Windes in ihren Lungen und die Bewegungen des Pferdes unter ihr gaben ihr ein prickelndes Gefühl von Lebendigkeit, verschafften ihr eine harte, greifbare Wirklichkeit und machten ihren Kopf klar und frei.

Die Barberina hatte sie von ihrem Schmerz befreit. Sie wußte es von ihrer Großmutter, und bei der Barberina war es ihr wie eine neue Offenbarung zuteil geworden. Mit Alessandros Körper war nicht ihre Liebe vernichtet worden. Er war nicht mehr in einer Welt mit ihr, aber das änderte an ihrer Liebe nichts. Und in ihrer Liebe lebte er weiter, würde er immer bei ihr sein. Er existierte weiter, wie das Lied existierte, auch wenn es nicht gesungen wurde. Weil die Idee des Liedes existierte. So existierte auch die Idee Alessandros, weil sie sie in sich trug und bis zu ihrem Tod bewahren würde.

Diese Erkenntnis, zu der die Barberina ihr verholfen hatte, hatte sie die letzten zwei Tage wie durch einen Traum schweben lassen. Jetzt, in dem kalten Wind und dem nassen Schnee, begann sie, an realere Probleme zu denken. Was hatte Giacomo vor mit ihr?

Sie überlegte, wer den Teufel zu dieser Entführung angeheuert haben konnte, und kam zu dem Schluß, daß es der Herzog sein mußte. Er hatte in Ferrara kein Aufsehen erregen wollen, besonders nicht bei Renée. Aber wenn sie – wie er vermuten mußte – durch Donna Leonora Montefalcone die Wahrheit über Alessandros Abstammung herausgefunden hatte, dann mußte er sich ihrer entledigen wollen. In Frankreich war sie zwar weit entfernt, aber doch nicht aus der Welt. Sie konnte Gerüchte in Umlauf bringen, die sich schnell und weit verbreiten würden. Sicher fühlen konnten sich Alfonso d'Este und sein Sohn erst, wenn ihr für immer der Mund verschlossen wurde. Sie hatte keinen Zweifel daran, daß Giacomo nicht wegen eines Lösegeldes unterwegs war, sondern um sie zum Schweigen zu bringen.

Ihr nächster Gedanke galt der Flucht. Sie würde sich bestimmt nicht wie ein Opferlamm zur Schlachtbank führen lassen. Sie mußte warten, bis sie rasteten. Im Reiten war an ein Entkommen nicht zu denken; die Bande des Teufels ritt in einem halsbrecherischen Tempo und hatte Laura dicht umringt.

Gegen Abend kampierten sie in einem halbverfallenen Stall. Die Männer entfachten ein Feuer und boten ihr von ihrem Brot, Schinken und Käse an. Laura aß heißhungrig. Als sie sich zum Schlafen legten, warf jemand ihr einen Wollmantel zu, in den sie sich wickelte. Zu ihrer Überraschung behandelten die Männer sie mit Respekt, der Teufel sogar mit einer höfischen Grandezza, so daß sie sich fragte, wo er aufgewachsen sein mochte und welches Schicksal ihn zum Herrn einer Räuberbande gemacht hatte.

Am nächsten Morgen schneite es nicht mehr. Die Welt war weiß und still, überwölbt von einem blaßgrauen Himmel. Stunden nach ihrem Aufbruch bot sich Laura eine Möglichkeit zur Flucht.

Sie waren an einem breiten zugefrorenen Kanal angelangt, den sie überqueren mußten. Die Männer beschlossen, zuerst zu prüfen, ob das Eis ihr Gewicht aushielt, bevor sie hinüberritten. Sie beluden ein Pferd mit einer schweren Last und trieben es mit Prügel aufs Eis. Alle beobachteten das Tier gespannt.

Laura nutzte den Moment, in dem keiner auf sie achtete, wendete ihr Pferd und sprengte dem Wäldchen zu, das sie gerade verlassen hatten.

Sie war keine Minute geritten, als Rufe hinter ihr ertönten. Sie trieb ihr Pferd an und betete, daß ihr Vorsprung ausreichte. Aber der Teufel hatte das schnellere Pferd. Er galoppierte an ihr vorbei und fiel ihr in die Zügel. Seine Augen funkelten vor Wut. Er hob den Arm und ohrfeigte sie.

»Versucht das nie wieder«, sagte er drohend.

Die anderen waren herangekommen. Jemand band Lauras Hände auf den Rücken. Dann wurde sie vom Pferd gehoben und vor Giacomo gesetzt.

»Wenn Ihr davonlauft, werde ich Euch auch die Füße fesseln lassen«, versprach er.

Laura schossen vor Zorn und Enttäuschung die Tränen in die Augen.

Am dritten Tag erreichten sie eine große Ruine, die dunkel gegen den Winterhimmel abstach. Es war eine verlassene Klosterkirche ohne Dach, deren Turm eingestürzt war. Laura entdeckte kein Zeichen von Leben in der Ruine, doch als sie näherkamen, sah sie, daß der Schnee von Hufen zertrampelt war. Bei dem Anblick grunzte Giacomo zufrieden.

In der Ruine erwarteten sie zwei Männer. Beide waren schwarz gekleidet und maskiert.

Meine Mörder, dachte Laura.

Der größere der beiden Männer warf dem Teufel eine Börse zu. Giacomo öffnete sie, zählte den Inhalt durch und bleckte grinsend seine Zahnstummel.

»Generös, Messere, generös. Falls Ihr meine Dienste wieder einmal benötigt – ich stehe Euch jederzeit wieder zur Verfügung. Gott befohlen, mein schönes Täubchen.«

Er warf Laura eine Kußhand zu und verließ mit seinen Männern die Mauern der verlassenen Kirche.

Laura blieb mit den beiden Maskierten allein.

Der kleinere der beiden Männer trat auf sie zu und schnitt ihr die Fesseln durch. Dann nahm er seine Maske ab.

Es war Antonio Montefalcone.

Die Überraschung verschlug Laura für eine Weile die Sprache.

Antonio sorgte umsichtig für das Nötige. Sie hatten ein Pferd für Laura mitgebracht und einen marderfellgefütterten Umhang, in den Antonio sie einhüllte.

»Kommt! Eine halbe Stunde von hier ist ein Bauernhaus, wo wir die Nacht verbringen werden. Dort ist alles für Euch vorbereitet. Dort können wir reden.«

Er war verändert.

Das war nicht mehr der linkische Junge, den sie in Blois kennengelernt hatte. Er trat entschieden und energisch auf, jeder Zoll das selbstbewußte Oberhaupt des Hauses Montefalcone.

Sie schlugen die Richtung nach Norden ein, bogen vor einem Wald ab und erreichten ein größeres Gehöft, als die Dämmerung hereinbrach. Ein Knecht kam heraus und nahm ihre Pferde in Empfang. Sie betraten einen großen, niedrigen Raum, der warm und behaglich war. Eine alte Frau kauerte vor dem Feuer und überwachte einen Kessel mit Suppe.

Laura brannten tausend Fragen auf den Lippen, aber Antonio sagte, er habe teuflischen Hunger und sei von dem stundenlangen Warten in der alten Abtei steifgefroren. Er würde erst nach dem Essen Auskunft geben können. Laura gönnte ihm nicht einen Löffel von der heißen Suppe. Für ihr Gefühl dauerte es endlos, bis er endlich den Löffel beiseite legte und sich zu sprechen bequemte.

»Cristina hat das alles eingefädelt«, sagte er. »Sie glaubte nicht daran, daß der Herzog gesonnen war, Euch ziehen zu lassen. Wenn er befürchten mußte, daß Ihr sein Geheimnis kennt, würde er unterwegs Gelegenheit finden, Euch aus dem Weg zu räumen. Deshalb beschloß Cristina, ihm zuvorzukommen und Euch entführen zu lassen. Matteo – Gott weiß woher – hatte geheime Kontakte zu Giacomo dem Teufel und seiner Bande, und so erhielt er den Auftrag, Euch Strozzi fortzunehmen. Giacomo war seit Ferrara in Eurer Nähe und hat auf die passende Gelegenheit gelauert. Ich wünschte, er hätte es früher getan. Ich warte seit vier Tagen in dieser zugigen Ruine und bin bis auf die Knochen durchgefroren.«

»Wohin wollt Ihr mich bringen?« fragte Laura.

»Nach Venedig. Es gibt keine Stadt, in der ein Mensch so gut untertauchen kann wie in Venedig im Karneval. Cristina wird auch dort sein.«

»Soll ich den Rest meines Lebens versteckt in Venedig verbringen?«

»Ihr könnt die Stadt erst verlassen, wenn die Schiffe wieder in See stechen. Im Frühjahr. Nirgends kann man so gut seine Spuren verwischen wie in einem Hafen, sagt Cristina. Ihr geht in Venedig heimlich an Bord und verlaßt das Schiff ebenso heimlich in einem Hafen Eurer Wahl. Ihr werdet allerdings nicht mehr zu Eurer Familie zurückkehren können.«

Laura nickte.

Am nächsten Tag brachen sie zeitig auf und erreichten Venedig vier Tage später.

Der schneidende Nordwind, der Frost und Schnee gebracht hatte, hatte sich grollend in seine Bergfeste zurückgezogen. An seiner Stelle war Dunst vom Meer gekommen, der wie zarter Nebel über der Lagune lag, alle Farben verschleierte und alle Geräusche dämpfte.

Sie landeten in einer Barke bei Santa Lucia. Dort wartete eine schmucklose schwarze Gondel auf sie. Antonio führte Laura sofort zu der Bank unter der Plane, wo sie vor Blicken geschützt das Treiben beobachten konnte. Sie glitten in das Gewimmel der Boote auf dem Canale grande, vorbei an Lastkähnen mit Holz, Gemüse, Schlachtvieh, mit Säcken und Truhen und Kisten, die Schätze aus allen Ländern des Orients enthalten mochten. Prunkvolle Paläste stiegen Träumen gleich aus den Wassern empor. Vor einem der Paläste sah Laura eine riesige Prunkgondel, vergoldet und mit dem Wappen der Montefalcones verziert. Sie fuhren daran vorbei. Laura wandte sich fragend Antonio zu.

»Cristina hat ein kleines Haus bei Santa Maria della Salute gemietet. Es wäre viel zu gefährlich, Euch im Palazzo zu beherbergen. Wenn der Herzog von Eurem Verschwinden erfährt, wird er das Haus sicher beobachten lassen.«

Vor der Rialtobrücke stauten sich die Boote, weil ein Lastkahn sich quergelegt hatte. Eine Gondel überholte sie und kreuzte ihre Spur. Ein Mann stand aufrecht in der Mitte. Laura sah von ihm nicht mehr als den schlanken Rücken in einem schwarzen Samtgewand und einen ausladenden Turban. Unwillkürlich griff sie nach Antonios Arm und beugte sich vor, einen Aufschrei auf den Lippen. Der Mann in der Gondel drehte sich um, als habe er sie gehört. Sie blickte in das leere, unbewegte Antlitz einer goldenen Maske, aus deren rechtem Augenwinkel eine einzige schwarze Träne rann. Dann bog die Gondel in einen der schmalen Kanäle ein und war außer Sicht.

»Was ist los?« fragte Antonio.

Laura löste ihre Hand von seinem Arm.

»Einen Augenblick dachte ich …« Sie vollendete den Satz nicht, und Antonio fragte nicht weiter.

Nachdem der Lastkahn den Weg frei gemacht hatte, fuhren sie nur noch ein kleines Stück den Canale grande hinunter und bogen dann in ein Labyrinth enger Kanäle, wo die schlichten einstöckigen Häuser der Krämer, Handwerker und Fischer die Ufer säumten. Auch hier herrschte Maskentreiben, aber lauter und derber als auf dem großen Kanal. Kinder balgten sich, Hunde rauften, Mägde kreischten auf, wenn die Burschen zu nahe kamen, alte Frauen beobachteten mit flinken Augen die Gassen, nach dem neuesten Skandal suchend. Die Gondel legte an, Antonio half Laura auf die Straße und pochte ein paar

Schritte weiter dreimal an eine Haustür. Sie wurden in einen langen dunklen Flur eingelassen, den Antonio mit Laura rasch durchquerte, nur um am anderen Ende wieder auf eine Straße hinauszutreten. Hier lag am Kai eine Gondel, die Antonio selbst steuerte. Sie drangen immer tiefer in ein Labyrinth von Kanälen ein, so daß Laura schon fürchtete, Antonio könne die Orientierung verloren haben. Endlich legte er an und half ihr auf die Füße.

Sie hielten vor einem unscheinbaren grauen Haus, dessen Farbe der Regen ausgewaschen hatte und von dem in großen Stücken der Putz abblätterte. Die Fenster waren mit dunklen Holzläden fest verrammelt. Antonio klopfte dreimal, die Tür wurde geöffnet, und er zog Laura rasch über die Schwelle. Hinter ihr fiel die Haustür dumpf ins Schloß.

Nach dem Dämmern draußen mußte Laura vor dem gleißenden Licht erst einmal die Augen schließen. Sie standen in einer quadratischen Diele, deren Steinfußboden mit einem dicken Teppich aus Persien belegt war. An den Wänden hingen Armleuchter, hinter denen Kristallspiegel befestigt waren. Das vom Spiegel reflektierte Licht erfüllte den Raum mit der blendenden Helligkeit. Die Wände und die Decke waren holzvertäfelt. Eine Treppe führte ins Obergeschoß.

An ihrem Fuß stand Cristina. Sie trug ein schwarzes Seidenkleid und auf dem Kopf eine enganliegende dunkle Kappe, von der der Witwenschleier ihren Rücken hinabfloß.

»Willkommen, Laura«, rief sie, eilte ihr entgegen und hüllte sie in eine duftende Umarmung.

»Dies wird Euer Haus sein, bis Ihr Venedig verlassen könnt. Elisabetta und ich haben uns bemüht, es Euch behaglich zu machen.«

Antonio nahm ihr den Pelzumhang ab, und Cristina zog sie vorwärts.

»Kommt! Eure Räume liegen oben.«

Laura ließ sich wie ein Kind von ihr die Treppe hinaufführen und staunte darüber, wie der Reichtum der Montefalcones dieses unscheinbare Haus in einem ärmlichen Viertel in ein Schatzkästlein verwandelt hatte, das allen raffinierten Luxus enthielt, den Venedig bieten konnte. Sie begriff nicht, warum Cristina sich ihretwegen solche Umstände gemacht hatte.

Cristina blieb oben vor der ersten Tür stehen und stieß sie auf.

»Tretet ein!«

Laura ging langsam an ihr vorbei.

Das Zimmer war nicht groß, aber mit erlesenem Geschmack möbliert. Laura sah weder die samtbezogenen Sessel noch den Kristallüster oder die Gemälde an den Wänden. Ihr Blick wurde magisch angezogen von dem Holztisch in der Mitte, dessen polierte Fläche im Licht des Kronleuchters über ihm matt schimmerte. Mitten auf dem Tisch lag eine Maske, ein goldenes Gesicht, aus dessen rechtem Augenwinkel eine schwarze Träne rann, und starrte sie aus blicklosen Augenlöchern an.

Der Mann, der mit dem Rücken an der Wand lehnte und ihr entgegensah, rührte sich nicht. Im Schein des Feuers leuchtete sein Haar. Als er sprach, war seine Stimme hell und klar und triumphierend. Die Stimme entzündete das Licht und baute die Brücke.

»Heureux celui qu'elle reçoit dessous sa douce tente.«

Laura ging zu ihm.

Personenverzeichnis

Franz I. von Frankreich, geb. 1494, französischer König seit 1515, Schwiegersohn des vorigen Königs Ludwig XII. Seine Politik kreiste hauptsächlich darum, die habsburgische Macht zu schwächen. Um dieses Zieles willen paktierte er mit den Türken und mit deutschen Protestanten, obwohl er in Frankreich selbst die Reformation bekämpfte. 1525 verlor er die Schlacht von Pavia und war bis 1526 ein Gefangener Kaiser Karls V. Franz war ein großzügiger Mäzen. Unter anderem berief er Leonardo da Vinci an seinen Hof. Er starb 1547.

Renée von Frankreich, Tochter Ludwigs XII. und der Anne de Bretagne, geb. 1510. Sie heiratete 1528 den Erbprinzen von Ferrara, dem sie fünf Kinder gebar, und wurde 1534 Herzogin. 1536 gewährte sie an ihrem Hof Calvin Zuflucht. Wegen ihrer protestantischen Neigungen geriet sie in große Schwierigkeiten. Die Kinder wurden ihr entzogen, zeitweise war sie inhaftiert, die Inquisition strengte einen Prozeß gegen sie an, den der Papst niederschlug. Nach dem Tode ihres Mannes verließ sie 1560 Ferrara und kehrte nach Frankreich zurück. Auf ihrem Schloß Montargis gewährte sie verfolgten Hugenotten Zuflucht. Sie starb 1575.

Anne de Pisselieu war eine der Mätressen Franz I. Sie erhielt sich lange seine Gunst und wurde von ihm zur Herzogin von Etampes erhoben.

Madame de Soubise war die Hofmeisterin der Prinzessin Renée. Sie begleitete ihre Herrin nach Ferrara und wurde mit anderen Personen des französischen Hofstaates nach einigen Jahren gegen den Willen der Prinzessin nach Frankreich zurückgeschickt.

Agrippa von Nettesheim, geb. 1486 in Köln, Arzt, Astrologe und Philosoph. Er diente Kaiser Maximilian, Kaiser Karl V., Franz I. und Heinrich VIII. von England. Sein Hauptwerk »De occulta philosophia« erschien 1531. Agrippa starb 1535 in Frankreich.

Louise Borgia, Tochter Cesare Borgias und Charlotte d'Albrets, geb. 1500, wurde 1517 verheiratet mit Louis de la Trémouille, der in der Schlacht von Pavia 1525 fiel. 1530 heiratete Louise Philippe de Bourbon, dem sie sechs Kinder gebar. Sie starb 1553.

Herzog Alfonso d'Este von Ferrara, geb. 1476, Sohn Herzog Ercoles I., vermählte sich 1502 mit Lucrezia Borgia. Er war mit Frankreich verbündet und unterstützte 1527 den Marsch der Landsknechte auf Rom. Er starb 1534.

Ercole d'Este, Sohn Alfonsos und Lucrezia Borgias, geb. 1508. Er heiratete 1528 Renée von Frankreich und wurde 1534 als Ercole II. Herzog von Ferrara. Er starb 1558.

Giulio d'Este, illegitimer Sohn Herzog Ercoles I. Sein legitimer Halbbruder, Kardinal Ippolito d'Este, ließ ihn 1505 überfallen und blenden, weil sie beide Rivalen um die Gunst Angela Borgias waren, einer Cousine Lucrezias. Herzog Alfonso ließ die Tat ungesühnt, weshalb sich Giulio an einer Verschwörung gegen den Herzog beteiligte, die entdeckt wurde. 1506 wurde Giulio zunächst zum Tode verurteilt und das Urteil dann in lebenslange Einkerkerung umgewandelt. Nach 53 Jahren, 1559, nach dem Tode Ercoles II., wurde er aus der Haft entlassen.

Isabella d'Este, geb. 1474, Tochter Ercoles I., heiratete Francesco Gonzaga, Markgraf von Mantua. Sie machte als Kunstsammlerin den Hof von Mantua zu einem der bedeutendsten ihrer Zeit. Sie starb 1539.

Giovanni Borgia, geb. 1498 in Rom. Mutter unbekannt. Zwei Geburtsurkunden weisen ihn als Sohn des Papstes Alexander VI. bzw. Cesare Borgias aus. 1501 wurde er zum Herzog von Nepi ernannt, später erhielt er das Herzogtum Camerino. Er wuchs am Hofe Lucrezias in Ferrara auf. Nach dem Sturz der Borgias verlor er den Prozeß um sein Herzogtum. Nach Lucrezias Tod lebte er in Rom als Oratore des Papstes. Er starb 1547 in Genua.

**»Seine Bestseller sind Reiseführer
in die Vergangenheit.«** FOCUS

In einem mitreißenden Roman erzählt Erfolgsautor Philipp
Vandenberg die abenteuerliche Lebensgeschichte von
Howard Carter. Der verspottete Amateur-Ausgräber stieg
auf zum »König von Luxor«. Doch er fand ein tragisches
Ende und nahm ein großes Geheimnis mit ins Grab.
Das größte Abenteuer der Archäologie gerät bei Vanden-
berg unversehens zur schönsten Liebesgeschichte des
vergangenen Jahrhunderts – einer Geschichte, die den
Geist der ausgehenden Kolonialzeit atmet und bis in die
aufregenden zwanziger Jahre reicht.

ISBN 3-404-14956-4

Eine menage à trois im Schatten der Revulotion

Am 14. Juli 1789 fällt ein junger Mann vom Himmel. Stephen Fletcher stürzt mit seinem Heißluftballon in den Garten von Montsignac in der Gascogne, und damit direkt in das Leben der drei adeligen Schwestern Sophie, Claire und Mathilde. Sophie, deren größter Ehrgeiz es bisher war, eine rote Rose zu züchten, verliebt sich auf der Stelle in Stephen, während Stephen nur Augen für Claire hat. In diesen Reigen hinein platzt die Nachricht von der französischen Revolution und bald erreichen ihre Ausläufer auch Montsignac ...

ISBN 3-404-14902-5

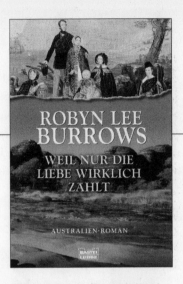

Eine Liebe in Queensland –
spannender Australienroman

Australien im 19. Jahrhundert. Die junge Kitty wird in eine übereilte Vernunftehe gedrängt. Sie soll dem Witwer die Frau ersetzen – und den Platz ihrer verstorbenen Schwester einnehmen. Obwohl sie selbst gerade erst den Mann verloren hat, der die große Liebe ihres Lebens war. Kann sie auf den Scherben dieses Verlustes ein neues, glückliches Leben aufbauen?

ISBN 3-404-14948-3